K.J. Bishop
Stad in scherven

DIEMEN

UITGEVERIJ M

Oorspronkelijke titel: *The Etched City*
Vertaling: *Annemarie van Ewyck*

Eerste druk februari 2006

ISBN 90 225 4294 7 / NUR 334

© 2003 K.J. Bishop
© 2006 voor de Nederlandse taal: De Boekerij bv, Amsterdam
Uitgeverij M is een imprint van De Boekerij bv, Amsterdam

Voor Stuart

DEEL EEN

Ik verfoei en verafschuw hoogmoed en de indecente verrukkingen van die verstikkende ironie, die de precisie van onze gedachten ontwricht.

Lautréamont, *Poésies*

1

IN HET KOPERLAND STONDEN GEEN mijlpalen. Dikwijls kon een reiziger alleen bepalen hoever hij gevorderd was op zijn tocht, aan de tijd die het vergde om van het ene vergane of verwoeste object naar het volgende te komen: een halve dagreis van een drooggevallen bron naar de loop van een kanon die uit een zandhelling stak; twee uur om de skeletten van een man en zijn muilezel te bereiken. Het land was bezig de strijd met de tijd te verliezen. Oud en der dagen zat sloeg het alles wat zich binnen zijn grenzen bevond met aftakeling, als om zijn chagrijn bot te vieren.

In het zuiden van het land werden droge vlakten met wat struikgewas afgewisseld door lappen woestijn. Eén weg maar voerde door deze streek en verbond de weinige gehuchten en oases, langs het tracé van een vervallen stenen muur, die lang geleden door een krijgsheer was opgetrokken. Daarlangs lagen, op ongeregelde afstand van elkaar, de resten van wachttorens en kleine forten. Het grootste gedeelte van de muur en de versterkingen lag volledig in puin, maar hier en daar waren nog stukken voldoende ongeschonden om beschutting te bieden. Op een avond, laat in de Dopmaand, toen de zon al op de horizon aan ging en haar stralen eindelijk hun beet begonnen te verliezen, bracht de weg dokter Raule naar een toren waarvan drie muren nog overeind stonden. Bij die veelbelovende aanblik verhelderden haar duistere gelaatstrekken en verloren ze de gemelijke uitdrukking die daar in de loop van de smoorhete, eentonige middag had post gevat. Eerder op de dag had ze verhalen uitgewisseld met de Harutaim nomaden, wier route de weg volgde, of liever bezijden de weg liep, want door mensenhand aangelegde paden sloegen ze laag aan. Ze trokken nooit hun tenten op bij de muur en hadden Raule gewaarschuwd dat ook niet te doen. Ze geloofden dat in de ruïnes kwade geesten rondwaarden, de oude, bitse, ondoden. Maar Raule verkoos de stenen plaatsen boven het lege land daarbuiten.

In de toren trof ze de as aan van een kampvuur, een fles, een leeg blikje waar vlees in gezeten had en een dot bebloed verband. Ze klom van haar kameel af en liet het dier grazen tussen de doornige planten die wortel hadden geschoten in het gruis tussen het metselwerk. Na de rommel in een hoek te hebben geschopt zette ze haar tentje op tegen een muur en legde een vuurtje aan boven op de as van het vuur van de rommelmaker. Ze at; met stug kauwen kreeg ze een paar repen gedroogd geitenvlees weg dat ze van de Harutaim had gekocht. Met meer plezier verslond ze een handje dadels, die ze aan de punt van een oud mes spietste om ze te laten poffen boven de vlammen tot ze heet en zacht waren. Toen haar bescheiden maaltijd was verorberd bleef ze bij het vuur zitten, terwijl de nacht vorderde, gewikkeld in een deken en haar gedachten, moe, maar zonder te kunnen slapen.

De temperatuur daalde snel als de zon eenmaal onder was en een felle wind stak op en gierde met vlagen langs de hemel heen en weer. Raule luisterde ernaar en bedacht dat het niet zo moeilijk was je te verbeelden dat er djinns en lijkenpikkers rondwaarden in de duisternis, of te denken dat je de kameelbelletjes hoorde van een karavaan die langs de weg reed. Toen ze in slaap viel droomde ze over de doden. Dezer dagen zag ze hen steevast zodra ze haar ogen dichtdeed.

De muur eindigde in het stadje Gehalte. De zon was een brandstapel in de late namiddag, de aarde was doorstoofd en morsig. Raule hing onderuitgezakt in het zadel. Haar hemd en broek plakten aan haar huid van het zweet en haar voeten voelden alsof ze in haar laarzen waren gekookt. Ze keek zonder geestdrift om zich heen. Zoals de meeste nederzettingen in het Koperland leek Gehalte te zijn opgetrokken uit de stoffelijke resten van overleden behuizingen. De enige levende zielen die ze zag waren een paar oude mensen die zaten te dutten op veranda's en balkons, roerloos als houten pionnen. Gesloten deuren en dichte luiken vervolmaakten het beeld van een verlaten nest.

Aan de rand van de stad stond een herberg, gebouwd met gebruikmaking van allerhande schroot. Het had een bakstenen veranda, waar de schaduw afkomstig was van een dekzeil en een mottige palm. Een deken over een stuk ijzerdraad deed dienst als deur terwijl er zakken voor de ramen hingen zodat je niet naar binnen kon kijken. Vier kamelen stonden vastgebonden aan een dwarsbalk voor de veranda. Raule nam ze eens op. Het waren gezond ogende rijdieren, met mooi tuig, waaraan de belletjes opvallend genoeg ontbraken.

Raule steeg af, bond haar kameel aan de palm en liep naar de deur. Ze had de medicijntas bij zich die haar vreedzame handel uitdroeg, terwijl ze haar rechterhand vlak bij het zelfgemaakte machinegeweer hield dat ze had gefabriceerd door het grootste gedeelte van de loop van een jachtgeweer af te zagen. Ze duwde de deken opzij. Binnen vond ze schemering, een vloer met zaagsel en gonzende vliegen. De lucht was er schroeiend heet, bijna niet om in te ademen. De temperatuur buiten was nog lekker, daarbij vergeleken. De enige klanten waren vier mannen die zaten te kaarten aan een tafel vol flessen, glazen en stapels bankbiljetten. Ze droegen alle vier donkere kleren, waren opgetuigd met wapens en bandeliers vol munitie en droegen breedgerande hoeden die hun gezicht in schaduwen hulden. Geestverschijningen die narigheid voorspelden. Ze draaiden zich allemaal om en keken Raule aan.

Een van hen, een slanke kerel, had zich helemaal ingepakt in een wijde zwarte mantel met een sluier tegen het stof, die de onderkant van zijn gezicht bedekte. Raule glimlachte inwendig om die sprekende karikatuur van een bandiet. Toen viel haar oog op een zwaard dat aan zijn linkerzij hing, en met de punt op de vloer achter hem rustte. Die lange, licht gebogen schede kende ze.

De man trok de rand van zijn hoed omlaag, alsof hij op zijn hoede was voor haar blik. Maar toen begon hij met zijn zwartgehandschoende vingers quasi achteloos op het tafelblad te trommelen. Raule las:

Leuk je te zien. Wacht tot later.

De drie anderen schonken haar blikken die ook 'later' voorspelden, maar dan met een heel andere bedoeling. Daarover maakte ze zich geen zorgen; 'later' zouden ze stomdronken zijn. Afgezien van de spoken in haar dromen, had Raule al meer dan een half jaar niet meer het gezicht gezien van iemand die ze kende, vriend of vijand. Hoewel ze even overwoog om onmiddellijk weer weg te gaan, was haar bestaan de laatste tijd te eenzaam geworden en dus verkoos ze te blijven. Ze wilde wat drinken en water om zich mee te wassen, als dat er was, en ze liep naar de tapkast. Daar was niemand. Haar neus ving een rauwe geur op. Ze keek over de tapkast heen en zag het lijk van een bejaarde man die ongetwijfeld de herbergier was. Zijn schedel was opengebroken als een eierschaal met een scherp, zwaar voorwerp. Het bloed om hem heen was nog vochtig. Op een plank achter de tapkast stonden een paar flessen maar Raule besloot voorlopig af te zien van alcoholische versnaperingen. Tussen twee van de platen blik waaruit de achterwand bestond was een spleet en daar doorheen zag ze een andere kamer. Zonder nog eens naar de mannen te kijken liep Raule naar de spleet.

'Vrouw, blijf staan.' Het was niet de stem van degene die ze kende. Het was een stem van ijzer en ovenslakken. Raule bleef staan.

'Hoe is die man gestorven, volgens jou?' vroeg de stem temend.

'Volgens mij,' zei Raule zonder om te kijken, 'is hij met zijn hoofd ergens op gevallen.'

Er klonk een kort vals gelach. Toen duidde het geluid van geschudde en energiek neergelegde kaarten erop dat het spel was hervat.

Treiteren, meer niet. Raule schoof door de opening en stond in een slaapkamertje dat ook dienstdeed als opslagruimte. Op de planken lagen een paar zakken bonen en wit uitgeslagen worstjes. Op de vloer lag een geldkist, opengebroken en leeg. Een ongerijmde glas-in-lood deur met gele en groene rondellen kwam uit op een ruim erf. Raule kneep haar ogen dicht tegen het plotselinge felle licht. In een hoek van het erf stond een pomp met een emmer ernaast. Ze probeerde de pomp, die bruin water gaf. Ze hield haar handen eronder en schepte het water in haar gezicht en over haar hoofd. In de lijnen van haar hand bleef een bruine drab achter. Ze zou maar niet proberen daarvan te drinken, maar voor het geval de kameel dorst had, vulde ze de emmer en liep om het huis heen naar de voorkant. De kameel dronk een paar slokken en trapte toen minachtend de emmer om, zodat het water eruit liep, om snel te worden opgezogen door de droge grond.

Raule dronk uit een van het assortiment veldflessen dat ze bij zich had, maakte het zich toen gemakkelijk in de schaduw van de palm en liet haar ogen half dichtvallen. Maar haar oren hield ze wijdopen. De zon kroop omlaag langs de hemel. De schaduwen lengden. Een uitgemergelde hond op drie poten hinkte de weg over. Koperkleurige mieren die anderhalf keer zo lang waren als Raules duim kwamen uit een holletje in de grond gekropen, vlak voor haar voeten. Ze telde ze.

Negenhonderd en dertien mieren later barstten er binnen schoten los.

Hoewel Raule het min of meer verwacht had, schrok ze toch overeind van het plotselinge, oorverdovende lawaai. Ze sprong van de veranda af en wierp zich plat op haar buik. Ze hoorde hoe pistolen snel achter elkaar werden leeggeschoten, hoe mannen bulkten als stieren. Toen werd het allemaal weer rustig.

Raule sloop op de deuropening af. Ze ging op haar hurken zitten, lichtte de onderzoom van de deken een klein eindje op en loerde de kamer in. Donkere gedaanten lagen op hun rug op de vloer, te midden van omgevallen stoelen en gebroken glas. Alleen de man met de sluier stond nog overeind in een wolk van kruitdamp, verlicht door een kriskraspatroon van dunne bundels zonlicht, die binnenvielen door de verse kogelgaten in de muren en het dak. Hij herlaadde de twee revolvers met hun lange loop, en stak ze weg in zijn holsters. Toen trok hij uit de gebogen schede een yataghanzwaard en liet het drie keer omlaag suizen, om elk van de drie gevallen mannen het hoofd af te slaan. Dat was altijd zijn favoriete methode geweest om te zorgen dat de ander echt dood was. Raule dacht dat het ook uit een behoefte aan zekerheid was, zoals sommige mensen schilderijtjes rechttrekken die uit het lood hangen, of altijd een bepaald kledingstuk dragen.

Ze kwam overeind. Toen ze de deken opzij wilde schuiven kwam het ijzerdraad omlaag zetten. De man schrok en hief het zwaard op. Toen hij zag dat het Raule maar was liet hij het weer zakken.

Raule stapte naar binnen, liep een eindje de rook in en bleef stilstaan op zo'n meter afstand van de man en het moeras van zaagsel en bloed waar hij middenin stond. Ze keek naar de lijken. 'Wie speelde er vals?'

'Wie dacht je?' De stem vanachter het stofmasker was aangenaam van klank, met het licht schorre timbre van een noordse tongval.

'Kennelijk nog even soepel in de vingertjes als altijd, Gwynn.'

'Als je het niet bijhoudt ben je het zo kwijt,' zei hij onaangedaan. Hij veegde zijn zwaard schoon aan de mouw van het dichtstbijzijnde lijk en stak het toen in de schede. Hij nam zijn hoed af en toen zijn wijde mantel en zijn sluier, waarop een uitlands gezicht tevoorschijn kwam, een wit, fijnbesneden smal gezicht, getooid met een uitdrukking van minzame sereniteit. Zijn ogen waren vochtig groen van tint, alsof er zeewater in stond. Zijn haar was zwart en tot een lange staart gevlochten. 'Fijn je weer eens te zien, Raule,' zei hij. Hij zocht op tafel naar een heel gebleven fles en een glas en schonk zich wat te drinken in. 'Jij ook?'

'Later misschien.'

Toen hij zijn dorst had gelest stapte hij over de lijken heen en stak glimlachend zijn hand uit. Met die glimlach vervloog de vreemde vreedzaamheid van zijn gezicht en trad een soort onheilspellende sluwheid aan de dag.

Raule voelde, heel even, een aarzeling. Er waren anderen die ze liever was tegengekomen. Maar Gwynn was ooit een van haar kompanen geweest en in zeker opzicht een van haar betere vrienden. Daarvan had ze er niet meer zoveel over dat ze kieskeurig kon zijn. Ze greep zijn hand.

'Ik dacht dat je intussen wel ergens aan de galg zou bengelen,' zei ze. Hun oude tegenstander, generaal Anforth met zijn Heldenheir, hield er niet van vijanden in leven te laten – net zo min als Gwynn.

Hij trok zijn ene wenkbrauw op. 'Ik? Ik dans liever met de beentjes op de grond, niet in de lucht.'

Raule beluisterde niet zozeer bravoure als wel zelfspot in die woorden. Toen hij eenmaal beroemd was geworden, of liever berucht, had Gwynn altijd moeten lachen, zei hij, om het verschil tussen de grandeur die de mythe eiste van leven en dood van een bekend personage, en de zielige, smadelijke omstandigheden die de werkelijkheid doorgaans maakte van zowel het een als het ander.

'Zit Anforth nog steeds achter je aan? Ik kan me niet voorstellen dat die er de brui aan zou geven,' zei Raule.

'O, dat doet-ie ook nooit. De ouwe buldog zit me nog even geestdriftig na als altijd. Dankzij hem ben ik nou een fortuin waard. Kon een mens maar aandelen in zichzelf kopen, dan was ik nou rijk. Maar jij moet je wel heel erg op de achtergrond hebben gehouden, als je de laatste tijd mijn tronie niet hebt gezien op de aanplakbiljetten, met daaronder "gezocht".'

'Ik verkeer tegenwoordig niet zoveel meer in de uitgaanswereld, vrees ik.'

De onaantrekkelijke glimlach trok weer over Gwynns gezicht. 'Ja, ik hoor dat de soirees dit jaar uitgestorven zijn. Zelfs mensen van stand willen alleen nog maar omgaan met de moordzuchtige meute. Je doktert zeker hier in de streek?'

'Hier en daar, overal. Er is genoeg te doen.'

'Betaald?'

'Niet echt, nee.'

Feitelijk zat Raule vrijwel op zwart zaad. Maar weinig mensen die ze behandelde waren in staat te betalen voor haar diensten met meer dan een nacht logies en een karige maaltijd. En als ze een beetje geld bij elkaar hadden kunnen schrapen, kon ze het niet altijd over haar hart verkrijgen het aan te nemen. Ze wilde niet uitweiden over haar armoede en vroeg Gwynn of hij nog nieuws had van de anderen.

'Ik heb Casvar gesproken in Platberg,' antwoordde hij. 'Die lag te rotten in een grot, met een gebroken been waar koudvuur bij was gekomen. Hij vroeg me of ik mijn plicht wilde doen en ik ben hem van dienst geweest. In Quanurt heb ik een graf gezien met op het bordje de naam van Rode Harni. Heb jij nog iemand gesproken?'

'Evoiry, een paar maanden geleden. Hij verkocht brandhout in een soek. Hij zag er goed uit.'

Gwynn knikte. Zijn linkerhand speelde met het heft van zijn zwaard, Raules blik gleed erheen. Gwynn had het meegebracht uit het noorden. Het was van Maghiaanse makelij en de ware naam van het wapen was 'Reigervleugel die over een Bergmeer Scheert'. Gwynn had het een andere naam gegeven in het Anvallisch, zijn moedertaal, Gol'achab, wat betekende: 'Tot op je begrafenis'.

Raule zag dat de edelstenen die het gevest getooid hadden er niet meer in zaten. Gwynn zag haar kijken. 'Ja, ik heb die toverballen een poosje terug ingeruild voor dingen die ik nodig had,' zei hij uit zichzelf. 'Ze mag haar schoonheid dan kwijt zijn, maar ze doet het nog best en bespaart me nu en dan ook een paar kogels.' Raule wierp een blik in de richting van wijlen de herbergier.

'Was dat zo'n geval?'

'Nee.' Gwynn deed een stap achteruit en porde een van de lijken met de neus van zijn laars. 'Deze figuur wond zich op over iets wat de goeie man zei en was een beetje al te geestdriftig in zijn reactie.' Hij keek neer op het lijk en schudde zijn hoofd. 'Arme sodemieter. Zo opgedraaid als een pianosnaar. Ik heb hem geen ogenblik blij gezien. Het leven moet hem zwaar zijn gevallen...'

'Ze moeten allemaal behoorlijk opgedraaid zijn geweest om in een vierpersoons schietpartij te raken over een spelletje kaart,' merkte Raule op.

'Wat je zegt.'

'En wat ben je nu van plan?'

Gwynn liep langs haar heen. 'Slapen. Ik wil er met het vallen van de nacht vandoor.' Hij verdween naar buiten en kwam terug met een knapzak. Hij trok zijn handschoenen uit, rolde zijn mouwen op en begon de lijken van hun kleren te ontdoen en het geld op te rapen dat was ontsnapt aan verdrinking in het bloed op de vloer. Raule liet hem zijn gang gaan en liep naar buiten, de naar verhouding frisse lucht in. Ze ging op haar hurken zitten onder de palm en keek de straat af waar de ouwetjes dutten. Ik weet precies hoe die zich voelen, dacht ze. Na een poosje kwam Gwynn omlopen vanaf het achtererf met zijn handschoenen in zijn riem gestopt terwijl hij water van zijn handen schudde.

Raule sloeg haar armen achter haar hoofd en geeuwde. 'Nou, ik denk niet dat iemand hier zal proberen je te arresteren.'

Gwynn pakte een lange, grijsgele sigaret en een doosje lucifers uit zijn vestzak. Hij streek de lucifer af langs de metalen muur, stak op en inhaleerde diep. 'Jammer,' zei hij, 'dat ik dit oord moet verlaten...'

'Ach, ik weet niet. Ik ben wel klaar voor iets rustigers.'

'Ik weet nog een leuke begraafplaats.' Raule glimlachte even. Dat graf kwam vanzelf wel; gauw genoeg. Ze vroeg Gwynn welke kant hij op ging. Naar het oosten zei hij. Ze zei dat zij naar west en zuid ging. Hij wees met zijn sigaret naar de gebouwen aan de overkant van de straat. 'Er is hier dus geen werk voor je?'

Ze haalde haar schouders op. 'Ik heb een hond gezien die een houten poot nodig heeft.' Ze gebaarde schuins met haar hoofd naar de deuropening. 'Wie waren die lui, trouwens?'

'Kerels met wie ik een paar dagen heb opgetrokken. Zulk best gezelschap waren ze nou ook weer niet.'

Hij liep weg en maakte de vier kamelen los van de dwarsbalk en bracht ze naar het achtererf. Raule tilde haar zadel van de bult van haar rijdier, ging toen op de veranda zitten met haar benen voor zich uit. De hond met de drie poten verscheen weer en aanvaardde de terugtocht naar de andere kant van de straat. Raule wuifde de vliegen weg. Het viel haar in dat de lijken daarbinnen eigenlijk moesten worden begraven, anders zouden ze ziekten veroorzaken. Maar dat was misschien wel goed voor de zaken.

Ze voelde zich lusteloos, en niet alleen door de hitte. Ze dacht erover op te staan en te kijken of ze inderdaad ergens werk kon opscharrelen. Gezien de vergrijsde bevolking moest het wel gek lopen, wilden er geen gezondheidsproblemen zijn. Ze kon ook doorrijden, Misschien verwachtte Gwynn dat wel. Maar haar lichaam wilde niet in beweging komen en ze gleed weg in slaap, een droom binnen. Ze was terug in haar geboortestadje, een plaats die groter was dan Gehalte maar er verder niet zoveel van verschilde. Alles was er heel gewoon behalve dan de mensen, die geen hoofden bezaten. Ze liepen af en aan door de droge straten en werkten op de zieltogende akkers met bonen, terwijl hun bovenste rugwervels omhoog staken uit hun nekstompjes.

Gwynn maakte haar wakker. De doorstoofde onderkaak van de dag hing slap naar beneden. De hemel begon al donker te worden en alle vliegen van de wereld schenen bij de herberg te zitten. Gwynn was weer gesluierd en droeg een omvangrijke overjas. Hij had de onbereden kamelen achter zijn eigen dier vastgebonden en was zo te zien klaar om te vertrekken. Hij vroeg Raule of ze misschien een eind mee terug zou willen gaan, naar het oosten. Ze vroeg waarom. Met zijn zweep gebaarde hij naar de kamelen van de doden. 'Ik kom aan de kost als koopman zonder vaste woon- of verblijfplaats. Ik heb een contact in de soek van Gele Klei aan wie ik deze beesten kan verkopen, plus de niet onaanzienlijke bezittingen die ik vandaag van wijlen mijn collegae heb geërfd, inclusief driemaal een dozijntje voortreffelijke vuurwapens. Maar ik vertoon me niet graag aan het volk. Als je mee zou willen gaan om de transactie af te sluiten krijg jij de helft van de winst.'

'Nee.'

'Nee?'

'Het is geen slecht aanbod. De basis van die vrijgevigheid van jou staat me alleen niet zo aan.'

Gwynn keek haar lang aan. 'Heb je het martelaarschap op je genomen, doktertje, uit naam van vrome idealen?'

'Martelaarschap niet, mag ik hopen. Maar misschien hier en daar een ideaal.' Ze strekte haar benen weer uit en sloeg haar armen over elkaar. 'Ook al deugden die kerels amper, wie hebben ze ervoor moeten doden om al die spullen bij elkaar te krijgen?'

'Anderen die nog minder deugden, ongetwijfeld. Hoeveel mensen die deugen hebben hier geld?'

'Geen een, aangezien de lui die niet deugen ze steeds maar weer beroven.'

Gwynn haalde zijn schouders op. 'Nou ja, je doet maar wat je wilt.' Hij liet zijn kameel knielen, klom op diens rug en dreef het dier overeind. Toen zette hij hem met een trap tot lopen aan. 'Wees voorzichtig, hè,' zei hij achteromkijkend.

Terwijl hij wegreed keek Raule de andere kant op. De stad was uitgestorven. De palm ritselde in de eerste nachtbries. 'Zo, nou blijven jij en ik over,' zei Raule tegen haar kameel. Ze stond op en maakte zich op om te vertrekken.

Terwijl ze de singels vastgespte en de riemen van de stijgbeugels controleerde, dacht ze na over de vraag hoe hard ze geld nodig had. Ze reed door het stadje naar het westen, langs de stille huizen met hun donkere ramen en hun nu verlaten veranda's, terwijl ze worstelde met de eigenschap die ze haar fantoomgeweten bestempelde.

Omdat het maar een schim was, had het niet veel kracht. 'Krijg de tering,' mompelde ze, zonder precies te weten wie ze daarmee bedoelde. Ze keerde en reed terug tot ze de kleine karavaan met zijn diplomatiek zwijgende eigenaar had ingehaald.

Over de donkere weg kwam hotsend en knerpend een stoet wagens aan. Het waren er vijftien alles bij elkaar, getrokken door spannen muilezels en vergezeld van wat broodmager vee en honden. Sommige mensen zwaaiden naar de twee ruiters van onder hun grote zeildoeken huif. Raule zwaaide terug. Ze zou anders wel zin hebben gehad even met ze op te trekken en wat te praten, maar Gwynn keek star voor zich uit en was er overduidelijk niet op gebrand joviaal te zijn tegen vreemden. Maar meestal was hij een spraakzame reisgenoot. Hij had zoveel verhalen over avonturen en leed van recente datum – om precies te zijn: zijn avonturen en andermans leed, wat bijna onvermijdelijk met elkaar samenhing – en hij vertelde ze met het air van een minzame lijkenpikker. Het bestaan van rondreizende dokter had ook zo zijn macaber grappige ogenblikken en Raule verviel moeiteloos in de gewoonte gruwelijke anekdotes uit te wisselen met haar oude kompaan. Dit was de tweede nacht dat ze naar het oosten reisden. Ze volgden Gwynns voorkeur en namen rust tijdens de heetste uren van de dag. Als ze niet met elkaar praatten keek Raule vaak omhoog en bestudeerde de sterrenbeelden die her en der tegen de hemelboeg waren vastgezet. De Manticore kromde zijn schorpioenstaart boven de Kroon, terwijl de Ruiterkoningin onafgebroken gereed stond haar lasso te werpen; de Dravende Jongens zaten het Hinkelende Meisje achterna; de Gier joeg de Zeven Gasten uit de Herberg; de Schildpad sukkelde voort, met de Beker op zijn rug in een poging de Oude Vrouw te bereiken aan de overkant van de hemel; de Hagedis bracht haar Kinderen naar huis, gevolgd door de Lepe Vleermuis. Raule vroeg zich af of de sterren in de loop van miljoenen jaren zouden verschuiven naar andere posities die vertelden hoe al die verhaaltjes afliepen.

'En wie van jullie heeft de herbergier beroofd?' waagde ze het Gwynn op een gegeven ogenblik te vragen.

'Die vent die hem doodde,' antwoordde hij. 'Ik had het overigens wel al-lemaal al van hem gewonnen, hoor, toen ik hem op mijn beurt dood-schoot. Misschien dat het geld daardoor nou schoon is – hangt er vanaf hoe je het bekijkt.'

'Ik heb geprobeerd het oude leven de rug toe te keren,' zei Raule.

De periode in de geschiedenis die hen beiden had meegesleurd in zijn woelingen was voorbij. De oorlog was verloren. Drie jaar waren verstreken sinds generaal Anforth de overwinning behaalde, die een eind maakte aan de revolutie en de aanvoerders daarvan in de kalkovens had doen belan-den. Het Heldenheir, nog steeds onder Anforth, joeg de oude vijanden nog altijd na in alle streken van het Koperland. Soms hoorde je een ballade die bezong hoe iemand, terwijl alles zich tegen hem gekeerd had, zich een he-roïsche dood had bevochten, maar de werkelijkheid bestond doorgaans uit verraad door vroegere bondgenoten, gevolgd door berechting en te-rechtstelling, of gewoon een snelle lynchpartij.

'En wat wacht jou aan het eind van je reis, dokter?' vroeg Gwynn. 'Wat is jouw verlangen, wat is het beeld dat je voor ogen staat?'

'Ik heb erover gedacht over te steken naar het Teleuteplateau,' zei ze.

'Ongetwijfeld een goede keuze. Ik heb gehoord dat het daar erg be-schaafd is.'

'Ja, dat geloof ik ook.'

Eerlijk gezegd had Raule geen serieuze voornemens. Net als bij Gwynn stond er een prijs op haar hoofd, maar in verhouding was die heel beschei-den en als autochtoon had ze het voordeel dat ze niet opviel. Niemand merkte de zoveelste kleine, tengere donkere vrouw op, tussen al die ande-ren in de drom op de markt of in de kroeg. Bovendien waren de lieden die in de gehuchten in de wildernis leefden als regel wat blij als er een dokter langskwam. Mocht er al iemand haar gezicht hebben herkend als dat van Raule de roversvrouw, de kwaadaardige heks, de gezellin van moorde-naars, dan had die haar niet verraden. Nooit. Ze zwierf rond, mat en al te-vreden als ze levend ging slapen en levend weer wakker werd; dagen en weken en maanden liet ze langs zich glijden.

'En jij, mijn scherpschutter die de zonsondergang tegemoet rijdt; ga jij verder naar de prairie?'

'Nee, ik heb mijn zinnen gezet op de echte oriënt. Sarban, Ambashan, Icthiliki waar de meisjes zo mooi zijn...'

'Aha, een oosters paradijs. Een met tuinen en schaduwrijke terrassen

waar je heel de lieve lange dag lotusetend kan luieren en schone dienst-
maagden je meer wijn brengen dan je op kunt en je stinkend rijk wordt,
zonder er ook maar een vinger voor te hoeven uitsteken?'

'Dat uiteraard. Ja toch?'

'Dat uiteraard.' Raule verviel tot dagdromen over het zoete leventje in
een dergelijk oord.

Later die nacht kwamen ze langs een spookstadje dat rond een verlaten
mijn was samengekropen. Ze namen niet de moeite om af te stappen. Alles wat de moeite van het roven waard was, was allang verdwenen.

Een uur na zonsopgang, de volgende ochtend, bereikten ze Gele Klei.
Toen ze door hun verrekijker tuurden zagen ze allemaal hemelsblauwe
uniformen in de mensendrom in de soek. En de soldaten stonden er niet
te niksen. Ze ondervroegen mensen, controleerden papieren. Een groep
ongelukkigen stond aan elkaar gebonden bijeen, onder bewaking. Weer
andere soldaten waren bezig een kamp op te zetten aan de rand van de
stad.

Gwynn vloekte zachtjes.

Raule haalde haar schouders op. 'Nou ja, dan gaan we toch verder. Er is
vast wel ergens een stadje.'

'Gaan we verder?'

'Ik ben nou al zo'n end op weg, nou wil ik mijn aandeel ook hebben.'

En dus trokken ze verder naar het oosten. Ze bereikten het einde van de
muur. Daar waar die ophield splitste de weg zich in twee paden die zich
van elkaar verwijderden over een platte, roodbruine vlakte. Raule wees
naar het rechter pad. 'Daar ben ik vandaan gekomen,' zei ze tegen Gwynn.
'Daar was niet zo heel veel.'

'Dan gaan we díe kant uit,' zei hij en hij sloeg het linker pad in. Na vier
uur rijden in stijgende hitte kwamen ze bij een reeks brede, rode rotsige
heuvels met veel spleten en bovenop schraal bosland. De weg besteeg de
eerste heuvel met behulp van steile haarspeldbochten en volgde toen een
droge rivierbedding door het bos. Het merendeel van de hogere begroei-
ing bestond uit acacia's en schriele zwartpeulbomen terwijl nagelgras en
taaie, verknoopte vetplanten de bodem daaronder bedekten. De kamelen
trokken opzij naar de zwartpeulbomen en rukten er bladeren af. Een ander dier had de lagere takken al grondig afgeknauwd. De schuldigen kwamen al snel in zicht: een stel magere geiten met belletjes en brandmerken
ten teken dat ze iemands eigendom waren.

Een mijl verderop liep het pad tussen een groepje hutten door. Op een bord dat aan een van de acacia's was genageld stond geschilderd: GEDULD.

Geduld, als dat inderdaad de naam van het gehucht was, bezat geen herberg, maar op een van de hutten hing een bordje dat verkondigde dat gasten er welkom waren. Raule en Gwynn stopten voor de deur en stegen af. Na veel gebons kwam er eindelijk een man naar de deur. Hij had de slaap nog in zijn ogen en was chagrijnig. Hij gebaarde naar de aarden vloer om aan te geven dat dat het bed was en noemde een exorbitante prijs. Raule dong af tot op de helft. Plaats voor de kamelen was er niet. De man weigerde ronduit ze erin te laten: was zijn huis soms een kakdoos voor kamelen? Ze moesten ze maar buiten laten. Hij wenkte een klein meisje naar buiten. Ze was ooit een keer afschuwelijk verbrand; onder haar vuile mopsmuts was haar gezicht één vuurrood, eenogig masker van dik littekenweefsel. 'Mijn dochter,' zei de man met een valse lach, 'zal wel op jullie beesten passen.'

Raule stelde voor de wacht te houden. Gwynn was het met haar eens en bood aan de eerste wacht te nemen en dus haalde Raule haar bed naar de hut en viel in de onrustige slaap die voor haar gebruikelijk was. Gwynn maakte haar in de loop van de namiddag wakker en legde zich op zijn beurt op de grond met zijn hoed over zijn ogen. Hun gastheer deed ook of hij sliep, languit op de afgeleefde zitting van een driezitsbank die als divan dienstdeed, maar nu en dan sloeg hij zijn ogen opeens op en keek schichtig in het rond. Was hij soms bang dat ze de aarde van zijn vloer zouden stelen of de spinnenwebben van zijn zoldering?

Om de tijd te doden pakte Raule een stapel speelkaarten van een plank en begon patiences te leggen. Toen het haar begon te vervelen om telkens de kaarten te schudden, maakte ze haar zadeltassen open en haalde er een oud dagboek uit. Ooit had ze uitgebreid medische aantekeningen bijgehouden. Ze had ze allemaal weggegooid, op dit ene schrift met notities na, dat dateerde uit de laatste, de hardste maanden van de oorlog. Ze kende het uit haar hoofd en liep snel door de aantekeningen heen, zonder er meer dan een blik op te hoeven werpen; haar ogen gleden langs de dicht opeen geschreven regels, die niet alleen nuttige informatie bevatten maar ook persoonlijke herinneringen. Van de meeste mannen en vrouwen wier lichamelijk lijden in het schrift was opgetekend, gingen de notities over hun botten, spieren, organen, temperatuur, uitwerpselen, braaksel, toevallen en dood, het enige geschreven bewijs dat ze echt hadden bestaan.

Gwynns naam kwam nergens voor, want hoewel hij met grote regelmaat het noodlot op zich af had zien komen, had het hem met even zo grote regelmaat nét geen slagen van belang toegebracht. Hij was een levend loflied op kantje boord en op een haartje na.

Halverwege haar dagboek hield Raule op met lezen en stopte het weer weg. Uit dezelfde tas haalde ze het enige andere leesvoer dat ze bezat. Het was een reisgids voor het Teleuteplateau die ze een maand of zes geleden had aangeschaft als curiositeit.

Op een landkaart voorin, aan de binnenkant van de omslag, was de uitgestrekte Zoutwoestijn afgebeeld die zich ten zuidwesten van het Koperland uitstrekte en de buik van de wereld omgordde. Verder naar het westen vormde het Teleuteplateau een gewelfde lijn waar het de woestijn ontmoette langs zijn bolle buitenrand. Dankzij het boek wist Raule dat de rand van het plateau zich bijna duizend meter erboven verhief en dat het op zijn kruin een volslagen andere wereld, een wereld van weelde torste. In een vroeger tijdperk, zo stond in het inleidende artikel te lezen, was het Teleuteplateau de rand van een vasteland geweest en de Zoutwoestijn een zee. Maar nu was de woestijn volstrekt verstoken van water. Raule had er wel enige kennis van. Handelscompagnieën hadden er de macht en onderhielden er versterkte mijnbouwvestigingen die bestuurd werden als provincies in het klein. Voor water en al het andere waren ze geheel aangewezen op de levensader van de spoorweg. Maar het boek beschreef een heel ander klimaat in het hoogland boven op de rotsen. De regels vielen over elkaar heen in hun beschrijvingen van vruchtbaarheid: smaragdgroene bergen, ongerepte regenwouden, enorme rivieren krioelend van vis en regen die wel weken achter elkaar aanhield. Raule kon zich zoveel water niet voorstellen. Er stonden ook hoofdstukken in over meer dan twintig belangrijke steden, waaruit een sterke indruk op haar overkwam van plaatsen die oud waren en groot en vol geschiedenis. Ze was weliswaar niet zo naïef om zich te verbeelden dat het een paradijs zou zijn, maar ze liet zich toch wel bekoren door de beschrijvingen van bouwkunst, tuinen, paleizen, universiteiten, theaters, mode en alle andere kenmerken en versierselen van een gevestigde materiële beschaving.

Ze keek eens naar Gwynn die stil en roerloos lag als een blok steen. Zijn vaderland Anvall was een land waar de seizoenen niet veel meer waren dan gradaties van winter. Een oord zo wit als de maan en kouder dan duizend graven, zo had hij het eens beschreven. In de zomer smolten de buitenste randen, als ijs in de ochtend langs de rand van de regenton, en stortten omlaag in een zwoegende zwarte zee. In de winter bracht de zee ze terug. Droomde hij van water, vroeg ze zich af. Of van de steden waarover hij het wel eens had – vestingen die deels uit steen en deels uit ijs waren opgetrokken. Werd hij 's nachts teruggeroepen naar dat vreemde koude deksel op de wereld, of droomde hij van genot in de bloemrijke steden van Icthiliki?

Toen hij wakker werd vroeg ze het. Hij antwoordde met een lach dat hij zich zijn dromen maar zelden kon herinneren.

Dat ze dat niet eerder over hem geweten had was kenmerkend voor hun verhouding, bedacht ze. Dromen was luxe en in het verleden zouden ze er niet eens op gekomen zijn, zoiets aan de orde te stellen.

De revolutionaire oorlog had talrijke vreemdelingen naar het Koperland gelokt. Beroepshuursoldaten, boeven en oplichters, idealisten en romantici op zoek naar een goede zaak, opportunistische zwervers en avonturiersuitschot hadden zich in groten getale bij het rebellenleger aangesloten. Gwynn was een van de tientallen uitlanders die zich hadden gevoegd bij de compagnie waaraan Raule als legerarts verbonden was. De revolutie genoot om te beginnen de steun van het volk, maar naarmate de oorlog zich langer voortsleepte werden de omstandigheden noodgedwongen nijpender en gevaarlijker en begon de wind van de publieke opinie te krimpen. De mensen begonnen vrede en herstel van de vroegere toestand te verwachten van het Heldenheir. Opeens waren de revolutionairen tot hun schrik niet meer gewenst en toen alles voorbij was opeens weer wel, maar dan in de verkeerde zin. Om te kunnen overleven vielen heel wat compagnieën terug op banditisme; Raules compagnie ook. Intussen was Gwynn hun aanvoerder geworden. Een aantal wilde jaren leefden ze als bandieten in het verhoudingsgewijs dichtbevolkte noorden van het Koperland, beroofden er banken en treinen om zich een verkwistende manier van leven te kunnen veroorloven terwijl ze tegen het leger vochten, waar ze dat maar tegenkwamen. Maar de volkswil kreeg de overhand. Geholpen door generaal Anforth zetten de steden burgerwachten op en vanaf dat moment werd het loon der misdaad vaker in lood dan in goud geïncasseerd. Voormalige medestanders liepen over bij bosjes en werden verraders en premiejagers. De verwaanden en de waanzinnigen en al diegenen die gewoon niet in staat waren te bedenken wat ze anders zouden moeten doen, roofden zich het ondiepe graf in. Tot zijn eer moet gezegd worden, dat Gwynn de bende had ontbonden en iedereen de kans had gegeven te verdwijnen en zo in leven te blijven. Dat was nu meer dan een jaar geleden. Raule was erin geslaagd op te gaan in de achtergrond, maar in meer dan één opzicht en veel dieper dan ze van plan was geweest.

De revolutie was voor haar een belangrijke droom geweest. Na de oorlog was ze zich gaan afvragen waarom. Nu vroeg ze het zich niet meer af. Alle betrokkenheid bij politiek en grootse zaken en geschiedenis was geworden als zand, dat rondwervelde in een wind van heel ver.

Hun gastheer was eerder naar buiten gegaan met een paar vallen. Gwynn was naar de sofa verhuisd en zat zijn wapens schoon te maken. Hij bezat diverse pistolen, twee jachtgeweren en een fraai Speer repeater die normaal in een foedraal van kalfsleer aan zijn zadel hing. Hij neuriede zachtjes terwijl hij ze weer smetteloos maakte. Het kind met de littekens kwam de kamer in met twee kommen soep. Ze zette ze op de vloer en liep haastig weer weg. Raule pikte een brok vlees uit een van de kommen en proefde het. Het smaakte bekend, naar geit. Ze vond het helemaal niet slecht, maar Gwynn nam maar een paar hapjes van zijn soep, duwde de kom toen weg en dineerde op zijn manier met een sigaret en een paar slokken uit een fles zonder etiket. Raule at haar kom leeg en reikte naar die van Gwynn.

'Mag ik?' vroeg ze.

'Ga je gang.'

Terwijl ze zat te eten en Gwynn verderging met zijn schoonmaak, overdacht Raule de situatie. Gezien het feit dat ze dokter was en inheems, en iemand in wie hij vertrouwen stelde, beschouwde Gwynn haar ongetwijfeld als een waardevolle aanwinst die hij graag wilde houden. Als ze nuttig voor hem was, kon ze verwachten er voordeel bij te hebben. Zijn opvattingen van vriendschap waren altijd in aanzienlijke mate doortrokken van dat soort pragmatische overwegingen. Dat kwam Raule goed uit, want het gaf haar de kans in haar omgang met hem een net zo zelfzuchtige afstand te bewaren, zonder dat het haar tot oneer strekte.

De route voerde hen naar de Barst van Sint Kaseem, een reusachtige kloof in de aarde die het Koperland van noord tot zuid in tweeën spleet. Er zouden zeker wachters zijn bij de brug, en een heleboel ook. Ze zou Gwynn vast kunnen helpen heimelijk langs de wachters te komen. Maar als kunstgrepen faalden en het op vechten aankwam – ze was in het beste geval een matig schutter en schatte haar kansen niet hoog in. Gwynns geluk had nooit anderen behoed, alleen hemzelf. Ze was hem niets verschuldigd. Als ze een soek vonden voordat ze bij de brug kwamen, zou ze haar geld opstrijken en weggaan. Maar stel dat ze geen soek vonden, was het het dan waard het noodlot te verzoeken? Ze besloot van niet.

'Als we geen markt vinden vóór de Barst, dan ga ik weer naar het westen,' zei ze. Gwynn tuurde door de loop van de Speer en bromde ten teken dat hij het gehoord had.

Ze verlieten Geduld die avond terwijl de schaduwen langgerekt waren en paarsviolet. De weg kronkelde uit de heuvels omlaag en ging verder over de dorre vlakte. Het licht van de halve maan bescheen kleine eilandjes van nagelgras, van elkaar gescheiden door waterwegen van zand. In Raules beleving zag de archipel van gras en zand eruit als een klein stukje grond dat steeds werd herhaald, alsof het land gemaakt was door een luie god met een stempel. Ze stelde zich voor dat ze in kringetjes rondreed in dat land, zonder het ooit te kunnen verlaten, totdat ze een ongeluk kreeg of oud werd.

Toen ze een uur of drie hadden gereden zonder enig teken van menselijk leven tegen te komen, merkte ze op: 'Het Heldenheir stelt in elk geval geen belang in dit gebied.'

'D'r is ook niet veel te doen, hier, voor een held,' zei Gwynn.

Later die nacht bereikten ze een mijnstadje dat zelfs straten bezat, en dat daadwerkelijk op hun landkaarten stond. Tientallen mensen liepen er rond, voornamelijk bikkelhard ogende kerels. Een gebouw met rode gordijnen voor de ramen en HERENSALON op de veranda geschilderd in krulletters, zag eruit als de koningin van de hoofdstraat. Daarnaast was een kroeg van waaruit groot rumoer van een piano en gezang opsteeg. Aan het eind van de straat stond de galg en lag een kerkhof en naast deze voorzieningen bevond zich ook een lage watertoren en een drinktrog. Nadat ze hun veldflessen hadden gevuld en de kamelen hadden laten drinken, leunde Raule tegen de watertoren en bestudeerde haar kaart. Ze schatte dat ze een dag of drie, vier van de Barst van Sint Kaseem verwijderd waren. De enige andere brug die op de kaart stond aangegeven maakte deel uit van de Ghanstraatweg, tweehonderd mijl naar het noorden, vrijwel naast het hoofdkwartier van generaal Anforth in Gloriestad.

Raule vroeg Gwynn hoe hij van plan was de kloof over te steken.

'Hoe?' herhaalde hij als een echo. 'Weet je dan niet dat kamelen kunnen vliegen?' Hij stond weer te drinken uit zijn fles zonder etiket, onder zijn sluier. Wat Raule betrof had het goedje hetzelfde verfijnde bouquet als koperpoets.

25

'Dat was het dronken antwoord,' zei ze. 'Wat is het als je nuchter bent?'

'Het nuchtere antwoord,' antwoordde hij, 'is mogelijk op het ogenblik niet beschikbaar. Maar ik zal mijn best doen. Volgens mijn plan naderen we ons kloofje rond het middaguur. Volgens mijn plan zijn onze vrienden die daar gestationeerd zijn dan niet grif bereid hun fijne koele bunker te verlaten. Ja, volgens mijn plan liggen ze dan te slapen.'

'En als ze niet slapen, wat ben je dan van plan?'

'Beter te schieten dan zij.'

'Juist. Als je er maar voldoende armen bij krijgt om al je wapens tegelijk af te schieten, krijg je je tegenstanders wel klein? Je moet deze agnost haar scepticisme maar vergeven, als ik zeg dat je er op die manier aan gaat.'

'Wedden?'

'O nee. Als ik win dan ben jij dood, dus wie zal mij dan betalen?'

'Zát mensen, als je mijn hoofd kan bewaren om te laten zien.' Gwynn smeet de fles de weg over, de begraafplaats op. 'Je gaat nog steeds terug?'

'Ja.'

'Misschien moest je dan maar hier blijven.'

'Er moet een eind verderop een plaats liggen die Grind heet,' zei Raule. 'Ik rij zover nog mee.'

Ze stegen op en vervolgden hun weg. Het schijnsel van de maan belichtte flauw een landschap dat met de mijl troostelozer werd. De pollen nagelgras werden zeldzamer en nu en dan verschenen bruine duinen, vol keitjes.

De dageraad brak aan boven een ware woestijn. Dramatische zwarte rotsbulten staken omhoog uit een vlakte van hard zand. De grove bruine korrels vormden steile opritten waar de heersende winden ze tegen de rotsen hadden op gewaaid. Flauwe wagensporen en een snoer van botten en afval markeerden naar goed gebruik het pad. Ze volgden het twee nachten lang, op zoek naar Grind.

In de derde nacht stak een krachtige wind op. Hij wakkerde aan gedurende de nacht en ochtend en vaagde zand van de hellingen, om het woest in het rond te slingeren. Gwynn bond zijn mantel over zijn hoofd en Raule knoopte een sjaal om die ze bezat. Hoewel ze met gebogen hoofd reden drong het zand, dat fijn was als stof, in hun ogen en neusgaten en bleef overal in hun kleren zitten. De kamelen werden ongedurig en bulkten van ongenoegen omdat ze moesten doorlopen. Het pad was moeilijk te ontwaren.

'Gwynn!' riep Raule. 'Zullen we wachten tot het voorbij is?'

De wind rukte zijn antwoord weg, maar ze zag hem bij wijze van instemming zijn zweep opsteken. Ze zochten dekking aan de lijzijde van de eerstvolgende rotsbult en doken op de grond in elkaar, naast de kamelen. Krijsend en schril kreunend woelde de wind het zand op tot rond wervelende wolken die de hemel aan het oog onttrokken. Nu de kamelen niets meer te doen hadden namen ze de gelegenheid te baat hun ergernis over de situatie te uiten door het eten dat ze herkauwden uit te spugen. De wind greep het stinkende slijmerige goedje en strooide het gul in het rond, zodat de spetters terugvlogen over hun groepje.

De storm bleef urenlang aanhouden. Intussen veranderde de zon in een afriet met een gesel van hitte. Gwynn sliep. Raule kwam niet verder dan wat dommelen.

Toen de wind eindelijk afnam stond de zon ver voorbij het zenit. Raule hief haar hoofd op. Zij en Gwynn en de kamelen zaten onder het bruine zand. Het leek wel alsof het land het had opgedolven uit zijn diepstgelegen voorraden. Terwijl de zwaardere zandkorrels op de grond waren teruggevallen, bleven de fijnere korreltjes in de lucht zweven en overtogen de hemel met een vaalbruine wade. Ze schudde Gwynn wakker en daarna ontdeden ze zichzelf en hun uitrusting zo goed als het ging van het zand. Gwynn begon ijverig al zijn vuurwapens uit elkaar te halen en te reinigen. Ook Raule ging aan de slag met olie en borstels op haar hagelgeweer en de oude karabijn die ze er op na hield, om nu en dan een stukje wild te schieten. Toen ze eindelijk klaar waren wilde Gwynn een eindje verder trekken om hun kamp op te slaan. Raule bedacht dat ze, als Grind een eind bezijden de weg lag, het plaatsje misschien tijdens de zandstorm voorbij waren getrokken zonder het te zien. Ze stelde voor de omgeving af te speuren en wees naar een hoge rots met een berm van zand, een halve mijl verderop, waar ze goed uitzicht zouden hebben.

De berm bracht hen zo'n vijfentwintig meter boven het wegdek. Op die hoogte bevonden ze zich boven de dichtste laag zwevende stof en konden ze in de verte kijken, voorbij het gebied waar de storm had huisgehouden. Raule pakte haar verrekijker uit het foedraal en zocht de horizon rondom af. Het leverde haar in geen enkele richting meer op dan het alomtegenwoordige zand met rotsbulten.

Niets. Of toch, misschien. Waar ze vandaan waren gekomen zag ze, flikkerend in de bruine door hitte vertekende verte, een reeks stipjes die ze eerst had aangezien voor kleine uitstekende rotsen. Maar nu viel het haar op dat ze zich op ongebruikelijk regelmatige afstand van elkaar bevonden. Misschien was het een rij hutjes, of tenten.

Of misschien waren ze minder groot en dichterbij.

Ze draaide zich om naar Gwynn. Hij speurde de weg af in de andere richting. 'Gwynn, geef mij eens even jouw kijker.' De zijne had betere lenzen dan de hare.

Hij deed wat ze vroeg maar zei: 'Wat is er?'

Met de sterkere lenzen kon Raule vaststellen wat de stipjes waren.

'Narigheid.'

Het was een stoet bereden kamelen. Op zijn minst twee dozijn, schatte ze, die er stevig de vaart in hadden. De herders die er bij de nomaden altijd naast reden ontbraken. Ze maakte een rekensommetje en schatte dat ze minder dan tien mijl van hen verwijderd waren.

'Dat ziet eruit als Helden.' Raule gaf Gwynn de kijker terug. Hij keek er door en knikte.

'Ziet het naar uit, ja.' Hij klonk niet bijzonder verrast. Hij liet snel de kijker zakken. 'Dat was een lichtflits van een kijker. Ik vrees dat ze ons gezien hebben. De Barst kan niet ver meer zijn. Laten we maar niet treuzelen.' Hij zette met een schop zijn kameel aan en het dier begon te draven. Raule volgde zijn voorbeeld zonder enige tijd te verliezen.

Voorthotsend in het zadel, zij aan zij met Gwynn, zei ze: 'Ik denk toch niet dat die hierheen zijn gekomen om van het landschap te genieten. Zouden ze mogelijkerwijs, heel toevallig, achter jou aan kunnen zitten?'

'Ik had inderdaad een paar maanden terug wat moeilijkheden,' antwoordde hij, niet op zijn gemak. 'Ik dacht dat ik ze had afgeschud.'

'Werkelijk?'

'Ik had het je moeten vertellen. Mijn verontschuldigingen.'

'Is het nooit bij je opgekomen dat het moeilijker zou zijn jouw spoor te volgen, als je niet overal bergjes lijken achterliet?'

'Ik heb het geprobeerd, maar ik laat me altijd meeslepen.'

Ze bereikten de voet van de hoge berm. Raule steeg haastig af en beet hem over haar schouder toe: 'Hoeveel die prijs op je hoofd ook mag zijn, hij is veel te hoog! Weet Anforth dat hij een hol vat najaagt?'

'We moesten maar liever zo weinig mogelijk meenemen,' zei Gwynn alsof hij helemaal niet geluisterd had en begon tassen van de bulten van zijn kamelen te sleuren en op de grond te gooien.

Raule stelde zich voor hoe hij eruit zou zien met een dolk tussen zijn schouderbladen. Maar haar boosheid vervloog, en wel zo snel, dat ze er zich over verbaasde. In plaats daarvan voelde ze een soort fatalisme, alsof de dood haar al op de korrel had genomen. Ze zag geen uitweg. Als ze haar eigen weg zou gaan en de soldaten zouden besluiten zich op te splitsen en haar achterna te gaan, zag ze het zich niet lang overleven. Ze had zelf heel weinig om te lozen en dus hielp ze Gwynn. Ze stond op het punt de touwen door te snijden waarmee een stevig leren pakket op een van de reservekamelen was gebonden, toen hij haar tegenhield. 'Dat niet,' zei hij. 'Dat is er net wat te kostbaar voor.' Ze haalde haar schouders op en begon aan het volgende pak. Toen ze in het zadel klom wierp ze nog een blik op hun afgedankte bagage, waaronder de vuurwapens uit Gehalte. Daar had de een of ander nog een aardige buit aan.

Ze galoppeerden de weg op, wolken stof opjagend terwijl de reservekamelen aan de leiband achter hen aankwamen.

Na een paar minuten zei Gwynn: 'Wil je weten waarvoor ik de schoonheid van mijn arme zwaard heb ingeruild? Dat zit in dat pakket.'

Raule keek hem schuins aan.

'Dynamiet.'

Raule zweeg een poosje. Ten slotte zei ze: 'Dat is mooi. Hoeveel?'

'Voldoende om een bunker met wachtposten op te blazen. En die brug.'

'Dat was dus je plan?'

'Ja, ik had het je zullen vertellen...'

Raule dacht aan de hitte, aan hoe zwaar de rit was, nu ze niet meer stapvoets gingen, en hoe zwaar de klap zou zijn als de explosieven ontploften. Toen bedacht ze hoe ze, als ze bij leven en welzijn die brug over kwamen en erin slaagden hem op te blazen, aan de overkant van de kloof zou stranden.

'Ik krijg zo het gevoel,' zei ze, 'dat jij een arrogante, doorgezopen pias bent, zoon van een strontzak met de hersens van een wijting, en dat het je verdiende loon is als de hele wereld vergeet dat je ooit bestaan hebt.'

Gwynn probeerde het niet eens te betwisten.

2

GWYNN STOND IN DE STIJGBEUGELS met zijn kijker aan zijn oog. Hij spiedde de weg voor hen af terwijl Raule de weg achter haar in de gaten hield.

Ze naderden de Barst van Sint Kaseem. Hij was al in zicht: een dun zwart streepje dat trilde in de zilveren luchtspiegeling aan de horizon.

Ze hadden iets meer dan een uur aan één stuk door gereden in de snelste draf die de kamelen konden opbrengen. Het leek niet snel genoeg, maar de dieren vertoonden toch al tekenen van vermoeidheid. Wat de weg betrof, de achtervolgers waren nog niet aan de horizon verschenen, maar die konden niet ver achter liggen.

'Wat zie je?' vroeg Raule.

'Helemaal niets, en dat kan problemen betekenen.'

'Wat bedoel je?'

'De brug. Hij ziet eruit als een aardverschuiving.'

Raule draaide zich om en speurde de weg voor hen af naar de plek waar hij de zwarte kloof in de verte kruiste. De brug die over de barst heen had moeten liggen was er niet.

'Misschien heeft iemand anders hem al opgeblazen,' opperde ze. Zoveel tegenslag geloofde je toch niet?

Ze toomden de dieren in en hielden stil.

'Vervloekt, die amateur-bouwmeesters,' mopperde Gwynn.

'Ja, en jij ook,' beet Raule hem toe.

Zonder erop te reageren stak Gwynn zijn hand in zijn vest en haalde er een landkaart uit. Raule volgde zijn voorbeeld. Al wist ze al wat ze zou zien: een groot vel wit papier met niets erop, behalve het lijntje dat de Barst aangaf en zich een heel eind naar beide kanten voortzette. Gwynns kaart toonde precies dezelfde leegte, met fraai beletterde inschriften: Oostelijke Woestijn, Randwoestijn, Woestijn der Hitte, Woestijn der Vochten.

Raule keek om zich heen. De rotsblokken waren kleiner geworden en minder in getal en lagen voornamelijk in het noorden. In het zuiden strekte zich het overbekende landschap uit van vrijwel strak, hard zand. Ze keek de weg langs. Er lag nu weinig los zand op het oppervlak en hun sporen waren onduidelijk. Er zou niet veel wind voor nodig zijn om ze uit te wissen.

'Op het ogenblik kunnen ze ons alleen zien als ze ergens op klimmen, net als wij,' zei ze. Ze wees naar het noorden. 'Als we ze op dat vlakke terrein kunnen lokken en ze zover voor kunnen blijven als nu, dan zouden we ze moeten kwijtraken.'

Gwynn knikte instemmend. 'En als het eenmaal donker is, kunnen we met een boog terugrijden naar de weg.'

Raule hield haar hand boven haar ogen. 'We moesten dan toch maar richting Barst gaan. Er zijn zoveel stadjes en oases die nooit op de kaarten terechtkomen. Misschien ligt er wel een brug die nog nergens op staat.'

'Zo mag ik het horen,' zei Gwynn.

De Barst van Sint Kaseem was honderd meter breed en zo diep als de onwetendheid, zei men. De wanden van donkere, verweerde steen daalden af door fantomen van schaduw die zich geleidelijk aan verdichtten om uiteindelijk één te worden met een rivier van zuivere, ononderbroken nacht.

Ze volgden de Barst, nu en dan stil houdend om van rijdier te wisselen. De kamelen kwamen nu niet veel sneller meer vooruit dan een sloffende draf. Raule keek onrustig achterom in de verwachting de soldaten te zien opdoemen, maar haar waakzaamheid leverde haar niets op dan een blik op lege, vaalbruine horizonten. Wanneer ze niet achterom tuurde, sleurde de diepte van de kloof haar blik omlaag.

De zon leek maar niet in beweging te komen. Raule had het gevoel dat ze het moest opnemen tegen een vijandige macht, die de dag roerloos op zijn plaats hield en de aantocht van de nacht belette.

'Alsof je door spoken wordt nagezeten, vind je niet?' zei Gwynn op een gegeven ogenblik. Raule antwoordde niet.

Uiteindelijk kwam de zon treuzelend omlaag langs de hemelboog. Toen de nacht helemaal gevallen was namen ze het risico en hielden kort stil om de kamelen rust te gunnen. Ze namen de watervoorraad op en berekenden dat ze voor ongeveer een week genoeg hadden. De brug kwam niet meer ter sprake. In die uitgestrekte leegte was alleen al het idee van een brug ongerijmd, net zo vreemd als het idee dat er regen bestond. Ze waren het erover eens dat ze een wijde boog moesten beschrijven zodat ze niet al te snel weer op de weg zouden uitkomen. Hun koers bepalend aan de hand van de Hagedis lieten ze de Sint Kaseem achter zich en reden naar het zuidwesten.

De nacht leek Raule nog langer dan de dag. Nu en dan was ze ervan overtuigd dat ze de ruiters achter zich hoorde in de duisternis. Elke keer dat ze zich omdraaide om te kijken bonkte haar hart. Maar het maanlicht bescheen elke keer een beeld van verlatenheid.

De dageraad bracht ook niets nieuws. Ze bepaalden nu hun koers aan de hand van de zon: naar het westen. Gwynn rookte aan één stuk door en stopte de peuken in een lege veldfles. Later die ochtend reden ze een aantal mijlen door een gebied, gekenmerkt door lage heuveltjes van bleek puin dat in het rond gestrooid lag alsof een hemelse pottenbakkersoven, vol reusachtige nog ongebakken aarden potten, op de aarde was neergesmeten door een opgewonden broertje van de luie god, die de vlakte met nagelgras had gemaakt. Op het middaguur namen ze kort rust en reden toen weer verder door de beukende, zinderende hitte, om beurten dommelend in het zadel.

Raule droomde dat ze de assistente was van een goochelaar. De illusionist met zijn wijde cape doodde haar en bracht haar weer tot leven, op allerlei manieren, tot hij haar ten slotte naar een galg bracht.

'Je weet zelf niet hoe dood je bent,' zei hij.

'Daar vergis je je in,' antwoordde ze, en toen werd ze wakker.

De heuvels lagen weer achter hen en de harde vlakte zette zich voort. Het was een land zo leeg en droog als een doodshoofd van duizend jaar oud. Geen knobbeltje van een cactus, geen vliegje, zelfs geen bot en geen flintertje afval; het leven had niets te zoeken in dit land. Het was raar als je bedacht dat dit vreemde gebied toch ook haar vaderland was.

De zon ging onder. Ze bleven doorrijden naar het westen, met het plan de volgende dag met een bocht terug te gaan naar de weg.

De volgende ochtend vroeg zagen ze de ruiters achter zich aan de horizon. Op zijn hoogst waren ze vier mijl van hen verwijderd.

'Hoe kan dat?' fluisterde Raule bevend.

'Als Helden jager worden zijn ze de beste van de wereld,' gaf Gwynn ten antwoord. Er klonk een wrok in zijn stem die Raule daar nog niet eerder beluisterd had.

Vluchten kon niet meer. De kamelen waren te moe om sneller te gaan dan een sukkeldrafje, hoe vaak ze ook met de zweep kregen.

Raule had een keer gezien hoe een reuzenslak een kleinere nazette en doodde. De jacht was begonnen aan de ene kant van het erf en duurde drie uur. Ze vroeg zich af of deze jacht ook zo lang zou duren.

Eerst dacht ze van niet, want de soldaten zetten de pas erin. Maar toen zakten ze weer af; ze hadden te vroeg te hard gereden. Met een paar minuten waren het weer stipjes aan de horizon.

Dat patroon zou zich telkens herhalen. Elke keer probeerden de achtervolgers die laatste, korte afstand te overbruggen. Maar ze slaagden er niet in. Raule bedacht dat de hele toestand geestig had kunnen zijn, als het geen zaak van leven of dood was geweest. Maar zoals de zaken ervoor stonden twijfelde ze niet aan de uiteindelijke afloop en ze voelde zich moe, als iemand die gedwongen is haar eigen graf te graven. Ze voelde hoe de woestijn haar uitlachte: *Ook jij zult worden gebroken en vermalen tot stof*, leek het land spottend te zeggen.

Ze keek achterom en schatte dat de soldaten iets dichterbij waren gekomen. Ze zei tegen Gwynn dat ze harder moesten rijden. Verwoed gaven ze hun rijdieren met de zweep, maar ze konden er niet méér vaart uit halen. De vijand kwam dichterbij en Raule besefte dat ze hun aantal schromelijk had onderschat. Ze waren op zijn minst met veertig man. Ze kwamen zo dichtbij dat ze het blauw van hun uniformen kon zien. Toen raakten ze eens te meer achter en werden weer steeds kleiner.

De mijlen kwamen en vergleden en brachten wat betreft de woestijn meer van hetzelfde en daarbij een steeds erger wordende uitputting. Raule goot water in haar keel en haar huid verspilde het prompt als zweet. Een voorhamer beukte op het aambeeld in haar hoofd; haar maag kwam omhoog en ze raakte al het water bijna weer kwijt. Ze hield haar mond stijf dicht en ademde alleen door haar neus om het vocht binnen te houden. Ze voelde haar angst verjaren en afvlakken, de scherpe kantjes kwijtraken. Het werd iets alledaags, een deel van haarzelf, als haar organen of haar armen en benen. Ze herinnerde zich het gevoel heel goed, van andere keren toen ze ervan overtuigd was geweest dat ze zou doodgaan. Ze probeerde hoop te putten uit het feit dat ze het die andere keren had overleefd, maar ze kon niets meer opbrengen dan een gevoel van bijtende zelfspot.

Rond het middaguur bezweek Gwynns kameel. Hij verspilde geen tijd met pogingen het dier op de been te helpen, maar maakte het af met een schot tussen de ogen en nam een ander rijdier. De dood leek de andere kamelen de stuipen op het lijf te jagen en ze draafden nu harder, maar dat duurde niet lang en de soldaten hielden hen bij, niet aflatend op en neer dobberend op de nevelige rand van de wereld.

Een uur later hield Gwynn stil.

'Wat?' zei Raule schor, terwijl ze naast hem stil hield. Ze dacht dat hij iets gezien had.

Hij zei, met een vastberadenheid die uit wanhoop leek voort te komen: 'Ik ben niet van plan zo te blijven doordraven. Ik vecht liever, zolang ik nog niet te ver heen ben om raak te schieten.' Zijn stem was rauw en onduidelijk, net als die van haar.

'Het zijn er veel te veel. Dat wordt onze dood.'

Hij zei niets.

Raule maakte een minachtend spuwend geluid, zonder vocht te verspillen door echt te spugen, en zette haar kameel weer in beweging. Na een tijdje kwam Gwynn eraan, rechts van haar, en haalde haar in. Hij zei niets en keek zelfs niet schuins haar kant op, maar vanaf dat ogenblik reed hij gelijk met haar op. Misschien had hij besloten dat hij zijn lot liever aan haar toevertrouwde dan aan zichzelf.

Raule wist alleen dat ze liever later doodging dan vroeger.

Ze stelde zich voor dat, als ze eenmaal dood was, haar geest voor eeuwig en altijd zou voortrijden door dit land, want ze kon zich amper herinneren dat ze ooit wat anders had gedaan. Het was alsof de rest van haar leven geen enkel doel had gediend, en alleen de opmaat was geweest tot deze potsierlijke finale.

De tijd leek stil te staan, net als de vorige dag. Minuten duurden zo lang, dat er geen eind aan kwam. Raule vroeg zich af of ze misschien al dood waren.

Een rauw geluid deed haar opschrikken. Ze schokte in het zadel. Ze had toch niet zitten slapen? Het drong tot haar door dat Gwynn haar naam had geroepen. Hij had zijn hand geheven en wees er onvast mee naar het zuiden. Daar beefde iets groots, iets donkers in de hittenevel. Het zag eruit als een eenzame tafelberg.

'Een mooie plaats voor onze laatste strijd,' hoorde Raule zichzelf schor zeggen. Zonder verder een woord te wisselen koersten ze erop af.

Toen ze dichterbij kwamen begon Gwynn te lachen als een raaf. Raule vroeg zich af wat ter wereld er zo grappig kon zijn. Gwynn had zijn kijker

34

aan zijn oog gezet. Hij slaakte nog een hese lach en zei: 'Kijk eens wat ons op zijn pad vindt!'

Raule richtte haar eigen kijker op de gedrongen omtrek. De lens liet haar de ware aard zien. Het was een muur. Hij verhief zich als de flank van een zeemonster dat op de verhitte aarde lag. Van begin tot eind was hij zo te zien vijf mijl lang. Hij leek volmaakt intact te zijn. Een enkele hoge boog, tussen twee vierkante wachttorens, doorboorde hem in het midden.

Het wilde er bij Raule eerst niet in dat het echt was. Het Koperland had aan sterke verhalen over verloren steden in de woestijn geen gebrek. Ze verwachtte dat het een fata morgana zou blijken te zijn, een laatste grap van het spottende land, voordat het haar dood werd. En dus schudde ze langzaam haar hoofd en meer niet. Maar de muur ging niet weg. Hij bleef daar staan terwijl ze dichterbij kwamen tot hij ten slotte zo dichtbij was dat ze de gladde voegen tussen de stenen konden zien. Raule voelde hoe haar verdroogde lippen barstten terwijl ze zich met tegenzin losmaakten van het tandvlees waaraan ze waren vastgeplakt, om zich te plooien tot een brede grijns.

De muur was iets meer dan twintig meter hoog. Zijn schaduw viel donker op de grond ervoor en de gloed van de zon erachter verborg wat er ook voorbij de boog mocht liggen, die smal was en berekend op de verdediging. Terwijl Raule zich inspande om details te onderscheiden, toverde haar geest haar een complete oude metropool voor, met gebouwen van marmer en antieke bronnen die nog steeds overliepen van water. Ze stelde zich voor hoe de stad diep onder de grond zich voortzette, tot aan de kusten van een koele, zwarte, geheime zee, in alles het tegendeel van de woestijn daarboven. Een oord van rust en veiligheid, geregeerd door goedgunstige invloeden, waar het verlangen naar geweld stierf. Ja, ze verbeeldde zich dat er werkelijk zo'n toevluchtsoord bestond aan de andere kant van de muur en kon haar fantasie niet loslaten, ondanks de heftige tegenwerpingen van haar verstand.

Onder de boog door reden ze. De muur was massief gebouwd, zeker gezien zijn hoogte, en was ruim zeven meter dik.

Ze kwamen knipperend met hun ogen tevoorschijn in de felle gloed van de zon in een open gebied, hetzelfde soort gestorven land dat achter hen lag. Honderd meter verderop lag inderdaad een kleine stad, maar zo vervallen, dat het niet meer dan een paar puinhopen waren. Van de stadsmuur stond alleen deze ene kant nog overeind. De drie andere zijden waren even bouwvallig als de stad.

Raules stemming maakte een duikeling, van de poëtische hoogten van valse hoop zo een diep dal in. Maar Gwynn behield zijn goede humeur.

'Hier kunnen we het winnen,' verklaarde hij. Hij steeg af, nam een lange teug water en begon de leren doos los te maken. 'Hiermee kunnen we reuzeleuk hun dag verpesten.'

'Of die muur laten instorten op onze eigen kop,' prevelde Raule lusteloos. Maar ze hoorde het eenvoudige plan aan dat hij voorlegde en gaf toe dat het de moeite van het proberen waard was.

Drieënveertig soldaten. Veel te veel. Overdreven, dacht Raule, terwijl ze keek hoe de blauwe uniformen naderbij kwamen.

Ze wreef zenuwachtig over de kolf van haar karabijn. Haar hart raasde als een graafmachine. Ze stond boven op de wachttoren ten westen van de poort. Gwynn stond op de oostelijke toren. Allebei de torens bezaten kantelen die nog in vrijwel volmaakte staat verkeerden, een wenteltrap binnenin en nog gave ruimten beneden waar ze de kamelen hadden gekluisterd. Het was net alsof een of andere macht de rest van de stad had vernietigd en die ene muur had laten staan als een monument voor de grootsheid van de overwonnen vijand – en dus voor de grootsheid van de overwinnaar.

Als extra gezelschap had Raule het grootste deel van het dynamiet, zo'n dertig staven. Ze hadden ternauwernood de tijd gehad lonten te snijden en aan de explosieven te bevestigen. De adrenaline had de uitputting deels uit haar verdreven. Gwynn en zij mochten dan niet in topvorm zijn, redeneerde ze, maar hun aanvallers ook niet.

Toen de soldaten de muur tot op minder dan een mijl waren genaderd, klonk er een schot uit Gwynns toren. Van de vijand ging er niemand neer. Het hoorde bij Gwynns plan te laten weten wat hun positie was, zonder meteen al slachtoffers te maken, want daardoor zouden de tegenstanders misschien voorzichtig worden. Hij had er het volste vertrouwen in dat de kapitein die de groep achtervolgers aanvoerde, zijn soldaten zou bevelen de poort door te gaan, de torens op. Raule was daar niet zo van overtuigd; misschien zouden ze proberen hen in kleine groepjes te naderen waardoor ze het voordeel van de verrassingsaanval met dynamiet kwijt waren, maar Gwynn leek zeker van zijn zaak te zijn. 'Zoveel moeite doen ze niet,' had hij verklaard. 'Vergeet niet, het zijn helden. Hun instinct drijft hen te kiezen voor het eenvoudigste, vooral als dat een opwindende aanval via de voordeur inhoudt.'

En het zag er naar uit dat hij het bij het juiste eind had gehad. De soldaten sloten zich aaneen tot een colonne en meerderden vaart. De kapitein reed voor hen uit op een hoge witte kameel, met knikkende blauwe pluimen op zijn sjako. Gwynn schoot opnieuw mis. Raule volgde zijn voorbeeld. Ze wierp een blik op het dynamiet dat ze naast zich had klaar gelegd en de lucifers die keurig op een rijtje lagen. Ze veegde haar zwetende handpalmen af aan de achterkant van haar broek en maakte zich klaar om in actie te komen. De kapitein hief zijn hand op en blafte een bevel. En daar kwam de vijand aangestormd in volle galop.

Op het allerlaatste ogenblik voordat ze de muur bereikten begon Gwynn opeens zuiver te schieten en beten drie ruiters in het zand. De rest stormde onder de boog door.

Toen ze uit de poort tevoorschijn kwamen en de open ruimte op reden, stak Raule twee staven dynamiet aan en gooide ze door de kantelen naar beneden. De ene trof het eerste gelid; een soldaat en zijn rijdier spatten uiteen in een explosie van rood. Alle munitie die de man bij zich had ontplofte tegelijkertijd zodat de kogels vanuit het eruptiepunt alle kanten uit vlogen. De andere staaf ontplofte op de grond, vlak achter het derde gelid, wierp een hoge pluim zand op en deed diverse kamelen struikelen en schokken en een paar wierpen hun ruiters af. Raule gooide nog twee staven naar beneden.

Binnen een paar seconden was de aanval uiteengevallen in een verwarde toverlantaarnvertoning van steigerende en maaiende gedaanten, verzwolgen door een duivelswolk van rook en zand. Mensengeschreeuw en dierengebulk weerklonken in Raules oren. De muur schokte bij elke explosie en ze hoopte maar dat hij net zo stevig was als hij eruitzag.

Gwynn vuurde aan één stuk door omlaag in het gedrang. Hij ging methodisch te werk, schoot eerst de kapitein neer en nam toen een voor een de andere ruiters als doelwit. Hij scheen er wel voor te zorgen dat hij de kostbare kamelen niet raakte. Een aantal dieren zonder ruiters sloeg op hol in de richting van de ruïnes. Op de grond aan de binnenkant van de muur sneuvelden blauwe gedaanten, de een na de ander. Weer helemaal kalm en met een grimmig voldane glimlach liet Raule haar vuur onafgebroken neerregenen.

Haar glimlach verdween toen een kogel de borstwering raakte, vlak voor haar gezicht. Vloekend dook ze weg. Nog meer kogels sloegen in de stenen in. Ze kneep zo hard in de lucifers dat ze er drie brak voordat het haar lukte weer een lont aan te steken. Blindelings gooide ze hem over de borstwering.

Na de ontploffing hield de kogelregen op en dus waagde Raule het erop en stak haar hoofd omhoog. Ze zag Gwynn gevaarlijk ver tussen de kantelen door naar buiten leunen terwijl hij de Speer op de boog richtte. Raule kon in die schaduw en rook niets ontwaren en betwijfelde of Gwynn dat wel kon.

Hij dook weg om te herladen en meteen werd het schieten hervat. Het kwam heel beslist van onder de boog vandaan. Intussen hadden drie soldaten hun rijdieren weer in bedwang gekregen en galoppeerden nu weg in de richting van de ruïnes. Raule holde over het dak van de toren naar de andere kant en smeet een staaf naar de poort. Ze moest onder een lastige hoek gooien en kreeg het ding er niet in, maar de ontploffing zette de doorgang vol rook. Ze draafde terug, net op tijd om de twee mannen te grazen te nemen die naar buiten kwamen wankelen. Ze keken omhoog en richtten hun geweren op haar terwijl het dynamiet al op hen afkwam. Het was een voltreffer die hen aan stukken reet, als een stuk vuurwerk, zoals daarstraks.

Gwynn had zijn aandacht gericht op het vluchtende drietal. Hij legde er snel twee van neer, maar toen raakte hij van slag af en het zag er even naar uit dat de derde zou ontkomen. Uiteindelijk lukte het hem toch en beet de man in het zand aan de rand van de ruïnes.

Er waren beneden nog soldaten in leven. Een aantal strompelde op de torens af, maar met hun trage, gewonde bewegingen vormden ze een makkelijke prooi voor Gwynn die hen, pronkend met zijn schietvaardigheid, één voor één keurig door het hoofd schoot.

Een laatste soldaat die al op de grond lag, kwam overeind en begon te schieten met een pistool, maar hij had maar één arm die hij niet stil kon houden en dus raakte hij niets dan lege lucht totdat Gwynn ook hem doodde. Daarna bewoog er niets meer, behalve het stof en ook dat verstilde tenslotte rond de roerloze mannen en kamelen en de kleine hoopjes rokend, bloederig vlees.

Gwynn die ineengedoken had gezeten kwam overeind en bracht Raule een saluut. Ze beantwoordde het. Het hele gevecht had niet langer dan twee minuten geduurd. De wereld zag er nog bijna net zo uit als tevoren, maar nu voelde ze hoe diep ze haar liefhad. Dat gevoel zou wegebben, dat wist ze, maar het was iets om van te genieten zolang het kon.

Gwynn wees omlaag en ging met zijn hand langs zijn keel om aan te geven dat hij naar beneden ging om te zien of er nog gewonden waren die hij moest afmaken. Raule pakte het ongebruikte dynamiet bij elkaar en klom voorzichtig de trap in haar toren af.

In de ruimte onder aan de trap was het donker en bijna koel. De kamelen, zag Raule tot haar verbazing, vertoonden geen tekenen van onbehagen. Ze lagen alle vier geknield op de grond en herkauwden met een air van slaperige waardigheid alsof niets ze kon schelen buiten die heerlijke rust. Raules gevoelens strookten daar helemaal mee. Ze legde haar gevaarlijke last voorzichtig in een hoekje en zakte op de grond aan de voet van de trap. Ze leste haar dorst en ging toen achterover liggen om haar uitgeputte lichaam rust te gunnen en de lichthoofdigheid te smaken die op een volmaakte en makkelijke overwinning volgde. Als de vijand dood was en jij nog in leven en ongedeerd – dat was mooi. De schim van haar geweten maakte er geen bezwaar tegen dat ze van dat gevoel genoot.

Even later verscheen Gwynn in de deuropening, zonder zijn sluier, met zijn hand op zijn zwaardgevest, terwijl er een sigaret aan zijn lip hing.

'Zin in een beetje plunderen?' vroeg hij.

'Niet echt. Is er dan wat van ze overgebleven?'

'Geen idee, dokter. Maar het is een verzetje om daar achter te komen.' Hij maakte een weids gebaar naar het zootje daarbuiten.

Raule keek hem aan met half toegeknepen ogen. 'Je bent erg ongedurig. Misschien heb je last van wormen.'

Hij keek haar schuins aan. 'Mag ik, gezien je badinerende stemming, aannemen dat...'

'Nee,' zei ze. 'Dat mag je niet. Je moet nooit zomaar iets aannemen.' Ze hees zich overeind.

'Lieve dame, je bent de wijsheid in eigen persoon,' zei hij terwijl hij achteruitging. Raule keek hem doordringend aan terwijl ze voor hem langsliep.

'Nee, ik ben gewoon niet helemáál onvoorzichtig.'

Buiten rondde ze een verkoolde voet en stapte over een nier heen.

De buit van het slagveld binnenhalen was een smerige en saaie aangelegenheid. Er was maar weinig goed genoeg om mee te nemen. De meeste van de kamelen waren gewond geraakt en moesten worden doodgeschoten. Uiteindelijk konden ze maar acht militaire rijdieren redden en maakten ze een bescheiden voorraadje goed werkende vuurwapens buit. Maar wat voedsel en water betrof hadden ze er enorm bij gewonnen. Toen ze het aantal blikken en veldflessen telden, bleek er genoeg te zijn om twee weken lang de nederzettingen te kunnen mijden. Ook waren er uitrustingsstukken zoals dekens en kampbenodigdheden en dergelijke, die grotendeels konden vervangen wat ze hadden achtergelaten.

De opbrengst aan geld was klein en ze vonden maar één snuisterij van waarde. Op het lijk van de kapitein troffen ze een horloge aan, van gewaarmerkt massief zilver, dat nog tikte. Als het gelijk liep was het nu negentien minuten over twee. In zijn portefeuille vond Raule nog iets, een vel papier met een aantal zinnen erop. Het waren zo te zien wachtwoorden, want er stond een rijtje opeenvolgende data naast, voor elke week een. Degene die ze geschreven had leek een weemoedige inslag te hebben. Eentje luidde er:

Gisteren ben je vertrokken; vandaag blaffen de waakhonden zo luid.

En een volgende:

Oude zaaddoosjes op de grond; het is de wind de moeite amper waard.

Ook bleek er een speels gevoel voor humor uit: *Jij en ik, gekko – de maanverlichte weg is vannacht aan ons...*

Raule betrapte zich erop dat ze hoopte dat de schrijver een stafofficier was die zich verveelde en ergens achter een bureau zat – niet een van de gevallenen van vandaag. Ze vouwde het papier op en borg het weg met de gedachte dat het ooit van pas kon komen. Dat kwam niet zo uit, maar toch bewaarde ze het nog een hele tijd.

Raule deed haar ogen open en zag sterren en een fel schijnende maansikkel, die wassende was. Ze lag in haar dekens gewikkeld op een klein stukje stenen vloer in de ruïnes, bij de koude as van een vuurtje. De maan belichtte helder de omtrekken van Gwynn en de kamelen vlakbij en wierp scherpe zwarte schaduwen over de ongelijke omtrekken van de stenen. De lijken lagen zover weg dat de lucht die Raules neus bereikte maar een zwakke vleug van dood met zich meevoerde.

Ze voelde zich breekbaar. Ze kon zich niet herinneren dat ze in slaap gevallen was.

Het moest van de kou zijn geweest dat ze wakker was geworden. Ze was ijskoud. Het vuur weer aan de gang brengen was haar te veel moeite. Ze klom moeizaam overeind, liep naar haar kameel en kroop er naast, met het idee verder te slapen. Maar ook toen ze het warmer kreeg bleef ze klaarwakker.

De maanverlichte muur trok haar blik. De boog leek haar op zijn beurt aan te kijken. Ze voelde zich gedrongen weer op te staan. Ze liep langs Gwynn die bij het geluid van haar voetstappen wakker werd. Hij zag dat zij het was en deed zijn ogen weer dicht. Raule liep over het open terrein naar de muur. Ze hield haar adem in toen ze langs de lijken kwam en keerde terug naar de wachttoren. Heel voorzichtig in het pikkedonker klom ze naar boven en keek over de ruïnes uit naar het zuiden.

De stad was een beschadigd raadsel dat nieuwsgierigen altijd zou blijven dwarszitten, peinsde ze. In de tijd dat de stad werd gebouwd moest er toevoer van water zijn geweest, ofwel bovengronds ofwel af te tappen ondergronds, maar het water was lang geleden al verdwenen. De ruïnes verschaften geen enkele aanwijzing over het verleden van de stad en haar inwoners; geen enkel oppervlak leverde zelfs maar een afbeelding of een inscriptie. De treden van de trap in de wachttoren waren van graniet en de harde steen was diep uitgesleten, een bewijs voor vele voeten die er vele generaties lang overheen waren gegaan. Het actieve bestaan van de stad moest even lang hebben geduurd als de periode van onbruik. Verder kon Raule er niets uit opmaken. Een hol, onbehaaglijk gevoel groeide in haar binnenste terwijl oude dromen haar bezochten. Ze herinnerde zich hoe ze als kind verlangd had een arts van aanzien te worden en hoe ze zich had voorgesteld ontdekkingen te doen over ziekte en gezondheid, leven en dood. Ze herkende het holle gevoel: het was rouw, om het verloren gaan van tijd en het verloren gaan van iets van haarzelf, of misschien van een groot deel van haarzelf.

Ze stond daar een hele poos. De nachtbries zwol aan tot een droge, koude, schallende wind. De randen van de wereld waren zwart, zodat de grond alleen van de hemel te onderscheiden was dankzij de sterren die de ene kant bevolkten. De mijlen lege ruimte leken aan haar te zuigen, haar alle kanten uit te trekken, haar schimmig te maken, ontastbaar. En op die toren staand, blootgesteld aan het donker en de wind, had ze abrupt diep berouw over het feit dat ze zich had aangesloten bij de revolutie en het geweld had gesteund dat haar ware ambities door het slijk haalde. Ze voelde zich meer dan verslagen: ze voelde zich verpletterd en het was een opluchting. Als een slaapwandelaarster liep ze de trappen weer af en keerde terug naar haar bed tussen de afgebrokkelde muren.

Gwynn tastte in zijn jas en haalde er een dikke bundel bankbiljetten uit die hij haar gaf. Het was midden in de nacht en ze maakten zich op om te vertrekken.

'Wat is dat?'

'Voor jou. Noem het maar gevarenpremie, als je wil.'

Ze nam het met een knikje aan.

Ze zaten in hetzelfde parket als eerst: ze moesten een markt vinden. Gwynn was het totaal onverschillig welke kant ze op gingen, dus op Raules aandringen hielden ze hun westelijke koers aan.

Toen ze hun karavaan de ruïnes uit voerden, de zwarte woestijn in, keek Raule nog dikwijls achterom. In de maneschijn was de muur als een strakke witte banier. Toen hij uiteindelijk achter de einder verdween werd haar hart een beetje zwaarder. Het zou zo fijn zijn geweest voor zich uit ook zo'n schitterend beeld te hebben, als ijkpunt.

De tocht was zwaar en saai; hun koers voerde eerst einden lang over hetzelfde dorre, ononderbroken zand, daarna over een vlakte vol zoutkristallen waar ze drie nachten over deden, vervolgens door geaccidenteerd onvruchtbaar land dat hen nog eens vier nachten kostte en daarna weer de eentonigheid van het harde zand. Ze bleven waakzaam maar de kringloop van daglicht en duisternis bracht hun niet de aanblik van nieuwe vijanden, of wat voor mensen dan ook. Ander leven verscheen weer, hier en daar, lukraak, in de vorm van rafelige stroken gras en vetplanten met een kleine bevolking van reptielen, knaagdieren en insecten. Nergens was water. Nu en dan kwam een eenzame arend of gier over in de lucht, op grote hoogte. Eén keer maar, bij het licht van hun tweede dageraad op de zoutvlakte, kringelde een adelaar omlaag, naar de grond; hij greep iets, een hagedis of een rat en keerde toen terug naar de hoogten van de open hemel.

Op een nacht telde Raule het geld dat Gwynn haar had gegeven. Het was een heleboel. Hij was ongebruikelijk stil, zwijgzaam zelfs, sinds ze de ruïnes hadden verlaten. Ze nam aan dat hij zich het hoofd brak over de vraag waar hij nu nog heen kon vluchten.

De nederzetting stond niet op hun kaarten. Het was geen stadje, alleen een handjevol open schuren bij een drinkplaats maar daaromheen lag een groot kamp met tenten en hutten en lampjes aan snoeren die een uitgebreide soek verlichtten aan de oostkant van het kampement. Ze bereikten het in de vroege uurtjes van hun tiende reisdag. De maan, nu bolrond en bijna vol, gaf meer dan genoeg licht om het kamp goed te bekijken. Ze naderden het heel voorzichtig en reden eerst een rondje om het kamp, op zoek naar uniformen en legervlaggen. Hun verkenning leverde een gunstige ontkenning op.

'En zelfs in Mijn woestijn zal Ik voor u zorgen,' haalde Raule het oude Lied van de Belofte van de Afriet aan, waar ze binnensmonds de volgende regel aan toevoegde: 'Ofschoon al gij armzaligen van geest u zult nederleggen bij de Tuinpoort en die node zult verlaten.' En ja hoor, een kleine maar dicht begroeide plantentuin omgaf de drenkplaats. Ze reden erheen en stegen af om de kamelen te laten drinken en grazen.

Ze sloegen hun tenten op toen de dageraad de hemel begon te kleuren, vulden hun veldflessen en trokken zich terug om te rusten. Gwynn bleef de hele dag in afzondering en kwam niet één keer zijn tent uit. Raule deed kleine dutjes en ging dikwijls naar buiten, deels om de omgeving in de gaten te houden, deels om het genoegen om weer onder de mensen te zijn. De markt bleef de hele dag druk en Raule betrapte zich erop dat ze gretig luisterde naar al dat lawaai, alsof haar oren dorstig waren geworden van de stilte in de woestijn. Ze merkte dat zich grote aantallen Harutaim onder de menigte bevonden. Bij zonsondergang arriveerde er een nieuwe, grote groep nomaden uit het zuiden, die hun komst aankondigden met enig vertoon: rijdend in rotten van twee, met slaande trom en onder welluidend gezang. Raule zag dat de meeste nomaden, onder wie de nieuw aangekomenen, zwaarbewapend waren. Bij de Harutaim reden altijd gewapende bewakers mee met de groep, maar in deze groepen droegen alle volwassenen en de meeste kinderen boven de pakweg acht jaar wel een of ander wapen.

Gwynn kwam tevoorschijn tegelijk met de eerste nachtelijke sterren. Raule wees hem de krijgszuchtige nomaden aan.

'Kopers misschien,' zei ze, en ze voegde eraan toe: 'Het kan ze niet schelen wie we zijn en zodra we weg zijn vergeten ze ons weer.'

'Als jij dat vindt...' zei hij passief.

De Harutaim hadden hun kamp opgetrokken in ronde of halfronde groepjes van tenten, met hun rijdieren er vlakbij, in met touwen afgezette kralen. Raule ging op weg naar de eerste groep met aan de leiband de kameel die de geweren droeg, gewikkeld in zadeldekens. Gwynn volgde haar met zijn zwarte mantel en sluier en zijn hoed diep over zijn ogen.

In een ondiepe kuil in het midden van het kamp brandde een vuur, waar een stuk of twintig Harutaim rondom gezeten waren. Raule naderde de kring, sprak een groet uit en kondigde aan dat ze wapens te koop had. Voordat ze uitgesproken was begonnen de nomaden te lachen. Sommigen slaakten de schelle trillers die een onbeschofter vorm van pret uitdrukten. 'Wanneer zoveel van onze vijanden zo edelmoedig zijn om dood te gaan zodat wij hun geweren kunnen nemen, hoeven we geen handel te drijven met jakhalzen,' schaterde een man.

Op dezelfde manier ging het eraan toe bij de tweede en de derde groep. Maar eindelijk, bij de vierde groep, maakten sommigen van de mensen laconieke gebaren van enige belangstelling. Een van hun oude matriarchen nam de leiding van het gesprek op zich en beaamde dat er mogelijkerwijs enige handel gedreven kon worden. Gwynn tilde de geweren van de kameel en de nomaden bekeken ze, met een goed vertoon van teleurstelling. Hoofdschuddend zei de oude vrouw dat het haar speet, maar dat de wapens in zeer slechte staat verkeerden. Toen begon het gesjacher. De matriarch onderhandelde alsof ze ter plaatse een strijd moest voeren op leven en dood. Gwynn zweeg en liet het koopmansduel aan Raule over. Na een half uur heen en weer palaveren hadden de Harutaimvrouw en zij nog steeds geen voor allebei de partijen aanvaardbare prijs bereikt. Raule zei dat ze het bij een ander kamp ging proberen en begon haar boeltje te pakken. Dat deed het 'm. De oude vrouw zette haar hand in haar zij en lachte en zei dat ze het allemaal voor de grap had gezegd, en deed Raule een redelijker bod. Raule was te uitgeput om dezelfde omhaal nog eens door te maken in een ander kamp; ze wist ook dat de vrouw dat vermoedde, maar ze gaf er niet om. Ze sloeg haar handen ineen, met de vuist in de andere handpalm, ten teken van overeenstemming.

De matriarch maakte hetzelfde gebaar en riep toen iets achterom. Binnen enkele ogenblikken kwam een jongeman aandraven met een stoffen tas waaruit bundels bankbiljetten vol ezelsoren tevoorschijn werden gehaald om uit te tellen voor de betaling. De strijdlustige houding van de oude vrouw was helemaal verdwenen. Terwijl twee mannen de geweren pakten en naar een tent brachten keek de vrouw zo overgelukkig dat Raule het jammer vond dat ze zo snel had gecapituleerd.

Met veel elegante frasen en uitingen van gastvrijheid nodigde de vrouw Raule en Gwynn uit erbij te komen zitten en thee te drinken met haar familie. Raule nam het aanbod namens hen beiden aan en er werd plaatsgemaakt in de kring rond het vuur, waarboven een grote ijzeren ketel met water hing te borrelen. Al gauw zaten de Harutaim en hun gasten aan de indringend gepeperde thee, die ze dronken uit blikken kopjes, terwijl ze kauwden op blokjes zoete, van olie glibberig snoeperijen. Terwijl Gwynn er zwijgend bij zat en zijn kopje onder zijn sluier hield sprak Raule met hun gastheren en -vrouwen. De nomaden bleken zeer welsprekend te zijn, maar achter hun spraakzaamheid bevond zich duidelijk een grenslijn die buitenstaanders niet mochten naderen. En ook waren ze er niet wars van kritiek te uiten of te impliceren, in elk geval. Na een van Raules verhalen over de oorlog te hebben aangehoord vroeg een van de jongelieden haar verontschuldiging voor zijn vrijpostigheid en zei toen dat in de ogen van zijn volk de verschillen tussen de revolutionairen en het Heldenheir van net zo weinig belang waren als de verschillen in de kleuren van bloemen.

'De zaken van hen die zich vestigen in huizen gaan ons niet aan. Wij hebben genoeg eigen aangelegenheden, wat de reden is dat we jullie geweren kopen,' zei hij met een minzame glimlach vol zelfspot. Een jonge vrouw mengde zich in het gesprek en zei tegen Raule dat als de wereld een geplaveide weg was, de Harutaim in de voegen daartussen liepen, waar het zand ouder was. Toen lachte ze en zei: 'En moge u die op wegen loopt, vast van tred zijn.'

'We hebben niet zoveel op wegen gelopen, de laatste tijd,' zei Raule. 'Ik vrees dat we niet eens goed weten waar we zijn.'

De jonge vrouw lachte opnieuw. 'Heb je een kaart? Laat mij eens zien.'

Raule haalde haar landkaart tevoorschijn en na er een paar seconden naar gekeken te hebben, wees de jonge vrouw een plaats aan die maar een week reizen van de zuidwestelijke grens van het Koperland lag. Daar voorbij lag de Zoutwoestijn. Als er ooit een moment was om weg te trekken naar het Teleuteplateau, dan was het nu, zei Raule bij zichzelf. Ze vroeg zich af wat Gwynn van plan was, maar dat hij nu zo stilletjes was, ontmoedigde haar ernaar te vragen. Toen ze de vinger probeerde te leggen op wat dat dan was, kon ze alleen denken aan de geestverschijningen die haar dromen bezochten en aan de grens tussen de levenden en de doden.

Korte tijd daarna namen ze afscheid van de Harutaim en dwaalden door de soek, een eindje apart van elkaar. Raule vond de soek eigenlijk minder werkelijk dan de verwoeste stad. De menigte was heel uiteenlopend en de waar was zo gevarieerd. Waar kon dat allemaal zo gauw vandaan zijn gekomen? Had de wind ze allemaal opgeveegd en op deze ene plek bijeengebracht?

Ze voelde een plotselinge kameraadschap met iedereen in die bonte drom, alsof ze – hoe kort dan ook – lid was van een geheim genootschap.

Terwijl ze zo voortliepen en al die gedachten door Raules geest maalden, deed iets Gwynn plotseling stilstaan. Raule keek in welke richting hij zijn hoofd had gewend en zag wat zijn aandacht had getrokken. Te midden van de levende have, de contrabande en de rommel die op het zand lag uitgespreid, stond nota bene een piano. Zo te zien had het ding ooit ook dienstgedaan als stormram. Vijf ontzettend vuile, broodmagere kinderen stonden eromheen. De langste, een meisje, was bezig de passanten toe te spreken terwijl de jongeren er zwijgend bij stonden met onverstoorbare gezichtjes.

Vroeger was Gwynns liefde voor de piano bijna even legendarisch geweest als zijn voorliefde voor roof en doodslag. Telkens als de troep bandieten zijn gemak nam in een kroeg of herberg die zo'n instrument bezat, speelde hij aan één stuk door tot in de kleine uurtjes. Nu liep hij langzaam in de richting van de wrakke piano met de kinderen eromheen. Raule volgde hem. Toen ze dichterbij kwamen bereikte hen de stem van het meisje.

'Vijf broers en zussies zijn wij, alleen op de wereld want onze ouders zijn zo dood als een pier en onze opoe ook. Dit was opoe d'r piano en we hebben hem eigeshandigs op z'n wieletjes naar hiero gesleept vanuit haar huis, zestig mijl ginder.' Toen breidde ze haar vogelverschrikkerarmpjes wijd uit en zong als een door de wol geverfde aankatser: 'Bedelaars en bedriegers zijn we niet! Wij gaan naar de Wilde Zwijntjesbergen! Naar de Wilde Zwijntjesbergen waar het goud is! Wie ogen en oren heb, die weet wel dat dit fraaie instrument tien keer zoveel waard is als waarvoor u het hiero kan kopen! Vijfhonderd dinar, een piano voor een schijntje!'

Van dichtbij leek de staat waarin het instrument verkeerde nog beklagenswaardiger, maar toch sprak Gwynn de beheerders aan.

'Mag ik eens proberen hoe hij klinkt?' vroeg hij terwijl hij zijn stem zo vriendelijk mogelijk liet klinken.

De kinderen keken elkaar aan. 'Nou, goed dan meneer,' zei het oudste meisje. 'Maar pas ermee op, hè. Het is een delicaat stuk antiek.'

'Dat zie ik, geëerde jongejuffer,' zei Gwynn. Zijn gezichtsuitdrukking ging schuil achter de sluier.

Hij rekte en strekte zijn gehandschoende vingers en boog zich toen over de afgesleten toetsen. Hij speelde een paar maten van een eenvoudige peinzende prelude. Verrassend genoeg bleek de piano niet zo ontstemd te zijn als het uiterlijk zou doen denken. Maar Gwynn liet de klanken uitsterven en nam zijn vingers van de toetsen. 'Ik ben wat roestig,' mompelde hij terwijl hij omlaag keek, alsof hij het niet zozeer tegen een van de aanwezigen had als wel tegen het instrument zelf.

Een dikke vrouw die koperwerk verkocht op het aangrenzende stukje grond hoorde het. 'Helemaal niet, schat,' zei ze terwijl ze langzaam haar hoofd schudde. 'Dat was mooi. Vooruit, speel de rest nou ook.' Ze stond op, pakte de klapstoel waarop ze gezeten had en schommelde naar hem toe. 'Hier, zet je kontje daar maar lekker op.' Ze zette de stoel met een klap neer voor de piano en gaf Gwynn een moederlijke klopje op zijn achterste.

Hij schrok en Raule was meteen gespannen. Maar toen pakte hij soepel de hand van de vrouw en hief hem op ter hoogte van zijn lippen en neeg het hoofd. Opeens scheen hij er plezier aan te beleven de grote heer uit te hangen. Hij ging zitten en zette het stuk opnieuw in. Dit keer was zijn aanslag zekerder. Raule herinnerde zich de melodie nog goed. Het was er een die hij dikwijls had gespeeld wanneer iedereen dronken was, wanneer de nacht week voor de dag en het feestgedruis voor bedwelming. Een paar voorbijgangers bleven staan om te luisteren. Maar halverwege het stuk stak het meisje haar handen uit en zette ze op de lage toetsen, met als gevolg een diepe, valse wanklank.

'Hou op,' zei ze. 'U kan niet altoos maar door blijven spelen.'

Een jonger meisje stootte haar aan. 'Misschien hebt-ie nog niet besloten.'

Het oudere kind schudde haar hoofd. 'Hij gaat hem niet kopen, waar of niet, meneer?'

'Nee, geëerde jongejuffer, dat ga ik niet,' bekende Gwynn terwijl hij zijn handen uitbreidde ten teken van overgave. 'Ik ben helaas gedwongen weinig mee te nemen op reis en ik vrees dat deze piano niet in mijn zadeltas past. Ik zou hem echter wel voor een poosje willen huren, als dat mogelijk is.' Hij tastte in zijn broekzak en haalde een munt van vijftig dinar tevoorschijn, die hij het meisje toestak. 'Zou dat voldoende zijn voor de aanschaf van een uur tijds?'

'Aanpakken! Gauw dan!' fluisterde het kleinste jongetje.

Het meisje aarzelde een fractie van een seconde, pakte de munt toen aan en stopte hem ergens tussen haar kleding weg. Toen zei ze: 'We hebben geen horloge.'

'Aha, dan is het maar goed dat ik er wel een heb, nietwaar?' zei Gwynn terwijl hij het zilveren klokje van de dode kapitein tevoorschijn haalde. Het kleine jongetje schoot voor het meisje langs en pakte met grote ogen van bewondering het horloge uit Gwynns hand.

'Het is half negen,' verklaarde de jongen. 'Ik kan klok kijken!' voegde hij er trots aan toe.

Toen gingen de kinderen op een teken van het meisje achteruit en begon Gwynn weer te spelen. Hij maakte de prelude af en ging toen over op het levendiger ritme van 'Drinken in de Maneschijn'. Er bleven nog meer mensen staan luisteren. Hij speelde 'De Ballade van de Karavanen', 'Binzairaba's Dans', 'Vaarwel jij met je engelenogen', 'Het spijt me zei de beul' en andere populaire wijsjes van het Koperland, tot verrukking van zijn toehoorders die al gauw meeklapten op de maat en de welbekende woorden meezongen.

Toen speelde Gwynn twee stukken van heel andere aard, ingewikkelde en melancholieke composities; stukken muziek die, naar Raule wist, stamden uit zijn eigen land. Ze kon het nauwelijks geloven. Iedere willekeurige toehoorder kon hem zo identificeren en zou zich hem zeker later herinneren als ze ondervraagd werden. Ze hield de gezichten aandachtig in de gaten, gespitst op tekenen dat er narigheid broeide. Maar vergetelheid leek wel over ze te zijn neergedaald – behalve over haarzelf. Gwynn begon weer aan een whiskydeuntje en het publiek begon opnieuw luid mee te klappen en te zingen.

Na het laatste refrein sprong het jongetje op en riep met zijn hoge stemmetje dat het nu half tien was. Gwynn boog naar de toehoorders en nam zijn horloge terug terwijl het jongetje het verdwijnen met treurige ogen nakeek. Er klonk applaus. Sommige mensen wierpen wat muntjes neer waar de kinderen meteen bovenop sprongen.

'Dat was een mooie vertoning, schat!' riep de dikke vrouw.

Toen Gwynn de piano weer onder de hoede van de verkopers had teruggegeven en Raule en hij wegliepen, glimlachte Raule wrang en zei: 'Nou, ik weet niet wat ik vanavond van je moet denken. Je loopt rond met sluiers tot hier, als een haremvrouw op de vooravond van haar ontmaagding, en dan doe je ineens zoiets.'

'Muziek is een van de schonere dingen des levens,' antwoordde hij terwijl hij zijn schouders ophaalde.

'Was dat concert bedoeld als zwanenzang of als uitvaartmuziek?' vroeg ze, niet goed wetend wat voor reactie ze wilde uitlokken.

'Geen van tweeën.'

'Wat dan?'

'Gewoon me even verpozen met een interessant moment.'

Raule lachte. 'Nou, kameraad, het is jouw nek.'

Nee, hij is niet een van de doden, dacht ze. *En ik ook niet.*

Hij zei dat hij terugging om te zien hoe het met de kamelen ging en om een vuur aan te maken. Ze knikte. 'Goed. Ik ga boodschappen doen. Ik heb een eindje terug een soort apotheker gezien. Heb jij nog wat nodig?'

Hij gaf haar wat geld. 'Kogels, olie voor mijn geweren en zeep, in het geval zeep nog bestaat, tenminste, in deze duistere tijden.'

De apotheker had zijn waren uitgestald in mooie houten kistjes en was zelf ook een keurig verzorgde man met een gouden monocle. Raule stond voor hem en probeerde af te dingen. Tussen zijn potten en doosjes en flesjes bontgekleurde namaakmedicijntjes voor alle pijntjes, lagen wat echte medicamenten waarvan haar voorraadje begon te slinken. Maar hij was niet van zins iets af te doen van zijn torenhoge prijzen en voegde haar toe dat ze maar moest proberen of ze het ergens anders goedkoper kon krijgen, als ze dat wenste. Dat wenste ze.

Rondslenterend en kijkend naar de spullen die op matjes en tafels lagen uitgestald, dacht ze aan de kinderen met hun piano. Mochten die ooit in de Wilde Zwijntjesbergen terechtkomen, waar dat ook mocht zijn, dan zouden ze het er vast niet makkelijk hebben. 'Maar ze gaan tenminste ergens heen,' zei ze binnensmonds.

De eerste melodie die Gwynn had gespeeld kwam weer bij haar op. En terwijl de trage muziek zich herhaalde in haar gedachten, gleed iets in haar binnenste opzij, alsof een sleutel eindelijk in een wachtend slot gestoken was. De deur van het berouwen ging open en ze ontdekte dat aan de andere kant daarvan verlangen wachtte. Het was als een scherf glas, helder en pijnlijk scherp. Ze voelde het in haar lichaam, tastbaar, zodat ze even moest blijven staan en diep moest ademhalen. Ze wist wat ze wilde en waarom dat betekende dat ze het Koperland moest verlaten en heel ver weg moest reizen. Ze verlangde ernaar zich onlosmakelijk te binden in een plaats waar ze een beschaafd iemand kon worden en haar hele verdere leven kon blijven ook. In een tijdsbestek van niet meer dan een minuut had dat voornemen zich in haar geest gevestigd met genadeloos gezag.

In zeker opzicht voelde ze zich weer staan op de wachttoren in de verwoeste stad, opnieuw met die duizelingwekkend zwarte leegte om zich heen. Maar dit keer voelde Raule dat er, in plaats van de muffe vlagen van herinnering en berouw die rondwentelden in het duister, eindelijk een frisse wind was opgestoken die de zaden van haar oude plan, nog steeds niet geplant, met zich meevoerde en ze als door een wonder weer in haar handen liet vallen.

Tussen de marktkraampjes en de tafels zette haar verbeelding straten en muren neer en voor haar geestesoog veranderde de menigte in stadsbewoners. Ze zag de gezichten van winkeliers, dagloners, geleerden, priesters, bankiers; ze stelde zich in brede strekken voor hoe dergelijke straten en muren en zo'n geordende burgerbevolking een vorm zou kunnen bieden waarin ze zichzelf kon uitstorten om een arts van aanzien te worden, zoals ze eens gedroomd had. Het leek haar geen overdreven belachelijk idee, zelfs toen haar geest terugkeerde naar het heden en praktische zaken, want nu bezat ze eindelijk geld – en een beter tijdstip daarvoor had ze zich niet kunnen bedenken. Ze zou niet berooid arriveren in het verre westen. Ze zou de kans hebben een ordentelijke reputatie op te bouwen. Toen ze eraan dacht hoe ze ervan overtuigd was geweest dat ze ten dode was opgeschreven, glimlachte ze omdat ze besefte dat ze erin gelopen was. Maar het was ook niet te verwachten dat ze het zo lang uit het oog verloren gezicht van de voorspoed zou ontwaren achter al die gevaren en toestanden.

Het viel haar in dat ze zou kunnen proberen Gwynn mee te nemen, om de galante heer die in hem huisde een eerlijke kans te geven. Ook al kwam het min of meer neer op het meenemen van een wolf naar een kudde en dan maar hopen dat hij in een herdershond zou veranderen, haar schimmige geweten opperde dat het de juiste handelwijze was.

De spoorweg door de Zoutwoestijn begon in de stad Oudnata. Het Heldenheir had er een omvangrijk garnizoen gelegerd, maar een poging de immense woestijn over te steken, anders dan met de trein, was een waagstuk dat nog veel gevaarlijker was dan plompverloren het vijandelijk kamp binnen te lopen. In theorie zou het mogelijk zijn per kameel naar het eerste mijncomplex te rijden, maar dat kon natuurlijk nauwelijks zonder gezien te worden en het was vrijwel zeker dat ze zouden worden nagezeten. En als laatste afschrikkend aspect stonden de mijnbeheerders bepaald niet bekend om hun gastvrijheid jegens zwervers.

Het moest dus de trein worden. Met Gwynn op sleeptouw zouden haar kansen om er door te komen zeker kleiner zijn, maar ze was bereid het risico te nemen. En het kon ook geen kwaad als Gwynn haar ook eens iets verschuldigd was. Al gauw had Raule iets geformuleerd dat naar haar idee doorging voor een plan. Om het te laten slagen waren zekere hulpmiddelen noodzakelijk. Ze zocht de soek af en vond uiteindelijk alles wat ze nodig had, waarbij ze het meeste gapte van een voddenkar. Er was echter geen tweede apotheker en dus keerde ze terug om duur te betalen voor de waar van de man met de monocle. Toen aanvaardde ze de terugtocht naar het water, waar ze uitkeek naar Gwynn. Ze vond hem aan het eind van een reeks tenten. Hij had een vuur aangelegd en zat er op zijn hurken naast met een pan, bezig pannenkoeken te bakken. Ze gooide hem een flesje olie toe voor zijn geweer, het enige op zijn lijst wat ze had kunnen vinden. 'Geen zeep,' zei ze, 'en geen kogels. Je zult gewoon wat minder mensen moeten doodschieten.'

Hij ving de olie op met zijn vrije hand. 'En me aansluiten bij de ongewassen meerderheid. O, wat hou ik van dat land van jou.'

Raule ging op de zanderige grond zitten. Een stapel gebakken pannenkoeken lag op een blikken bord aan één kant van het vuur. Ze prikte er eentje aan de punt van haar mes, rolde hem op en nam er een hap uit.

'En als ik je nou zou zeggen dat je niet hier hoeft te blijven om gedweeheid te beoefenen en afstand te doen van je ijdelheid?'

'Waar denk je aan?'

Ze beschreef haar plan, liet hem de dingen zien die ze had gekocht. Hij schoot in de lach zoals ze wel verwacht had. Maar wat een serieus antwoord betrof zei hij alleen dat hij er een nachtje over wilde slapen. Raule besloot dat ze had gedaan wat de hoffelijkheid verlangde. Ze bracht het gesprek op aardsere zaken zoals de verkoop van een aantal van de kamelen. Gwynn was het met haar eens dat ze dat net zo goed nu konden doen. Ze besloten zes van de legerkamelen te verkopen en er twee te houden om extra water te vervoeren. De kamelenmarkt lag aan het andere eind van de soek. Ze brachten er bijna de hele nacht door aangezien de kopers geen van allen haast hadden. Maar de legerkamelen vielen op doordat het goed afgerichte dieren waren, in prima conditie, en dus verkochten ze ze uiteindelijk voor een toereikende prijs.

Ze keerden terug naar de drenkplaats toen het ochtendlicht al doorkwam. Gwynn trok zich ogenblikkelijk in zijn tent terug. Raule bleef nog een tijdje buiten, genietend van de sfeer, net als de vorige dag. Met de ochtendzon kwam een zwerm ibissen uit het noorden aan die aan de rand van het water landden en in de rij gingen staan om te drinken en de modder begonnen om te woelen met hun lange gekromde snavels.

Toen de zon hoger klom zocht ze haar onderdak op en keek voor de duizendste keer de gids van het Teleuteplateau door. Ze las de beschrijving van de tandradbaan waarover de trein zigzaggend omhoogklom langs de rotswand aan de overkant van de woestijn. Het boek beval passagiers die uit stevig hout gesneden waren het uitzicht aan. Van alle plaatsen die het boek beschreef had ze een bijzondere voorliefde voor een stadstaat genaamd Ashamoil. De schrijver wijdde nogal uit over de rivier waaraan de stad gelegen was. Ze las steeds weer het stukje over het trage, diepe water, de duizenden bootjes die erop voeren, de huizen waarvan de trappen er regelrecht in afdaalden.

Raule dommelde in en droomde van een straat vol balkons waar de doden zich verdrongen, allemaal omlaag kijkend naar iets wat zij niet kon zien.

Toen ze wakker werd verwachtte ze eigenlijk half dat Gwynn vertrokken zou zijn. Maar in het namiddaglicht zag ze dat hij er nog was, in kleermakerszit bij de waterkant gezeten. Hij had zijn kameel en de hare gezadeld. Toen ze hem een vragende blik toewierp haalde hij alleen maar zijn schouders op en toen ze opsteeg en de soek uitreed volgde hij haar.

Uren later, toen ze zuidwaarts koerste onder een donker wordende hemel, reed hij nog steeds naast haar en niet voorop.

'Eén ding nog,' zei ze. 'Is er nog iemand anders die achter je aan zit?'

Hij scheen daar een poosje over te moeten nadenken. 'Er was een vrouw in Quanut die beweerde dat ik verantwoordelijk was voor een van haar kinderen,' zei hij ten slotte. 'Het kostte me heel wat moeite om aan haar te ontsnappen. Misschien zit ze me nog steeds achterna.'

'Kan het van jou zijn geweest?' vroeg ze.

'Nou, de dame in kwestie had ongeveer jouw huidskleur,' kwam het antwoord en toen viel er weer een stilte. 'En het kleine meisje was zo zwart als mijn schoen, dus ik denk dat ik ervan mag uitgaan dat ik hier geen verwanten achterlaat.'

Na een poosje keek Raule achterom. Er was niets te zien. Ze richtte haar blik vastberaden vooruit, en volgde de Hagedis die de Vleermuis volgde.

Op de uitstekende rand van het plateau boven Oudnata stonden twee gedaanten afgetekend tegen de sterren. De nederzetting rond het kopstation tierde welig. Het doortrekken van de spoorweg – werk dat tijdens de oorlog was stopgezet – was nu weer in gang gezet. Een ploeg arbeiders werkte bij het schijnsel van lantaarns, en legde spoorstaven. Verschillende machtige locomotieven verhieven zich op de rangeersporen. Rond de stad liep een hoge schutting van houten palen en bij de poort stond een zestal gedaanten in blauw uniform.

De ruiters stuurden hun rijdieren het steile pad op dat langs de voorkant van het plateau omlaag kronkelde. Ze reden heel langzaam en het duurde een uur voordat ze de poort van de stad hadden bereikt. Het waren twee vrouwen, allebei gewikkeld in voddige zwarte rouwgewaden. De ene was klein. De ander leek langer te zijn, maar had een kromgegroeide rug. Vuile windsels waren om haar hoofd en rond haar ogen gewikkeld en haar kameel was met een touw aan die van de andere vrouw vastgemaakt. Haar hoofd was zwaar gesluierd en vertoonde een minimum aan huid, van een kleur die het kennersoog van een schoenpoetser misschien zou hebben herkend als 'Kaneelslang' schoensmeer van Holden. Haar vingers, gestoken in een smerig paar grijze handschoenen, betastten aan een stuk door de kralen van een rozenkrans terwijl haar schorre stem woorden prevelde in een vreemde spraak, misschien een heilige taal.

De vrouwen hielden stil voor de poort en een wachtpost met het insigne van een korporaal vroeg waarvoor ze kwamen.

De kleine vrouw voerde het woord. 'Mijn moeder en ik gaan naar het zuiden. Ze heeft beide ogen en haar beide zoons, mijn broers, verloren. Ze kan het niet meer verdragen in dit land te leven.'

Er school medelijden in de blik van de wachtpost. 'Ik vind het heel erg voor jullie beiden, maar bedelaars mogen de stad niet in.'

'Natuurlijk niet. Maar we hebben geld voor de trein.' De vrouw tastte diep in haar vodden en haalde een paar bankbiljetten tevoorschijn.

'Je hebt me verkeerd begrepen,' zei de wachtpost streng. 'Ik geef niet om steekpenningen. Laat me zien dat jullie voldoende geld hebben voor kaartjes, anders kunnen jullie gaan.'

De vrouw aarzelde maar ze opende tenslotte een van haar zadeltassen en haalde er een kleinere buidel van stof uit waaruit ze een aantal rollen bankbiljetten opdiepte die met een touwtje waren dichtgebonden. De korporaal bromde en stak zijn kin naar voren terwijl hij ze aanpakte. Hij maakte de rollen los en schoof de biljetten van elkaar, bestudeerde ze en telde ze. Uiteindelijk rolde hij het geld weer op, bond de touwtjes er weer keurig omheen en gaf alles aan haar terug.

'Welkom in Oudnata,' zei hij.

Drie dagen later vertrok de wekelijkse trein die de Zoutwoestijn overstak uit het stadje. De vrouwen namen een privé-coupé. Soldaten van het garnizoen liepen door de rijtuigen terwijl de trein op stoom kwam, op zoek naar misdadige types op de vlucht voor het gezag. Toen ze de coupé bereikten waar het tweetal zat keken ze even naar het mummelende spook van ouderdom, verlies en dood, dat in elkaar gedoken in het hoekje zat en liepen snel door, van hun stuk gebracht als ze waren.

Toen de trein het station uit stoomde, ontsnapte hyena-achtig geschater via de deur van diezelfde coupé.

# DEEL TWEE

3

HIJ ZOU SLANGENSCHUBBEN MOETEN HEBBEN rond zijn keel en op zijn kaken, besloot ze; dat zou goed passen bij die serene glimlach zonder warmte.

Hij stond in een groepje van een man of tien, twaalf, die rondhingen onder een ambergele gaslantaarn aan de voet van de Kraanvogeltrappen. Aan hun krijgshaftige, weelderige uitmonstering te zien – rijk versierde zijden jassen, aan de zijkant opgesneden om de vuurwapens en het verdere ijzerwerk dat ze op hun heup droegen te tonen, glimmend gepoetste rijlaarzen met sporen, met juwelen bezette handschoenen – waren het handlangers, cavaliers verbonden aan de huishouding van een of andere edelman.

Zijn rijstwitte huid verried dat hij een vreemdeling was, een van de grote drom buitenlanders in de rivierenwijk. Zijn loshangende zwarte haar was even lang als dat van een vrouw. Geborduurde pauwenveren krulden langs de rug van zijn jas omlaag en rond zijn kraag en manchetten.

En als hij er zo uitzag, was hij dan een hartstochtelijk libertijn of een onaangedane, hooguit pittoreske, modepop? Drukte het uiterlijk uit wat voor man erin stak, of was dit alles wat hij was?

Hij stond heel stil, alleen de uiteinden van zijn haren bewogen, beroerd door een onduidelijk zuchtje. De vrouw die hem gadesloeg, stond eveneens stil, in de schaduwen onder de Viola-arcade waar de winkels achter ijzeren hekwerken waren gesloten voor de nacht en de lantaarns, met hun venstertjes van hoorn, onder de gewelven waren gedoofd. De mannen leken helemaal op te gaan in hun gesprekken. Geen één keek er haar kant uit. Kwaadaardig ogende kerels, dat zeker. Je kon je zelfs verbeelden dat het duivels waren die, mogelijk aangetrokken door het zwavelgele licht, in de stad waren neergestreken. Maar ook al waren ze niet bovennatuurlijk, het waren onmiskenbaar lieden die tot de onderwereld behoorden.

De vrouw was van de andere kant de wijk binnengekomen, een jaar geleden; afgedaald uit de hoogten van de stad. Ze had het huis verlaten waar veertien generaties van haar familie hadden gewoond, om een vreemde onder vreemden te worden in de wijk langs de rivier. Toen ze een jong meisje was hadden haar leraren geprobeerd er bepaalde angsten bij haar in te hameren, maar ze had een angst voor angsten ontwikkeld. Toen ze groter werd verdikten zich de koperrode krullen die haar hoofd als kind hadden getooid en verdiepte de kleur zich tot het rood van rozen; haar lichtbruine huid werd donkergoud van tint zodat haar borsten, toen die begonnen te zwellen, deden denken aan het boegbeeld van een piratenschip, of een koperen vrouwtjesdier, met wier melk tirannen in de dop hoopten te worden gezoogd. Ten slotte waren op haar zestiende verjaardag haar ogen veranderd, van bruin in zwart, het zwart van oud ijzer. Hoewel ze wist dat een van de lasten van de mens is zich een vreemdeling te voelen in de wereld, beschouwde ze al deze veranderingen als bewijs dat zijzelf nog veel vreemder was.

Ze had al haar aandacht gevestigd op de man in de pauwenjas. Zijn kalme houding riep iets in haar wakker. Ze richtte haar wil op hem, trachtte hem te dwingen zich los te maken van de anderen en haar kant uit te lopen. Mocht hij gevoeld hebben dat hij werd gadegeslagen, dan liet hij daarvan niets blijken; hij bleef bij zijn kompanen. Een poosje later liepen de mannen weg uit de lichtkring, de smalle zigzag van de Kraanvogeltrappen op, waar ze snel uit het zicht verdwenen achter vooruitstekende hutten op palen.

De weken daarop bleef ze naar hem uitkijken, maar ze zag hem niet meer, en ook de andere mannen in de groep niet. Haar klassieke scholing had haar toegerust een mogelijke oorzaak te achterhalen. Zekere filosofen in de nadagen van de antieke periode hadden de theorie gepostuleerd, dat elke persoon voor zích het middelpunt van een universum was, (waarbij het individu werd vergeleken met de stilte in het hart van de tornado of windhoos), en dat die werelden onderling doordringbaar werden geacht, zodat het ene universum het rijk dat een ander met zich meedroeg kon snijden, of erbij weg kon wervelen. Volgens een van die antieke bronnen was deze theorie naar voren gebracht als antwoord op de vraag hoe het kwam dat twee jarenlang bevriende filosofen elkaar na een heftig geschil, dat ze niet wilden proberen bij te leggen omdat ze te trots of te oprecht gekwetst waren, opeens niet meer zagen staan als ze elkaar tegenkwamen, ook al woonden ze in aangrenzende straten. Voorzover ze al ergens in geloofde, was ze geneigd aan deze opvatting van het bestaan geloof te hechten.

Misschien had haar wereld die van die vreemde man korte tijd doorsneden. Misschien had hij een boot genomen en de stad verlaten over de rivier. Misschien was hij dood, of teruggegaan naar de hel.

Uiteindelijk verwerkte ze hem in een ets.

'God zal het je lonen; een ander zal het niet doen,' had de non gezegd.

Het was het droge seizoen in de stad. Het seizoen van steenstof en gonzende vliegen. Het was de periode waarin het klimaat van Ashamoil het meest leek op dat van het Koperland. Het was ook het seizoen van de festivals en de parades. Het geluid van gongs en trommels en vuurwerk van een of andere festiviteit schalde in Raules oren, terwijl ze nog laat zat te werken in het hokje, dat ze had omgebouwd van privé-keukentje tot een soort van lab, om de aantekeningen af te ronden met betrekking tot haar jongste aanschaf, een mannelijk foetus, doodgeboren in de vijfde maand, dat geen skelet bezat.

Als ze opkeek zag ze alle andere, in glazen potten op de planken. Van de vaten pal voor haar bevatte een van de grotere een tweeling, met een samengegroeid hoofdje, wat één enkel, breed uitgevallen gezicht had voortgebracht bestaand uit twee profielen die enigszins naar elkaar waren toegekeerd. Dit gezicht was in rust en niet angstaanjagend; de ogen waren gesloten, de mond glimlachte sereen. Het specimen daarnaast had meer van het monsterachtige dat men traditioneel verwachtte: het bezat geen schedeldak, geen hersenen en geen hoofdhuid, waardoor het hoofd een holle kom vormde en de bovenkant van het gezicht ingrijpend verwrongen was, met twee enorme ogen die als die van een pad boven op het voorhoofd omhoogstaken. Op de plank daarboven was een karikatuur van een kind gebotteld. Het was zo'n tien centimeter lang, met een lijf en hoofd zo zacht als deeg en ledematen die nog het meest op jonge plantenscheuten leken. De pafferige vertekening van het gezicht deed denken aan de gezichtjes van die slappe lappenpoppen, die verondersteld werden het ideaal uit te beelden van lieve kleine kindjes. Dit was ook een deel van een tweeling geweest, weer een ander soort, oppervlakkig vastgegroeid aan de borst van een verder normale boreling. Een vroedvrouw had het meisje naar het ziekenhuis gebracht waar Raule het noodzakelijke snijwerk had verricht. De vreemde, kleine, mensachtige klodder bestond uit overgeschoten vlees en bezat geen hart of hersens ontdekte Raule, toen ze er naderhand sectie op verrichtte. Het specimen in de pot daarnaast, daarentegen, bestond helemaal uit bros, uitgemergeld gebeente. De meeste organen dreven ernaast, verankerd aan membranen die uit de gebrekkig gevormde buikwand stulpten. De foetus in de fles daar weer naast toonde een misvorming van de aangezichtsbeenderen waardoor het eruitzag als een vis.

De allervreemdste was in Raules ogen een volkomen symmetrisch vergroeide tweeling, waarbij de as horizontaal door het bekken liep. De gedeelten boven en onder die lijn waren volmaakt elkaars spiegelbeeld. Het geheel bezat twee volledig gevormde paren armen en bij de sectie waren twee stuks vrouwelijke voortplantingsorganen aangetroffen in het langgerekte lijf. Nog dagen nadat Raule het monsterlijf een laatste rustplaats had gegeven in haar pot, had ze last gehad van nachtmerries, waarin ze de foetus zag dobberen in een zee, langzaam ronddraaiend in de lengte en wentelend op haar afkomend. Haar dromende ik was er steeds van overtuigd dat het monster kwaad in de zin had en steevast ontwaakte ze uit die dromen met bonzend hart terwijl het zweet op haar voorhoofd stond. Ze was erg opgelucht toen de dromen ophielden.

Ze legde haar pen neer, zette het kind zonder gebeente aan het eind van een van de rijen potten, borg de aantekeningen van de sectie in een dossier en nam toen haar hele reeks specimina in ogenschouw. Ze had van de vroedvrouwen alle gegevens gevraagd en opgetekend – leeftijd, gezondheid en beroep van de moeder van elk van de kinderen en ook van de vader, voorzover bekend. Geen enkel kenmerk van de ouders en geen enkele van de omstandigheden waaronder de bewoners van de Lindenbuurt moesten leven, sprong er in het bijzonder uit. Raule had niet de beschikking over gegevens van doodgeborenen bij vrouwen uit de hoogste en middenklassen, waardoor ze tenminste nog wat vergelijkingsmateriaal zou hebben gehad. Ze was van al haar secties niets wijzer geworden. Na drie jaar studie had ze er geen idee van wat al die afwijkingen veroorzaakte. Intussen was haar tetralogisch onderzoek allang niet meer medisch. Het was voornamelijk filosofisch, veronderstelde ze. Ze gaf ook toe dat het op zijn minst een tikje voyeuristisch was.

Toen ze nog een medisch gezel was, had ze opgemerkt dat zieken in de ogen van de gezonden vaak monsters leken. Als het monsterlijke al te ver ging, en dat kon zijn in de vorm van ziekte, ouderdom, waanzin of misvorming, werd degene die eraan leed geschuwd, zonder dat het uitmaakte of de aandoening besmettelijk was of niet. Ze was tot de slotsom gekomen dat het in de menselijke aard lag een bijgelovige angst te koesteren voor de overdracht van ongeluk, door middel van een ingebeelde, ontastbare maar zeer goed geleidende tussenstof. En nu wist ze ook dat haar eigen drang om de tekortkomingen en gebreken van het lichaam te bestuderen en de oorzaak daarvoor te doorgronden, stamde uit een primitieve behoefte zichzelf daarvoor immuun te maken.

Die waarheid was haar duidelijk geworden sinds haar hoop de bodem ingeslagen was, meteen al in het begin, toen het College van Geneesheren van de stad haar aanvraag voor lidmaatschap had afgewezen. Ze had haar zaak vurig bepleit, maar het had niet mogen baten. Door een reeks lakeien om te kopen, waardoor haar middelen vrijwel tot nul waren teruggelopen, was ze erin geslaagd een onbenullig onderhoud te krijgen met het bestuur van het College. Toen ze haar jaren als gezel en aansluitend haar jarenlange ervaring als legerarts schetste, had een aantal van de dames en heren van het bestuur in hun zwarte gewaden toegeeflijk zitten glimlachen, terwijl anderen haar woedend hadden aangekeken alsof ze werden gehinderd door een vies luchtje.

De voorzitter bevond zich in het kamp van de vermaakten. 'Mevrouw,' had hij temerig gezegd. 'Als dit College elke verdwaalde kruidendokter en kiezentrekker van de kermis die hier op de stoep staat, zou toelaten, dan zou u niet trachten lid te worden van een vereniging van vaardige geneesheren, maar van een conclaaf van kwakzalvers! En als u niet intelligent genoeg bent om dat in te zien, kan ik, en dat zeg ik u ronduit, niet geloven dat u intelligent genoeg bent om u zelfs maar de grondbeginselen van de medische studie te hebben eigen gemaakt.'

Raule had haar woede beheerst toen hierop gelach volgde en had gevraagd wat die grondbeginselen dan waren, in de opvatting van het bestuur.

'Een academisch noviciaat van zes jaar aan een door het College goedgekeurde universiteit, gevolgd door een twee jaar durend co-schap in een goedgekeurd ziekenhuis. Dat is het minimum,' zei de voorzitter.

'En het lesgeld dat ik verwachten mag voor een dergelijke studie te moeten betalen?'

'Drieëntwintigduizend florijnen per studiejaar, afgezien van onkosten. Studiebeurzen kunnen worden verstrekt aan verdienstelijke studenten na het derde studiejaar.'

Wat Raule de volgende verklaring ontlokte: 'Mijnheer, ik schijn hier mijn tijd verspild te hebben. Rest mij nog u aan te bevelen, uw geleerde standpunt op te rollen en in te brengen in uw rectum, voorbij de sluitspier tot in het sigma romanum, waar het naar ik hopen mag door zijn zwaarwichtigheid een prolaps zal veroorzaken.'

Haar vertoon van deskundigheid had slechts tot gevolg dat de voorzitter een paar potige voetknechten riep die Raule op een bepaald niet ceremoniële wijze naar buiten geleidden.

Daarna had ze onderzocht wat voor keuzes er verder nog voor haar openstonden. Ze ontdekte dat ze weliswaar geen privé-praktijk mocht openen of in een gemeenteziekenhuis mocht werken, zonder lid te zijn van het College, maar dat niet alle ziekenhuizen in Ashamoil werden bestierd door de plaatselijke wereldlijke machthebbers. Diverse godsdiensten dreven kleine sanatoria, altijd in de arme wijken. Ze benaderde een van deze kerken.

Kon ze een kind ter wereld helpen, een wond reinigen en hechten, de doodsoorzaak vaststellen, vroeg de sombere non die haar te woord stond. Toen Raule bevestigend antwoordde reageerde de non met het aanbod van een aanstelling in het parochieziekenhuis in de Lindenbuurt waaraan geen inwonende arts meer verbonden was, sinds de vorige bekleder van die functie was overleden aan bloedvergiftiging. Het salaris was laag, de werkomstandigheden primitief en de enige dank die ze kreeg zou afkomstig zijn van een godheid waarin Raule niet geloofde. Ze nam het aanbod aan.

De man met de diamanten oorbel aan zijn ene oor stond zich zeer op te winden. 'Moet je zien! Kijk eens wat die slet van je gedaan heeft!'

De opzichter, een op een orchidee lijkende vreemdeling in een leunstoel onder een zonnescherm aan de straatkant van de dichtbevolkte slavenkraal, opende zijn halfgeloken ogen een fractie verder en verlegde de hellinghoek van zijn blik, om de oorzaak van 's mans woede in ogenschouw te nemen. De man hield zijn hoofd schuin en toonde zijn onversierde oor waarvan het lelletje heftig bloedde. In zijn hand hield hij de oorbel die de slavin er met haar tanden had uitgerukt.

'Ja, ik zie het,' zei de opzichter, geeuwend achter een hand met kanten manchetten.

Een tweede vreemdeling lag in een hangmat onder dezelfde luifel. Hij was van hetzelfde ras als de eerste, met een huid zo wit als gekookte vis en haar zo zwart als teer, en net als de eerste veel te rijk gekleed. Zo tenger als zijn metgezel was, zo zwaargebouwd was hij. Zijn gezicht stond somber. Hij staarde naar de brede rivier die langs de treden stroomde van de ghat, de trap aan de waterkant van de slavenmarkt, en leek aan de hele situatie geen aandacht te schenken.

De man sprak de slanke, geeuwende opzichter opnieuw aan. 'Heb je me verstaan, wormenzoon? Was je van plan er nog wat aan te doen, of niet?'

De opzichter zuchtte. 'Nee, niets, vermoedelijk,' antwoordde hij in opperste loomheid.

'Vermoedelijk?' sputterde de man. 'Vermóédelijk? Nou, dan vermóéd ik, dat ik je hiervoor zal laten geselen! Betaalt jouw baas je om werkeloos toe te zien, terwijl jullie zogenaamde koopwaar mij bijt, aanvalt en verminkt? Dat dacht ik toch niet, verspilling van mensenvlees dat je bent! Ik vermoed dat je mij een heel redelijke vergoeding zult willen betalen voor het leed dat ik geleden heb. Anders zal ik ervoor zorgen dat je baas hiervan hoort. En dan, wormenzoon, zul jíj degene zijn die moet bloeden.'

Hij deed een stap naar de opzichter toe, die zei: 'Ga uw gang, breng maar verslag uit. En vergeet niet te vermelden waarom ze u gebeten heeft. Ongetwijfeld zal mijn werkgever zeer met u meeleven. Misschien is hij wel zo geroerd, dat hij het achterwege laat iemand op u af te sturen om uw handen eraf te hakken.'

De man in de hangmat kwam overeind. Hij wees naar een met gordijnen afgeschoten hokje naast de slavenkraal. 'Als u wilt nagaan of de tempelpoort ontsloten is, dan vraagt u dat netjes en dan brengen we u en de dame in kwestie naar binnen. En dan zorgen we ervoor dat u kijkt, maar niet met de handjes. We kunnen moeilijk een maagd verkopen waar u voor de helft met uw vingers in gezeten hebt, wel?'

'Dat zou niet eerlijk zijn,' zei zijn metgezel terwijl hij opstond.

'Een maagd?' De stem van de gebeten man sloeg over. 'De poort van die slet stond zo wijd open als die van een merrie!'

'Ik vrees dat mij niet bekend is, hoe dat bij merries is gesteld,' zei de tengere opzichter met een delicaat glimlachje. 'Maar toevallig hebben we alle maagden in deze groep al verkocht.'

'Dus hoeven we haar eer niet te wreken,' zei de forse.

'U boft dus.' De tengere stak zijn hand uit en gaf een tikje tegen het overgebleven oorringetje van de man.'

'Voer voor de maden maak ik van jullie!' beet de man hen toe. 'Jullie begaan een enorme vergissing, meelwormen die jullie zijn. Ik zal zorgen dat jullie worden uitgekleed, gegeseld en anaal verkracht!' Met vlokjes speeksel op zijn kin draaide hij zich met een ruk om en beende ervandoor, zich hardhandig een weg banend door de menigte.

De forse opzichter liet zich weer achterover zakken in zijn hangmat. De ander sloeg een mug op zijn arm dood en liet zijn knokkels knappen. Toen liep hij naar de zijkant van de kraal, waar hij zachtjes sprak met een bronzen kolos die daar stond met een enorme zweep in zijn hand en geheel gekleed in leer, ondanks de hitte. De opzichter deed een stap achteruit en sloeg zijn armen over elkaar toen de reus een van de geketende vrouwen met het handvat van zijn zweep in haar hals tikte.

De vrouw draaide zich om. Er stond angst op haar gezicht te lezen, maar ze bleef stilstaan zonder ineen te krimpen en spuwde voor zich op de grond. De man met de zweep deed een stap achteruit en liet zijn wapen neerkomen. Het lange leer trof de vrouw op haar dij. Ze wankelde achteruit en een kreet ontsnapte haar. Ze rechtte haar rug en braakte een stortvloed van woorden uit in haar eigen taal. De zweep knalde een tweede keer en trof haar op de arm. Opnieuw struikelde ze, dit keer in stilte, met op elkaar geklemde tanden. Toen ze haar evenwicht hervonden had stond ze daar als een gevangen stormwind met een van woede vertrokken gezicht te kijken naar de man met de zweep en de opzichter. Bloed liep langs haar arm en been. De man met de zweep maakte aanstalten opnieuw toe te slaan. Toen hij zijn arm ophief hield de vrouw haar verbeten blik niet meer vol.

'Genoeg,' zei de opzichter. Hij verliet de kraal en liep terug naar zijn stoel. De man met de zweep keerde terug naar zijn post. Intussen waren alle andere slaven bij de vrouw uit de buurt gegaan, alsof ze ongeluk bracht.

Gwynn had kamers boven in de Corozo-toren, een oud gebouw van zes verdiepingen aan de rivier, in een voorstad die ooit in de mode was geweest en nu een rimboe was – letterlijk. Als hij 's avonds laat naar huis ging, loodste hij zijn paard over een bestrating die hobbelig was en verbrokkeld, ondermijnd door de wortels van vlambomen, gebarsten door het gewicht van zware kapok- en vijgenbomen. Achter de schuttingen boven straatniveau leidden groots opgezette herenhuizen een wankel bestaan, met hun gebarsten muren en gevallen zuilen. In de dankzij het rivierslib vruchtbare aarde die vrijkwam, overal waar steen en asfalt waren gebarsten, waren varens en mossen opgeschoten, als vulling uit versleten stoelkussens, terwijl lianen en klimop in dichte, slepende kabels en gordijnen over doorzakkende veranda's hingen. De plantengroei ging vergezeld van dierlijk leven: een geel met blauwe ara zat in een oude vlier, een python lag opgerold onder een openbare waterpomp, een kolonie vleermuizen hing als peervormig ooft in de hoge takken van een jacaranda.

De voorstad werd omsloten door twee rotspunten van graniet die afdaalden tot in de rivier vanaf de steile hellingen, waar de gebouwen van Ashamoil in rij op rij van ommuurde terrassen tegenop klommen. De winderige kantelen van het minder chique einde van de Tourbillionparade vormden bovenaan een derde grensmuur. Dit omsloten district hield, afgezien van de fauna, een hele bevolking gevangen van oude adel – heren en vrouwen van hoge komaf – die geen nieuwe generaties had voortgebracht. De buitengewone hardnekkigheid waarmee deze bejaarden zich aan het leven vastklampten was Gwynn niet ontgaan. Ze streden tegen de Tijd, als was het een zaak van eer. De nieuwe aanzienlijken zouden hen opvolgen en hun vermolmde huizen neerhalen en er lange rijen smalle woninkjes optrekken. De bomen zouden worden gesnoeid, de wortels uitgehakt; nieuw asfalt zou worden aangebracht en er zou een uittocht volgen van gedierte, waarvoor spoedig overal menselijke drukte in de plaats zou komen. Maar nu nog even niet. Voorlopig waren de straten nog gespeend van kinderwagens en pasteienverkopers, en botte het leven in de wilde tuinen nog ongestoord uit.

De Corozo-toren had aan de voorkant een terras, gesteund door muren die afdaalden tot in de rivier. Het terras werd beschaduwd door palmen in potten en lag altijd vol afgevallen palmbladeren. De voordeur zat stelselmatig op slot. Bewoners, bezoekers, boodschappers en dienstboden kwamen en gingen allemaal via het achtererf, waar zich stallen, in onbruik geraakte hondenkennels en een slijmerige fontein bevonden, waarin muskieten en bloedzuigers welig tierden. Langs dit vruchtbare bassin bereikte Gwynn de achterdeur die hij met zijn sleutel openmaakte. Hij had een plat pakje onder zijn arm. De lampen in de achterhal waren uit en er scheen geen licht vanonder de deur van het conciërgehokje onder de trap. De gloed van de nachtelijke stad, veroorzaakt door het schijnsel van ambergele gaslantaarns dat weerkaatste tegen de vuile nevel die er altijd hing, sijpelde door het bovenlicht en verlichtte vaag de hal, maar de trap naar de appartementen was even donker als de binnenkant van een beulskap. Op een tafel naast de deur stonden kaarsen voor algemeen gebruik van het hoge, witte, lang brandende type dat voor kerkdiensten in zwang was. Gwynn stak er eentje aan met zijn aansteker en begon de trap te beklimmen. De kaarsvlam liet gebeeldhouwde trapleuningen zien, ingelegd met dikke lagen stof, en een karpet met een tot op de draad versleten acanthus patroon. Aan het plafond hingen donkergroene zijden lantaarns waarin grote tropische spinnen huisden.

In het trappenhuis rook het permanent naar boenwas en zwart verkoold brood. Die geur riep steevast herinneringen op aan de kostschool die hij in zijn jeugd elke winter bezocht had. Zoals ze in zijn herinnering bestonden, werden die maanden ondergaan door een heel ander kind dan de jongen die in de lange dagen van de zomer leefde, op mammoetjacht ging op de toendra en meevocht in schermutselingen met concurrerende clans. De geur op de trap riep de geest op van de winterjongen, en ter hoogte van de derde of vierde overloop leek het vaak of een jonge stem begon te spreken, werkwoorden vervoegde in dode talen en uit zijn hoofd geleerde passages uit de geschriften van antieke schrijvers opdreunde. Toen hij die nacht naar boven klom, droeg het kind stukken voor van de oudste gedichten, die verslag deden van oeroude monsters en vreemde dingen. In fragmenten beschreef de stem visioenen van Ifrinn, voorbij het noorden, waar de zon nimmer opkwam en het ijs nooit smolt en dode clanleden hun levende verwanten opwachtten. De stem zong van de tachtig armen en tachtig muilen van de Kraken en fluisterde, op een toon vol kinderlijke vrees en kinderlijk verlangen, over de diamanten kroon en de zwaardstalen tanden van de Koudraak. Toen hij zijn deur opende vervaagde de stem.

Zijn kamers waren nog net zo gemeubileerd als toen hij erin trok. Afgezien van de zwaardere overgordijnen die hij had laten ophangen en de petroleumlampen, die hij had laten monteren op de steunen waar eerst alleen vetpotten hadden gebrand, had hij er niets aan veranderd. Hij at buiten de deur en verrichtte zijn wassingen in het badhuis. Hij bezat maar weinig boeken. Als hij wilde lezen ging hij liever naar de stadsbibliotheek die goed uitgeruste leeszalen had, waar een aangename atmosfeer van rustige, geleerde kameraadschap hing. Wat zijn persoonlijk onderkomen betrof, kon Gwynn zich het beste ontspannen in een sfeer van vergankelijkheid.

Hij legde het pakje op zijn bureau, stak een Auto-da-fé op en liep het balkon op. De Skamander die beneden stroomde was zo'n vierhonderdvijftig meter breed en traag en uitermate smerig. Zeven bruggen staken het water over, waarop een menigte bootjes zich verdrong en op alle uren van de dag en nacht af en aan voer. Wat hij nu kon zien, in het taangele halfduister van de nacht, was een traag voortglijdende parade van omtrekken, vergezeld van lichtjes, wit, turquoise, geel en vuurrood, van lantaarns en scheepsschoorstenen, allemaal smoezelig van de stoom en de rook, wat het tafereel een onscherp begrensde, buitenwereldse aanblik verleende. Intussen waren de geluiden die omhoog werden gevoerd rauw en aards: toeters en stoomfluiten die bliezen, vee dat loeide op het dek van transportschepen, matrozen die elkaar uitvloekten. Op het water was het nooit kalm; beweging en lawaai gingen altijd door.

Rond de ijzeren balustrade van het balkon kronkelde zich een klimrank. De bladeren waren veelkleurig en vlezig en in het droge seizoen bracht de plant stijve, wasachtige, bruin met roomwit gespikkelde trompetjes voort. De aanblik en de aanraking van die bloemen had in de verste verte niets organisch – ze leken meer op celluloid bloemen uit een fabriek, alsof de rank een opwindmechanisme was dat de processen van het leven op schitterende wijze kon nabootsen. De geur die ze verspreidden, een satijnglad brouwsel van aromatische tonen, deed eerder denken aan een hedendaags parfum dan aan het werk van de natuur. Men zou kunnen veronderstellen dat de plant zich ontwikkeld had om de menselijke neus te bekoren, opdat het stuifmeel in plaats van door insecten, door mensen zou worden verspreid. Het was nu de warme, stoffige, windstille maand waarin de bloemen verschenen; de kleine, groene, bolvormige knopjes begonnen juist tevoorschijn te komen tussen de bladeren.

Gwynn rookte zijn sigaret op, ging weer naar binnen en zette zich aan het bureau waar hij het pakje had neergelegd. Hij deed het pakpapier eraf en onthulde een ets in een kartonnen passe-partout. Hij was getiteld *Conversatie tussen de Sfinx en de Basilisk*, de vijftiende afdruk van een oplage van vijftig. De afgebeelde sfinx had het achterlijf en de voorpoten van een leeuw, de vleugels van een adelaar en het gespierde naakte bovenlijf en het bekoorlijke gezicht van een vrouw. Haar uitdrukking was trots, subtiel, vermaakt, samenzweerderig, nieuwsgierig, angstaanjagend, achteloos erotisch en nog duizend interessante aspecten meer, en dat alles uitgedrukt in één blik, dankzij een wonderbaarlijke kunstenaarshand. De basilisk was een serpent met een hoge kam die was afgebeeld in profiel; hij was geschubd en zijn lange smalle lijf lag in kronkels, terwijl zijn geschubde kaken gesperd waren in een grijns vol leedvermaak. De ets was afgedrukt in zwart en rood waarbij de basilisk voornamelijk zwart was en de sfinx rood, met haren als een stortvloed van wijn. De ontmoeting tussen de twee monsters vond plaats in een samengebalde versie van Ashamoil. Alle zeven bruggen kwamen in de afbeelding voor, alsmede de Viola-arcade, de Kraanvogeltrappen en nog een paar plekken die Gwynn herkende. Een groot deel van de gebouwen was versierd met graffiti-achtige fragmenten van kaarten, landkaarten zowel als hemelkaarten. De basilisk lag op de grond en hief zijn kop op naar de sfinx, die de bovenkant van de afbeelding domineerde, op het dak van een hem niet bekend trapeziumvormig gebouw gelegen. Een vrouwelijk monster en een mannelijk monster. In weerwil van de titel scheen er geen sprake te zijn van conversatie tussen die twee. Misschien was de titel ironisch bedoeld: de blik van een basilisk veranderde ieder die met hem spreken wilde in een stenen beeld, terwijl sfinxen erom berucht waren dat ze in raadsels spraken, die men niet veilig kon aanhoren. Tenslotte was het kwade oog van de basilisk het oog van een pauwenveer en waren in het midden van het papier, net verdwijnend achter een stulpje op de Trappen, de onmiskenbare achterpanden met de pauwenveren van Gwynns favoriete jas te zien.

De naam van de kunstenares, gezet in een fijn handschrift, was Beth Constanzin. De eigenaar van de galerie bezat geen contactadres van haar en zei dat ze alleen maar deze ene prent had aangebracht. Ze had nog geen naam gemaakt, voegde hij eraan toe. Gwynn had tot zijn eigen verbazing de ets gekocht. Hoewel het hem op zich weinig zei dat híj het toevallig was, wiens kleding de aandacht van de kunstenares had getrokken, werd hij geïntrigeerd door de mogelijkheid dat hier een uitnodiging naar hem was uitgegaan, of misschien zelfs een uitdaging. Dat de gezichtsuitdrukking van de sfinx iets badinerends had was hem niet ontgaan. De hele afbeelding op zich leek een raadsel, of een grote grap waarbij de kunstenares hem betrokken had, maar met welk doel? Als ze met hem in contact had willen treden, was hij toch makkelijk genoeg te vinden geweest? Bij gebrek aan een betere oplossing hield hij zichzelf maar voor, dat het in de aard van sfinxen lag mensen voor raadselen te stellen.

Hij voelde zich gedrongen op zoek te gaan naar Beth Constanzin. Hij had de man van de galerij graag willen vragen of haar gezicht op dat van de sphinx leek, maar had geen manier kunnen bedenken om dat te vragen zonder een dwaas figuur te slaan. Hij begon naar dat gezicht uit te kijken op straat en in kroegen. Hij keek bij andere galeries, maar vond verder geen werk meer van haar. Tegelijkertijd probeerde hij het trapeziumvormige gebouw te vinden. Op de ets stond het bij de Kraanvogeltrappen, maar in werkelijkheid stond zo'n gebouw er niet. Een aantal dagen lang gebruikte hij al zijn vrije tijd om te proberen het elders op te sporen, zonder succes. Natuurlijk kon de kunstenares het verzonnen hebben, maar als het alleen maar een verzinsel was en niet naar iets tastbaars verwees, dan was er ook geen elegant raadsel om op te lossen; dan bleef er alleen het verhoudingsgewijs omslachtige zoeken over naar een vrouw met een dergelijk gezicht. Gwynn bestudeerde de ets op zoek naar nog meer aanwijzingen, maar vond die niet. Toevallig kreeg hij het vlak na die mislukking druk met zijn werk. Wekenlang was hij 's avonds laat thuis en 's ochtends vroeg weer op, met lange tochten de rivier stroomop- en stroomafwaarts. Toen hij weer de tijd had om naar het gebouw te zoeken, ontdekte hij dat hij de belangstelling voor de zoektocht verloren had. De juiste tijd daarvoor scheen voorbij te zijn. Een krachtig parfum overspoelde zijn kamers en trok zich weer terug naarmate de trompetbloemen bloeiden en afstierven. Een half seizoen verstreek waarin hij nu en dan de ets uitpakte en bekeek, maar hij pakte hem telkens weer in en kwam niet op het idee hem aan de muur te hangen.

4

DE SKAMANDER STROOMDE VAN DE bergen vlak bij het midden van het Teleuteplateau naar de stad Musenda aan de zuidwestelijke zoom, waar hij over de rand in de oceaan stortte. Het grootste deel van het traject stroomde hij traag en voerde een enorme lading slib met zich mee die werd afgezet in de vorm van modderige oevers. De flamingo was de knappe prins van de rivier, geliefd bij het volk, en de krokodil was de verschrikkelijke koning. De een in de lucht, de ander in de diepte, en daartussen voeren de mensen met hun bootjes.

Ashamoil was gebouwd langs een recht stuk van de rivier in de tropische heuvels, halverwege de bergen en de waterval van Musenda, en besloeg zo'n twintig mijl rivierdal. De bovenste bereiken van de stad, in de luchtige sferen van de roze flamingo's, behoorden de rijken toe. Hun grote huizen hadden muren van marmer en mozaïek en torens met koepels van glas in lood met daaromheen enorme tuinen als parken, met meren waarin zwanen zich weerspiegelden en kunstmatige eilandjes en spelevarende groepjes. Maar heuvelafwaarts daalde de stad geleidelijk aan af in een kookpot van hitte, vuil, lawaai en stank: de bek van de krokodil. Naast de havenkaden op de zuidelijke oever, lag een oudere stenen kaai, die diende als opslagplaats voor allerhande afval, van gebroken roestende buizen van stookinstallaties en scheepsschroeven, tot huisvuil dat in de hele stad werd verzameld door voddenrapers om te verkopen aan de waterzigeuners, die er een deel van meenamen, een raadselachtige toekomst tegemoet, terwijl de rest bleef liggen rotten tot iemand de moeite nam het in het water te kieperen. Ten oosten en westen van de kaaien lagen rijen fabrieken en ijzergieterijen, waarvan de schoorstenen onophoudelijk zuilen zwarte rook uitbraakten die zich over het benedendeel van de stad uitbreidde en niet van zijn plaats te krijgen was, hoogstens door een tornado. De maan was nooit meer dan flauw zichtbaar in de gelige nachthemel en de sterren en planeten waren blijvend aan het oog onttrokken. Wanneer ze de sterren van de woestijn al te hard miste, reed Raule op het muildier van het ziekenhuis de helling op tot boven de vuilnevel, en hernieuwde daar haar kennismaking met de sterrenbeelden, waarbij ze haar oude verrekijker gebruikte om een scherper beeld te krijgen van lichtzwakke sterren en het gevlekte oppervlak van de maan.

Bloemen en bladeren dwarrelden omlaag uit de lusthoven als het hard waaide. Soms sprong er iemand uit een palmbosje op een uitkijkterras, en stortte in de rivier, of op een van de zeven bruggen.

De armen hadden één voordeel: als zíj wilden springen waren ze er zo. Achter de fabrieken aan de waterkant vormden honderden smalle sloppen leefruimte voor de zwoegende onderklasse. Van deze overbevolkte doolhoven van ellende en verloedering was de Lindenbuurt een typerend voorbeeld. De gezichten die je er tegenkwam waren bang of vals, krankzinnig of hartverscheurend triest, maar spraken allemaal van honger. Elke nieuwe dag begon met de aanblik van lijken, overal op straat; lijken van mensen die die nacht waren gestorven – de ouden en zieken die de deur uit waren gezet, ongewenste zuigelingen en slachtoffers van moord. Er werd heel wat afgemoord, maar het aantal mensen dat in de woonkazernes en sloppen zat gepakt was zo groot dat de sterfgevallen nooit merkbaar meer ruimte schiepen. Raule had het wel erger gezien, maar alleen op het hoogtepunt van de oorlog.

Het parochieziekenhuisje was een smal gebouw van twee verdiepingen, ingeklemd tussen een houtzagerij en een zeepfabriek. Voor een minimaal salaris en een vreugdeloos appartementje in het ziekenhuis zelf, deed ze wat ze kon om de ondervoeden, de zieken en gewonden te behandelen. Overbevolkt als de buurt was, met daarbij het tropische klimaat, was het er een broeinest voor ziekten en infecties. De kerk stuurde nonnen om als verpleegkundigen te dienen en novieten om het huishoudelijk werk in het ziekenhuis te doen. Soms had ze genoeg hulp, soms ook niet. Dan ververste Raule zelf de verbanden, leegde de ondersteken, en schrobde de vloeren. Haar ervaring met het behandelen van wonden kwam goed van pas, gezien de vele kinderen die gewond raakten door machines in de fabriek, en de oudere jongens voor wie messengevechten niet zozeer een tijdverdrijf waren als wel een levenswijze – en maar al te vaak een doodsoorzaak.

De enige andere vaste aanstelling in het ziekenhuis gold de priester die de taak had in de spirituele behoeften van de patiënten te voorzien. Het was een onverzorgde kerel, deze geestelijke, met alcoholische en wellustige gewoonten, die tot de patiënten over God sprak met een koortsachtige intensiteit en bij de stervenden waakte, niet zozeer in een sfeer van heiligheid, als wel van onsmakelijke geboeidheid.

De Lindenbuurt had Raule tot op zekere hoogte aan de boezem gedrukt. Ze had van de talloze families er vele leren kennen. Ze had al gauw gemerkt dat de aantallen armen met een baan werden geëvenaard, zo niet overtroffen, door de voor werk ongeschikte krankzinnigen en verstandelijk gehandicapten, de bejaarde armen en de wezen en verstoten kinderen die allemaal als in de sloppenwijk huisden als vuil in de voegen. Haar spookgeweten – dat vreemde, zuiver verstandelijke, van emotie gespeende orgaan dat als littekenweefsel was gegroeid op de plaats van het oorspronkelijke geweten dat ze in de oorlog was kwijtgeraakt – belastte haar niet met werkelijke gevoelens voor deze lijdende mensheid, maar ze ervoer esthetische bezwaren tegen de morsigheid en het te grabbel gooien van menselijke waardigheid. Hierdoor hing ze nog strikter dan voorheen de principes van een deugdzaam leven aan, die ze zich voor de oorlog had eigen gemaakt. Beschaafd gedrag vroeg tenslotte niet om werkelijk medeleven, slechts om het vermogen de regels voor bekommernis om anderen na te volgen. Raule speelde heel bewust de rol die ze gekozen had en had als gevolg daarvan de reputatie verworven een betrouwbaar mens te zijn, en tevens een goede dokter. De aangelegenheid met de doodgeboren kindjes stoorde geen mens. Elders zou men haar er scheef om hebben aangekeken, maar in de Lindenbuurt gold het als een zeer goedaardige excentriciteit.

Het was begonnen met een enkele misgeboorte: een meisje met zeehondenpootjes in plaats van ledematen. Raule had zulke gevallen vaker meegemaakt, bij mensen zowel als dieren. Al had ze verder geen oorzaken in de wijk kunnen aanwijzen, kreeg ze alleen al door de grote aantallen mensen die in de Lindenbuurt woonden veel meer van dit soort afwijkingen te zien. Ze begonnen haar nieuwsgierigheid te wekken. De plaatselijke vroedvrouwen ontdeden zich van deze borelingen, die naar oud gebruik werden gedood als ze niet meteen door natuurlijke oorzaken overleden. Dus ging ze naar een van die vrouwen toe en kwam erachter dat ze werden opgekocht als vleesresten door de kokers van varkensdraf voor vijf duiten het pond. Raule liet weten dat ze tien penningen per pond bood. Het nieuwtje deed nog sneller de ronde dan de sief en al gauw kon geen vrouw een monster baren of het belandde in een bundeltje lappen voor de deur van Raules kantoor.

In de begintijd, toen ze Gwynn nu en dan nog ontmoette om samen te eten, had hij gezegd bezorgd over haar te zijn, gezien haar situatie, en had geopperd dat ze er misschien beter aan deed naar elders te gaan. Misschien dat hij daarin gelijk had, maar eerlijk gezegd was ze het reizen beu. Bovendien, haar ambitieuze dromen waren weliswaar op niets uitgelopen, maar ze had zichzelf hernomen. Ze was niet ontevreden. Ze weigerde het geld dat hij haar aanbood.

Raule was bezig met haar ronde over de zaaltjes, zoals altijd 's avonds, voordat ze naar bed ging. Een geroffel in de buitengang deed haar opkijken. Een nachtzuster, een oudere vrouw op wier kalme ervaring Raule zich was gaan verlaten, kwam haastig binnen vanaf de andere zaal met een vragende uitdrukking op haar gezicht.

'Het is al goed, ik ga wel,' zei Raule. 'Ik ken die roffel. Kun jij hier voor mij afsluiten?'

De zuster knikte. 'Natuurlijk. Wees voorzichtig daarbuiten, hè.' Kennelijk had ze die dringende manier van kloppen ook herkend.

'Doe ik, wees maar niet bang,' zei Raule achterom terwijl ze de zaal verliet. Ze liep energiek de gang af, pakte een ring met sleutels van een haak en maakte de ziekenhuisdeur open die ze net een half uurtje geleden voor de nacht op slot had gedaan. Twee halfnaakte schoffies stonden daar, allebei zwaar hijgend.

'Er is dadelijk een gevecht in de Boomgaard,' hijgde de ene. 'Tussen Bellor Vargey en Scarletino Quai dit keer. Ze zijn allebei gebrand op een doding. U zal nodig wezen.'

Een paar minuten later stuurde Raule de door een muilezel getrokken ziekenwagen door de hete, dampende bochten en kronkels van de Lindenbuurt, door straten die soms geplaveid waren met rode klinkers en soms ongeplaveid waren en één en al modder, terwijl de schoffies meereden op de bok, naast haar. Het was maar een mijl rijden, maar de voortschuifelende menigte die uit de nachtdienst kwam of erheen ging, hield haar telkens op, zodat het een traag kwartier later was voordat ze de wagen stilzette bij het kleine klinkerpleintje, dat bekendstond als de Boomgaard (de plaatselijke geschiedschrijving wilde dat er inderdaad ooit limoen- en sinaasappelbomen hadden gestaan, in de tijd van de grootouders van de grootouders van de vertellers). Het lag ingeklemd tussen een paar hoge huurkazernes aan de Lumenstraat, een ordinaire, lawaaierige boulevard die parallel aan de rivier door de armenwijken liep als namaakgouddraad door een juten zak, en was bij de plaatselijke jeugd in trek als kampplaats.

Toen Raule aankwam was de aanloop nog in volle gang. De zijkanten van het plein stonden bomvol jongelui met felgekleurde hemden en strakke kuitbroeken. De meesten waren blootsvoets. Allemaal waren ze openlijk bewapend met messen en ploertendoders. Aan het ene uiteinde hadden de Esplanadeurs hun territorium afgebakend met rode lampions. De groene lampions aan de andere kant waren van de Linder Douw. Kinderen die bij geen van beide bendes hoorden stonden tussen hen in langs de zijmuren, als een soort bufferzone.

In het midden draaiden twee tieners met lange messen om elkaar heen. Ze waren nog niet in elkaar gedoken in de vechthouding. Ze liepen stijf rechtop, met hun schouders naar achteren, pronkend, spelend met hun messen om hun vingervaardigheid te tonen. Raule herkende Bellor Vargey van de Linder Douw en Scarletino Quai van de Esplanadeurs. De twee bendes waren sinds jaar en dag elkaars rivalen.

Raule vond de Esplanadeurs er bijzonder gespannen uitzien, klaar voor grof geweld. Van de bendes op de kaden waren zij het meest misdadig. Ze specialiseerden zich in het ontvoeren van jonge meisjes, wier lichaam ze verkochten in stegen en kelders; ze persten bedrijfjes op grote schaal en zeer hardhandig 'beschermingsgeld' af en hadden daarnaast een voorliefde voor brandstichting. De Linder Douw was op een veel lager niveau bezig; inbraken en eenvoudige straatroof met geweld vormden zo ongeveer hun bovengrens.

Maar in beide partijen lieten de kleinere zowel als de oudere jongens zich nu danig gelden – ze schreeuwden grove beledigingen, zwaaiden met hun messen en ploertendoders, net als de twee in het midden, en namen theatraal agressieve poses aan. Dat vertoon was niet alleen voor eigen gebruik bedoeld, het was ook voor de meisjes die boven uit de ramen hingen te kijken. En heel in het bijzonder voor de ruiters. Een groepje van zo'n twintig, vijfentwintig man bevond zich opzij van de neutralen, aan de kant waar Raule het plein op was gekomen, tot in de puntjes gekleed en tot de tanden gewapend, op schitterende paarden gezeten. Ze dronken uit fraaie flacons, rookten tabak en wiet en plaagden elkaar onderling op een heel ontspannen manier. Dit was huiscavalerie die een uitstapje maakte in de onderwereld.

In de Boomgaard konden ze gevechten zien die oprecht waren en waarvan de afloop geen doorgestoken kaart was. Ze konden ook een oogje houden op potentiële rekruten. Er was géén jonge knuppelaar te vinden die zo'n baan niet wilde. Hoewel het gevaar voor lijf en leden groot was, in de onderste echelons bij de grote huizen, was het risico bijna net zo groot in de fabrieken en metaalgieterijen en met het loon van een fabrieksarbeider kon je nog niet een honderdste bekostigen van de fraaie levensstijl waarmee de cavaliers pronkten. Men zou zelfs kunnen zeggen, en niet alleen badinerend, dat de jongens die probeerden de aandacht van deze mannen van hogere rang te trekken, het meest intelligente deden wat voor hen mogelijk was.

Gwynn was er ook, op een fraai zwart paard gezeten. Hij was prachtig op zijn pootjes terechtgekomen in Ashamoil. Hij was amper een paar dagen in de stad of hij was toevallig een zekere Marriott tegengekomen, een landgenoot van hem en een oude kompaan. Marriott werkte voor een edelman van de zuidelijke oever, Olm genaamd, een man die in de hele stad befaamd was en belangen had in vele zaken, waarvan de slavenhandel de voornaamste was. Een schijnbaar eeuwige oorlog in een van de kleine landjes in de wilde oerwoudgebieden langs de Skamander, niet al te ver van Ashamoil, zorgde voor een gestage toelevering van verslagen en gevangen lieden aan de slavenmarkten van de stad. De slavenhandel was legaal, maar daardoor nog niet veilig. Olm had behoefte aan snelle, betrouwbare schutters en op voorspraak van Marriott was Gwynn aangenomen door het handelshuis van Olm, de Hoornen Waaier. Door de geruchten die op straat rondgingen bleef Raule op de hoogte van Gwynns doen en laten. Ze wist hoe een aantal gevechten de rijen van Olms manschappen hadden uitgedund, waardoor Gwynn snel promotie had gemaakt. Nu was hij een gearriveerd cavalier, een van Olms vertrouwde mannen van de wereld.

Raule had er met haar opvattingen niet afzijdig bij kunnen blijven. Omdat Gwynn zo onverschillig was geweest in de keuze van zijn meester, daalde hij in haar achting. Terwijl ze haar teleurstelling nooit openlijk had uitgesproken, had ze ook niet geprobeerd haar mening onder stoelen of banken te steken. Ze bezochten elkaar steeds minder, tot de huidige toestand was bereikt, waarbij ze elkaar alleen nog bij toeval tegenkwamen. Gwynn had echter vriendschap gesloten – op grond van onderlinge tegenstrijdigheid, leek het– met de merkwaardige aalmoezenier van haar ziekenhuis. Raule haalde haar schouders op en vond dat ze aan elkaar gewaagd waren.

Toen hij haar kar hoorde aankomen keek hij achterom. Hij zag er goed uit en scheen in een beste stemming te zijn. Zijn jas van damast met ingeweven patronen van zwart en oesterwit en een dubbele rij kristallen knopen, hing open en onthulde een vest met een borduursel van zilveren bloemknopjes en een elegant lange, met kant afgezette, witte cravat. De laarzen met de stalen neuzen die hij droeg gaven hem een ietwat schurkachtig cachet, dat het damesachtige effect van de rest compenseerde. Hij droeg zoals gewoonlijk zijn twee pistolen en Gol'achab, waarvan het gevest opnieuw versierd was, en wel met ivoor en jade. Op een buitenmaats paard naast hem zat de immer sombere Marriott, wiens bleke hoofd als een volle maan verrees uit de stekelmassa van goudkant die om zijn hals zat gestrikt. Toen Raule de muilezel tot stilstand bracht nam Marriott haar uitdrukkingsloos op, terwijl Gwynn vanuit het zadel een buiging naar haar maakte en op vriendelijke toon 'Goedenavond' zei. Hij was altijd vriendschappelijk tegen haar blijven doen en meestal vond ze het wel vermakelijk zich voor te stellen dat hij zich zorgen maakte, omdat hij eerstdaags haar diensten misschien zelf nodig zou hebben. Maar op dit moment vond ze niets vermakelijk.

'Niet zo'n goeie avond voor iedereen,' zei ze met een norse blik. Zonder verder nog iets te zeggen klom ze met haar tas van de bok en baande ze zich een weg naar voren door de menigte – of liever, ze volgde de twee schoffies die de weg voor haar baanden, schel roepend: 'Maak plaats voor de dokter!' Onderweg hadden ze haar verteld dat de onenigheid betrekking had op een belediging en een meisje. Een knuppelaar moest bereid zijn te sterven als het om beledigingen en meisjes ging.

Toen Raule vooraan beland was, begonnen de toeschouwers aan beide kanten te bedaren. Het paraderen had lang genoeg geduurd en was nu bijna afgelopen. Al gauw doken de twee jongens ineen in de vechthouding en sprongen op elkaar af, als op een onhoorbaar teken. Geen van beiden vertoonde nog de opzichtige armbewegingen van daarstraks; nu werd er alleen nog snel en bloedserieus gevochten. Beide bendes hieven in koor de naam van hun strijder aan. De meisjes boven riepen bemoedigende woorden om de strijders in hun moed te stijven. Ze lieten bloemblaadjes omlaag dwarrelen en envelopjes met daarin uitnodigende briefjes voor de winnaar.

Een messengevecht was doorgaans kort van duur, en dit al helemaal. In nog geen minuut had Scarletino Quai Bellor Vargey in een houdgreep op de grond gedrukt. De jonge Esplanadeur liet zijn arm eenmaal met een ruk neerkomen en iedereen hoorde Bellor Vargeys schreeuw van pijn. De Esplanadeurs juichten en staken hun lantaarns omhoog, terwijl uit de Linder Douw een wrokkig koor van geschreeuwde verwensingen en bedreigingen opsteeg. De winnaar breidde zijn armen uit en nam de omhelzingen en loftuitingen van zijn kameraden in ontvangst. De verliezer, die op de grond bleef liggen, was ineen gekrompen met zijn armen voor zijn buik. Raule stapte het terrein op en ging naar hem toe. Hij vloekte tegen haar en probeerde haar met zijn ellebogen van zich af te houden, maar werd toen stil en slap: de schok was ingetreden. Het was een diepe buikwond. Twee van de Linder Douw kwamen naar haar toe en tilden hem in de ziekenkar. Eén zag eruit alsof hij tranen moest wegknipperen. 'Hij haalt het niet, hè?' zei de ander.

'Nee, waarschijnlijk niet. Het spijt me,' antwoordde Raule. De dood kon nog dagen blijven dralen en in die tijd zou het bestaan van de jongen vol niet-aflatende pijn zijn. Ze zag het zelfvoldane gezicht van Scarletino Quai en vermoedde dat hij heel goed wist dat hij zijn tegenstander geen dienst had bewezen door hem niet te doden.

De Linder Douw maakte zich al steels uit de voeten. Ondanks hun verbale uitdagingen, waren ze te ontmoedigd om de strijd aan te gaan met de Esplanadeurs in hun overwinningsroes. Er zou niet gevochten worden vanavond. Raule zag geld van hand tot hand gaan bij de cavaliers. Zo te zien was er zwaar gewed. Vanuit haar ooghoek zag ze Gwynn glimlachen. Het speet haar dat ze hem indertijd had gered.

Moe klom ze op de kar en liet de zweep knallen. Op de terugweg weken de mensen voor haar uiteen, alsof ze de veerman van de dood was.

Het was de taak van de aalmoezenier om bij de stervenden te waken, hun laatste biecht af te nemen, troost te bieden aan het bed en de laatste sacramenten toe te dienen. Dat laatste had hij al gedaan voor Bellor Vargey. Raule was opgetreden als getuige voor de afgeraffelde ceremonie. Bellors toestand was hard achteruitgegaan. Als Raule naar hem keek moest ze wel bedenken dat hij dankzij haar inspanningen drie dagen lang had liggen sterven, in plaats van maar één. Ze keek eens naar de aalmoezenier die onderuitgezakt op een stoel zat naast de ziekenhuisbrits. Het gezicht van de priester was een doorgezopen voorgevel van een onbehouwen blok van een hoofd. Zijn wangen waren ongeschoren, zijn grijze haar was vet en ongekamd, zijn ogen waren bleek van de staar. Hem zou niemand hebben uitgekozen om de laatste mens te zijn die je in dit leven zag. En wat Bellor Vargey had willen zien – een meisje, een vriend, Scarletino Quai met een touw om zijn nek? In elk geval niet de buitenlandse dokter die verantwoordelijk was voor het feit dat hij langer moest lijden, dat mocht ze veilig aannemen.

'Ik laat hem verder aan jou over,' zei Raule tegen de aalmoezenier, die knikte zonder op te kijken.

De aalmoezenier hoorde de dokter de zaal verlaten. Hij ging even overeind zitten om zijn rug te rechten, zakte toen weer onderuit. Zijn maag rammelde. Het was over zevenen. Hij wilde wat eten en hij wilde wat drinken, maar zijn heupfles whisky was leeg en een van de vrome zusters was nog bezig bij de bedden te bidden. Hij kon moeilijk weg zolang zij er was en zou zien dat hij zijn post verliet.

'Wie iets voor een ander doet komt makkelijker in de hemel, dus doe 'ns wat voor mij en ga gauw dood,' mompelde hij, maar wel in een oude taal, voor het geval de non scherpe oren had.

Het lijden had Bellor Vargeys lompe trekken verfijnd en veredeld. Hij zou een knappe dode zijn. Die toestand was waarschijnlijk de meest begenadigde die hij hier op aarde ooit had bereikt, vermoedde de aalmoezenier.

Hij trok aan zijn stijve boord en vervloekte de voorschriften die hem dwongen zo'n ding te dragen – plus een driedelig grijs wollen pak, hier in de tropen! In zijn zwerversjaren had hij witte gewaden gedragen die niet alleen sinds mensenheugenis de vaste kledij vormden van heiligen, maar ook de enige echt verstandige kledij was in een heet klimaat. Maar de hedendaagse Kerk had liever dat het stof van de wildernis in de geschiedenisboekjes bleef en was ertegen gekant dat haar hedendaagse geestelijken het de poorten binnenbrachten met in sandalen gehulde voeten.

Ik rouw om je, ouwe heks van een Kerk van me, weelderige courtisane van mateloos verloederd goud! Als ik nog een drop in mijn flacon had zou ik je toedrinken, al zijn je armbloedige bisschoppen der laatste dagen erin geslaagd een fatsoenlijke vrouw van je te maken!

Aldus sprak de aalmoezenier de Kerk uit het verleden in gedachten toe.

De tijden waren voorbij waarin een priester openlijk rond kon lopen met een wijnzak in zijn hand of een vrouw aan zijn arm, dat een kardinaal een casino kon drijven in zijn paleis, dat een paus dikke engeltjes van kindertjes kon maken bij zijn eigen zuster. Maar het waren denkers van de huidige eeuw die het meest klinkende van alle argumenten hadden aangedragen, die van het religieuze leven een glansloos bestaan hadden gemaakt, gericht als ze waren op het najagen van een volmaaktheidsgedachte, volmaaktheid die werd opgevat als een soort ongereptheid, waarbij zuiverheid werd verheven naar de hoge plaats, waar ooit uitmuntendheid had geprijkt als de erkende kroon van de ziel. Vrijwel elke dag kwam er weer iets op de lijst te staan om te worden afgevoerd. Alles wat ook maar in de verste verte riekte naar heidense praktijken in vreemde landen, of het stempel droeg van woelige tijden, werd uit de eredienst gestoten. Antieke taal werd afgeschaft, met droomduiding werd opgehouden, het branden van wierook werd afgekeurd. Relikwieën werden grootscheeps veroordeeld wegens hun associaties met afgoderij en begraafplaatsen en werden weggeborgen of aan musea geschonken. Het hele engelenheir werd voorzichtigheidshalve uit het gebedenboek verbannen, aangezien men uit de Schrift kon leren dat ze wel mensen uit moeilijkheden redden, maar hen er ook net zo vaak in deden belanden en daarbij, als men op de getuigenissen afging, zulke bizarre schepsels waren, qua uiterlijk, dat ze er speciaal voor ontworpen leken hedendaagse kerkgangers de stuipen op het lijf te jagen. De excentrieke levens en de dramatische dood van de martelaren, de geschriften van de kloosterlingen uit de Oudheid, waaruit de oververhitte geur van een vurige wellust voor God opsteeg, en zelfs die delen van de Heilige Schrift die niet zo veilig waren als lammetjespap, of zo droog als gort, waren in de kast gepropt waar de geraamten al hingen van de monnik-avonturiers en de losbandige pausen van weleer. En buiten die kast was de religieuze praktijk snel aan het verworden tot kraampjes met onverkoopbare rommel op de kerkbazar en theedrinken met de zielenherder. En het was uit misprijzen voor die ontwikkeling dat de aalmoezenier stilletjes een loflied opzond naar de oude Madam die de Kerk was geweest, terwijl hij de preutse jonge matrone die ze nu was verwenste.

Persoonlijk rouwde hij om nog veel meer dat hij was kwijtgeraakt. Onvermijdelijk begon hij te denken aan de meisjes, de bloemen der woestijn. Hij dook onder in herinneringen van hun haar als watervallen, hun rinkelende enkelbanden en hun met henna beschilderde borsten, hun heimelijke maniertjes en hun zachte verrukkingen. Aan hen denken was niet alleen een genot op zich in zekere, bitterzoete zin, maar het hielp hem ook om iets minder vaak te denken aan die andere, volstrekt bittere leemte in zijn leven.

Bellor Vargey roerde zich. Dat deden de bijna gestorvenen soms, alsof de uitvarende geest een felle wil bezat om nog één keer het aardse bewustzijn te ervaren. Hij deed half zijn ogen open, likte langs zijn lippen en mompelde toen: 'Waar is moeder?'

'Op de fabriek, Bellor,' zei de aalmoezenier.

De jongen keek verward op. 'Wat doet ze daar dan?'

'Werken. Ze is aan het werk.'

'O. Maar waar is Jacope dan? Die moet er toch zijn.'

'Die is vast ergens rotzooi aan het trappen,' fantaseerde de aalmoezenier. 'Te jouwer nagedachtenis. Op dit zelfde ogenblik is hij vrijwel zeker bezig zich dronken te voeren, omwille van jou.'

Bellor Vargey lachte scheef. 'Ja, dat is mijn prachtige broertje. Wat een drol! Hij had hier moeten zijn om afscheid te nemen. Maar hij knijpt er weer tussenuit. Zorg voor Emila en bid dat God Quai neerslaat, laat die klootzak het maar voelen, maak hem af... hé, aal. Ik heb altijd gezegd dat ik in bed wou doodgaan, maar niet op deze manier, als je begrijpt wat ik bedoel...?'

En mét dat hij dat gezegd had, verslapte zijn mond. Zijn ogen bleven glazig staren en dus deed de aalmoezenier ze dicht. Uit een flesje dat hij uit zijn borstzak pakte smeerde hij wat olie op voorhoofd van het lijk en prevelde daarna de vereiste gebeden voor de heengegane ziel.

Niet dat de ziel werkelijk weg was. Niet helemaal, nu nog niet. Maar weinig mensen begrepen hoe de dood in zijn werk ging. Het ogenblik dat het leven eindigde was even geheimzinnig als het ogenblik waarop het begon. Een lijk dat nog niet koud was, was als een kind in de moederschoot, een soort golem, niet helemaal levend en niet helemaal niet-levend. Het lichaam dat de veranderingen na de dood doorliep, bleef de ziel geheel of gedeeltelijk vasthouden en de duur daarvan was niet te voorspellen. In vroeger tijden waren de sacramenten bedoeld geweest om de geest uit te bannen; niet zozeer om de dode te helpen de hemel te bereiken, als wel om de levenden te beschermen tegen resten van wil en verlangen die mogelijk in het lichaam waren blijven steken en daar konden achterblijven, verdwaald, half bewust en in aanleg erg lastig. Niemand was gesteld op spoken of wandelende lijken. Maar de hedendaagse gebeden waren niet veel waard. Het waren stukjes broodschrijverij, afgevallen kruimeltjes van het feestbanket van de taal, het werk van slechte vertalers en nog slechtere zondagsdichters. Geen wonder dat de kranten vol stonden over spookverschijningen. Flinters van doden lagen natuurlijk nog overal in hocken en gaten en onder bedden als ongewassen kleren. Daarom voegde de aalmoezenier gewoontegetrouw een oudere formulering toe aan het eind van zijn gebeden.

'Scheer u weg, gij ziel van Bellor Vargey en wees deze aarde niet langer tot hinder. Wormen zullen zich uw vlees eigen maken; dat is der wormen deel. Talm niet in dit lichaam dat u niet langer toebehoort, of u zult ze voelen knagen; draal niet, of u zult de kwalijke pijnen van de ontbinding voelen in elk van uw lichaamsdelen. Er is hier niets meer voor u; ga dus haastiglijk naar uw hiernamaals en laat niets van uzelve achter.'

Verder was er niemand stervende op dat moment, dus na de non te hebben verwittigd dat er een lijk moest worden verwijderd van de zaal, ging de aalmoezenier naar buiten en liep naar de rivier om een bezoek te brengen aan het Gele Huis waar Calila woonde: Calila, die vijftien was en glad en lief en alle kunsten der liefde vroegrijp en meesterlijk beheerste. Ze verwelkomde hem met een foutloze nabootsing van verrukking. Hij wilde zo vreselijk graag weer jong zijn zodat hij gerede grond zou hebben te hopen dat ze niet alleen om het geld zo charmant deed. Ze deed hem zichzelf vergeten, zachte volmaakt gevormde vergetelheid die ze was.

Toen hij na hun samenzijn heel stil naast haar lag en haar tegen zich aanhield – een extra genoegen waarvoor hij ook moest betalen – begon hij te huilen. Toen ze hem vroeg waarom, dacht hij: *wat ben ik toch een smeerlap* en stelde zich heel even voor dat hij genoeg geld zou hebben om haar los te kopen van haar beheerders en haar vrij te laten. Maar in werkelijkheid was dat wel het laatste wat hij zou doen.

Raule ging de deur uit om mevrouw Vargey op de hoogte te stellen van de dood van haar zoon. Er hing nog wat daglicht aan de hemel toen ze het ziekenhuis verliet en naar de straat reed waar het gezin woonde. Ze kwam voorbij een lantaarnopsteker die luid voort kletterde met zijn spijkerzolen en zijn aansteekstaaf op zijn schouder droeg. Hij had weinig te doen in de Lindenbuurt, waar maar een paar straathoeken gaslantaarns bezaten. Overschaduwd als ze werden door huurkazernes van zes en zeven verdiepingen, dikwijls aan weerszijden van steegjes die zo nauw waren, dat iemand die zich uit zijn raam boog bij de overburen naar binnen kon leunen, ontvingen de straten maar heel weinig van het nachtelijke steedse achtergrondschijnsel zodat ze na donker lange einden van inktzwarte duisternis vormden, alleen hier en daar onderbroken door een brandende teerpot of een rijtje heiligenkaarsjes. Omdat ze niet wist hoe lang ze weg zou blijven nam Raule een petroleumlamp mee.

Ze kwam onderweg langs de Boomgaard waar een stel jongeren opschepperig stond te doen rond een vuurtje in een olievat, midden op het plein. Het was geen gevecht, ze waren gewoon wat aan het hangen. Het voelde soms nog steeds vreemd ze te bekijken vanuit een positie als lid van een gezagsgetrouwe wereld. Haar waakzame instelling ging vergezeld van een schimmig soort weemoed. Dat zou wel altijd zo blijven, vermoedde ze.

De Vargeys woonden in een grauw huizenblok met aan de buitenkant ijzeren trappen. De stoep voor de deur werd in beslag genomen door kippenhokken, kratten en een mangel, en voddige lieden van allerlei leeftijd die op dekens en zakken lagen, de een slapend, de ander wakker. Sommigen groetten Raule en een paar hielden hun hand op.

Raule beantwoordde de groeten en viste wat muntjes op uit haar zakken om in de uitgestoken handen te drukken, die zich eromheen sloten als op scherp gezette muizenvallen, terwijl ze zei: 'Als jullie dan een oogje op de muilezel houden.' Het gebouw had twee gebogen ijzeren staven die uit het beton staken, bedoeld om rijdieren aan vast te leggen en Raule bond de leidsels van de muilezel om de staak die het dichtstbij was.

'Maak-u maar geen kopzorg, hoor, mefrouw,' zei een jongetje. 'Als iemand d'r probeert te gappen dan maken we 'm dood en vreten 'm op.'

'Dank je zeer,' zei Raule. Toen klom ze de trap op naar de tweede verdieping, waarbij ze over nog meer slapers heen moest stappen. De deur op de overloop stond open, zoals altijd. Daarachter lag een smerig riekende verlaten gang met een heleboel deuren. Ze liep naar binnen, naar de twee na laatste deur.

Emila, het jongste kind van het gezin, deed open toen Raule klopte. Ze was acht, veel te mager, en droeg nu al lipverf en wangenrood. Ze ging alleen naar school als haar moeder de middelen had om het wekelijkse lesgeld te betalen, wist Raule.

In het eenkamerwoninkje dat mevrouw Vargey en haar kinderen bewoonden, stond Bellors jongere broertje Jacope tegen de muur geleund een koperen boksbeugel te poetsen met een norse trek om zijn mond, waarboven net een beetje dons begon te groeien. Hij wierp Raule een achteloze blik toe, en wijdde zich dan weer aan het poetsen van zijn wapen, waarbij hij het zeemleer heftig over het metaal heen en weer wreef. Mevrouw Vargey was bonen aan het wassen in een houten tobbe midden in de kamer. Ze keek op en meteen trok er over haar uitgeteerde gezicht een wolk zo zwart en bitter, dat Raule zich moest dwingen niet de andere kant uit te kijken. Het had net zo goed gekund dat ze langs was gekomen om te zeggen dat Bellor hersteld was, maar haar gezicht verried de waarheid, of anders wist mevrouw Vargey het instinctief.

Mevrouw Vargey stond op en draafde struikelend langs Raule naar buiten en sloeg de deur achter zich dicht.

Raule bleef bij de deur staan wachten terwijl Jacope het zeemleren lapje heen en weer bleef duwen zonder één keer op te kijken en Emila met een handje blauwe lovertjes zat te spelen. Het meisje legde ze neer in lijnen, cirkels, zigzaggen. Ze tekende er een spiraal mee op de vloer en dan de omtrek van een vogel. Raule bedacht dat alle kinderen monsters waren in de wereld en dat instinctief beseften. Ze werden aan hun abnormale aard herinnerd door de volwassenen, op wie ze maar niet wilden lijken en van wie de behuizing en het gerei maar niet pasten bij hun afmetingen. Daarom was het natuurlijk dat het kleine meisje zo plechtig en met intense concentratie met de lovertjes zat te spelen. Ze was met niets meer of minder bezig dan een poging met kleur en patronen een wereld op te roepen die zich aanpaste aan haar verlangens en zich voegde naar haar wil. De jongen daarentegen liet met zijn hele houding en heel zijn wezen zien dat hij wist dat er maar één wereld was en dat hij die zou doden, als het even meezat.

Toen het er naar uitzag dat mevrouw Vargey niet gauw zou terugkomen, ging Raule haar zoeken. Ze vond haar buiten, onder de trap gezeten met haar armen stijf om haar knieën geslagen.

Mevrouw Vargey zei met holle stem: 'Ik ben altijd bang geweest van mijn zoons. Ik heb Bellor altijd gevreesd en ik vrees Jacope nog steeds.'

'U hebt een dochter,' zei Raule.

'Die leert nog wel vrezen. Bellor stierf omdat hij te dapper was. Vrouwen sterven omdat ze te bang zijn.' Mevrouw Vargey greep de zoom van haar rok vast en sloeg met haar benige vuisten op haar benen in.

Raule kon niets passends bedenken om hierop te zeggen.

'Ik vind het heel erg voor u. Het lichaam van uw zoon ligt in het hospitaal. De Kerk zal de uitvaart betalen. Als ik nog iets voor u kan doen, moet u het maar zeggen.'

'Neem me mee naar je ziekenhuis en snij mijn baarmoeder eruit, dokter. Het is een smerig ding dat alleen maar rotte vruchten voortbrengt. Wat ben ik?' Mevrouw Vargey beukte op haar knieën terwijl ze haar ogen stijf dichtkneep. 'Ik ben een vat vol stinkend afvalwater. En ik ben wormstekig. Ik ben wormstekig. Ik was een appel waarin vanbinnen een wurm is geboren. Wormstekig!' krijste ze en toen duwde ze haar arm in haar mond en beet haar magere vlees tot bloedens toe, zo diep.

'Hé, help eens even!' riep Raule.

Twee van de kerels op de stoep hesen zich overeind. Raule droeg ze op mevrouw Vargey vast te houden zodat ze de laudanum uit haar tas kon pakken en mevrouw Vargey een flinke scheut tussen de tanden kon gieten.

Ze werd bijna meteen rustig, haar mond zakte open en binnen een paar minuten was ze in een diepe slaap. Raule gaf de mannen elk een florijn en voorzichtig droegen ze mevrouw Vargey de trap weer op.

5

IN ELK GEVAL WAS HET vandaag Croaldag, zodat hij niet in zijn eentje dronken hoefde te worden.

In Ashamoil waren de dagen van de week vernoemd naar zeven beroemde verraders, of liever gezegd: naar zeven verraders die ooit beroemd waren geweest maar nu vergeten. Want dat had deel uitgemaakt van hun straf: buiten het feit dat ze werden terechtgesteld zouden de weekdagen naar hen vernoemd worden, opdat hun namen door de eindeloze herhaling alle betekenis zouden verliezen. En het was precies zo gebeurd als degenen die de straf hadden opgelegd het hadden gewild; vandaag de dag waren de verraders volkomen vergeten en wist geen mens meer waarom de dagen van de week van die rare namen hadden: Waaldag, Hiverdag, Croaldag, Voildag, Obysdag, Rabberdag en Sorndag.

Op Croaldag had de aalmoezenier een vaste afspraak met Gwynn in Feni's bistro, bij de Gevangenbrug.

Hij schoof het stoffige oranje kralengordijn opzij dat bij Feni in de deuropening hing. Zoals gewoonlijk was er bijna niemand, alleen een stel zatte verslaggevers die aan de bar hingen en Feni's zus en haar vriendinnen, dertien in een heksenkring, die aan de grootste tafel kleren zaten te naaien en de tarot zaten te leggen onder het genot van jenever en lange dunne sigaren. Gwynn zat achterin een zachte aubade te spelen op de piano die Feni jaren geleden had aangeschaft, toen de zaken beter liepen en hij artiesten kon betalen.

De aalmoezenier legde wat geld op de tapkast. 'Een halve fles Zwarte Bisschop, graag, Feni.'

'Een hele fles is voordeliger,' zei Feni. Dat was een ritueel. De drank, die niet zwart was en al helemaal geen bisschopswijn, maar een rauwe, goedkope, kleurloze mispellikeur, had een kerkelijke oorsprong, aangezien de formule was uitgevonden door een heremiet die meer dan duizend jaar geleden ergens in een grot in het binnenland van het Teleuteplateau had gehuisd. De aalmoezenier dronk het om zich de energieke en stoere jonge-lingsjaren van de godsdienst in herinnering te brengen; de tijd dat God nog jong was, zoals hij graag bij zichzelf zei. Hij dronk het ook omdat het een verschrikkelijk hoog alcoholgehalte had.

'Maar ik wil maar een halfje,' zei de aalmoezenier.

'Waarom? Straks wilt u er weer een.'

'Wat zeur je nou? Ik wil een halve fles en als ik straks er nog een wil, dan maak jij een beetje meer winst.'

'U zegt het maar, eerwaarde.' Met een duldzame blik haalde Feni de kurk van de fles en zette hem op de tapkast.

De aalmoezenier pakte hem en liep ermee naar de piano terwijl hij een paar slokken nam. 'Da's een deuntje voor een kroeg vol minnende paar-tjes, niet voor hier.'

'Gaat het weer wat minder met het hart?' Gwynn speelde gewoon door, zijn ogen dromerig half geloken.

'Het gaat slecht met mijn ziel. Ik heb weer gezondigd.'

'Met de verrukkelijke Calila?'

'Met die kleine stouterik, ja. Nee, geen stouterik, mijn kostbaar meisje. Maar, o, wat slijten die toch snel! Ze krijgen de pokken, ze krijgen een kind, ze gaan dood. Maar o, zolang ze leven, zijn ze het leven zelf, ik zweer het je! Vier keer heb ik gisternacht met haar gezondigd. Vier keer!'

'Vier keer? Kun je nauwelijks een zonde noemen, eerder een wonder – voor iemand van uw leeftijd. Ik kan alleen maar hopen dat dergelijke zon-den mij ook 's nachts warm zullen houden in de herfst van mijn leven.'

De aalmoezenier snoof. 'De herfst van je leven, wat een grap! Jouw soort leeft nooit lang.'

'Soms wel. En we hebben er een hekel aan te worden overvallen door een situatie waarin we niet hebben voorzien. Ik ben van plan te rijpen tot een bejaarde losbol. Mijn bezigheden zullen bestaan in het me vergrijpen aan schoolmeisjes, het vechten van duels met toornige vaders en broers en het houden van geestige redevoeringen voor de rechtbank. En mocht ik blijven leven tot de winter van het bestaan inzet, dan zorg ik dat ik in een gerieflijk gevang terechtkom om daar mijn memoires te schrijven.'

'Mijn zoon, de enige manier om zo oud te worden dat jij je memoires kunt schrijven, is te zorgen dat je zo snel mogelijk in het gevang komt en daar verder te blijven. Maar verwacht niet dat iemand die zal lezen. Zodra je dood bent geven ze geen donder meer om je, let op mijn woorden.' De aalmoezenier hield zijn hoofd achterover en goot de drank in zijn keel. Gwynn haalde zijn schouders op en speelde door.

'IJdelheid, het is al ijdelheid,' boerde de aalmoezenier, 'en graaien naar de wind.' Hij peuterde aan een gehavend plekje in het donker gepolitoerde hout van de piano en maakte het groter. 'Je krijgt een eindje leven, een paar jaar waarin je je belangrijk voelt, of althans het gevoel hebt dat je belangrijk zou moeten zijn. En dan is het weer voorbij, lang voordat je er aan toe bent. Tijd voor het oordeel. Kaf of koren, schaap of geit, goed of slecht. Geen tweede kans, geen beroepsmogelijkheid. Jij, mijn zoon, bedriegt jezelf met die onverschilligheid van je. Je zou doodsbang moeten zijn. In plaats daarvan ben je arrogant!'

Gwynn glimlachte en nam zijn vingers van de toetsen. 'Als ik arrogant ben, dan u net zo goed, eerwaarde, als u ervan uitgaat dat de rechter, als die al bestaat, uw opvattingen over goed of slecht deelt.'

De aalmoezenier snoof opnieuw. Hij ging uit van de overtuiging dat Gwynn het altijd bij het verkeerde eind had als het op morele vraagstukken aankwam. Als hij overtuigend overkwam, dan was dat alleen doordat hij het zo listig wist te zeggen en niet door de inhoud van zijn argumenten.

'Koester je nooit ook maar het kleinste beetje angst dat je het helemaal verkeerd hebt en dat je ervoor zal moeten boeten, dat je jouw intellect zo ellendig hebt misbruikt?'

Gwynn leek over die vraag na te denken. 'Nee,' zei hij, terwijl hij de pianoklep dichtdeed. 'Ik betwijfel trouwens of ik plezier zou beleven aan het paradijs. En wat u aangaat, u zou het er vreselijk vinden. De boezem van God alom, en zo weinig andere boezems, als ik jullie literatuur mag geloven...'

Het vermelden van boezems leidde de aalmoezenier af. 'Calila heeft maar kleine borstjes, maar ze zijn heel aardig. Nee, ze zijn volmaakt. Ze doet me denken aan Nessima. Heb ik je daar ooit over verteld?'

'Een huid als gepoetste koper, mooie enkels, wellustig en bedreven?'

'Nee, dat was Eriune. Heerlijk meisje. Maar Nessima... ah, die was een klasse apart. Ze glimlachte als de zon wanneer die 's ochtend opkomt boven de zandduinen. Heupen die wiegden als een schip op de oceaan. Een buik als een zacht klein kussentje.' Er gloeide iets op in de waakzame ogen van de aalmoezenier. 'Haar adem geurde naar wierook en kruidnagelen. Ze was als een fontein in een droog land. Als de druiven aan de rank. De woestijn brengt prachtige meisjes voort, net als bloemen na de regens, maar ze lijken te veel op die bloemen; ze hebben niet lang te leven. Met vijfentwintig zijn ze van middelbare leeftijd, met dertig zijn ze oud en haten ze de mannen. En wie kan het ze kwalijk nemen? We vermorzelen ze als ze nog jong zijn, waar of niet?'

'Ja, soms wel.'

'Ach, mijn zoon, ach... wat zouden we zijn zonder iets om te betreuren?' De aalmoezenier dronk het laatste uit de fles. 'Ik heb honger. Laten we gaan eten.'

Het was hun gewoonte te eten onder het debatteren. Ze gingen zoals gebruikelijk zitten aan een kleine tafel tegen de achterwand. Feni was een goeie kok en hij deed altijd zijn best voor de enige twee gasten die naar zijn zaak kwamen om er ook echt te eten. Hij had een feestmaal aangericht en daarmee kwam hij nu uit de keuken om het uit te stallen voor de aalmoezenier en Gwynn. Er kwamen schalen met kabeljauwrolletjes, gebakken sprinkhanen in honing, balletjes rode rijst, schildpadworstjes, paling, gerookt op turf en gevuld met mousse van varkensvlees, een terrine met verse groenten, verdronken in een donkere jus van ossenbloed en pruimen, en een mandje met pasteitjes gevuld met lamszwezerik met cognac, amandelen en room, naar Feni's eigen recept. Feni bracht de aalmoezenier zijn tweede halve flesje en zette een zilveren theepot en een kom van lakwerk – ook overblijfselen uit betere tijden – voor Gwynn neer. Gwynn schonk zich een volle kom thee in. Het was de gerookte thee, de Negen Zegeningen genaamd, en er steeg een aroma uit op dat niet veel verschilde van asfalt. Uit zijn vestzakje haalde hij een ovaal flaconnetje tevoorschijn van melkwit agaat, waarin mandragora's waren uitgesneden en waaruit hij drie druppels in de theekom liet vallen. Hij nam een slokje en zette de thee toen weg om te laten afkoelen. De aalmoezenier stopte zijn servet in zijn kraag, pakte zijn bestek, prikte een rijstballetje aan zijn vork en deed zijn eerste serieuze uitval.

'Je bent een oprecht musicus en dus sta je aan Gods kant, al wil je dat niet toegeven.'

Gwynn pakte een sprinkhaan en beet er met een verfijnd gebaar de kop af. 'Muziek is zeker een van de prachtige dingen in het leven, oude heer, dat zal ik nooit bestrijden. Maar ik zie geen enkele reden om het bestaan ervan aan een god toe te schrijven.'

'Reden!' De aalmoezenier sprak het woord uit alsof hij er een vieze smaak van in zijn mond kreeg. 'Je houdt je met opzet van de domme! Je weet – en je hebt vaak genoeg gezegd dat je dat accepteert – dat het de vermogens van de rede te boven gaat om de God van wie ik spreek te doorgronden. Terwijl het standpunt van waaruit ik altijd argumenteer, dat van het geloof is, ben jij aan geen uitgangspunt gebonden. Toch blijf je weigeren een andere modus operandi te kiezen dan de enige waarbij jij je op je gemak voelt, namelijk die van de simpele rede – een methode die iedereen buiten de Kerk, die ook maar een halve schoolopleiding heeft genoten, bezigen kan. Je bent als een kind: bang om te eten wat je niet kent!'

'Zonder het geloof uit eigen ervaring te kennen vrees ik dat ik niet anders kan argumenteren, dan volgens de regels van de rede,' wierp Gwynn tegen, op redelijke toon.

Ze beperkten hun discussies nooit tot een bepaald onderwerp, maar lieten het gesprek altijd – als een dolende ridder van weleer, op een kweeste die hem schetsmatig of helemaal niet was uitgelegd – de kant uitgaan die het uit wilde, langs een heel scala van theologische, filosofische, spirituele en ethische thema's. Desniettemin had de aalmoezenier een doel voor ogen: hij wilde Gwynns ziel redden. Dat had hij gezworen omdat hij geloofde dat zijn eigen zielenheil ervan afhing.

Gwynn had ook een doel voor ogen. Hij wilde hun discussies net zo lang voortzetten als hij van deze intellectuele tijdspassering genoot en zich vermaken kon met de aanblik van de aalmoezenier die zichzelf kwelde. Dat was nu al drie jaar zo en hij verveelde zich nog niet. Hij werd nog steeds vermaakt, ja, soms zelfs betoverd, door de merkwaardige gedachtewereld van de priester.

Bij het begin van hun discussies had de aalmoezenier, die al diep in het glaasje gekeken had, gesproken over een bovenmenselijke aanwezigheid waarvan hij gehouden had en die hem had bemind, over hoe hij uit de gratie was geraakt, hoezeer hij leed en verlangde naar een hereniging. Hij sprak van een geschenk dat hij de behoefte had te geven, om het goed te maken.

'De ziel van een mens. Minder dan dat is niet genoeg. En niet zomaar een willekeurige ziel. Het moet een ziel zijn die diep door de riolen van de zonde heeft gewaad. Om een dergelijke ziel tot het pad van rechtvaardigheid en geloof te brengen – terug te brengen naar de bron, lood omvormend tot goud – een dergelijk groot en goed werk zou een offer zijn dat voor God aanvaardbaar is. Dat voel ik in mijn gebeente. Geen glorie kan er bestaan zonder offers; in dit geval het offer van mijn inspanning en jouw ziel. Dat is de enige manier. De barrières die de geest rond de ziel heeft opgetrokken moeten worden afgeslepen tot ze zo dun zijn dat de genade ze kan slechten. Wilt u dus mijn slachtoffer zijn, mijnheer?'

Aldus had de aalmoezenier Gwynn, van wiens vroegere en huidige bestaan hij het een en ander had vernomen, zijn aanzoek gedaan.

Eerst had Gwynn geweigerd.

'Aha, u bent kennelijk bang. Heel goed. Ik daag u uit!'

'Eerwaarde, u wilt mijn hart corrumperen; u wilt mijn eigenheid en aard geweld aan doen en verwoesten,' had Gwynn tegengeworpen. 'Ik zou redelijkerwijs alleen al op grond van het fatsoen bezwaar kunnen maken. En dan is er de kwestie van traditie; in zekere opzichten ben ik nog een getrouwe zoon van mijn vaderland. In de moederschoot leerde ik godenverering te zien als een bezigheid die mensen weglokt van hun plichten en pleziertjes op deze wereld en in hen een dorst kweekt naar onmogelijke zaken, waarvan het najagen geen eer of verrukkingen zal brengen, alleen verbijstering, teleurstelling en waanzin. Hoewel het een poos geleden is dat ik onder mijn volk heb gewoond, heb ik nog steeds geen lust in godendienst. U zou uw tijd maar verdoen.'

'Aanbidt jouw volk dan niets?'

'Onze clans vereren hun voorouders en stellen hun kinderen op hoge prijs. Wij zien geen enkele reden een deel van het continuüm te aanbidden, terwijl wij er zelf een ander deel van uitmaken.'

De aalmoezenier, intussen ladderzat en bijna in tranen, sprak over de Ondeelbaar Oneindige, de Sublieme Macht en de Onvergelijkelijke Troost. Zijns ondanks was Gwynn een beetje van zijn stuk geraakt. Hij had zich zelfs een ogenblik lang de mogelijkheid laten aanleunen dat een dergelijke opperste macht bestond. En als dat zo was, dan zou hij zich daaraan ondergeschikt moeten maken, anders zou hij wel heel naïef zijn. Hij zou genoopt zijn te leven met de wetenschap dat de absolute waarheid bestond, dat alle alternatieven niet slechts begoochelingen waren maar ronduit leugens – daaraan viel niet te ontkomen. Zijn geest wees dit denkbeeld met grote kracht van de hand en hij had de aalmoezenier ongelovig gevraagd of die heus een werkelijkheid wenste die er zo uitzag.

De aalmoezenier beweerde van wel, meer dan wat ook ter wereld. 'Met alle respect, mijnheer, uw verstand omvat ook niet alles,' zei hij tegen Gwynn.

Het idee dat het een strijd was bracht Gwynn uiteindelijk ertoe de uitdaging van de aalmoezenier aan te nemen. En toen hij niet veel later besefte dat hij geen gevaar liep die strijd te verliezen, bleef hij dankzij zijn nieuwsgierigheid geïnteresseerd.

Hoewel hij geen voeling had met een toestand van spirituele crisis, was het wel overduidelijk dat de aalmoezenier iets van grote waarde was kwijtgeraakt. Hij voelde een zeker medelijden met de priester, die als tegenstander prettig onschadelijk was.

'Heb ik ooit beweerd iets anders te zijn dan een onkerkelijke?' vervolgde Gwynn, terwijl hij een stukje paling uitkoos. 'Volgens mij niet. Maar als we het over de rede gaan hebben, kunt u me dan uitleggen waarom uw god ons een krachtig vermogen tot redeneren heeft gegeven waarmee we hem niet kunnen bevatten. Dat lijkt ofwel heel pervers, ofwel nogal slordig van zijn kant.'

De aalmoezenier keek Gwynn diep bedroefd aan. 'Waar ben je toch zo bang voor? Nee, doe maar geen moeite daar antwoord op te geven, het ligt er duimendik bovenop. Je vreest de eenvoud. Je vreest al je ijdele complexiteiten kwijt te raken. Je denkt dat het verlies daarvan je zou veranderen in iemand die je zou verafschuwen. Maar als het eenmaal gebeurd was, zou er helemaal geen pijn zijn, integendeel. En tot je eigen stomme verbazing zou je veel sterker zijn dan je nu bent.'

'Ik heb niet de ambitie meer te zijn dan wat ik ben. Aan u te besluiten of dat een teken van ijdelheid is. Hoe het ook zij, u zult me moeten lokken met iets aantrekkelijkers dan de kans om een eenvoudige van geest te worden, wilt u een kans maken me over te halen met behulp van verleiding.'

'Waarmee zou ik je dan kunnen verleiden?' mompelde de aalmoezenier met een mond vol worst. 'Wat verlang je dan?'

Gwynn lachte ondoorgrondelijk. 'Ondanks uw minderwaardige doelstellingen bewonder ik uw onvervaarde vasthoudendheid.'

'En ik bewonder nu en dan de kracht van je trots, tot ik me weer herinner dat die het voortbrengsel is van je angst. Geloof me, de ouder is sterker dan het kind.'

'Misschien wel. Ik beweer niet dat ik geen angst ken, net zo min als ik beweer bijzonder te zijn. Maar u had het daarnet over muziek. Zeg eens wat u van plan was te zeggen, voordat u door mij op een zijspoor terechtkwam.'

'Wat je wilt. De Schrift leert ons dat deze wereld – het hele universum – de manifestatie is van God die waarneembaar is met de zintuigen: het lichaam van de goddelijke geest, die door die geest geschapen werd met een zeker doel. Kun je me volgen?'

'Ik ken die theorie.'

'De muziek van de mens is de stem van God die spreekt door middel van de mens. Wanneer je op die piano speelt ben je zo dicht bij God – als je het toch eens wist! Wanneer je speelt, voel je dan niet in je hart een zwellen, een aanwassen van vreugde?'

'Ja zeker, maar u zegt daar niets zinnigs mee. Muziek schenkt me genot, maar dat geldt net zo goed als ik een tegenstander de strot dichtknijp of hem aan mijn zwaard rijg. Als de ene vreugde heilig is, waarom de andere dan niet?' Gwynn beet zijn volgende sprinkhaan in tweeën en knauwde het lijfje op. 'Als ik een verkeerde noot aansla, is het gevolg dan dat een goddelijke stem opeens onzin uitslaat of leugens? Als een krankzinnige ontsnapt uit zijn cel, hier binnenkomt en op de piano begint te beuken met allebei zijn vuisten, en lukraak lawaai produceert, maar vol van vreugde gelooft dat hij een prachtige sonate speelt, is dan de kakofonie die ieder die het hoort pijn doet aan de oren, een uiting van uw god? Als ik een vrolijk deuntje fluit nadat ik een arme donder de keel afgesneden heb, is dat dán uw god die fluit?'

'Ja en nee.'

'En nee? Dan heeft uw god in zijn universum kennelijk speelruimte gelaten voor verschijnselen die in tegenspraak zijn met zijn alomtegenwoordige ik. Maar ja, dat krijg je natuurlijk als je de rede er buiten laat.'

'Nou, eerlijk gezegd denk ik dat je de redenering in deze behoorlijk strak zou vinden. De uitleg is uitgewerkt in een periode waarin de Kerk flikflooide met de Klassieke Filosofie – tegen het einde van die relatie als ik me goed herinner, vlak voordat ze iets kortstondigs begon met de oude vruchtbaarheidsriten.'

'En?'

'En wat?'

'De uitleg?'

'Dat is een van de esoterische geheimen.'

'Maar dat gaat u me nu uiteraard uit de doeken doen.'

'Dat was ik niet van plan. Ik wilde je alleen zeggen dat het heel logisch was.'

'U liegt. Maar ga verder.'

De aalmoezenier nam weer een flinke teug van zijn Zwarte Bisschopswijn. 'Zelfs zonder esoterische kennis zijn we uitstekend gewapend met ons gevoel, dat in aanleg onfeilbaar is. Het hart is in staat foutloos te oordelen. Of we dat vermogen voeden, of negeren en laten afsterven, of moedwillig laten verloederen, of het perverteren, die keus is aan ons. En dankzij deze natuurlijke wijsheid kan ik je vertellen dat het spel van de gek deel heeft aan de aard van God en jouw hypothetische gefloten deuntje niet. Jij, mijn zoon, bent degene die het zinloze lawaai maakt, terwijl het de gek is die muziek zou voortbrengen. Geen geestelijk gezond mens zou ook maar iets anders denken.'

'Interessant,' zei Gwynn. 'Maar aangezien u volgens mij toch gek bent kan ik er geen geloof aan hechten.'

De aalmoezenier maakte een wapperend gebaar en er verscheen een sigaret tussen zijn vingers, als uit het niets. Een tweede handgebaar leverde een doosje lucifers op. Hij stak de sigaret aan en liet de lucifers toen weer verdwijnen. Hij keek Gwynn woedend aan. 'Op de Dag des Oordeels zullen we nog wel eens zien wie hier gek is.'

Gwynn stak een Auto-da-fé op de conventionelere manier aan. Een paar minuten lang zaten ze elkaar rook toe te blazen. De aalmoezenier trachtte zijn blik in de ogen van Gwynn te priemen. Alsof hij water wilde laten branden! Gwynn wendde als eerste zijn blik af, maar de aalmoezenier kon zelfs over die kleine overwinning niet blij zijn; Gwynn wekte de indruk gewoon geen belangstelling meer te hebben voor wat hij in de ogen van de aalmoezenier zag.

De aalmoezenier haalde eens diep adem en nam een stevige slok en rakelde toen zijn hartstocht weer op. 'Het geweten, mijn zoon, is niets meer of minder dan het goddelijke in de mens. Neem jou nu als voorbeeld – je doodt een ander, maar als je krachtig was in God, zou het goddelijke in jou het goddelijke in die ander herkennen en zou de liefde je weerhouden. Als je de durf hebt de glorie van God te zien in je slachtoffers zou je weten wat het is dat je ontwijdt met je geweld. Je zou wenen om wat je gedaan hebt en je zou nooit meer zondigen. Zo wordt de illusie verbroken en het gif geneutraliseerd en zal de liefde regeren.'

'Dat betwijfel ik toch.'

'De liefde heeft de alleenheerschappij,' hield de aalmoezenier aan. 'Niets is sterker dan de liefde en niets is heiliger. Door lief te hebben komen we dichter bij God.'

'Maar u zegt zelf dat het een zonde is te genieten van het gezelschap van een mooi meisje, wat ook een vorm van liefde is,' zei Gwynn plagerig.

'Nu ben je grapjes aan het maken,' mompelde de aalmoezenier terwijl hij een stukje gebak wegslikte. 'Als jij niet in de hemel komt, moet je niet zeggen dat ik je niet gewaarschuwd heb. Je bent een afschuwelijk mens.'

'Dat denk ik ook,' zei Gwynn, kennelijk zonder dat hij het hem kwalijk nam. 'Misschien ligt deze wereld me daarom zo goed. En als er een wereld is na de dood, dan wil ik beslist dat die er net zo uitziet, met het lijden en alles erbij.'

De aalmoezenier snoof snotterig. 'Wat jij ook van lijden mag weten, ik weet er meer van, dat kan ik je verzekeren. En ik zou het net zo lief niet hebben. Maar helaas is het met ons net als met erts dat gesmolten moet worden om goud te verkrijgen: het lijden maakt ons edeler.'

'Ik geloof graag dat u geleden hebt. Maar kunt u nu in alle eerlijkheid beweren dat u er edeler van geworden bent? Ik wil u niet beledigen, maar...' Gwynn breidde zijn handen uit.

De aalmoezenier sloeg de laatste slokjes Zwarte Bisschop achterover. 'Waarschijnlijk heb ik nog niet genoeg geleden. Hoewel jij me aanmerkelijk hebt geholpen om mijn tax te halen.'

'Een mens doet wat-ie kan,' zei Gwynn bescheiden.

De aalmoezenier liet een spijtig glimlachje zien. Hij stak zijn hand op om Feni's aandacht te trekken. 'Feni, nog een halve!'

Feni kwam aan schuifelen met een opengetrokken fles. Gwynn schonk zijn theekom nog eens vol en vulde het geheel weer aan met drie druppels uit zijn agaten flaconnetje. Een poosje was het stil terwijl ze dronken. Toen zei Gwynn iets wat de aalmoezenier bijna van zijn stoel deed vallen.

'En misschien, eerwaarde, is er toch een god.'

Daar zat een geniepigheidje in, dacht de aalmoezenier, terwijl zijn aanvankelijke verbazing in een dal van scepticisme dook. Hij wachtte af wat het dit keer zou zijn.

'De evolutietheorie en de scheppingstheorie zijn het erover eens dat de planten van alle levende dingen als eerste verschenen, toch?'

'Van de levende dingen wel, ja,' beaamde de aalmoezenier voorzichtig.

'Goed. De optocht van het leven begint met de planten; volstrekt niet agressief op een handjevol vleesetende plantjes na. Maar dan verschijnen de dieren. En allemaal moeten ze, naar hun aard, al hun energie steken in het doden en opeten van planten en van elkaar. En bij wijze van finale is daar de mens, een schepsel dat jaagt en verminkt en doodt, niet alleen

wanneer dat nodig is om te overleven, maar wanneer het hem maar lust –
en dat lust hem vaak. Weliswaar bezit de mens een groot vermogen tot het
deugdzame, maar telkens weer is zijn vermogen tot het kwade daar aan-
toonbaar méér dan tegenop gewassen. In de kranten klagen de mensen
voortdurend steen en been dat de wereld zo slecht en gewelddadig is geworden, en ze hebben gelijk. Ik wil best geloven dat er inderdaad een god
aan het werk is, die een goddelijk plan tot uitroeiing van de nederigen ten
uitvoer brengt. Ik zou er nog mijn goedkeuring aan kunnen hechten ook,
al zou ik hem liever niet in mijn eentje tegenkomen in een donker steegje,'
besloot Gwynn met een glimlach, die verried hoe voldaan hij was over zijn
elegante redenering.

De aalmoezenier deed geen poging die frontaal aan te vallen. Dat kon
hij niet. In plaats daarvan probeerde hij weer wat anders. 'Het is triest,' zei
hij, 'wanneer we onszelf moedwillig zo verlagen, wanneer we zó tegen ons
eigen hart in gaan, dat we verfoeien waarnaar we verlangen.'

'En dat is?' Gwynn keek nog steeds alsof hij erg met zichzelf ingenomen
was.

De aalmoezenier haalde diep adem. 'God! We verlangen naar God!
God, over Wie we nu al drie jaar aan het praten zijn!'

'Over wie ú aan het praten bent geweest. Ik had het steeds over de
mensheid.'

De aalmoezenier trok aan zijn boord. 'Laten we dit even helder stellen,
zo helder als jonge klare. We spreken immers over het vullen van die verschrikkelijke afgrond, dat onuitgesproken, naamloze verlangen in het
menselijk hart?'

Gwynn keek hem onverschillig aan. 'Ik ken die afgrond niet.'

De aalmoezenier priemde in zijn richting met zijn vork vol eten, waarbij de saus op het tafellaken spatte. 'Dat komt doordat je spiritueel gevoelloos bent! Als jij het vacuüm in je ziel kon zien, zou je vol afgrijzen om iets
schreeuwen om die leegte te vullen. En alleen Gods oneindigheid zou voldoende zijn om die leemte te vullen. Je diende je aan hem te onderwerpen,
anders werd je krankzinnig!'

'Aha, uw god is dus een grenzeloze emmer vulpasta. Ik begin te begrijpen hoe u uw sekte aan de goedgelovigen slijt. Heeft je leven geen plan of
doel? Ontbeert je hart hoop, liefde of eer? Neem een godheid, breng aan
volgens de gebruiksaanwijzing en laat even uitharden. Vult gegarandeerd
elke leemte met goedkope maar rekbare leugens. Aanbieding: een literpot
voor slechts de prijs van uw ziel.'

'Ik wou,' zei de aalmoezenier weemoedig, 'dat het honderd jaar geleden was. Dan kon ik je laten braden op hete kolen wegens godslastering en dan zou ik gewonnen hebben.'

'Ik dacht dat u alleen maar won als u me kon bekeren,' zei Gwynn terwijl hij de aalmoezenier nauwlettend opnam.

'Je helse pijnen zouden je ziel louteren. Je zou God liefhebben voordat je stierf en God zou me zegenen voor al mijn inspanningen. Ik zou hebben gewonnen.'

'Werkelijk waar? Nou, als we dit gesprek zouden voeren in mijn vaderland, zou ik u levend in een dode mammoet kunnen laten stoppen en die laten dichtnaaien wegens verderfelijk leuren met godsdienst; ja, ik zou zelfs verplicht zijn dat te doen, volgens de wet. Maar aangezien we allebei hier zitten in deze tolerante tijd en streek, heeft het weinig zin op te snijden over de folteringen die we elkaar zouden kunnen aandoen als de omstandigheden anders waren. Tenzij u natuurlijk zou willen proberen mij eigenhandig dood te maken?'

'Nee, ik genoot even van de troost van de nostalgie,' mompelde de aalmoezenier.

Gwynn zag dat zijn tegenstander moe begon te worden. Hij zette zijn eerdere redenering voort. 'Wat we volgens u ontberen, daar schijnt u a priori van te hebben vastgesteld dat het een god is. Men zou feitelijk bijna kunnen stellen dat uw god per definitie afwezig is. Afwezig en onkenbaar en dus onmogelijk om met ook maar enige zekerheid in te geloven.'

De aalmoezenier begon wazig te worden in zijn hoofd en had er steeds meer moeite mee argumenten te bedenken. Hij zakte onderuit op zijn stoel en keek zijn tegenstander nijdig aan met waterige oogjes. 'Daar doe je het weer. Je probeert over het geloof te redeneren. Dat kan niet. Alsof je een hapje meeprikt met een stemvork. Het ding heeft ook tanden en daarom lijkt het alsof dat het juiste instrument is, maar dat is niet zo. Goed, vanavond heb ik verloren. Maar jij ook.'

'Nee, u probeert het paradijs te verwerven. Ik probeer helemaal niks te verwerven. Ik verdrijf gewoon de tijd.'

'Wat is het toch dat je zo haat?'

Dat kwam voor Gwynn als een verrassing. 'Haat?' Hij lachte. 'Niets ter wereld. Zoals ik al zei, ik heb een zwak voor de wereld. En als ik in een god zou geloven, dan zou ik die god net zo bewonderen om zijn wrede dieren en zijn aardbevingen en het kwaad dat zich in de mens manifesteert, als om zijn incidentele tederheid. Maar ik zou niet van hem houden en als hij dat van me eiste dan zou ik hem een stuk lager aanslaan, omdat hij zo'n kinderachtige behoefte had.'

De aalmoezenier vermande zich voor een laatste poging. 'Je kleineert God omdat je bang bent voor wat God kan zijn. Als jij de bondgenoot van God was, dan zou je niets te heven... niet te vreten... niets te vrezen hebben.' Eindelijk had hij de juiste woorden op een rijtje. Hij wreef over zijn maag en liet een boer. Een mug verscheen naast zijn kin en vloog gonzend over de tafel.

'Als ik al geneigd zou zijn tot godsdienst, dan zou ik zeggen dat het niet zo belangrijk is in een of andere god te geloven, maar veel belangrijker een god te vinden die in ons gelooft,' zei Gwynn en hij sloeg de mug dood.

'Ach Calila, Calila,' mompelde de aalmoezenier. 'God straft trouweloosheid en ik ben een hoerenzoon en een ouwe zondaar. Zou jij later de titel van losbol willen dragen? Kijk maar eens goed. De angst zou erin moeten zitten bij je. Bij mij in elk geval wel. En toch en toch... ik bezoek de dames, want zij zijn de bloemen rond de beerput van mijn hart. Ik drukte mijn oog tegen het rozerode matglazen venster en daar ging gij rond als een schaduwing... Een mens kan toch niet leven zonder liefde?'

'O, best wel. Maar hij kan niet houden van wat hij vreest,' zei Gwynn. Hij dronk met kleine slokjes zijn thee en wachtte of de aalmoezenier zich nog eens zou hernemen, maar de priester had al zijn aandacht nu bij zijn fles.

'Volgens mij heb ik deze ronde gewonnen, eerwaarde.'

De aalmoezenier bromde bevestigend.

Later die nacht werd de aalmoezenier bezocht door een nachtmerrie waarin een vrouw van onvergelijkelijke lieflijkheid zichzelf de ledematen afsneed waar hij bij stond. Ze legde uit dat ze de plaats zocht van de aandoening, waardoor lijden een basisprincipe was geworden van zowel haar bestaan als dat van het universum, maar het zoeken was als naar een speld in een hooiberg. Ze reikte hem een tomahawk aan en een kleine zaag en vroeg of hij haar wilde helpen.

6

HAAR ARTIESTENNAAM WAS TAREDA IMMER. Negentien, soepel van leden en met grote bruine ogen. Ze zong wanhopige liefdesliederen in Olms club aan de Lumenstraat, de Strass, waar ze de ster was. Wanneer ze het trapje naar het podium opliep, haar tengere figuurtje gehuld in goud- of zilverlamé, zonder mouwen en met satijnen of nethandschoenen over haar smalle bruine armen tot aan de elleboog, vielen de gesprekken in de club stil. Ze schreef de droevige wrange melodieën en de melodramatische teksten van haar nummers zelf. Het geniale aan haar was, dat ze van elke moordenaar, meid van plezier, gokker of verslagen minnaar onder haar toehoorders zowel de buitenkant als het innerlijke leven bezingen kon.

Olm had haar vooruitgeholpen en beheerde nauwlettend het beeld dat ze uitstraalde. Hoeveel juwelen en prachtige japonnen hij ook voor haar kocht, op het podium mocht ze die niet dragen. In het openbaar tooide ze zich opzichtig maar goedkoop, een uitdrukking van de pathos van onechte weelde. Haar stem leek altijd op het punt te staan in tranen uit te barsten maar gaf er nooit voluit aan toe. Het was een ideaal instrument om steeds weer het oude verhaal te vertellen van verkochte trots en tragisch berouw.

Het orkest zette in en ze hief haar hoofd op.

'Hij was de prins van kwade kansen,' zong ze. 'Wat hij aanraakte maakte hij kapot. Ze lachten om hem in de straten, maar eens had hij ook liefgehad...'

Marriotts blikken waren vol verlangen op haar gericht. Veel te veel verlangen. Gwynn gaf hem discreet een schop tegen zijn voet. Marriott sleurde met moeite zijn aandacht weg van Tareda en vestigde hem op de blauwe loodlamp op hun tafel, waar Olm de Directeur van de Douane en zijn echtgenote te gast had. Bij wijze van machtsvertoon, dat even goed kon worden uitgelegd als een teken van respect, waren alle cavaliers van de Hoornen Waaier, die hun mond konden dichthouden onder het eten en open konden doen zonder te vloeken, aanwezig als ondersteuning van hun baas

Aan weerszijden van Olm zat zijn lijfwacht-tweeling met het stekeltjeshaar: Tack en Snaai, die geen alcohol dronken, alleen siroop in kleine glaasjes die ze met ongerijmde verfijndheid in hun enorme handen hielden. Ook was er een man met een gelige gelaatskleur die Elleboog werd genoemd, vanwege zijn fetisj voor het breken van juist dat deel van het menselijk lichaam, dan Scherpe Jasper, een knappe, zwarte kerel wiens grijns van puntig gevijlde tanden fonkelde van de edelsteentjes, Sam Spijkervast, die met zijn acht en een halve vinger gedurig langs zijn lange snor streek en de zwaarlijvige, glibberige Biscay de Schaduw, die de gelijknamige boekhouding van de Hoornen Waaier tot het laatste nulletje onder zijn met vet gefatsoeneerde haarknoet had zitten. Een lelijk stelletje, hoe je het ook bekeek, dacht Gwynn bij zichzelf, maar hij moest in alle eerlijkheid toegeven dat veel mensen hem als een net zo kwalijk type zouden aanmerken.

Olm was van middelbare leeftijd en onbestemde bruine komaf; verder was hij slank, had grijs haar en kon aristocratisch zijn als hij wilde. Zijn ogen hadden de kleur van donkere amber en waren zo scherp als glasscherven. Ze misten nooit iets – het lichte trillen van een hand, het spannen van de kaken, een te gretige houding, of een vals-nonchalante. Het was onmogelijk te geloven dat hij Marriotts verlangen naar Tareda niet gezien had. De situatie beviel Gwynn helemaal niet, maar het was hem niet gelukt Marriott over te halen een minder gevaarlijk doelwit te kiezen voor zijn verering.

De Directeur en zijn vrouw vonden de sfeer onder de cavaliers van hun gastheer heel ontspannen, maar dat was in werkelijkheid bepaald niet zo. Sinds de vorige avond was het aantal manschappen met één verminderd. Ze hadden een zekere Orley mee de rivier op genomen – op een stoel vastgebonden met zijn voeten in een blok beton, zijn handen tot pulp geslagen. De Hoornen Waaier had lange tijd oorlog gevoerd tegen de Familie van de Vijf Winden en had zijn rivaal eindelijk weten te verslaan in een nacht van zorgvuldig geregisseerde moorden. Alleen een paar derderangs leden die toevallig de stad uit waren, waren de slachtpartij ontlopen. Orley had een schuld bij iemand die tot de Vijf Winden behoorde en had geprobeerd die schuld af te betalen door de man en zijn gezin onderdak te geven en te proberen hem te helpen ontsnappen uit Ashamoil. Orleys moed had hem op zijn laatste levensdag in de steek gelaten en hij had door zijn knevel zitten schreeuwen, het hele eind naar de modderige kreek waar Tack en Snaai hem overboord hadden gegooid. Gwynn was blij dat hij in de stuurcabine had gestaan en in beslag werd genomen door de praktische problemen van de navigatie.

Orleys terechtstelling had ieders zenuwen op scherp gezet. Je werd immers niet graag herinnerd aan het feit dat je niet onmisbaar was.

Olm onthaalde de Directeur op gezette tijden en gaf hem elke tweede volle maan een bewijs van zijn achting in contanten. Het gemeentelijk gezag van Ashamoil was in vele opzichten zeer ruimdenkend en belastte het bestaan van zijn burgers niet met veel regelgeving, maar belastingontduiking keurden ze af. Olms voornaamste schip, de *Gouden Flamingo*, voerde openlijk kleine aantallen slaven aan, om een respectabel front hoog te houden van eerlijke mensenhandel, onder vergunning. Het overgrote deel van zijn handel werd echter in een geheim ruim de haven binnengesmokkeld. Olms vrijgevigheid ten opzichte van de Directeur zorgde ervoor dat de douanebeambten die aan boord van de *Flamingo* kwamen nooit onderzoek deden naar de discrepantie tussen haar buiten- en binnenmaten.

De Directeur zat een verhaal te vertellen over een piraat met wie hij in zijn jeugd meermalen de degens had gekruist. Gwynn vond dat er te veel schone vrouwen in voorkwamen om waar te kunnen zijn, maar de Directeur vertelde het met verve en behoorlijk wat humor, die ten koste van hemzelf ging en het was de moeite waard om naar te luisteren. Toen het afgelopen was – de piraat eindelijk dood, diens bezittingen verdeeld onder goede doelen en de hand van de dochter van de piraat gewonnen na lange hofmakerij ('Maar dat was lang voordat ik jou tegenkwam, lieve,' verzekerde de man zijn minzame vrouw) – verontschuldigde Gwynn zich en liep naar de bar. Hij merkte dat zijn hand op het gevest van zijn zwaard rustte, zoals hij altijd deed wanneer hij zich onbehaaglijk voelde. Hij dwong zich zijn hand weg te nemen.

Terwijl hij zich door de nauwe doorgangen tussen de tafeltjes wrong knarste het onder zijn voeten, op het tapijt. De Strass bevond zich in een kelder bij de rivier en was dus eeuwig en altijd vochtig. Insecten tierden welig in die dampige warmte, net als schimmels, die in grote grijze koloniën het rode vlokbehang hadden bezet. Olm hoefde niet bang te zijn dat hij er klanten door zou verliezen. Tareda trok uit de hele stad een publiek dat zich door geen morsigheid liet afschrikken.

Terwijl Gwynn op zijn drankje wachtte liet een vrouw met een hoofd-
tooi, bezet met kralen, haar waaier zakken en glimlachte hem toe. De man
naast haar keek hem woedend aan. Gwynn knipoogde de vrouw heimelijk
toe. Hij wist wat ze zag. Voor elke vrouw of man die hem een vuile blik toewierp of helemaal niet naar hem wilde kijken, was er altijd weer eentje die
hem bekeek met verlangen – wellust, afgunst of allebei. Het ging niet per
se om hem persoonlijk of om het vele geld dat hij betrekkelijk makkelijk
verdiende. Hij wist, al wisten zij dat niet, dat wat ze zagen pijn en dood was
en dat zij – in tegenstelling tot degenen die openlijk bevreesd waren voor
het lijden van pijn, of die de vrees voor pijn minachtten – wel bevreesd
waren maar hoopten van het lijden verschoond te blijven, door te proberen bij het kwaad een wit voetje te halen. Hij speelde met plezier mee;
moeite kostte het hem in elk geval niet. Hij gaf de tapper een fooi en liep
met een zelfverzekerd gezicht terug naar zijn tafel, zich zeer bewust van de
blikken die op hem rustten.

De Directeur en zijn vrouw namen rond middernacht afscheid. Toen ze
weg waren begon Olm over geldzaken te praten met Biscay. Tareda rondde
haar reeks nummers af, kwam naar het tafeltje en ging op Olms schoot zitten. Olm streelde haar en zij van haar kant keek hem aan met een bereke-
nend soort genegenheid. Marriott bleef met zijn gevoelens te koop lopen.
Gwynn maakte zich zorgen om hem en voelde een soort plaatsvervangen-
de gêne.

Scherpe Jasper haalde de kaarten tevoorschijn en keek de rest van het
gezelschap aan. 'We doen allemaal mee?'

Iedereen zei ja en zette in. Mariott leek zijn aandacht eindelijk en met
de grootste moeite van Tareda los te scheuren.

Na een uurtje kwam Olm overeind. Voor hij wegging gaf hij nog een
paar bevelen. Tegen Gwynn en Marriott zei hij: 'Ga morgen de kolonel opzoeken. Regel dat probleempje. Biscay heeft het doorgerekend en het komt
uit op een tiende. Luister goed naar wat ik nu zeg. Uit zakelijk oogpunt
moet ik ruimhartig zijn, al gaat dat tegen mijn gemoed in. Het zou lastig
en bezwaarlijk zijn om hem op dit moment te vervangen. Laat je dus niet
meeslepen. Probeer hem zijn fout te laten inzien. Als hij niet over de brug
komt breng je hem mee terug. Verder niet. Begrepen?'

Ze knikten.

'Tack, de doos,' zei Olm. Tack haalde een slanke houten doos tevoorschijn en gaf hem aan Olm die hem een Marriott gaf. 'Laat hem aan de ko-

lonel zien. Hij zal hem inspirerend vinden, vermoed ik.'

Marriott stak de doos bij zich en Olm keek de groep handlangers rond. Er waren geen vragen en hij vertrok, met zijn arm om Tareda's middel geslagen en Tack en Snaai log in zijn kielzog.

Het kaarten ging door tot vier uur 's ochtends, de sluitingstijd van de Strass. Het was een afgepeigerd groepje dat de club verliet en via het steegje omliep naar het stalgebouw. Marriott was als grote winnaar geëindigd, maar hij zag eruit als iemand die alles verloren had en niet de hoop koesterde het ooit nog terug te krijgen.

'Hij geeft niet om haar.'

Gwynn sloot zijn ogen en liet zich een paar seconden met zijn hoofd onder water zakken. Toen hij weer bovenkwam zei hij: 'Op zijn manier wel.'

Ze waren bezig de alcohol van de vorige nacht uit te zweten in het hete water in het Corinthische badhuis, voordat ze de rivier op zouden gaan. De vroege baders waren bijna allemaal weg en het was stil in het weelderige badhuis. Dienstertjes hadden hun vruchtensappen gebracht en een thee van kruiden die de naam hadden hoofdpijnen te verlichten en verfrissing te brengen aan vermoeiden.

'Ja, zoals iemand die een vogel in een kooi houdt. Hij houdt niet van haar zoals er van haar gehouden zou moeten worden. Zoals zij het verdient,' zei Marriott zacht maar fel.

'En wat, beste vriend, verdient ze dan wel?'

'Iets veel beters.'

'Dat is ze misschien niet met je eens. Ze schijnt gelukkig genoeg te zijn met haar situatie.'

'Dat schijnt ze, ja. Maar ze heeft littekens. Dat zie je zo. Ze moet bemind worden door iemand met een goed hart.'

Gwynn gaf met een wrange glimlach zijn ongeloof aan.' Marriott, dat tere jonge is maar een vernisje. Ik durf er om te wedden dat daaronder een hart klopt dat weigert van zoiets waardeloos te houden als het hart van een ander. Haar gaat het om het geld, net als met ons allemaal. Hij heeft haar juwelen gegeven die een fortuin waard zijn. Ze gebruikt hem net zo hard als hij haar. Wanneer hij haar aan de kant zet voor een jongere schoonheid, is zij een welgestelde vrouw met nog zeeën van tijd om te doen waar ze zelf zin in heeft. Dat is wat ze wil. En dat is overduidelijk.'

Marriott schudde zijn hoofd. 'Je doet haar onrecht, Gwynn. Ze lijdt.'

'Nee, jij bent degene die lijdt,' zei Gwynn een tikje ongeduldig.

Marriotts gezicht verhardde zich en hij zei niets meer. Ze beëindigden hun bad in stilte en reden daarna naar de kade, waar Olm zijn barkassen had liggen. Gwynn zag wel dat Marriott nog steeds de smoor in had. Een kwade bui kon bij hem dagen duren, weken soms. Gwynn liet hem in zijn sop gaarkoken en genoot van de ochtend die ongewoon helder was, zodat er zelfs een stukje puur blauwe lucht te zien was. De zon zou fel branden, op de rivier.

Toen ze over de Esplanade reden sprong opeens een jongen van een terrasmuur omlaag, de weg op, vlak voor hun paarden. Hij was een jaar of veertien, zo te zien, en was uitgedost in een zwarte wijde broek en een rood, openhangend vest met lovertjes, waaronder een magere met littekens overdekte borstkas te zien was. Hij trok twee lange messen en liet ze rond wervelen in een bedreven proeve van schaduwvechten. Gwynn herkende hem als de overwinnaar in het gevecht in de Boomgaard van niet zo lang geleden. Het wapenvertoon van de jongen was verre van een uitdaging, het was een soort hofmakerij, een poging te worden gezien en niet vergeten. Gwynn wilde verder geen aandacht aan hem besteden maar Marriott sprong van zijn paard.

'Wou jij vechten?' gromde hij.

De jongen was zichtbaar in de war. Hij likte langs zijn lippen. Andere jongensgezichten waren intussen boven aan dezelfde muur verschenen, hoog boven de straat. Gwynn hield zijn paard in en bleef vermaakt zitten kijken.

De jongen rechtte zijn rug en keek Marriott strak aan – ter hoogte van diens borst. 'Ja zeker, mijnheer!' riep hij want hij kon nu moeilijk terugkrabbelen.

Marriott kwam met grote snelheid in beweging. Met een brul greep hij de jongen beet, stompte hem, nam hem doeltreffend beide messen af en gaf hem toen met zijn blote handen een aframmeling. Gwynn dacht nog even dat hij tussenbeide zou moeten komen om zijn vriend te behoeden voor het plegen van een moord, maar Marriott kreeg zichzelf weer in de hand en deed een stap achteruit. De jongen begon bloed uit te spugen, maar had zo te zien alleen maar op zijn tong gebeten. Hij veegde zijn mond af en keek niet-begrijpend naar Marriott die kalm weer opgestegen was.

'Voel je je nou beter?' vroeg Gwynn toen ze een eindje verder gereden waren.

'Min of meer,' zei Marriott.

De drie stoombarkassen van de Hoornen Waaier lagen afgemeerd aan hun eigen kade naast een vooruitstekende rotspunt aan het einde van de Esplanade. Tarfid de stoker had een van de boten al op stoom gebracht, klaar om van wal te steken. Gwynn nam het roer en zette koers stroomop- waarts. Toen ze Ashamoil verlieten werd de lucht helderder; de zon was echt heet. Gwynn trok zijn jas uit en vervolgens zijn vest. Hij stuurde de boot tussen het andere waterverkeer door met één hand. De ander hield hij boven zijn ogen tegen de zon.

Marriott bleef zwijgen zolang ze binnen de grenzen van de stad waren, maar toen de sawahs begonnen te verschijnen op de oevers, begon hij te praten, over Orley. Hij sprak Anvallisch alsof Tarfid in de machinekamer kon verstaan wat hij zei.

'Orley was een zuiver vliegende pijl. Hij deed wat hij doen moest. Hij deed wat de eer verlangde. Ik vind het erg als ik denk aan wat we gedaan hebben.'

Gwynn koerste naar het midden van de rivier om een sleepboot te ont- wijken met een stoet aken op sleeptouw. 'Denk er dan niet aan. Het is ge- beurd.'

Marriott liet zich niet ontmoedigen. 'Orley was mijn voorspraak toen ik hier kwam. Hoe dan ook, ik had iets moeten zeggen, om hem te verdedi- gen, maar ik vergold het hem met zwijgen omdat ik bang was. Ik weet niet of daar een excuus voor bestaat dat goed genoeg is. Ik weet het allemaal niet meer, Gwynn.'

Kennelijk was het licht opbeurende effect dat van het aframmelen van de jonge knuppelaar was uitgegaan al weer voorbij en was hij opnieuw ten prooi gevallen aan de neerslachtigheid en zelfhaat, die de laatste tijd steeds vaker zijn stemming beheersten.

Gwynn geloofde zelf dat er of helemaal geen excuus was voor wat ze ge- daan hadden, of dat het simpele feit dat je mens was al excuus genoeg was voor welk menselijk gedrag dan ook, net zoals het feit dat een krokodil krokodil was, voldoende rechtvaardiging was voor de leefgewoonten van het dier. Voor een tussenweg zag hij geen bestaansgrond, maar hij voorzag ook niet dat Marriott ooit weer gelukkig zou worden, zo lang hij zo naar het lijden haakte. Zelf was hij nooit in de verleiding gekomen de tragische figuur uit te hangen, maar hij had genoeg mensen gekend die dat wel hadden gedaan en eraan verslaafd waren geraakt, om de symptomen te herkennen, waarvan pijnlijke kwetsbaarheid van de ziel er eentje was.

'Ik weet het niet,' herhaalde Marriott. 'Denk jij dat ik gek ben? Ben ik gek? Ja, misschien wel. Ha!' Hij schudde heftig zijn hoofd. 'Zeg eens, ben ik altijd al geweest, zoals nu?'

Gwynn voelde zich hulpeloos. 'Je bent moe,' zei hij. 'Je hebt je lamp helemaal opgebrand gisteravond. Waarom doe je niet even een dutje?' Hij gebaarde met zijn hoofd naar de kajuit op het achterdek.

'Ik hoef niet te slapen,' mompelde Marriott. Hij stak een zwarte sigaret op en nam er een lange trek van, terwijl hij woedend voor zich uit staarde.

Ook Gwynn keek voor zich uit, en nam het uitzicht in zich op. De terrassen met sawahs en de dorpjes op de hellingen waren pittoresk en de saliegroene bergen in de verte oogden elegant. Het was allemaal zo prettig om naar te kijken. Dezer dagen was hij bijna altijd in een goed humeur. Zijn bestaan was nog nooit zo gerieflijk en makkelijk geweest als in Ashamoil. Hij voelde zich dikwijls als een door de storm verfomfaaid schip dat eindelijk een prettige haven was binnengelopen. En nu het met Vijf Winden was afgelopen bezat de Hoornen Waaier, samen met Olms bondgenoten in zaken, Handelshuis Au Courant en Maatschap Het Gulden Vierkant, het leeuwendeel van de macht onder de grote Huizen. Je mocht rekenen op verraad in de toekomst, maar Gwynn weigerde zich zorgen te maken voordat het zover was.

Zelfs Marriotts nerveus zwijgende, sombere aanwezigheid kon zijn voldane gevoelens niet op losse schroeven zetten. Hij neuriede een zeemansdeuntje en liet zijn gedachten varen.

Het Hotel Majesta kwam kort na het middaguur in zicht. Het was een grandioze bruidstaart van een gebouw uit de vorige eeuw – drie etages witgekalkt metselwerk, met guirlandes van opengewerkte witte ijzeren balkonnetjes waarlangs zich weer takken van de witte blauwe regen slingerden, een eindje van de rivier gelegen met gazons en weelderige tuinen rondom. Stroomopwaarts van het hotel veranderde het landschap aan de oevers van de Smakander binnen nog geen mijl in een donkere, groene rimboe.

De grens met Lusa, waar het oorlog was, lag nog eens dertig mijl verder stroomopwaarts. Hotel Majesta was het keerpunt voor alle plezierboten die uit Ashamoil kwamen. Tot nog toe had de oorlog de rivierhandel niet verstoord, maar grote vrachtvaartuigen met geschut aan boord waren intussen wel een gewone aanblik geworden en de autoriteiten in Ashamoil boden elke schipper die ervoor wilde betalen gewapend escorte aan. Het hotel had zijn eigen goed gedisciplineerde bewakingstroepen die tot taak hadden de vrede te bewaren en de gasten te beschermen. Ze stelden er geen belang in wat die gasten geruisloos uitvoerden achter gesloten deuren.

Gwynn stuurde de boot langs de steiger van het hotel en sloot de stoomtoevoer af. Marriott ging aan wal en meerde af. Gwynn trok zijn kleding recht en hij en de nog steeds mokkende Marriott liepen vervolgens naar de voordeur, langs een pad omzoomd met magnolia's en rozenstruiken. Twee lakeien in witte linnen uniformen noodden hen de ruime hotelhal binnen, waar nog eens twee lakeien kwamen toesnellen, de een om hun kleren af te borstelen en de tweede om hun geurige vochtige doeken aan te reiken om hun gezicht en handen af te vegen. Toen gingen ze de brede trap op en zaten even later diep in de leren leunstoelen in de salon van kolonel Veelam Brights suite genesteld, met likeurtjes in robijnrode glaasjes, terwijl ze luisterden hoe hun gastheer uitweidde over de lijfelijke, geestelijke en spirituele gevaren van het leven in de tropen.

'Want je moet oppassen,' zei de kolonel. Een magere, louche figuur met half geloken oogleden die de rol van militair speelde met een vleug sarcasme. 'Je bent hier zomaar opeens verwilderd. Zomaar!' Hij knipte met zijn vingers. 'Je gaat naar bed als beschaafd mens en als je de volgende ochtend wakker wordt, wil je veren in je reet en op trommels slaan en andere figuren in de kookpot stoppen. Waar, Join?'

'Ja, kolonel. Zeker, kolonel!' zei korporaal Join, Brights oppasser.

Ze droegen allebei witte uniformen met rood en goud, waarbij dat van de kolonel opviel door zwaardere en drukker versierde gouden epauletten, knopen en galons. De uniformen zagen eruit alsof ze in huisvlijt waren vervaardigd. Het witte jasje van de kolonel vertoonde zweetvlekken onder de oksels en was maar half dichtgeknoopt, zodat daaronder een vuil overhemd te zien was. Join, daarentegen, zag er qua uiterlijk en houding uit alsof hij, elk uur wanneer de klok sloeg, werd gewassen, gesteven en gestreken, terwijl zijn haar tegelijk werd geknipt en zijn schoenveters opnieuw werden gestrikt.

'Neem een goeie raad aan van een ouwe rot als ik, jonkies die jullie zijn,' zei de kolonel terwijl hij zich vooroverboog. 'Denk altijd aan thuis. Denk altijd aan je moeder. Denk altijd aan de smaak van haar borsten, als je kunt.' Hij bekeek zijn drankje met een wellustige trek op zijn gezicht, alsof het rode glas hem verre visioenen liet zien waarin zich sensuele herinneringen afspeelden.

De luiken waren gesloten om de hitte buiten te sluiten en de kamer werd verlicht door kroonluchters op gas, die sisten als hedendaagse gorgonen. Een vierkante klok met verguldsel stond luid te tikken op de schoorsteenmantel en de klanken van een dansorkestje dat in een van de zalen beneden speelde kwamen door de vloer naar boven. Achter deze geluiden klonk, verwijderd, maar onafgebroken, het kwetterende en piepende gedruis van de rimboe.

Op een olieverfschilderij dat boven de klok hing was een jonge, statige vrouw afgebeeld op een met goudlaken gedrapeerde troon terwijl een man in een harnas, dat eerder ceremonieel dan praktisch van model was, voor haar knielde en haar een bos lelies aanbood in de gehandschoende hand die hij naar haar uitstrekte. De vrouw leunde een beetje naar voren en haar hand begon al naar hem te reiken. Gwynn vond het interessant dat de kunstenaar ervoor gekozen had een ogenblik vast te leggen waarop de uitslag van deze ontmoeting nog onzeker was. Hij had zich wel eens afgevraagd wat voor plannen zouden worden voltooid of doorkruist, wat voor rampen zouden zijn afgewend of opgeroepen, als de vrouw de bloemen zou afwijzen.

De kolonel rechtte zijn rug en hief zijn glas. 'Op thuis, heren!'

'Op thuis,' herhaalden Gwynn en Marriott plichtmatig.

'Heren! Op thuis, heren!' sloot Join zich erbij aan.

De vier ontheemden dronken hun glas leeg. De kolonel knipte met zijn vingers. 'Cognac, Join.'

'Ja kolonel.' Join haalde een karaf uit een kabinet met een marmeren bovenblad en schonk in. De kolonel nam zijn glas van Join aan en leunde achterover met half geloken ogen, als om de indruk te wekken dat hij zich volstrekt geen zorgen maakte over het doel van de komst van zijn bezoekers.

'Dit is een goede cognac,' merkte Gwynn op.

'Blij dat je dat ook vindt,' zei de kolonel. 'Het valt niet altijd mee hier in stijl te leven. Maar een goede grog is een van de elementaire zaken van het bestaan.'

'En de andere vier zijn herinnering en het vermogen te vergeten, kwade vrienden en eerbare vijanden,' citeerde Gwynn.

'Precies! De exacte woorden van Jashien Sath, als ik me niet vergis,' ging kolonel Bright verder. 'Dat was nog eens een slimme vrouw – niet dat alle vrouwen niet slim kunnen zijn als ze iets van je willen loskrijgen, hm? Het is een waar genoegen een ontwikkeld iemand tegen te komen in deze contreien. Ik hoop dat je nog steeds tijd vrijmaakt om de klassieken te lezen. Goed voorbehoedmiddel tegen het wegrotten van de hersenen.'

'Ik denk niet dat mijn opvoeding de normen van de uwe evenaart, kolonel,' zei Gwynn, met een oprecht gezicht. 'De uitspraken van Sath worden graag gelezen in het noorden, net als haar verhandelingen over oorlogvoering.'

De kolonel trok een wenkbrauw op. 'Werkelijk? Dat over die oorlog is natuurlijk interessant om te lezen, maar wel een beetje erg ouderwets om heden ten dage nog te leren, zou ik denken.'

Gwynn glimlachte. 'Ze wordt ons voorgehouden als een voorbeeld van de eerbare tegenstander.'

De kolonel lachte luidkeels. 'Ach, de reputatie; altoos de speelbal der geschiedenis.'

'Dat zeker, zolang de geschiedenis nog lust heeft ermee te spelen.'

'Niets is eeuwig,' zei de kolonel schouderophalend.

'Wat me eraan doet denken,' zei Gwynn om het gesprek op de zaken te brengen waarvoor hij kwam. 'Hoe gaat het met de oorlog?'

'Heel best, nog steeds aardig in evenwicht. Ziet er nog niet naar uit dat het ophoudt.' Kolonel Bright trok een ranzige grijns terwijl zijn blik kil en alert werd.

'Maar al te snel gaat het toch ook niet, hopelijk?'

'Nee, nee, de bevolkingsgroei houdt het wel bij.'

'Zeg eens, is het waar dat de bevolking ginds koppen snelt, zodat je kunt zien hoeveel vijanden er gesneuveld zijn?'

'Ja, dat is zeker waar. Op staken gespiest, als lolly's, beste kerel. Beide partijen doen het. Ze zijn volslagen onbeschaafd. Komt door de hitte; ze worden in de moederschoot al krankzinnig.'

'We begrijpen dat het moeilijk is de toestand onder controle te houden,' zei Gwynn. 'Uw inspanningen worden gewaardeerd. De Hoornen Waaier stelt de samenwerking zeer op prijs.'

'Dank je wel. Het is uiteraard een genoegen om met jullie zaken te doen. Join is daarbij natuurlijk onmisbaar. Join!'

'Kolonel!'

'Ga maar even naar de mess. Wees hier terug om stipt dertienhonderd uur.'

'Ja, kolonel.' Join salueerde, maakte rechtsomkeert en marcheerde de kamer uit. Gwynn luisterde. Het parmantige geluid van stevige voetstappen hield veel eerder op dan te verwachten was. Vijf meter van de deur naar schatting; zo ver dat de oppasser van de kolonel niets kon verstaan dat op gewone spreektoon werd gezegd, maar wel zo dichtbij dat hij op een schreeuw kon komen aanstormen.

Dikke boeken zouden er worden geschreven over de oorlog waarin het huis de Hoornen Waaier betrokken was, maar die boeken zouden de Hoornen Waaier niet één keer noemen, zelfs niet in een voetnoot; de onmatig lange duur van de oorlog zou in plaats daarvan uitsluitend worden geweten aan het woeste temperament van de betrokkenen, respectievelijk de stam van de Ikoi en de stam van de Siba, voorzover men wist. Als er echter een volledig en nauwkeurig verslag van zou worden gedaan zou het de volgende feiten behoren te bevatten.

Ten tijde van het bezoek van Gwynn en Marriott aan kolonel Bright was de oorlog in Lusa al zo'n dertig jaar aan de gang. Hij was uitgebroken toen de Ikoi uit het oosten van het land het territorium van het Sibavolk in het westen binnentrokken. De Ikoi hadden zich uitgerust met moderne wapens en werden dus de gelukkige overwinnaars. Maar toen de nood voor de Siba op z'n hoogst was, kregen ze bezoek en wel van kolonel Bright, die hun aanbood hun van geweren te voorzien die even goed waren als de wapens die de Ikoi bezaten. De leiders van de Siba legden uit dat ze het aanbod met het grootste genoegen zouden aannemen, maar dat ze nu heel arm waren en niet in staat voor de wapens te betalen. De kolonel reageerde daarop door de eerste zending op krediet te leveren. En zijn waagstuk had succes. Binnen een paar dagen nadat ze zich bewapend hadden begonnen de op wraak beluste Siba de nederzettingen van de Ikoi te vernietigen en te plunderen. Ze bleven geweren kopen van de kolonel en drongen de Ikoi geleidelijk aan terug naar het oosten.

Dit was het ogenblik dat Olm belang begon te stellen in Lusa. Hij zag een mogelijkheid tot winst, maakte een plan, en stootte de Hoornen Waaier daarmee op in de internationale zakenwereld.

Sindsdien had de oorlog tien jaar lang gewoed met de regelmaat van een precisie-uurwerk. Bang dat de Ikoi zich zouden vermenigvuldigen en mogelijk weer agressief zouden worden, deden de Siba met groot genoegen invallen in het Ikoi-gebied, ontvoerden hun oude vijanden en verkochten ze aan de kolonel, die ze aan Olm verkocht, die ze weer verkocht aan kopers in Ashamoil. Olm betaalde de kolonel deels in de vorm van munitie, die op zijn beurt weer een groot deel uitmaakte van de waren die de kolonel aan de Siba leverde. De Ikoi, intussen, hadden een nieuwe, goedkopere wapenleverancier gevonden en vochten terug, krachtig genoeg om stand te kunnen houden. Ook zij verkochten hun krijgsgevangenen aan een handelaar, een koopman, die beweerde afkomstig te zijn uit de stad Enjiran in het binnenland. In feite was hij in dienst van niemand anders dan de kolonel; de wapens die hij leverde waren uiteraard afkomstig van Olm, die zijn munitiefabriek in Ashamoil kon drijven op basis van een zeer gunstige kosten-baten verhouding, dankzij de arbeid van de slaven die het land werden binnengesmokkeld. Aangezien kinderen makkelijker te hanteren waren dan volwassenen, werden die het meest gezocht voor dit werk, en aangezien ze ook makkelijker te vangen waren aan de Lusaanse kant, werd zo een soepele harmonie van vraag en aanbod in stand gehouden.

De kolonel bezat een monopolie op zijn uiteinde van de handelsketen. Olm had een vergelijkbaar monopolie aan het andere uiteinde bedongen voor de Hoornen Waaier. De verfijnde inbreng waarvoor de kolonel verantwoordelijk was en waarin hij bedreven was, bestond in de beheersing van de verdeling van de wapens ten einde de onenigheid gelijkmatig en niet-aflatend te laten doorsmeulen, zonder dat het zou opvlammen tot een laaiend vuur dat de bevolking van dit kleine land zou verteren.

Door de jaren heen was de Hoornen Waaier steeds afhankelijker geworden van de oorlog. Gwynn had de cijfers niet bekeken, maar hij was zich bewust van de feiten. Als de Hoornen Waaier de handel in Lusa kwijtraakte zou niet alleen de financiële klap heel ernstig zijn, maar zou het Huis van Olm ook in ernstige mate gezichtsverlies lijden. Oude vijanden zouden ongetwijfeld de kans grijpen om aan te vallen en Huizen waarmee Olm een verbond had, zouden de gelegenheid van een winstgevend verraad te baat nemen. Gwynn hoopte dat de kolonel niet helemaal besefte hoe de situatie lag.

'We waren bezorgd, dat u misschien moeilijkheden had,' zei hij. 'De laatste twee ladingen beantwoordden niet aan de norm die wij van u gewend zijn. Eerlijk gezegd geneerden we ons om ze door te verkopen. Kunt u uitleggen waarom de waar van zulke slechte kwaliteit was?'

De kolonel trok een gemelijk gezicht tegen Gwynn. 'Mijnheer, zo'n opmerking zou men heel verkeerd kunnen opvatten!' Hij stak zijn vinger op en schudde hem ter onderstreping. 'Van oorlog wordt iedereen na verloop van tijd wat sleets, zelfs wilden. Ik had u toch aangezien voor iemand die zoiets wist en ik zou zeker hebben gedacht dat uw baas het ook wist.' Hij sprak het woord 'baas' uit met een zekere afkeer, alsof het hem tegen de borst stuitte dat Gwynn in dienst was van een handelshuis.

Bij eerdere gelegenheden had Gwynn al de indruk gekregen dat de kolonel ervan uitging dat er een soort verwantschap tussen hen bestond, een maatschappelijke klasse die ze gemeen hadden. Deze overtuiging leek deel uit te maken van een veelomvattender wereldbeeld, waarvan ook het feit deel uitmaakte dat hij zichzelf beschouwde als beschaafd mens en de Lusanen als wilden. Gwynn had hem op beide punten wijzer kunnen maken. Bij ontstentenis van banden des bloeds of de kameraadschap van de strijd, bestond er geen enkele verwantschap tussen hen en was de enige karaktertrek die zij gemeen hadden een bloeddorst die even robuust was als die van de eerste de beste kannibaal.

'Er is natuurlijk een andere uitleg mogelijk,' zei Gwynn. 'Kortgeleden probeerde een van onze concurrenten Ikoi binnen te smokkelen in Ashamoil. Ze werden onderschept door een douanevaartuig. Het schijnt dat uw naam werd genoemd toen de bemanning werd ondervraagd.'

'Ik begrijp helaas niet wat u daarmee zeggen wil. Het komt me erg vrijpostig voor,' teemde de kolonel. 'Als u met mij geen zaken wilt doen, zoek dan iemand anders om uw levende vlees te oogsten.'

'Er was een partij die u een zeer aantrekkelijke vergoeding bood...' vervolgde Gwynn, niet van zijn stuk te brengen, '... in ruil waarvoor u hen het puikje van uw laatste vangst leverde en ons opzadelde met de resterende derderangs waar. De partij met wie u deze handel dreef is ons bekend. Ze zijn niet van zins u in de toekomst die verleidelijke prijzen te blijven betalen. Eerlijk gezegd zijn ze daartoe ook niet meer in staat.'

De kolonel bleef weerstand bieden, en glimlachte cynisch. 'En misschien zie ik niet in waarom ik u zou geloven.'

'Vergeeft u mij, maar vanuit onze optiek doet dat er niet toe. Het bewijs is echter makkelijk genoeg geleverd.' Gwynn gebaarde kort naar Marriott die de houten doos tevoorschijn haalde en hem aan de kolonel aanreikte.

De kolonel deed de doos open en keek even naar wat erin lag. Ze moesten het hem nageven, hij vertrok geen spier. Wat hij zag in een wikkel van geolied papier, was een aantal oren, zacht van het uitkoken en nog met flarden hoofdhuid eraan. Van één oor herkende hij de lange lel, van een ander de vierkante, vlezige vorm. Daarnaast bevatte de doos drie herkenbare neuzen en een aantal rode, slappe klompjes vlees waarmee de kolonel niet persoonlijk bekend was.

'Probeert u nu indruk op me te maken met de manier waarop u gewoon bent problemen op te lossen, mijnheer? Er is maar weinig in die trant dat op mij indruk maakt en al heel lang niet meer, langer dan u op de wereld bent.' De kolonel wierp de doos op het buffet met de marmeren plaat. Een van de oren viel op de grond.

Gwynn liet zijn cognac rondzwieren in het glas. 'Kolonel, wees ervan overtuigd dat ik hier niet ben om bedreigingen te uiten. Maar er is nu eenmaal een zaak die niet afgerond is. Zullen we die in der minne schikken? Wij begrijpen dat iedereen wel eens ten prooi valt aan de verleiding. Van een zo gewaardeerde handelspartner vragen we slechts een schadeloosstelling. Dat is wat mij is opgedragen u te zeggen.'

Hij zei verder niets terwijl kolonel Bright probeerde de klok op de schoorsteenmantel aan stukken te kijken. Gwynn was niet erg hoopvol. Hij verwachtte eigenlijk dat het op een debacle zou uitlopen. Hij probeerde Marriotts blik op te vangen, maar Marriott ging helemaal op in het schilderij.

Uiteindelijk slaakte de kolonel een kort, stijf kuchje. Gwynn duidde het als bewijs van overgave. 'Wij schatten onze verliezen, inclusief de diverse onkosten die zijn gemaakt om deze zaak af te handelen, op een totaal van 110.000 florijnen. Ik moet u verzoeken de betaling binnen een week te doen plaatsvinden – in goud.'

Na een tweede ronde van futiele tweestrijd met de klok, knikte de kolonel stijf. 'Het zal worden geregeld. En maak nu dat je mijn kamer uit komt.'

Terwijl het gesprek plaatsvond, was Marriott heel ergens anders met zijn gedachten. Het lawaai van het orkest, de rimboe, de klok, de stemmen van Gwynn en de kolonel, dat alles schuurde langs zijn zenuwen. Hij concentreerde zich op het schilderij, gelokt door de lelies, die leken te stralen met een geheel eigen gloed en in een andere ruimte schenen te zweven, niet op het doek bevestigd tegelijk met de rest van het schilderij, maar er losjes op rustend. In hun openbloeiende blankheid en zwevende afzondering deden ze hem denken aan de poolganzen die over hem heen waren gevlogen, toen hij heel alleen in de diepe sneeuw had gelegen. Meteen was hij niet meer in het hotel, was hij weer terug in het verleden en hoorde de ganzen die met hun getoeter zijn hijgende ademhaling overstemden. De middernachtzon gloeide nog aan de horizon in het holst van de nacht, een sintel die niet wilde doven. De sneeuw was rood geweest, donkerrood met zwarte schaduwen in de golvende valleien, als een fluwelen mantel om te zien, maar koud en nat om op te liggen.

Ze hadden hem nog een kans gegund. Het was niet hun bedoeling geweest dat de geseling zijn dood zou worden. Zestig slagen met de zweep, genoeg om hem zwaar te verwonden, maar niet om hem te doden. Hij had zijn pelzen aan en hij was sterk; hij had op weg kunnen gaan om te proberen een onderkomen te vinden, maar hij had al besloten om zijn leven vaarwel te zeggen. Hij had immers nog nooit iets beleefd wat hem had aangestoken met liefde voor het leven. Alleen stelen gaf hem bevrediging; hij bleef manieren bedenken om te nemen wat niet van hem was.

Het dorp had hem getolereerd omdat hij nooit veel stal en omdat hij in andere opzichten nuttig was: een jongen die sterk genoeg was om het werk van twee mannen te doen, of het nou turf steken was of het villen van een hert of het bedienen van de blaasbalg en het sjouwen met ijzer in de smidse. Hij werd getolereerd totdat hij iets heel stoms deed, iets heel kwalijks: hij had haar genomen, de dochter van de zangeres van sagen, zij met het zo zeldzame gouden haar en de stem van honing, van wie iedereen hield. Daarom zouden ze het hem nooit vergeven dat hij haar genomen had. Hij had maar niet geprobeerd te vertellen dat hij in dat ogenblik dat hij haar bezat, geloofd had dat ze waarlijk de zijne was, hij wist wel beter. Hij besefte dat die gedachten verkeerd waren en hij voelde een pijnlijk berouw over het feit dat hij die enige die hij boven alles begeerde pijn had gedaan. Hij haatte zichzelf. Maar terwijl hij op de sneeuw lag, gespeend van levenswil, haatte hij ook zijn verwanten omdat ze hem hadden uitgeworpen. De zweepslagen zouden al genoeg zijn geweest, hij zou het nooit meer doen. Hij zou teruggevallen zijn op het stelen van hertenvlees en waardeloze bronzen mantelspelden, hij zou de blikken van wantrouwen en minachting hebben ondergaan en zijn ogen nooit meer naar de hare hebben durven opheffen.

Maar wie durfde zoiets riskeren? Niemand wilde het voor hem opnemen. Zijn ouders en broers hadden gezwegen, net als ze in het geval van een vreemde zouden hebben gedaan.

Hij was er zelfs nog verbaasd over, hoe eenvoudig het was geweest om te besluiten te sterven. Het ontbrak hem aan het nodige om zichzelf van het leven te beroven – hij had met zijn mes in zijn arm gestoken, maar zijn hand wilde niet diep genoeg doorstoten – maar hij kon zich wel door de wereld van zijn leven laten beroven. Dat kon hij beslist.

Maar de wereld had andere plannen. Op de nacht dat ze hem verbanden, kruiste het noodlot zijn pad met de vaart van een roekeloos voortrazende hondenslee. Eerst hield hij zich nog dood, zijn ogen dicht terwijl de honden aan hem snuffelden. Toen hoorde hij de stappen van een mens knerpen op de sneeuw en voelde warme vingers tegen zijn hals.

En hij hoorde lachen en een jeugdige stem: 'Je kan maar beter overeind komen, anders laat ik ze je opvreten. Misschien peuzel ik je zelf wel op. Je hebt heel wat vlees op je botten en ik heb honger.'

Marriott was erin geslaagd een paar seconden te laten verstrijken, maar toen was zijn besluit om zich door de wereld van het leven te laten beroven weg. Hij deed zijn ogen open en zag een jongen van zijn eigen leeftijd, gekleed in leer en dikke pelzen, met een zwaard aan zijn zij.

Op dat ogenblik stuiterde een soort grote harige sneeuwbal te voorschijn uit de slee en binnen de kortste keren werd Marriotts neus krachtdadig gelikt door een jonge jachthond.

'Dat is Dormarth,' zei de glimlachende jongen. 'Hij heeft geen manieren, maar hier in de onbeschaafde wereld kan hem dat goed van pas komen. Ik ben Gwynn, laatstelijk van Falias, maar tegenwoordig zonder vaste woon- of verblijfplaats.'

Marriott kwam moeizaam overeind. Hij was zeer op zijn hoede, maar probeerde het niet te laten blijken. Dit was een kans op een nieuw begin. Hij voelde dat een lege, brede weg zich voor hem uitstrekte en zag een andere versie van zichzelf die weg begaan.

De jongen Gwynn stelde geen rechtstreekse vragen. Hij zei dat zijn span opgewonden was geraakt en dat hij ze uit nieuwsgierigheid de vrije teugel had gegeven om hun neus achterna te gaan. Marriott vermoedde dat de honden het bloed hadden geroken dat uit zijn wonden sijpelde, maar hij zei niets over de zweepslagen of zijn zielige poging zichzelf te verwonden. Niemand hoefde iets te weten over zijn vorige ik.

Daarna kreeg de herinnering hiaten. Hij herinnerde zich dat hij op de slee reed, langzaam ontdooiend, dommelend, dik in pelzen gepakt. En hij herinnerde zich dat Gwynn hem een fles gestookte metheglin had gegeven en dat hij hem leeg had gedronken en alles wat er gebeurd was eruit had gegooid en vervolgens er letterlijk alles had uitgegooid over de rand van de slee. De nieuwe weg had meteen al bochten gekregen, schijnbaar, zodra hij er een voet op had gezet.

Terwijl Marriott in de jaren vol hectisch avontuur die volgden op zijn ontmoeting met Gwynn roem vergaarde, verwierf hij ook de reputatie ridderlijk te zijn tegenover vrouwen. De vrouwen zelf meden hem, alsof hij een brandmerk droeg dat ze duidelijk konden zien. Hij hoopte op geluk, werd dikwijls verliefd, en werd zonder uitzondering beantwoord met onverschilligheid, angst of minachting. Hij begon te geloven dat hij zichzelf vervloekt had met die wrede daad.

Vanaf het moment dat hij Tareda Immer voor het eerst zag had hij haar aanbeden, maar het was intussen al lang veel verder gegaan bij hem. Nu de keus om haar aanwezigheid te ontvluchten hem ontzegd was, kon hij alleen maar blijven om elke avond nog dieper verliefd op haar te worden. Ze was het middelpunt geworden van zijn wereld en, zo geloofde hij, de enig mogelijke persoon die zijn ware redding kon betekenen. Hij wist dat hij gevangen was in de illusie dat ze voor hem alleen zong en alles wat in zijn hart leefde verstond en aanvaardde; op hetzelfde moment geloofden wel honderd andere mannen, en vrouwen, in datzelfde zaaltje dat ze voor hen alleen zong en hun hart aanvaardde met een aandacht die alleen voor hen gold.

Hij had zich wijsgemaakt dat als ze maar één keer tegen hem zou glimlachen, oprecht en buiten de tijd en plaats van het toneel, zijn schuld zou worden weggewassen en hij zou zijn vergeven, dat de vloek zou worden opgeheven en de deur naar de liefde voor hem van het slot zou gaan; dan zou hij in staat zijn haar ertoe te bewegen naar hem te verlangen.

Zich overgevend aan zijn fantasieën verbeeldde Marriott zich dat hij opnieuw in de sneeuw lag, maar nu was het Tareda die, gehuld in witte nerts, op de slee zat en hem vond. Hij pakte haar hand en ze glimlachte en trok hem naar zich toe.

Onvermijdelijk nam de vrouw aan wie de ridder de bloemen aanbood in zijn gedachten ook Tareda's gedaante aan. Hij bleef naar het schilderij kijken, ook al vervulde het hem met zorgelijke angst, totdat hij kolonel Bright hoorde zeggen dat ze weg moesten gaan.

7

WAT GWYNN BETROF HAD HET beeld van de vrouw en de ridder hem weer doen denken aan de liggende sfinx en de geschubde basilisk. Zijn sluimerende nieuwsgierigheid naar de onvindbare kunstenares die de ets had gemaakt begon zich te roeren en hij kreeg zin om weer op zoek te gaan naar Beth Constanzin.

Het was in elk geval een gunstige tijd voor een poging. Hij had veel meer vrije tijd dan de afgelopen maanden, want na het bezoek dat hij met Marriott aan kolonel Bright had gebracht, was het op alle fronten rustig geworden. De kolonel stuurde punctueel zijn lading de rivier af en alle slaven waren jong, sterk en mooi. De Hoornen Waaier beleefde een tijd van voorspoed en vrede.

Gwynn benaderde zijn zelf-opgelegde taak systematisch. Hij kreeg het idee dat het trapeziumvormige gebouw in de ets misschien een uitvergrote afbeelding was van een veel kleiner bouwsel, misschien een prieel in een particuliere tuin, of een graftombe; een ruimte waarin hem misschien een nadere aanwijzing wachtte. Dat idee sprak hem aan en hij nam een grote plattegrond van Ashamoil en zette er een rooster met zestig vakjes op uit in rode inkt, waarna hij de kaart langs de lijnen in vierkantjes knipte. Hij trok de sfinx over en liet de afbeelding bij een drukker zestig maal vermenigvuldigen. Toen zocht hij in de loop van enkele dagen zestig personen op die een goede reputatie hadden op het gebied van horen en zien tegen vergoeding. Ze lieten zich er stuk voor stuk op voorstaan dat ze alles konden vinden, áls ze er maar voor betaald werden. Aan elk van hen gaf Gwynn een afdruk met het gebouw erop, een vierkantje van de plattegrond om aan te geven in welk gebied ze moesten zoeken. Hij gaf ze de helft van het honorarium als voorschot en de belofte van een ruime bonus voor de gelukkige in wiens zoekgebied het gezochte zich zou blijken te bevinden – wat het ook mocht zijn.

En toen wachtte hij af.

Een maand later zat Gwynn naakt op zijn bed en nam de resultaten van zijn inspanningen in ogenschouw. Hij schonk zich nog maar een glas wijn in.

Helemaal niets.

De onfeilbare verspieders waren allemaal onverrichterzake teruggekeerd.

Hij overwoog ze er nog een keer op uit te sturen, om te zoeken naar de vrouw met het gezicht van de sfinx. Maar hij was al tot de slotsom gekomen dat, als dat het enige spel nog was, het te primitief en saai was geworden om te spelen. Gwynn was teleurgesteld in de kunstenares. Hij verweet zich dat hij irrationeel was.

Hij dronk zijn glas leeg en sloot zijn ogen. Nu hij niet meer kon zien werden zijn andere zintuigen verscherpt. Boven het rumoer van de rivier en het achtergrondgedruis van de stad hoorde hij nu een stem spreken in de kamer beneden zich. Het klonk als een acteur die een alleenspraak repeteerde.

'Ik ben als mens geboren maar afschuw, en de zeurende pijn van de kwetsuur die mijn trots was toegebracht, leidde ertoe dat ik al op jonge leeftijd alternatieven begon te zoeken en te vinden. Het gelukkigste was ik als zwijn, toen een matras van mest me meer genoegen bereidde dan een divan van zijde en ik een emmer draf even hoog schatte als rode wijn en gevulde vijgen. Na mijn terugkeer naar de tweebenige gedaante is het me nooit meer gelukt zwijn te worden, maar een geit werd ik nog wel, wat een bevredigende toestand had kunnen zijn, ware het niet dat in mijn gele ogen met hun elegante horizontale pupillen een onmiskenbare schoonheid school zodat ik, toen ik mezelf in een beekje aanschouwde, een verlangen voelde dat me pijn bezorgde. Ik vond mijn toevlucht in aarde en blindheid. U, die elke dag vogels ziet, en naar hun vleugels taalt, hebt zich nimmer het geluk voorgesteld dat de regenworm toevalt: hij heeft maar één verlangen, namelijk zijn binnenste te vullen met aarde, en die behoefte wordt onophoudelijk bevredigd. Het is slechts vanwege de omvang en wulpsheid van zijn zinnen dat het onovertroffen zwijn zich erop kan beroemen grootser te zijn dan de vorstelijke worm...

Ik verlustig mij in verwarrende beelden, beste vrienden. U bent vast mijn waarschuwing nog niet vergeten ten aanzien van de gevleugelde octopussen die, en de dag komt snel nader, boodschappen van strenge berisping zullen brengen naar de steden der wereld. Hebt u de vlucht van deze

sombere, glanzende weekdieren wel eens gadegeslagen, met uw gezicht tegen het venster gedrukt, waarbij de aanblik van uw holle wangen en verwilderde haren de voorbijgangers schokte? Uw streepvormige ogen knip-
perden niet eenmaal. Maar ofschoon u zag hoe de moordenaar en de
kinderverkrachter elkaar vol zelfvertrouwen toeknikten op straat, zag u
misschien niet wat er verkeerd was. Octopussen bezitten een uitgelezen
vermogen tot camouflage, ondanks het feit dat ze kleurenblind zijn...'

De stem sprak verder in dezelfde trant, maar Gwynn luisterde niet
meer. Hij rook dat het seizoen veranderde. De droge maanden waren
haast voorbij. Nu brak de tijd aan dat de lucht vochtig begon te worden en
de metalige geur van vochtige aarde aandroeg, die de voorbode was van de
moesson.

Zijn dagindeling was vervallen tot een aangename routine. 's Ochtends
sliep hij uit, las wat, of sloeg de tijd dood in cafés. 's Middags was hij meestal in sportschool Mimosaterras te vinden met zijn collega's, om te schieten, te schermen en paard te rijden, gevolgd door een uurtje of wat in de
bar van de club en dan een bad in het Corinthisch badhuis. De avonden
bracht hij ofwel door met dezelfde collega's of met een bredere keuze uit
de samenleving, in een ronde van bezigheden die onmisbaar waren voor
wie het elegante leven leidde: kaarten, biljarten, dansen, dineren, theater-
bezoek, rondslenteren met als enig doel te worden gezien en uiteraard het
kopen van kleren. Die dag had hij zich drie nieuwe kostuums laten aanme-
ten. Na twee uur lang stalen stof voorgelegd te hebben gekregen door zijn
kleermaker – iemand die hartstochtelijk werd over het materiaal waarmee
hij werkte, en wiens verhandelingen over val en kleur en weefsel uitgroei-
den tot een verrukkelijke lofzang – had Gwynn zijn keuze gemaakt uit de
overvloed van lichte en zware zijde, jacquard, damast, crêpe, moiré, oog-
strelend brokaat, gebeeldhouwde brocatelle en matellassé, geverfd leder
en borduursel in metaaldraad. Dan was hij nog een uur bezig geweest de
snit te bepalen van zijn jassen, vesten, pantalons en overhemden. De
nieuwste mode in hemden was nu onversierd, met een hoge boord met
kleine omgeslagen puntjes en zonder kant. En kanten cravatten, zo had de
kleermaker hem meegedeeld, waren intussen al bijna uitsluitend een ac-
cessoire voor dames. Als een heer zich niet belachelijk wenste te maken,
dan droeg hij alleen nog effen zijde.

Gwynn vond zijn kleermaker een bovenstebeste kerel.

's Nachts werkte hij. Een uur tevoren was hij teruggekomen van een bezoek met Scherpe Jasper aan een viertal jonge oplichters-in-spe, die erin geslaagd waren zich voor een ongelooflijk hoog bedrag in de schulden te werken bij Olm. Hun rijke ouders hadden geweigerd hen uit de brand te helpen. Het viertal bleek onverwacht taai, en wel in die mate dat Gwynn en Jasper zich enigszins hadden moeten inspannen om hun standpunt over te brengen. Uiteindelijk hadden ze de jongelui tot een staat van ellende weten te brengen die voldoende zou moeten zijn om hun ouders te prikkelen tot berouw over hun gierigheid.

En nu moest hij dus naakt en alleen op zijn bed zitten en de wijn opdrinken die hij van plan was geweest met Beth Constanzin soldaat te maken. Eenmaal zo onder woorden gebracht, was het genoeg om de fles weg te zetten. Hij trok een lelijk gezicht in het donker.

Hij dacht erover maar te gaan slapen, toen hij lichte voetstappen door de gang voor zijn kamer hoorde komen. Hij herkende ze als de tred van mevrouw Petris van de derde. Ze bleven staan en toen hoorde hij de bel in zijn woonkamer rinkelen.

Hij dacht er even over te doen alsof hij sliep. Het was al laat genoeg. Maar als mevrouw Petris aan de deur was, betekende dat altijd een uitnodiging voor een partijtje. Van al zijn buren was zij de enige met wie hij tot op zekere hoogte sociale betrekkingen had. Zij had sociale betrekkingen met alles en iedereen; als een blok steen in het pand was komen wonen zou ze er nog op aandringen dat het naar haar soupeetjes en soireetjes kwam.

Hij stapte uit bed, schoot een kamerjas aan en deed de deur open.

'Dag Gwynn-lief!'

Mevrouw Petris reikte tot halverwege zijn borst. Als ze glimlachte vertoonde ze tanden die nog indigo waren geverfd, naar de mode van haar jeugd. Tientallen jaren geleden was ze dansmeisje geweest in revues. Ze had nog steeds de rechte rug van een danseres en een gezicht dat, mager als een bejaarde vogel en gemarmerd door couperose, een onvermoeibare levendigheid uitstraalde. Ze droeg een japon bestikt met zwarte kralen die waarschijnlijk vijftig jaar oud was, en een tiara van kristallen steentjes en zwarte veren op haar korte witte haar. Zoals gewoonlijk rook ze naar champagne en zoals altijd sprak ze op een opgewonden, meisjesachtige manier die, dacht Gwynn, ook ooit in de mode moest zijn geweest.

'Dag mevrouw P.,' groette hij. 'Waaraan heb ik de eer verdiend?'

'Ik ben zo blij dat je thuis bent! Ik weet dat ik nooit bang hoef te zijn jóu wakker te maken, nachtuil die je bent! Ik heb mevrouw Enoch op bezoek

en nog een paar mensen van beneden voor een kleine seance met de geesten. We zouden het zo fijn vinden als je erbij kon komen. Zeg alsjeblieft ja!
Ik had gehoopt dat je misschien voor ons zou willen spelen. De laatste keer
had dat zo'n stimulerende uitwerking. We prijzen ons gelukkig dat we een
echte musicus in het gebouw hebben – en zo'n knappe ook nog!'

Gwynns handen deden behoorlijk pijn van de aframmeling die hij de
jonge overtreders had gegeven, maar dat kon hij moeilijk zeggen.

Hij mocht mevrouw Petris wel. Zijn eigen grootmoeders waren grimmige, krijgshaftige vrouwen geweest die zwaarden zowel als politieke
macht hanteerden met het gemak van de gewoonte van jaren. De andere
oude vrouwen van de clan waren net zo, of anders waren het sibillen, hek-
sen, spreeksters met de doden, vrouwen om voor op je hoede te zijn. Maar
allemaal spanden ze zich uit alle macht in ten dienste van de clan. Ze bezaten de grandeur van machtige schakels in een grootse keten. Gwynn was
ondertussen gaan geloven dat mevrouw Petris meer karakter had getoond
door heel haar leven zo frivool te blijven als een vlinder.

Ze had een keer tegen hem gezegd dat hij haar deed denken aan haar
oudste zoon die was omgekomen bij een ongeluk met een boot. Ze sprak
dikwijls de wens uit zich te omgeven met interessante jonge mensen. Sinds
ze hem een keer had overreed naar een van haar seances te komen had hij
er nog een paar bijgewoond. De mediums die ze uitnodigde waren onveranderlijk afschuwelijke oude kermisartiesten, maar hij had zo nu en dan
een goed gesprek met een paar van de andere gasten, doorgaans mensen
die hij bij zijn gebruikelijke bezigheden niet zo gauw zou tegenkomen. De
vrouwen waren onveranderlijk in de meerderheid op die bijeenkomsten.
In zijn moederland waren dit waarschijnlijk vrouwen die sibille zouden
worden.

'Natuurlijk, ik kom met plezier,' zei hij.

'O, fantastisch!' Stralend pakte ze hem bij zijn arm. 'En nou ga je je even
mooi aankleden, ja? Iets wat iets mythisch oproept vanwege de sfeer. De
geesten zijn zo vreselijk gevoelig voor dat soort dingen.'

'Ik zal eens in mijn garderobe duiken, mevrouw P., hoewel ik vrees dat
ik weinig weet van mystieke zaken, of van de kledingvoorkeuren van de
geesten.'

Mevrouw Petris giechelde. 'Je bent een schat, lieve jongen. Vooruit, ga
maar wat uitzoeken in je klerenkist.'

Gwynn verontschuldigde zich en liep terug naar zijn slaapkamer. Er was hem al een ensemble in gedachten gekomen. Helemaal onkundig van esoterische symboliek was hij niet. Hij kwam even later weer naar de deur, helemaal in het zwart met zijn veelogige pauwenjas eroverheen. Een camee, een rouwbroche, waarop een doodshoofd stond afgebeeld in een strop – een van de weinige voorwerpen uit zijn bandietentijd die hij gehouden had – stak in zijn zwarte linnen rouwcravat.

Mevrouw Petris borrelde meteen over van lof: 'O, dat is volmaakt! Dat zullen de doden prachtig vinden.' Ze knikte aan een stuk door en toonde haar blauwe glimlach. 'Dank je wel, lieve jongen.' Ze legde haar hand weer op zijn arm. 'Kom mee naar beneden, de anderen wachten op ons.'

Licht leunend op zijn arm vroeg ze, terwijl ze door de gang liepen en de trap afgingen: 'En heb je nog nagedacht over die aangelegenheid, waar we het afgelopen maand over hadden?'

'Ik heb er trouw over gedacht, zoals ik u beloofd had,' antwoordde hij.

'Maar heb je ook iets ondernomen?'

'Ik ben niemand tegengekomen om wie ik iets zou hebben willen ondernemen. Misschien ben ik te kieskeurig – of misschien zijn de vrouwen te kieskeurig. Maar ja, een mens zou ook niet willen worden uitverkoren door iemand die niet kieskeurig was.'

'Liefde is verschrikkelijk belangrijk, mijn lieve Gwynn. Men heeft het zo nodig.'

'Dat weet ik, mevrouw P.'

'Ik ben blij dat je dat weet. Om op de juiste manier te leven heeft men behoefte aan een paar zekerheden, ook al zijn ze niet op de waarheid gebaseerd.' Ze slaakte een ironisch lachje.

'Dan zal ik uw raad ter harte nemen.'

'Je zult heus wel de juiste vrouw vinden om mee te trouwen, m'n lieve jongen. Ze bestaat beslist. Er is altijd iemand, voor ieder van ons.' Ze waren bij haar deur aangekomen. 'Ik heb vanavond twee jongedames uitgenodigd. Misschien is het wel een van hen. Je weet het maar nooit, toch?'

Gwynn beaamde dat je dat inderdaad nooit wist.

Mevrouw Petris deed de deur zover open dat hij mee naar binnen kon en deed hem toen snel weer dicht. Dat, zo wist hij van vorige gelegenheden, was om te voorkomen dat de spirituele ether in het vertrek door de deuropening zou ontsnappen.

De salon waar ze binnenkwamen was behangen met draperieën van donkerpaarse tule. De enige verlichting was afkomstig van kaarsen die stonden te branden in ietwat merkwaardige geelkoperen houders in de vorm van blote mannen en vrouwen met het hoofd in de nek en de mond wagenwijd open. In die gapende mond stond dan de kaars. De geur van wierook bezwangerde de lucht.

Rond een tafel met een zwart tafelkleed zaten zes mensen. Mevrouw Petris stelde Gwynn aan hen voor.

'Baira en Onex Ghiralfi.' Ze gebaarde naar twee elegante vrouwen die naast elkaar zaten. Ze glimlachten allebei en negen het hoofd. 'En dit is luitenant Cutter.' Een man in het uniform van de Halaciaanse huzaren stond op en maakte een stramme buiging. 'De neef van de luitenant, Marcon.' Een frêle ogende jongeman van een jaar of achttien, die verrukkelijk mooi zou zijn geweest als hij niet zo'n doodse blik had gehad, deed Cutters buiging na. 'Mevrouw Yanein heb je al eens ontmoet, geloof ik.'

De forse maar knappe vrouw van middelbare leeftijd in weduwegewaad en met robijnen glimlachte en knikte. 'Op je verjaardag, lieve. Hij was toen zo dapper om met mij te dansen.'

En zo voorzichtig om niet verder te gaan, voegde Gwynn er maar niet aan toe. Het jaar tevoren hadden twee bejaarde, bemiddelde raven een duel uitgevochten vanwege mevrouw Yanein. Degeen die het overleefde huwde haar en werd zo haar vierde echtgenoot. Een maand later was hij dood. Hartfalen, zo werd er verteld – door tactvol aangelegde lieden althans.

Nadat mevrouw Petris hem had voorgesteld en had gezegd dat hij de muzikale begeleiding zou verzorgen, maakte Gwynn een buiging. 'Het is mij een genoegen met u kennis te maken, en de kennismaking met u te hernieuwen, mevrouw Yanein. Ik ben slechts een amateur, maar ik zal mijn best voor u doen.'

Het gezicht van de laatste persoon ging schuil achter een sjaal die ze over haar hoofd droeg als een diepe capuchon. Een kristallen bol rustte voor haar op een zilveren statiefje.

Mevrouw Petris wendde zich naar de gedaante. 'En dan is het mij een trots genoegen je voor te stellen aan Madame Enoch, die vanavond de geesten voor ons zal kanaliseren.'

Gwynn had van dit medium nog niet eerder gehoord. Toen ze haar sjaal terugsloeg herkende hij haar, tot zijn verbazing. Ze was afkomstig uit het Koperland, een van de vele zwervers daar. Hij was haar daar van tijd tot tijd tegengekomen. Ze was hoer geweest, wapenhandelaar, valsspeelster, veedief en actrice. Hij zag dat ze hem ook herkende.

Met kohl omrande ogen richtten zich op hem met een duidelijk merkbaar vermaak. 'Ze zeggen dat de duivel de beste deuntjes kent. En ze hebben gelijk, vind je ook niet, jongeman?'

Gwynn glimlachte. 'Madame, men heeft mij verteld dat muzikanten deel uitmaken van de partij van een zekere god.'

Luitenant Cutter viel hen in de rede. 'We gaan vanavond toch niet iets al te diabolisch optrommelen, hoop ik!' Hij lachte ietsje te hard.

'O, dat is volgens mij al gebeurd, hoor,' zei mevrouw Yanein terwijl ze haar hand ophief naar haar mollige hals en Gwynn aandachtig aankeek.

'Ik zou het met u eens kunnen zijn,' gaf Gwynn ten antwoord.

Mevrouw Yanein lachte alleen maar, een stuk natuurlijker dan Cutter. Mevrouw Petris kwam na met een vrolijk giecheltje. 'Gwynn-lief,' – ze trok aan zijn mouw – 'ga naar de piano en speel eens wat voor ons. Een ouverture! We gaan zo dadelijk eerst spreken met de geesten en dan maken we het gezellig. Eerst de geesten, dan de geestigheden.' Dat grapje maakte ze steevast. Iedereen glimlachte of lachte erom, behalve de jonge Marcon, die kennelijk geen aanleiding zag om anderen voor zich in te nemen.

Een piano, ook al in lappen paarse tule gedrapeerd, stond tegen de wand, bij de tafel. Gwynn zette zich op het beklede bankje.

'Speel ons iets hemels,' beval Madame Enoch droog. 'We willen niet dat helse krachten hier binnendringen en de gevoelens van luitenant Cutter geweld aandoen. Geef ons muziek die passend is voor de heilige mysteriën.'

'Als het niet te veel is,' kwam Cutter tussenbeide.

Gwynn zette een sonatine in, in mineur, die niemand kon ontrieven en zijn vermoeide handen niet te zeer belastte. Nadat hij een paar maten had gespeeld beval Madame Enoch de mensen rond de tafel elkaar de hand te geven en de ogen te sluiten. Ze begon te kreunen en te sidderen en al gauw kondigde een hoekige beweging met haar hoofd de komst aan van de eerste geest. Dat was de zoon van mevrouw Petris. Hij sprak woorden van troost tot zijn moeder door de mond van Madame Enoch en verzekerde haar dat hij zich nog steeds in het paradijs bevond. Hij vroeg naar de gezondheid van zijn moeder en ze antwoordde dat ze het goed maakte.

'En maak jij het ook goed?' vroeg mevrouw Petris aan haar dode zoon.

Het antwoord was bevestigend.

Gwynn hoorde een geluidje dat snel werd gesmoord. Ergens had iemand, hij kon niet zeggen wie, bijna gelachen.

Madame Enoch bracht vervolgens de geest voort van een gesneuvelde kameraad van Cutter, aan wie de huzaar bars en onhandig zijn verontschuldigingen aanbood.

Toen dat was afgesloten vroeg Madame Enoch met eentonige stem: 'Is er een geest voor Marcon?'

'Nee,' zei de jongen haastig. 'Ik hoef de beurt niet.'

Mevrouw Yanein wilde de beurt wel. Die van haar duurde het langst aangezien ze met elk van wijlen haar echtgenoten wenste te spreken. Mevrouw Enoch maakte er een prima vertoning van door ze met allemaal verschillende stemmen te laten spreken terwijl mevrouw Yanein er een even goede vertoning van maakte door liefde tot uitdrukking te brengen voor elke zogenaamde schim.

Toen ze de laatste, de graaf, vaarwel had gezegd, begon Madame Enoch grommende geluidjes uit te stoten. Gwynn maakte daaruit op dat de 'geesten' bezig waren haar te verlaten en ze 'weer tot zichzelf kwam'; hij hield op met spelen en draaide zich om.

Madame Enoch schokte op in haar stoel. Haar handen beefden en grepen toen het kristal. Ze zakte in elkaar, haalde diep, sidderend adem, en leek zich toen langzaam te herstellen.

'Ik ben leeg,' verklaarde ze met schorre stem. 'We nemen even pauze. Mevrouw Petris, champagnepils graag.'

'Acht champagnepils, Isobel!' riep mevrouw Petris naar de keuken.

De deelnemers aan de seance verhuisden naar de makkelijke stoelen aan het andere eind van de kamer. Gwynn voegde zich bij hen. Uitgenodigd door de glimlach van Baira en Onex Ghiralfi ging hij tussen hen in zitten. Vanuit zijn ooghoek zag hij mevrouw Yanein heel dicht bij luitenant Cutter plaatsnemen. Marcon zat in zijn eentje. Mevrouw Petris begon een gesprek met Madame Enoch en stelde ernstige vragen over het leven na de dood, waarop de gehaaidere oude artieste geruststellende antwoorden gaf.

'Het hiernamaals is erg gezellig, mevrouw Petris,' zei ze op ferme toon. 'De doden hebben altijd vrij, ze kunnen doen wat ze willen.'

'En voelen ze zich ook wel ongelukkig?'

'Alleen in zoverre dat het hun bestaan iets van het schrijnende van het leven verschaft; maar overmatig of langdurig lijden kunnen ze niet, en ze kunnen uiteraard ook niet sterven.'

'Zegt u eens, weten ze altijd dat ze dood zijn?'

'Ze weten niet altijd,' zei Madame Enoch, 'hoe dood ze zijn,'

Gwynn wijdde zijn volle aandacht aan de twee jongere vrouwen.

Baira vertelde dat ze wiskundige was, en Onex was astronome, zei ze. Hij zei niets over zijn eigen beroep en geen van beide vrouwen vroeg ernaar.

Isobel, de dienstbode van mevrouw Petris, bracht de drankjes binnen op een blad.

Gwynn wachtte tot de zusters zich bediend hadden en pakte toen zelf een glas. 'U bent hierna aan de beurt, dames. Wie wenst u te spreken in het hiernamaals, als ik vragen mag?'

'Onze zuster,' zeiden ze tegelijkertijd.

'Er was een derde zuster,' zei Onex.

'Ze was architecte,' zei Baira. 'Ze is omgekomen bij een ongeval op de bouwplaats.'

'Dat vind ik heel erg voor u.' Gwynn vroeg zich af waarom ze niet doorhadden dat Madame Enoch een oplichtster was. Of misschien hadden ze het wel door en kwamen ze, net als hij, alleen maar voor de gezelligheid.

Onex glimlachte triest.

'Nu we op uw vragen antwoord hebben gegeven, moet u de onze beantwoorden,' zei Baira. 'Met wiens of wier geest wilt u spreken?'

'O, nee, ik maak deel uit van het decor. Ik was niet van plan mee te doen.'

Onex stak haar hand uit en pakte de zijne. Hij liet haar begaan. Haar duim streek zacht langs zijn pols aan de onderkant. Ze keek hem in de ogen, fronste vragend haar wenkbrauwen en vroeg: 'Waarom zet u er geen vaart achter om uw dame te vinden?'

'Ik ben de laatste tijd geen dame kwijtgeraakt,' antwoordde hij. Hij was een beetje van zijn stuk gebracht en probeerde het niet te laten blijken. Toen herinnerde hij zich wat mevrouw Petris voor hem hoopte. Ze had natuurlijk iets tegenover de zusters laten vallen. Geamuseerd ontspande hij zich.

De astronome schudde haar hoofd.

'Ik zie een heleboel in de sterren. De patronen die ze maken zijn een taal. Mijn zuster ziet zelfs nog meer in de getallen. Wat doet u hier?'

'Pianospelen. Met u praten, een buurvrouw een plezier doen,' zei Gwynn luchtig.

De zusters trokken allebei tegelijk een wenkbrauw op.

Onex zei: 's Ochtends, als ik wakker word, kijk ik in mijn spiegel en spreek ertegen om te ontdekken wie ik geworden ben terwijl ik sliep.' Haar vinger streek langs zijn manchet waar vierkant geslepen diopsiden pinkten tussen de draden van het borduursel. 'U ziet eruit alsof u wel van uw spiegel houdt.'

'Maar ik praat er niet mee.'

'Misschien zou u dat wel moeten doen. Of denk tenminste aan het volgende: wanneer een ster wordt weerspiegeld in een rivier kan men het water met het licht erin vatten in de holle hand en dan heeft men daar een deel van de ster zelf. Tenzij u me kunt uitleggen hoe een ster en haar licht twee verschillende dingen kunnen zijn?'

Wat hij ook hierop had willen zeggen, het werd verhinderd door een haperend, sidderend gehijg van de kant van Madame Enoch. Met aller ogen op haar gevestigd liet ze haar glas in de schoot van mevrouw Petris vallen, greep naar haar borst, opende haar mond heel wijd en viel toen voorover op de vloer.

Gwynn dacht eerst dat het weer een vertoning van haar was. Maar mevrouw Petris knielde haastig bij haar neer en rolde Madame Enoch op haar rug. En toen werd duidelijk dat ze dood was.

'Haar hart,' mompelde mevrouw Petris. 'Arme vrouw.'

Mevrouw Yanein staarde naar het lijk met een uitdrukking van vage goedkeuring.

'De tijd is de enige rover die uiteindelijk niet aan de kant van het leven staat, vindt u niet?' vroeg Marcon op ernstige kille toon.

Cutter schraapte zijn keel. 'Moet ik, eh, geen sjouwer laten halen?'

'O... o, eh, ja, ja, dat moet wel gebeuren, denk ik,' zei mevrouw Petris.

Cutter beende weg en nam de jongen met de dode ogen mee. Mevrouw Yanein volgde hen.

De zusters stonden op, gaven uiting aan hun medeleven en verlieten ook de kamer. Ze wierpen Gwynn vreemde, veelbetekenende blikken toe terwijl ze de deur uit gingen, alsof ze een geheim met hem hadden gedeeld.

Gwynn bleef alleen achter met mevrouw Petris. Toen ze zag dat hij niet met de anderen zou vertrekken snelde ze naar hem toe, zakte tegen zijn borst ineen en barstte in tranen uit. Hij bracht haar naar een sofa en riep toen Isobel en zei dat ze bij haar moest blijven tot de sjouwer kwam. En omdat hij niet wilde dat mevrouw Petris bleef zitten met de rekening van de vervoerder voor het verwijderen van het lijk, gaf hij de dienstbode wat geld, voor het geval Cutter de man niet al tevoren had betaald.

Voordat hij vertrok keek hij nog even naar wijlen Madame Enoch. Ze had geboft dat ze niet al jaren geleden in een ondiep graf in het zand terecht was gekomen, dat ze een nieuw leven had opgebouwd, hoe potsierlijk het ook was. De vergelijking drong zich aan hem op en hij kon die niet goed loslaten.

Hij liep omlaag naar het terras. Een lichte bries droeg de geur van frangipani de heuvel af, als een uitdaging aan de stank van de Skamander, die bestond uit vieze rook van stoommachines en rottende modderprut. De nacht was mild.

Hij stak een Auto-da-fé op. Hij was ongedurig.

Na een paar diepe trekken knipte hij de sigaret weg, de rivier in. Hij wilde iets feestelijkers. Het was al een poos geleden dat hij zich echt had laten gaan. Hij keek op zijn zakhorloge en zag dat het nog amper een half uur na middernacht was. Hij besloot oom Vanbutchell een bezoekje te brengen. Hij liep om naar de stallen om zijn paard te zadelen.

Vanbutchell woonde in het oude Getto der Heelmeesters aan de overkant van de rivier. Gwynn reed omhoog door de straten boven de Corozo, sloeg de Tourbillionparade in en reed ongeveer een mijl oostwaarts, waar het modieuze stuk begon en waar een drom feestvierenden zich, op de terrassen waarin de zangcafés overliepen, verdrongen onder zonneschermen en parasols met kwastjes, of dansten in danszalen zonder zijmuren, die namen droegen als Losbandige Uurtjes en Het Verrukkelijk Gerucht. Muziek ontsnapte uit elke deur en alle deuntjes botsten op straat tegen elkaar als dronkaards.

Gwynn reed door de wirwar zonder dat het tot hem doordrong. Hij was met zijn gedachten bij het verleden. Hij werd bezocht door zijn laatste herinneringen aan de citadel van zijn clan in Falias – zwart basalt, helemaal beijsd, en sneeuw die de daken en koepels bedekte. De straten daarbuiten, toch al niet uitnodigend, waren verlaten; iedereen was binnen in de grote zaal, diep in de vesting, met honderden gezeten op kussens rond de blauwe gaskachels die in concentrische cirkels op de vloer waren geplaatst, drinkend, kokend en pratend. Gezanten, smekelingen en artiesten kwamen en gingen in het blauwe lichtschijnsel. Eens in de maand sloeg de

majordomus laat op de avond op een gong, waarop de sibillen binnenkwamen, achter elkaar, om de toekomst te voorspellen en de vijanden van
de clan te vervloeken. De sibillen spraken van mythen alsof ze werkelijkheid waren en van de dans van de sterren als de sleutel tot kennis, en van
de noordenwind als een lied uit het land van de doden. Hun voorspellin-
gen waren dikwijls accuraat.

Het diepgewortelde atheïsme van de Anvallische samenleving had het
al even diepgewortelde ontzag voor de voorouders en hun vermogens
nooit in negatieve zin beïnvloed. Wanneer bleek dat de dode leden van de
clan de levenden terzijde stonden, steeg de heersende familie in aanzien.
Gedurende jaren waarin de voorouders hun steun leken te onthouden,
letten de machtigen danig op hun tellen.

Men zei dat de sibillen hun ziel heen en weer konden zenden tussen de
wereld van alledag en die daar voorbij. Met tijd en afstand was Gwynns
jeugdig geloof in die andere wereld, het ijzige land der geesten onder de
sterren, verdroogd tot onverschilligheid. Maar helemaal was hij zijn geloof
nog niet kwijt. Madame Enoch mocht dan vals zijn geweest, hij kon Onex
Ghiralfi niet helemaal uit zijn gedachten bannen. Het speet hem min of
meer dat hij haar niet gevraagd had wát ze in de sterren had gezien.

Gwynn volgde de kleurige straat tot hij de Brug van Vuur bereikte, be-
waakt door twee geelkoperen reuzen, een mannen- en een vrouwenge-
daante met geheven armen waarin vroeger fakkels hadden gestaan, en nu
gaslampen. Hij reed de brug op en voegde zich bij de drom van andere ruiters, voetgangers, draagstoelen en koetsen die de rivier overstaken. Aan
het andere uiteinde sloeg hij af en reed in westelijke richting naar de Slag-
tandtrappen, dan omhoog langs de Kleine Torens en opnieuw naar het
westen naar de Omphalepoort in de muur van het Getto. Hij hoorde een
klok één uur slaan. Na een paar bochten, door binnenplaatsen en donkere
onderdoorgangen, reed hij Vanbutchells straat in, een smal en erg steil
straatje met houten huizen en geen bestrating. Vanbutchells huis bezat
mahoniehouten waterspuwers onder de dakrand en op een kleine patio in
de voortuin een mozaïek, waarop een alchemistische allegorie was afgebeeld. Buiten brandde een olielamp; Gwynn trok aan het touw van de bel
dat naast de deur hing maar er werd niet opengedaan. Hij belde nog een
paar keer, maar tevergeefs. Vanbutchell was uit, of uitgeteld als gevolg van
een van zijn eigen elixirs. Gwynn gaf het op en overwoog wat hij voor andere keuzes had. Hij was niet zo ver van de Kraanvogeltrappen. Tussen de

trappen en de Lumenstraat lag de voornaamste nachtmarkt van de stad, waar hij een paar handelaars kende, dus ging hij die kant uit.

Aan de voet van de Kraanvogeltrappen stak hij door via de Violenarcade, waar de hoeven van zijn paard hol galmden op de plavuizen vloer en kwam aan de andere kant uit op de nachtmarkt, in een straatje waar de glasblazers zaten. Het was druk op de markt en hij werd tot een sukkelgangetje gedwongen. Terwijl hij zich voorzichtig tussen de mensen drong deed hij zijn ogen te goed aan balletjes gesmolten glas die rond werden gewenteld aan lange buizen en werden opgeblazen tot doorschijnende bollen. Hij sloeg linksaf, de straat van de steensnijders in, en zag uitstallingen van met kralen bestikte en met stenen ingelegde waaiers, muiltjes, handschoenen, bestek, schrijfgerei en wat er verder maar met juwelen bezet kon worden, waaronder, in een glazen bak, levende schildpadden met patronen van stenen ingelegd in hun schild. Daarna volgde hij een straat voor suikerbakkers en een voor spijkermakers en vervolgens een straat voor brievenschrijvers, waarna hij een pleintje overstak dat in gebruik was bij makers van kooitjes voor vogels en insecten. Deze handwerkslui deelden de ruimte met een man die kleurig beschilderde krokodilleneieren verkocht en twee tienermeisjes die een huilend jongetje te koop aanboden.

Via deze route belandde Gwynn op de hoek van de straat van de wevers die zich door de hele markt slingerde en daarbij veel lussen en bochten maakte. Langs die straat en daarboven waren lappen en tapijten opgehangen, aan stokken en lijnen, verlicht door hoog opgehangen blakers om hun kleuren en patronen goed te doen uitkomen, zodat de straat één lange veelkleurige tent leek, of de afgeworpen huid van een slang met een druk patroon. Hij volgde de straat een eindje, sloeg dan af en dook een kleine doolhof van steegjes in aan de rand van de markt, waar de farmacopolisten zetelden. Hij zocht en vond een kraam met felblauwe gordijnen. Een jong meisje stond er naast. Ze kwam naar voren en vroeg of hij zijn paard wilde stallen. Hij antwoordde bevestigend en gaf haar de teugels. Hij ging de kraam binnen en kwam er even later weer uit.

Vlakbij waren een paar steegjes die geen deel uitmaakten van de markt. Ze waren duister, maar niet verlaten. In een daarvan vond Gwynn een lege stoep voor een huis, waar hij zijn aankoop tevoorschijn haalde: twee flesjes met kurkjes erop, het ene gemerkt met een klodder zilververf. Hij goot de vloeistof uit het gemerkte flesje bij het andere en zette het aan zijn mond. Damp vulde het flesje toen de twee vloeistoffen met elkaar reageerden. Hij inhaleerde de damp en leunde achteruit, tegen de deur.

Scheuten stekende hitte liepen langs zijn ruggengraat. Zijn mond en keel werden droog en begonnen verschrikkelijk te jeuken. Zijn botten deden pijn alsof enorme handen ze probeerden te breken. Zijn ogen voelden gezwollen aan, alsof ze vol stof zaten.

Na ongeveer vijf minuten begonnen veel aangenamer gevoelens in golven door hem heen te slaan.

Al gauw voelde hij zich te gelukkig en vol van welbehagen om in beweging te komen.

De euforie duurde iets meer dan een uur voordat hij langzaam begon weg te ebben. Gwynn kon zijn ogen weer opendoen en licht van hoofd het steegje uit lopen, nog steeds in een opperbeste stemming. Hij drukte het meisje een gulle fooi in de hand, en steeg weer op.

Opgewekt reed Gwynn voort terwijl zijn geest een spelletje speelde.

'Er stond iets in de sterren. Wat denk jij daarvan?' zei hij tegen het paard.

'Wat voor sterren?' vroeg het paard terwijl het zijn hoofd opwierp in de richting van de gele nevel boven hen. 'De sterren bevinden zich in een staat van zijn of een staat van niet-zijn, afhankelijk van het feit of ik ze kan zien of niet. Ik zie ze niet, dus ze zijn er niet. Sterren? Niets van waar!'

'Mis, paard. De sterren zijn er wel.'

'Heb jij me eventjes veel vertrouwen!' zei het paard. 'Zal het morgen weer dag worden?'

'Vannacht ga ik die dame zoeken,' zei Gwynn. 'Mijn ongrijpbare imago van een vrouw.' Er was een idee bij hem opgekomen, een idee, even eenvoudig en krachtig als de volmaakte cirkel. Hij zou teruggaan naar de straat van de wevers en die helemaal volgen. Dan zou de straat door een magische overeenkomst een draad van gnosis, van kennis, worden die hem zou voeren naar wat hij verlangde te ontmoeten; datgene wat hij in het gezicht van de sfinx had gelezen – en of het nu een raadsel was, een zinloos raadsel of helemaal geen raadsel maakte niet uit. Hij besefte dat het doorgaans de rol van de wereld was om de mens moeilijke en absurde taken op te leggen, en niet andersom, maar hij zag niet in waarom dat altijd zou moeten opgaan, zeker heden ten dage, nu mensen blijk gaven van het vermogen de wereld te beheersen.

'Ik ben denkelijk nog in volle vlucht,' zei hij.

'Dat zeker,' zei het paard.

'Dit avontuur zal de aard van de wereld aan de kaak stellen.'

'Je bent de straat voorbijgereden, revolverheld.'

'Rustig maar, paard. We komen er wel.'

Gwynn reed verder tot de straat van de wevers zijn pad nogmaals kruiste en dook de tunnel van stoffen in, met het vrolijke gevoel alsof hij alles de baas was.

Het roesmiddel in zijn bloed maakte dat hij, bij het volgen van de straat, openstond voor een apart soort genot: die nachtelijke betovering of begoocheling waarin het hart, op zoek naar mysteriën, en de blik, het duister minnend, samenspannen tegen het verlangen van het overlevingsinstinct om alles duidelijk en helder te zien. Dwars op de stemming waarin hij verlangde dat de wereld zich aanpaste aan zijn wens, kwam nu een roekeloos verlangen op naar exact het tegendeel: het verlangen behekst te worden, bespeeld, veranderd door iets wat sterker was dan hijzelf.

Aangevreten te worden?

Besmet?

Gevoed?

Het was een verlangen waaraan hij geen naam kon geven.

Heen en weer, af en aan keerde en wendde zich de pittoreske tunnel. En voort ging Gwynn op zijn paard en zag elk geweven patroon als een slot dat wachtte op een sleutel of een inbrekersinstrument, en elke schaduw als de tegenkant van een oppervlak dat zich een clandestien lichtje toewendde, en elk gezicht als een vat waarin niet één wezen huisde, maar vele, die elkaar voortdurend afwisselden als geschudde kaarten.

De sfinx, bedacht hij, moest wel het meest verfijnde van alle fabeldieren zijn. Het doodde niet uit brute honger of in blinde woede, maar met overleg; het vernietigde de lozen van geest die niet in staat waren het te vermaken. Door tot zijn slachtoffers te spreken scheen het verlichting te zoeken van zijn eenzaamheid – want eenzaam moest het wel zijn, aangezien het zijn weerga niet kende – een eigenschap die deed vermoeden dat het monster weliswaar dezelfde zelfkennis bezat die het als prijs bood voor het oplossen van zijn raadsels, maar dat die kennis niet voldoende was om de verveling buiten de deur te houden. Misschien moest men de sfinx beschouwen als de heraldische totem der kletskousen. Maar wat de basilisk betrof, wist Gwynn echt niet of die nog een ander doel bezat dan een brutaal soort dreiging; een achterbuurtverwant van de draak was het, die men korte tijd kon bewonderen en vrezen om hem dan zonder spijt te verdelgen.

Op dat moment werd zijn oog door iets getroffen. Letterlijk. Met knipperend ooglid verwijderde Gwynn het lichaamsvreemde voorwerp.

Het was een lange haar.

Een haar van een donkerrood, dat deed denken aan wijn en bloed en de nimmer stervende middernachtzon. En ook aan een heel bepaalde soort rode inkt. De haar was gevangen in het weefsel van een lap zwaar brokaat. Gwynn trok hem voorzichtig los en bekeek hem bij het licht van de dichtstbijzijnde lantaarn.

In het schijnsel van de dansende kaarsvlam straalde hij, helder als glas. Vulkanisch, dapper rood. Koninklijk rood, dat naakt in zijn linkerhand lag, als een lijn van schitterende klaarheid.

Een glimlach van verbijsterde, puur onschuldige verrukking gleed over Gwynns gezicht, zonder de goedkeuring van zijn geest die zich er niet eens bewust van was. Toen sprak hij de eigenaar aan van de kraam waar het brokaat uithing, liet hem de haar zien en vroeg of hij de persoon kende, van wie die haar was. De man keek Gwynn aan alsof die gek was, zei dat hij er zelf niets van wist, maar dat als Gwynn de vrouw opzocht die op de hoek van de straat van de wevers en de steeg van de schrijvers zat, en haar twee keer zoveel betaalde als ze vroeg, ze hem misschien verder zou kunnen helpen.

Gwynn wond de haar om zijn wijsvinger, in zijn handschoen, voor de veiligheid. Maar hij reed niet meteen naar de steeg van de schrijvers. Hij had het gevoel dat hij dan te hard van stapel liep. Hij wilde nog even bij dat ogenblik van zijn ontdekking verwijlen, het rekken en dan zien wat er van kwam. Voordat hij tot de volgende fase overging.

Hij maakte een omweg door een smal steegje van loodgieters dat hem aan de rand van de markt bracht. Aan de overkant van de straat was een kroeg die hij kende, de Carrefour genaamd. Hij liet zijn paard achter, vastgebonden aan een balk. Onder het wakend oog van de portier ging hij naar binnen en bestelde bier. De bar was bomvol en hij schoof als laatste bij aan een tafeltje waar al drie andere mannen zaten. Hij voelde zich onzichtbaar in hun ogen, deed zijn handschoen uit en bleef kijken naar die haar die aan zijn huid vastzat terwijl hij langzaam van zijn bier dronk. Hij probeerde te besluiten wat deze ontdekking kon betekenen, maar de mate van verstandelijke inspanning die daarvoor nodig was, stelde zijn geest voor een uitdaging die deze, in zijn huidige staat, niet aankon. Zijn gedachten gedroegen zich als uiterst vluchtige vloeistoffen.

Hij keek verbaasd op toen de man naast hem het woord tot hem richtte. 'Neem me niet kwalijk dat ik het zeg, maar u ziet eruit als een waanzinnige dichter of zo.'

De stem van de man was rauw en droog, hij bezat een langgerekte scherpe stekel van een gezicht, half verscholen in een zwarte, gebreide sjaal. Hij dronk whisky.

Gwynn schonk hem een afgemeten blik en schudde toen zijn hoofd. 'Nee, ik ben net als u.'

'Dat dacht ik al,' zei de man. 'Anders had ik geen reden gehad een opmerking te maken over uw uiterlijk. Maar, wat is dat... een haar?'

'Een aandenken. Een geschenk.'

'Krijgt u vaak geschenken?'

'Nee.'

'Ook dat dacht ik al.' De man klonk voldaan. 'Het is dus een geluksdag voor u.'

'Kennelijk, ja.'

'Nou, jaren geleden zat ik op een dag ergens bij de zee te spelen met mijn glas, net als nu,' zei de man. 'Mijn gedachtegang werd onderbroken door een geweldige schaduw die over de straat schoof. Ik keek op om te zien wat het was. Het was een schip, een stoomschip, het grootste dat ik ooit had gezien. Gebouwd om oceanen over te steken. Op het ogenblik dat ik het zag veranderde mijn leven op slag. Ik wist in die ene oogopslag wat ik allemaal niet bezat. Ik wist dat het voor mij bestemd was. Het stond geschreven dat ik daar aan boord zou gaan. Vraag me niet hoe ik dat wist. Soms begrijp je zoiets gewoon. Maar ik bleef zitten waar ik zat. Ik was te vervuld van haat in die tijd, begrijpt u? Ik haatte zelfs dat schip. En ik vervloekte het en zijn schaduw en zijn kapitein en elke ziel die daar aan boord was. Soms heb ik het gevoel dat ik nog steeds daar zit, dat ik opkijk en dat schip zie en dat ik ertegen zit te vloeken, als de grootste idioot ter wereld. Maar als ik een rode haar had gevonden zoals die u daar hebt, dan zou ik vast wel aan boord gegaan zijn, uiteindelijk. Weet u waarom? Zijn naam was de *Rodenhaar*. Dat zou ik meteen hebben gezien als een teken. Want soms is dat alles wat een mens nodig heeft, alleen maar een teken en dan kan je moed vatten. Ik zou nou vast en zeker een prins zijn geweest in mijn eigen land, als ik die haar had gevonden die u daar om uw vingerkootjes hebt.' Hij knikte voor zich heen. 'Ja, ik zou iemand van niet gering belang zijn geworden.'

De man tegenover hem glimlachte bitter. Hij was jonger en ging van top tot teen in zwart fluweel gekleed. 'Heren, ik ben musicus. Het vreemde is dat ik eens een droom had en daarin vond ik een rode snaar voor een luit, een dunne draad die we vrijwel gelijk aan een haar mogen achten, in het kader van dit gesprek. Ik zette hem op mijn luit en speelde in mijn droom muziek zoals op aarde nog nooit was gehoord. Maar toen ik wakker werd kon ik het me niet meer herinneren. Ik kan u alleen zeggen dat het de muziek was van een leven dat dapper geleefd was, schrijnend en ook wonderschoon, de muziek van een betoverde ziel. Mijn ziel. En sinds dat ogenblik streef ik ernaar die muziek te vinden. En altijd faal ik.' Hij keek Gwynn aan. 'Maar nu begin ik te geloven dat u daar de draad van mijn muze in de hand hebt. U kan zij van geen enkel nut zijn, mijnheer, en daarom vraag ik u haar aan mij te geven. Kom, ik zie aan uw vingers dat u ook een instrument bespeelt. U moet toch beseffen hoe ik geleden heb.' Zijn kin begon te beven en hij stond op het punt in tranen uit te barsten.

Toen nam de derde man, die oud was en dodelijk mager, het woord.

'Ik kan u alles vertellen over een minotaurus. Dit monster was geboren in de oude zwarte stad van de ivoorjagers. Een woest maar eenvoudig oord leek het te zijn, waarin men mocht vrezen te worden vermoord om zijn tanden, wat op zich erg genoeg was, maar de verdorvenheid van de stad was niet zoiets eenvoudigs. Er stonden vijgenbomen en cipressen wier bladeren 's nachts wanneer er geen wind stond heftig bewogen. 's Ochtends vond men er dan schedels van aapjes in bengelen. Kinderen verdwenen uit met hangsloten verzegelde kamers zonder vensters. Elke familie verloor er per generatie een stuk of wat. En wat de overlevenden betrof, dat waren zonder uitzondering valse, slechte lieden.

Niemand sprak ooit tegen de minotaurus, behalve om hem te bespotten. Niemand raakte hem aan, behalve om hem met knuppels te slaan. Toen hij de leeftijd van tien jaar bereikt had liep hij weg uit de stad. Niemand had hem ooit verteld dat er iets beters te vinden was in de wijde wereld, maar hij had nu en dan vreemde, heerlijke geuren geroken op de wind en had het pad van de zon langs de hemel gevolgd met zijn blikken en gewenst dat hij de zon volgen kon tot achter de horizon.

Zijn ontsnapping bracht geen verzachting van zijn omstandigheden teweeg. Integendeel, hij onderging de ene ramp na de andere, pijnen die hij kende en pijnen die nieuw waren: schrijnende eenzaamheid, ziekte, ontberingen, als rariteit tentoongesteld op kermissen, tegenspoed met vrouwen, stierengevechten in arme dorpjes waar ze zich geen echte stier konden veroorloven, en verblijf in het cachot. Zijn bestaan schonk hem woede, afschuw en verbijstering. Hij ontving nooit een naam. Na een poos vond hij een betrekking als hulpje van een grafdelver, een wrede man die hem 's ochtend en 's avonds met de zweep gaf. Na een paar weken zo behandeld te zijn sloeg de minotaurus de grafdelver de schedel in met zijn spa.

De militie nam hem gevangen en trachtte hem op te hangen, maar in plaats van dat zijn nek brak, brak het touw. Hij viel aan met zijn horens en wist te ontkomen en vluchtte de heuvels in. Maar eindelijk had hij nu iets gedaan waarvoor mensen – sommige mensen althans – achting hadden. Een bende bandieten nam hem op. Ze gaven hem ook een naam: de Bul. Zijn menselijke kant sprak hen niet zo aan, maar dat stierlijke, dat mochten ze wel.

Hij doodde nog heel veel mensen. Hij roofde en brandschatte en plunderde en deed alles wat de bandieten ook deden. Hij leerde rechtop te lopen ondanks zijn zware kop, hij leerde paraderen. Om zijn wellust te lessen koos hij soms vrouwen uit en soms koeien. Zijn verlangens waren verward. Hij bezat een instinctieve, pure liefde voor zekere dingen: broeiend hooi, de volle maan, gitaarmuziek – maar dat waren niet de dingen die zijn lot zouden veranderen.

Toen was er het jaar dat er oorlog uitbrak. De minotaurus ging in het leger. Uiteraard brandde zijn hart niet van vaderlandsliefde; hij dacht dat het wel leuk zou zijn om te doen wat hij toch al elke dag deed en er nog geregeld voor betaald te worden ook. Op deze manier verwezenlijkte hij zichzelf. Halfbeest als hij was, tegelijk meer en minder dan een mens, bleek hij een geboren soldaat. Kogels raakten hem niet, alsof hij door magie werd beschermd. Zijn medesoldaten schatten hem al gauw op zijn waarde. Hij bracht hun geluk. Ze leerden zijn loeiende spraak en de eenvoudige gebarentaal waarmee hij die aanvulde. Hij maakte promotie op promotie als een adelaar die ten hemel stijgt. Hij behaalde overwinningen en medailles. Hij werd een held. Vrouwen boden zich aan hem aan en hij dacht niet meer aan koeien. Hij werd generaal. Er werd zelfs over gesproken dat hij met de dochter van de koning zou trouwen. Er was dus toch een schitterende plaats voor hem bereid in de wereld.

Tenminste, dat dacht hij. Maar helaas, helaas, de vijand won. Het volk was verbitterd en zocht een zondebok. De minotaurus werd in een kerker geworpen. Soldaten van zijn eigen leger brachten hem naar een binnenplaats waar ze met nijptangen zijn epauletten afrukten en vervolgens zijn testikels. Ze blinddoekten hem, wierpen hem in een kar, reden hem naar een labyrint waar ze hem achterlieten. Ze versleutelden hem, de angsthazen. Ze voedden hem met rotte appels en uien die ze door lange schachten gooiden die zo hoog zaten dat hij er niet in kon klimmen.

Daarna werd zijn bestaan een rampzalige herhaling van dieper wordende duisternis, smaller wordende tunnels, troosteloze afschuw van zichzelf en de wereld, een hoofd dat tegen de muren sloeg, hoeven die uitgleden in de mest. Soms droomde de minotaurus van een rode draad die hem naar de uitgang zou brengen. Maar zelfs al was er zo'n draad geweest, dan nog had hij hem in het donker niet kunnen vinden.

Maar dat is pas het begin van het verhaal,' zei de oude man snel. 'Dat de kogels de minotaurus niet konden treffen kwam doordat hij niet echt was. Hij was de hoofdpersoon in een droom. De dromer was een man die in zijn eentje opgesloten zat in een gevangenis. Deze man wist niet wat hij had misdaan, of hoe zijn vonnis luidde. Hij was niet berecht. De enige opening in zijn cel waren een venster, te hoog in de muur om naar buiten te kunnen kijken, en een afvoerput in de vloer.

Na de eerste maand van zijn gevangenschap, net toen hij zeker wist dat hij gek zou worden, werd op het blad met zijn maaltijd van die ochtend een stapeltje papier zijn cel in geduwd, met een penhouder, pennetjes en inkt. Hij telde het papier. Het waren precies honderd vellen. Even voelde hij zich minder akelig, maar dat ogenblik ging snel weer voorbij. Toen voelde hij zich van angst akeliger dan ooit tijdens zijn gevangenschap. Hij wist dat hij de bedoeling van het papier moest zien te ontcijferen. Elk teken van toegeeflijkheid in degenen die hem gevangen hadden was tenminste iets. En het was onmogelijk om niet ook te hopen op iets, iets anders, iets waanzinnigs: dat hem de kans werd gereikt zich te redden als hij maar het juiste opschreef. Hij kon een bekentenis schrijven, waarbij hij een stukje openliet, zodat iemand anders daar zijn misdrijf kon invullen; of hij kon een ontkenning opstellen, een onderdanig smeekschrift, een plausibel alibi of een tierende verhandeling die blijk zou geven van zijn moed en misschien daardoor van zijn recht op leven; of hij kon proberen iets te schrijven dat zo schoon, zo diepzinnig of zo geestig was, dat zijn bewaarders hem een leven in vrijheid waardig zouden achten.

Maar hij zou veel geluk moeten hebben. Hij was nooit een fortuinlijke gokker geweest. Toen viel hem in dat het papier misschien wel bedoeld was als martelwerktuig. Hij kon ervan uitgaan dat hij de volgende dag dood zou zijn of gek, en dus de gelegenheid te baat nemen om verwoed elk blad papier vol te pennen, ogenblikkelijk, in een poging de hoofdprijs of zijn redding te winnen, of om in elk geval iets van zichzelf achter te laten dat misschien zou worden opgeborgen en in de toekomst zou worden teruggevonden. Aan de andere kant kon hij er ook van uitgaan dat hij hier jarenlang, tientallen jaren alleen opgesloten zou blijven. In dat geval wilde hij het papier natuurlijk heel zuinig gebruiken, met een klein stukje tegelijk, en langdurig overwegen wat hij schrijven zou, om zijn geest bezig te houden en de naderende waanzin bij zich vandaan te houden. Het was niet ondenkbaar dat hij, als hij het maar lang genoeg volhield, ooit nog eens meer papier zou krijgen of een andere vorm van vertier. Maar hij moest nu kiezen wat hij zou doen en de volgende dag moest hij weer kiezen en de dag daarop weer en alle dagen die daarop volgden. En elke dag zou de beslissing, wat en hoeveel hij zou schrijven, van geweldig belang zijn, een zaak van leven of dood, van waanzin of gezondheid van geest. Weliswaar kostte het niet veel moeite pijnlijker en schadelijker folteringen te bedenken, maar hij was niet in een dusdanige toestand, dat hij tevreden kon zijn met wat hij had.

Heel die dag lag hij op de grond als een zoutzak, niet in staat de pen op te nemen of wat dan ook te doen. Hij begroette de nacht met een huilerig kreunen als van een doodmoe kind. Hij probeerde zich voor te houden dat ieder sterfelijk wezen elke dag met talloze beperkingen leeft en dat hij in feite altijd al onwetend was geweest, verward, op afstand van zijn medemensen en hulpeloos onder de grillen van het lot, en dat zijn toestand dus weinig verschilde van zijn bestaan vóór zijn gevangenzetting. Maar zijn spitsvondigheid maakte helemaal geen indruk op hem.

Gedurende die nacht was het, dat hij de lange en onaangename droom over de minotaurus onderging, een droom die veel langer duurde dan zijn slaap uren telde. Hij leefde het leven van de minotaurus, dag aan dag, tientallen jaren lang, tot het licht zijn ogen openwrikte. "O, minotaurus!" kreunde hij terwijl hij de tranen van zijn gezicht wiste. "Je zware hoofd knikt als een narcis aan de rand van de waterval. De wond tussen je dijen is ontstoken. Sinds een aantal jaren, gelijk aan de periode waarin de zesde planeet haar lange baan om de zon trekt, heb je niets anders gehoord dan je eigen klaaglijk gebrul. Het is niet bij je opgekomen je hoorns te gebruiken om de slagader in je dij open te scheuren en zo een eind aan je leven te maken, hetgeen bewijst dat je uiteindelijk meer beest dan mens bent. Het duidelijkste punt van verschil tussen een intelligent wezen en een stom dier is het feit dat de eerste in staat is tot zelfdoding en de tweede niet. Toen ik jou was, kon ik gewoon niet op de gedachte komen mezelf te doden en moest ik dus lijden, tot het licht me wekte. Mijn ontwaken heeft je waarschijnlijk gedood. O, genadige machten, ik heb een straf uitgediend, zo streng, dat hij tegenwicht moet zijn voor elke denkbare misdaad die er is! Aangezien ik zo lang gevangen heb gezeten en zo veel geleden heb en zo krankzinnig ben geweest, dien ik op ditzelfde ogenblik in vrijheid te worden gesteld! Ja, ik meen zelfs dat men mij een vergoeding zou dienen te betalen!" En omdat hij, dit alles zeggende, begon over te gaan van de taal van de droom naar de taal van het wakende leven, sprak hij met des te meer verontwaardiging omdat hij wist hoe potsierlijk het allemaal klonk. Een eerlijk lot, dat was zijn oprechte verlangen, maar hij zou niet weten waarom hij van alle mensen speciaal voor zo'n behandeling zou moeten worden uitgekozen.

De droom van de minotaurus bleef hem achtervolgen, heel die dag, en volgde zijn gedachten als de zwarte hond die reizigers volgt op eenzame wegen. Hij kon aan niets anders denken. Bij het vallen van de nacht ging hij zitten op zijn bed en beschuldigde zich ervan een hele dag te hebben verspild met het nutteloos beschouwen van steeds dezelfde beelden. Hij stelde zich voor hoe de duisternis wachtte, gedurende de koude indigoblauwe schemer in de wereld buiten de gevangenis, belust op de kans de schil van de gegeten dag weer uit te spuwen. Hij was vol angstige huiver voor de nacht.

Maar toen hij zijn ogen sloot bevond hij zich in een droom die net zo bekoorlijk was als de droom van de minotaurus ellendig was geweest. Dit keer was hij een groene vogel die vriendschap sloot met een prinses die haar kasteel ontvluchtte en naar zee ging op een zeilschip, en de groene vogel zeilde met haar mee en beleefde samen met haar avonturen. Aan het eind van de droom veranderde de prinses in een rode vogel en toen vlogen de rode en de groene vogel samen weg naar de zomersterren. Ook deze droom besloeg vele jaren. Het was alsof zijn geest tijd aan het scheppen was. Zelfs al werd hij de volgende ochtend terechtgesteld, dan nog had hij al langer geleefd dan een normaal mensenleven, zij het voor de helft in een hel, naar lichaam en geest.

Het antwoord op de moeilijke vraag wat hij met het papier moest doen, werd hem toen duidelijk. Hij zwoer bij zichzelf: "Ik koester hooghartige verachting voor mijn bewaarders. Ik stel geen belang in hen of hun wereld. Ik doe afstand van mijn wakende uren in deze gevangenis. Ik maak slechts aanspraak op mijn slaap, en slechts van de gebeurtenissen uit mijn slaap wil ik getuigen. Ik zal net zoveel of zo weinig papier verbruiken als mij goeddunkt. Welk spel mijn bewaarders ook spelen, ik ken de regels niet en dus kan ik het niet spelen en ik zal het niet eens proberen." Hij ging zitten, pakte een vel papier en schreef zoveel mogelijk op als hij zich van zijn twee lange dromen herinneren kon. Omdat hij zich niet wilde verlagen tot het doen van mededelingen aan zijn bewaarders, zelfs niet per ongeluk, scheurde hij toen hij klaar was met schrijven, het papier in stukken en gooide het in de afvoer. Hij voelde zich heel dapper, alsof hij was begonnen aan geheim onderzoekswerk voor een zaak van levensbelang.

Dagen gingen voorbij. Hij droomde elke nacht en zijn dromen duurden nog steeds jarenlang en bleven buitengewoon. Sommige levens die hij beleefde waren goed, sommige slecht. Hij speelde de rol van held, van schurk, van slachtoffer, minnaar, verrader en potsenmaker. De vragen naar wat zijn misdaad kon zijn geweest en hoe hij de straf kon ontgaan hadden geen belang meer voor hem. Het waren hypothetische vragen. De gevangene bestond bijna niet meer als zichzelf. Zijn nachtelijk leven overweldigde hem. Hij bestond alleen nog als zijn ogen gesloten waren. Toen het papier opraakte was hij blij, want dat hoorde bij zijn vroegere, geringschatte leven.

De eerste nacht nadat het papier was opgeraakt, kreeg hij een droom van normale lengte. Hij droomde dat hij in zijn cel zat en dat hij bezoek kreeg van een hartelijke man die hem vertelde dat heel zijn beproeving een experiment was geweest, waaraan hij zich uit vrije wil had onderworpen en waarvoor hij ruim betaald kreeg.

Toen hij wakker werd voelde hij zich onwel; zijn rechterhand deed pijn. Hij keek ernaar en zag dat zijn vingers waren afgesneden. De hand was keurig verbonden. Zijn maaltijd was al gekomen met op het blad een nieuwe stapel papier.

Hij stond voor de vraag of het verwijderen van zijn vingers een verschrikkelijke straf was geweest of juist een milde. Al gauw besefte hij, vol schaamte en afschuw, dat hij weer dacht zoals hij vroeger placht te doen. Door een deel van zijn lichaam weg te nemen waren zij die hem gevangengenomen hadden erin geslaagd zijn aandacht te trekken. Hij zwoer dat hij zijn droomleven zou voortzetten. Maar hij was niet in staat het zelf te geloven. Hij was te zeer geschokt door de verminking van zijn hand, en hoe hij ook zijn best deed, hij kon zijn onverschilligheid niet herwinnen.

Daarna droomde hij elke nacht dat hij alleen in zijn cel lag, precies zoals het gedurende de dag ook was, tot en met zijn ontbrekende vingers toe. Uiteraard werd hij krankzinnig. Op een dag deed hij in zijn waanzin iets grotesks. Hij duwde zijn linker hand in de afvoerpijp, want de geur van de viezigheid daarin was hem begonnen te interesseren. Hij vond er niets behalve smerig rioolvocht. Had hij maar een rode draad gevonden, mijne heren! Een lange rode draad met een sleutel aan het eind, een sleutel die al die tijd in onbekende wateren had gelegen, in zeeën ver voorbij de riolen van de wereld, en die men slechts behoefde in te halen en op te trekken. Hij had de sleutel onder de deur door kunnen schuiven en dan zouden degenen die hij zijn cipiers noemde eindelijk de middelen hebben gehad om hem eruit te laten!'

Bij het eind van zijn verhaal wierp de oude man zich voorover op het tafelblad en huilde. 'Ik heb mijn best gedaan!' snikte hij. 'Ik heb zo mijn best gedaan. Ik heb alles gedaan wat ik doen moest.' Hij wierp Gwynn een boze blik toe. 'Waarom, ellendeling, zou jij het recht hebben die goddelijke draad te behouden?'

'Hij heeft gelijk,' zei de man met de wollen sjaal. 'Volgens mij is die haar best wat waard. En voor ons meer dan voor jou, vreemdeling.'

'We moeten er om spelen,' zei de jonge man in het fluwelen pak. Hij sloeg met de vlakke hand op tafel. 'Wat heeft uw voorkeur, mijnheer? Poker? Kaarten?'

Gwynn stond op. Zijn nieuwsgierigheid was meer dan bevredigd. De tijd kon rijpen maar ook zichtbaar rotten, en een te lang uitgesponnen ogenblik kon lelijk bederven.

Uit een buidel die aan zijn holster hing diepte hij een van de geladen reservecilinders voor zijn revolver op die hij gewoontegetrouw bij de hand hield. Hij liet er drie kogels uit glijden en legde die op tafel.

'Als uw last u te zwaar wordt, dan is daar de oplossing,' zei hij. 'Als het hier niet een openbare gelegenheid was zou ik u beter kunnen helpen.

Maar nu...' Hij haalde zijn schouders op. 'Verder gaat mijn liefdadigheid niet.'

'U bezit een laag karakter,' zei de man met het fluwelen pak kil. 'Het is wel duidelijk dat u vals gespeeld hebt. Alles wat u gewonnen hebt zult u verliezen.'

De man met de wollen sjaal snoof. 'Of dat zo bijzonder is, jochie! Dat overkomt iedereen op een dag.'

'Ik weet het nog beter!' kreet de oude man met een verwilderde, onge zonde blik in zijn ogen. 'In mijn jeugd was ik poppenspeler; ik had een dochtertje, net een engeltje, maar ze stierf aan de beefkoorts, want ze was een gouden kindje en dus te goed voor deze wereld. Om mezelf te troosten maakte ik een exquise marionet, een kindje van porselein en houtsnijwerk en opgestopte zijde. Dat was het lichaam dat ik maakte, het wachtte slechts op een ziel. Met de vele draden die ik aan ledematen bevestigde kon ik haar het leven laten nabootsen. Maar als ik een rode draad had gevonden, als de goden me een rode draad gegeven hadden, om op de plaats te bergen die ik voor haar hart had gereserveerd...'

Gwynn liep naar buiten en hoorde de stem van de oude man opgaan in het rumoer van de menigte.

'Laatste ronde, heren,' mompelde hij. Hij klom op zijn paard dat luid hinnikte en reed terug naar de straat van de wevers.

Er zat inderdaad een vrouw op de hoek van de steeg van de schrijvers; ze was oud en oogde gemeen, met een geel, kaal hoofd, dat net een meloen leek.

'Geëerbiedigde Tante,' zei Gwynn tegen haar van bovenaf op zijn paard, 'er is mij gezegd dat u het antwoord weet op een vraag. Waar komt dit van-daan?' Hij boog zich voorover in het zadel terwijl hij zijn handschoen uit-trok en zijn hand naar haar uitstak, zodat ze de haar kon zien die rond zijn vinger was gewonden.

Hij wist dat het niet rationeel was wat hij deed, maar op dit ogenblik deed dat er niets toe. Misschien lag hij nog steeds in het steegje, dromend in zijn roes; misschien bestond er ook iets als magie in deze wereld en was hij betoverd, zoals hij speels gewenst had; misschien had hij zijn verstand verloren. De waarheid interesseerde hem niet. Eindelijk had hij een spoor dat hij kon volgen; hij zou pas besluiten wat hij geloofde als hij gevonden had wat hij zocht.

'Vijftig florijnen,' zei de heks.

Hij telde er honderd af, bukte en reikte ze haar toe.

'En de haar,' zei ze.

Hij wond hem los en stak hem haar toe. Ze kneep het uiteinde tussen haar vingers. Hij liet hem los.

Ze rolde de haar op tot een balletje. Ze blies en spuwde erop, rook eraan; toen stak ze hem in haar mond, kauwde erop en haalde hem langzaam weer tevoorschijn. 'Bijzonder smakelijk,' mummelde ze. Haar meloenhoofd zakte naar voren op de dunne stengel van haar nek. 'Er zijn sporen. Het nest op de trap.' Ze keek op. 'Je zult je verlangen vinden op de Kraanvogeltrappen.'

'Onmogelijk,' zei Gwynn ronduit. Hij had de trappen grondig afgezocht toen hij de eerste keer op zoek was gegaan naar Beth Constanzin en hij kende er elk gebouw.

'Ga zelf maar zien. Of niet, net wat je wilt.' Ze haalde haar schouders op. 'Vergeet dit niet. Ik hoef het niet.' Ze hield de haar omhoog die nu glinsterde van het speeksel.

Gwynn trok zijn zwaard en lichtte de haar op met de punt. 'Als je het mis hebt kom ik mijn geld terughalen, oud wijf.'

De heks lachte als een klein meisje.

Nadat hij de rode haar had afgedroogd en weer om zijn vinger had gewonden, zette Gwynn zijn bedenkingen ter zijde en reed het hele eind terug naar de Kraanvogeltrappen. Het viel hem in dat de heks het misschien niet over een gebouw had gehad, maar had bedoeld dat hij de roodharige kunstenares zelf zou ontmoeten.

Hij steeg af en voerde zijn paard aan de teugel de lange, steile trappen op. Hij kwam er niemand tegen. Hij ging weer naar beneden. Het paard begon tekenen van ongeduld te vertonen, hoewel het nog niets gezegd had.

Gwynn probeerde zijn gedachten op een rijtje te zetten.

Het juiste ogenblik vinden, dacht hij, was als een inslagdraad de schering laten kruisen op een heel bepaald punt. De metafoor was passend en dat deed hem plezier. Maar daaruit volgde dat hij misschien te lang gedraald had in de Carrefour, waardoor hij te laat was gekomen. Hij maakte zich minachtende verwijten, terwijl hij tegelijkertijd iets van bewondering voelde voor het absurde van zijn situatie, alsof hij net zo goed toeschouwer was als hoofdpersoon in deze klucht.

Wat zou absurder zijn – doorgaan of opgeven? 'Doorgaan' dacht hij eerst en hij stroopte haastig zijn handschoen af en trok de draad los van zijn vinger en wierp hem weg, zonder te kijken waar hij neerkwam. Hij zei bij zichzelf dat hij naar huis zou gaan en de hele nacht zou afschrijven als een hallucinatie. Maar nadat zijn geest het besluit had genomen, merkte hij dat zijn lichaam werktuiglijk weer de trappen opliep terwijl het paard naast hem voortsjokte met zijn hoofd omlaag, één en al vermoeide gelatenheid.

En toen hij bijna weer bovenaan was, zag hij een vorm die door licht werd getekend. Een blok met parallelle basis en bovenkant en twee schuin naar boven toelopende zijden.

Zijn adem stokte. Het trapezium was een overhuifd zolderraam in een huis, een oud brandgevaarlijk gebouw van drie verdiepingen, verstrengeld in klimop, die over het raam hing en het verborg. De eerste keer had hij alleen de twee dakkapellen ernaast gezien. Pas nu, nu het licht in de kamer brandde, werd het trapezium zichtbaar. Gwynn zag de bovenkant van een binnenmuur die vol hing met prenten zonder lijst. Dat kon geen toeval zijn. Het moest haar atelier zijn.

Overwegend of er nu werkelijk een bovennatuurlijke macht aan het werk was geweest, liet Gwynn dat denkbeeld even bezinken maar ontdekte dat het niet bijzonder goed bij hem viel. Hij borg de ontdekking van het huis in zijn dikste metafysische map, die hij in gedachten het opschrift 'stom toeval' had gegeven.

En omdat hij moeilijk met lege handen bij haar kon aankloppen, reed hij in haast het hele eind terug naar de markt, kocht er een geschenkje en reed terug naar het huis op de trappen. Onderweg peinsde hij over de betekenis van de betrekking tussen het gebouw in de ets en het raam in het huis. De ruimte van het raam kon worden beschouwd als het tegenovergestelde van iets tastbaars, op min of meer dezelfde manier als een etsplaat het tegenovergestelde was van de etsen die ermee werden afgedrukt: het tegendeel was het origineel. Misschien was dat een subtiele aanwijzing geweest die hij niet opgemerkt had – en die hoe dan ook bedorven was door de simpele kwestie van het aan of uit zijn van een lamp.

Het licht was nog aan toen hij terugkwam. Een zijpoortje zonder slot gaf toegang tot een paadje dat afdaalde naar een kleine, met keien bestrooide achtertuin met een wilde appelboom. Een driedelige ijzeren trap voerde langs de achtermuur van het huis omhoog. Gwynn bond zijn paard aan de boom en beklom de trappen naar de bovenste overloop waar hij voor een afbladderende witte deur kwam te staan. Op de bovendorpel zat een koperen naamplaat, versierd met drukke krullen, waarop stond: BETHIZE CONSTANZIN, GRAVEUR. Gwynn hief zijn hand op en wilde aankloppen, en aarzelde toen even. Hij had zich verbeeld dat de sfinx in de ets een getrouwe projectie was van de maakster, maar de verbeelding had zijn doel nu gediend en als hij verderging zou hij mysterie inruilen voor kennis. Misschien werd het een teleurstelling voor hem, of voor haar.

Niet geschoten, altijd mis, zei hij schouderophalend bij zichzelf. Hij klopte aan.

8

DE VROUW MET DE INKT aan haar vingers deed de deur open op zijn kloppen. Ze herkende direct de charmante pauwenjas en ook de drager, die diep voor haar boog, zeer formeel, en zich toen oprichtte met de glimlach van een schoelje op zijn gezicht.

Hij op zijn beurt zag meer dan waarop hij gehoopt had: een vrouw die even lang was als hij, goed gebouwd, een toonbeeld van gespierde gratie. Haar huid was donkergoud van tint en zo glad als getrommelde barnsteen, haar haren hadden de inmiddels vertrouwde schakering rozenrood, in een krans opgestoken boven de subtiele, bekoorlijke trekken van de sfinx. Haar ogen, de kleur waarvan hij steeds maar niet had kunnen bedenken – in zijn verbeelding waren ze smeulend topaas geweest, zinderend groen, of zelfs rood, kleurend bij haar haren – bleken nu intens zwart te zijn. Als dit vensters waren keken ze uit op een plaats die niet verlicht werd.

Ze droeg een olijfgroene korte kamerjas met een motief van gele vogels en een donkerbruine pyjamabroek. Ze liep op blote voeten en Gwynn zag dat haar teennagels waren gelakt, net als bij een riviervrouw, met vermiljoenrode lak.

Haar glimlach vertrok en ze keek hem veelbetekenend aan.

'U bent erg laat, mijnheer,' zei ze. Het was een verrassing voor Gwynn haar stem te horen en haar te horen spreken als een gestudeerd iemand, en met de tongval van Ashamoil. Hij had gedacht dat ze van heel ver weg moest komen, misschien van net zo ver als zijn thuisland. Ze zette haar hand onder haar kin, met de vingers naar binnen gekruld. 'Bent u de dood of de duivel?'

'Het liefst geen van beide, madame, als het aan mij ligt.'

'Maar lange, donkere heren die laat in de nacht op bezoek komen zijn volgens de traditie altijd het een of het ander.'

'Dan zal ik de traditie met voeten moeten treden. Ik ben niet zo'n gedistingeerd iemand, verre van dat. Ik ben zelfs geen heer, naar ik vrees.'

'Ach, zo erg is dat ook weer niet,' zei ze. 'Welke naam draagt u?'

Hij maakte een lichte buiging met zijn vingertoppen tegen zijn borst. 'Gwynn, uit Falias, en uw dienstwillige dienaar.'

Ze stak haar hand uit die smal was en vol eeltplekken en zwart van de inkt onder de nagels. Gwynn bracht hem aan zijn lippen en plaatste er een vormelijke kus op. Hij rook geurige, ietwat bittere chemicaliën op de huid. Hij voelde aandrang langer te verwijlen bij dat korte ogenblik dan de hoffelijkheid gebood, maar hij beheerste zich en hield de kus vriendschappelijk.

'Falias, daar weet ik van,' zei ze. 'U komt van het eeuwige ijs onder de Poolster. Een vreemde duivel, dat zeker.' Ze boog even het hoofd. 'U hebt mijn spelletje gewonnen, nu zullen we zien of er nog een te spelen valt. De volgende zet is aan u, wat u ook moge zijn.'

Ze knipoogde naar Gwynn.

Verdomd, dacht hij, *ze ís me toch charmant.*

Hij haalde het pakje tevoorschijn dat zijn geschenk bevatte. 'Het is maar een ontoereikend aanhangsel,' zei hij, 'vergeleken bij het omvangrijke genoegen dat u me hebt bereid.'

Nog in de deuropening staand pakte ze het uit en toen ze het in handen had lachte ze. Het was een leerachtig ei, beschilderd met een geometrisch patroon in zwart en rood dat op een doolhof leek.

'Het is een zeer toepasselijke en fraaie bekroning,' zei ze terwijl ze het ronddraaide tussen haar vingers. 'Wat voor schepsel wordt daar verondersteld uit te komen?'

'Ik waag niets te beweren, madame, maar mits warm gehouden, kruipt er misschien ooit een basilisk uit.'

'Dat hoop ik van harte,' zei ze. 'Er zijn veel te weinig apocriefe curiositeiten in de wereld. Ik zal het bij het raam zetten waar de zon er dikwijls op kan schijnen. Maar nu,' zei ze terwijl ze haar kin in de hoogte stak, 'wilt u, nu u na zo'n lange tocht op het arendsnest bent gearriveerd, wel een glas wijn drinken met de vrouw des huizes. Maar wees gewaarschuwd, dit huis is gewijd aan de kunst en de enige wijn hier is de goedkope rode.'

'Niemand heeft me er nog van beschuldigd pietluttig te zijn op het gebied van wijn,' zei Gwynn.

Met een sierlijk gebaar beduidde ze hem naar binnen te gaan.

De kamer waar hij binnenkwam was haar atelier, een grote ruimte in een toestand van opgeruimde rommeligheid. Het trapeziumvormige raam, met een lamp en een vaas droogbloemen op de vensterbank, bevond zich dicht bij de rechtermuur. Drie persen namen het midden van de vloer in beslag en onder de ramen stond een aantal gootsteenbakken en teilen. Een van de wanden was voorzien van planken waarop blikken inkt stonden en diverse andere blikken en flessen; een werkbank met kastjes eronder liep langs de andere muren. Boven de werkbank waren honderden schetsen en proefdrukken op platen kurk geprikt. Ze had er heel wat gemaakt, zo te zien.

Ze zette het ei op de vensterbank van het trapeziumvormige raam. 'Het zal worden bebroed door zon, maan en paraffine,' zei ze terwijl ze een lucifer aanstreek om nog een lamp aan te doen.

Ze nodigde hem uit de prenten te bekijken terwijl zij naar de andere kamer liep en terugkwam met twee glazen wijn.

Gwynn bekeek de kunst aan de muur en stelde nu en dan vragen die Beth beantwoordde op een minder kokette manier en een veel ernstiger toon, dan ze aan de deur had gebezigd. Hij begreep dat ze wilde dat hij haar eerst op die manier leerde kennen, door haar werk. De afbeeldingen aan de wand waren thematisch gerangschikt. De eerste wand werd in beslag genomen door botanische, zoölogische en technische etsen, prachtig gedetailleerd uitgevoerd. De volgende wand werd ingenomen door enerzijds landschappen – alweer zeer verfijnd weergegeven – en portretten, voornamelijk van toneelspelers en zangers en zangeressen, waaronder een aantal van Tareda Immer. Een deel daarvan was gewijd aan illustraties voor 'curiosa voor heren' zoals Beth het uitdrukte: afbeeldingen van modellen, berucht of anoniem, poserend in diverse stadia van ontkleding en wellust. Sommige prenten behoorden ronduit tot de erotica, andere waren veeleer karikaturen, bevolkt door dikke fatale vrouwen en odalisken, met een gevolg van dwergen met grote erecties, saters en hondmensen.

Toen Gwynn bij de laatste wand kwam zei Beth: 'En dat is mijn eigen werk, dat ik maak voor mijn eigen genoegen.'

Het waren bizarre afbeeldingen, fantasieën, zoals de prent van de sfinx en de basilisk, maar dan nog vreemder. De meeste ademden een zelfde verhalende of theatrale sfeer, maar het decor was volledig verzonnen: vreemde weelderige tuinen in andere landen, grotten, paviljoens, vorstenhoven en vertrekken, waarin grillen en geweld met elkaar verstrengeld waren in een dik amalgaam van details. Alle spelers in deze barokke sprookjeslanden waren wonderlijke rariteiten; geen legendarische wezens waren het, maar schepsels die regelrecht (of via kronkelwegen) uit een privé-hallucinatie stamden: mannen, vrouwen en hermafrodieten, met attributen uit de flora, de fauna en zelfs de fabriek. Bij een man in een gekleed pak groeide een lange rokende schoorsteen boven uit diens hoofd. Een waterpijp bezat vier slangen als zinnelijke halzen, met gezichtjes van vrouwen of apen als mondstuk. Een man met het onderlichaam van een luipaard hield tegen zijn borst een slakkenhuis gedrukt, dat een tengere arm bevatte. In één tekening die het bijschrift droeg: *Manieren waarop wij ons versieren,* hield een vrouw, die op een met veren bezaaide divan lag, een deurtje in haar maag open, dat een tuin onthulde in het binnenste van haar lichaam. Het had er veel van weg dat Beth al haar andere werk bij elkaar had gepakt en op een mallemolen van wisseling en metamorfose had geworpen.

Het was een kermiswereld: ondersteboven, binnenstebuiten, vol parodie en overdaad, met in veel gevallen thema's als wellust en gulzigheid. De erotische tableaus varieerden van tweetallen tot orgiastische twaalftallen, die elkaar allemaal onderling penetreerden met hun bizarre lichaamsuitrusting. Het waren weliswaar zonderlinge beelden, maar de deelnemers zinderden allemaal van een feestelijke humor en gratie, als werden ze bezield door één enkele hectische, maar vreugdevolle geest. Elders werden dezelfde soort onbestendige schepsels getoond aan een feestmaal, genietend van overdadige schotels met voedsel, of van elkaar, met gebruikmaking van dierenkaken, kleverige blaadjes als bij vleesetende planten of metalen ledematen, uitgerust met zagen, messen en haken. De eters en de gegetenen gaven van evenveel genot blijk. Je kon het een theater van de vleselijkheid noemen, maar dat zou een te beperkende definitie zijn: het was een komische stoeipartij met de hele materiële wereld.

'Wat betekent het allemaal?' vroeg Gwynn geïntrigeerd.

'De onnatuurlijke historie van het bestaan in een toestand van verandering,' zei ze. 'De beerput van een oude wereld die na een vorstperiode aan het oppervlak komt. Een nieuwe wereld in een staat van verpopping, voordat tot de volwassen vorm is besloten.'

'En hoe zal daartoe worden besloten?'

'Met inspiratie en passie en misschien enige tragedie. Of misschien heel cynisch, in achterafkamertjes, achter gesloten deuren. De tijd zal het leren.' Ze stak haar hand uit en raakte zijn keel aan, streek zachtjes met haar vingers van onderen langs de scherpe rand van zijn kaak.

En ze is wellustig ook, dacht hij. Hij voelde zichzelf ook best wellustig.

'Je uiterlijk sprak me aan,' zei ze. 'Daarom heb ik jou in die ets verwerkt. Ik ben blij dat je bent gekomen. Ik zal je waarschijnlijk nu ook in andere afbeeldingen willen verwerken.'

'Het zal me een genoegen zijn de voetknecht te zijn van uw talent,' zei hij terwijl hij zijn glas naar haar ophief.

Haar glimlach was ijl als een nachtvlinder en ze wenkte hem.

Gwynn merkte dat het moeilijk was zijn blik af te wenden van haar ijzerzwarte ogen. Ze nam hem mee door de deur, een slaapkamer in. Die was kleiner dan het atelier en naar verhouding vrij onpersoonlijk. Het meubilair was fraai en goed op elkaar afgestemd, maar er was weinig versiering: een zilveren wierookvat dat boven een kleine schouw hing, boven op een secretaire een kom sinaasappelen bestoken met kruidnagels, weer een vaas droogbloemen.

Heel nonchalant nu ging Beth op het bed zitten terwijl Gwynn achterover zakte in een leunstoel en ze samen de fles wijn soldaat maakten. Toen gliptce ze van het bed af en kwam achter hem staan. Haar handen kwamen om zijn hals naar voren en onder haar vingers verdwenen zijn cravat en zijn losse boord. Gwynn herinnerde zich dat hij nog niet zo lang geleden in een niet bepaald proper steegje had liggen dweilen. Maar als hij al rook naar de goot, dan scheen het haar niet te hinderen.

Ze verlegden hun activiteiten naar het bed.

Hij verwachtte een interessante ontmoeting en werd niet teleurgesteld. Alle vertrouwde gewaarwordingen werden, zo merkte hij, getransformeerd in iets wat hij niet onder woorden kon brengen, zelfs niet voor hemzelf. Zijn ogen werden als nooit tevoren geopend voor schoonheid, zodat het niet de ondergeschikte nieuwigheid was van andermans lichaam dat hij zag, maar kunst die tot leven kwam in de lange lijn van haar flank en de trotse opstand van haar borsten, de weidse helling van haar rug en de soepele welving van haar heup, en in de rode ruitenaas die haar geslacht tooide. Toen ze hem aanraakte, voelde hij daarin een bedoeling waarbij genot maar een bijkomstigheid was, iets wat hij alleen maar fascinerend en sinister kon vinden. Naarmate zijn genot toenam werd ook zijn benieuwdheid groter, maar toen zijn genot het hoogtepunt vond, steeg zijn nieuwsgierigheid tot steeds groter hoogten, tergend onbevredigd.

'Zo Gwynn van Falias, waarom heb je er zo lang over gedaan om me te vinden?' vroeg Beth op een plagerige, intieme toon die hij heel bekoorlijk vond. Eindelijk uitgeput lagen ze samen op haar bed met een nieuwe fles wijn.

Een deel van de waarheid was wel voldoende, besloot Gwynn. 'Er kwam van alles tussen. Werk.'

'O, je werkt?'

'Zie je dat het steeds erger wordt? Ik ben niet de duivel, ik ben geen heer van stand en zelfs geen rijke nietsnut.'

Beth nam hem op. Nu hij naakt was, staken de diverse lagen van zijn anatomie scherp af: pezen, gebeente. Littekens overal op zijn witte huid. Zijn lichaam verborg geen geheimen; alles stond daar te lezen.

'Ik maakte maar een grapje,' zei ze. 'Ik zie dat je een actief iemand bent.'

Gwynn glimlachte loom. 'Mijn werk brengt dat mee. Maar zalig nietsdoen past beter bij mijn aard. Dus niet zozeer een basilisk maar eerder een mislukte luiaard.' Hij sloot zijn bleke ogen.

Onder Beths rode manen waren haar hersenen druk bezig. Ze moest bedenken wat ze nu verder met hem ging doen. Ze was nieuwsgierig geweest. Een deel van haar nieuwsgierigheid was nu bevredigd – maar dat was maar een deel. Ze had altijd minnaars genomen naar het haar plezierde, maar had ze allemaal na de eerste nacht weer laten vallen.

Het was, in de grond, gewoon dat ze van de verkeerde biologische soort waren.

En deze die nu in haar bed lag was uiteraard ook niet van haar soort, maar voor het eerst had ze het gevoel dat iemand met haar op één lijn zat, min of meer.

Met haar lange wijsvinger streelde ze de gladde, gevoelige huid beneden de richel van zijn heup. 'Niet zolang je bij mij bent, bleek manneke.'

'En wat ben ik dan als ik bij jou ben, madame?' prevelde hij.

'Een slim dier dat kan praten. Een geduchte slang...' Luchtig lachend zette ze haar liefkozingen voort.

Hij zuchtte. 'Slangen,' verklaarde hij met een gemaakte frons op zijn voorhoofd, 'hebben geen respect voor de waardige loomheid van mannen.'

'Het zijn onverbeterlijke dieren,' beaamde ze. 'Ze zouden moeten worden opgesloten in nauwe donkere plaatsen. Ze zouden aan hongerige teven moeten worden toegespeeld.'

Hij lachte en kuste haar. Toen nam hij onverwacht haar hand weg. 'Luister, ik wil je niet misleiden. Ik ben de duivel dan wel niet, maar ik werk wel voor hem. Voor een slavenhandelaar.'

Beth trok haar wenkbrauwen op. Ze keek geamuseerd. 'Ja, en?'

'Dat stuit je niet tegen de borst?'

'Waarom zou het?' Ze haalde haar schouders op. 'Geen enkele grote beschaving heeft ooit zijn hoogtepunt bereikt, of zelfs kunnen overleven, zonder dat er een of andere vorm van slavernij aan ten grondslag lag. Ik weet niet hoe verstandig het zou zijn om de basis waarop alles rust weg te slaan.' Ze duwde zich op een elleboog omhoog. 'Denk je dat ik een zacht schepseltje ben, geregeerd door emoties?'

'Dat zou ik niet durven denken, madame! Ik waagde te hopen dat je geregeerd werd door je lusten.'

'Zoals jij door de jouwe?'

'Ik zou erin kunnen meegaan me door de jouwe te laten regeren – zo nu en dan.'

Ze gleed boven op hem. Ze was zwaar als goud. Ze was ook erg warm. Hij sloot zijn ogen en voelde haar als niet anders dan hitte en druk. Die woorden waren wel toereikend, dacht hij, om te beschrijven wat hij die nacht was gaan zoeken. Transformerende krachten.

Verveelde het hem de man te zijn die hij was? Moeilijke vraag. Hij was tevreden, dat zeker, en hij had alle gerief, dus misschien was hij weer op zoek naar gevaar. De gedachte schoot vluchtig door zijn geest. Toen hield hij op met denken en richtte vurig al zijn aandacht op haar.

Toen ze opnieuw lui naast elkaar lagen, nu in het hete ochtendlicht, bracht hij slaperig nog een keer zijn werk te berde. 'Als wij minnaars blijven of vrienden, loop je gevaar. Ik heb onaangename vijanden en onaangename collega's. Misdadigers, geweldplegers, perverselingen...'

Ze rekte zich uit. 'Jij kunt ongetwijfeld ook onaangenaam zijn, maar ik heb je mee naar bed genomen.'

'Maar mij kun je eruit verbannen.' Hij rolde weg en maakte ruimte tussen hen. 'Sommigen van die anderen krijg je zo makkelijk niet weg en die overleven iedereen.'

Ze trok hem weer tegen zich aan. 'We hebben de zon op laten komen boven het bed,' zei ze. 'Blijf hier. Slaap.'

Gwynn ontdekte al gauw dat Beth een voorliefde had voor platvloers gezelschap. Ze hing graag rond in biljartzalen en gokte met matrozen en zigeuners in keldertjes langs de rivier, dronk met de droesem van de samenleving in de Mannenwaan en de Chloorster, wedde op hanengevechten, vertelde vieze moppen aan vieze mannen in vieze zaaltjes – zo bracht ze graag haar nachten door. Als Gwynn met haar meedeed, zag hij dat ze volstrekt geen angst kende in het gezelschap van het geboefte. En het verbaasde hem hogelijk te zien dat geen van die vuige, linke types met wie ze zo achteloos vriendschappelijk omging, haar met ook maar de geringste zweem van agressie bejegende. Geen enkele man scheen haar als prooi te zien.

Hij probeerde het. Het was onmogelijk. In elke situatie die hij zich probeerde voor te stellen, draaide haar verbeelding moeiteloos de rollen om en overwon zijn fantasie.

Soms had hij zich afgevraagd hoe het kwam dat hij zelf zoveel geluk had – het geluk dat hem menig keer de dood van het lijf had gehouden, dat hem had behoed. Misschien was zij begiftigd met een zelfde soort geluk.

Desondanks was hij niet van plan haar voor te stellen aan zijn collega's.

Ze kwam dolgraag op de kermis aan de haven, en toonde een niet-aflatende belangstelling voor slangenbezweerders, dwerg-acrobaten, vrouwen met baarden, haarloze broertjes, cyclopen, Modomo de boeienkoning, Hart de sterke man die ijzeren staven verboog en met bijlen en kleine kanonskogels jongleerde, slangenmensen, goochelaars, poppenspelers, oude Bibbar en zijn vlooiencircus, de enorme Hollebolle-Palee die alles opat wat men haar gaf – zelfs gezwollen dode ratten en gebroken flessen, en al die andere menselijke merkwaardigheden van de kermis. Ze zei dat die haar grootste inspiratiebron vormden.

Gwynn vroeg zich af waarom hij haar nooit eerder had gezien, vóór die nacht op de Kraanvogeltrappen. Ze bezocht dezelfde wijken van de stad als hij. Het was alsof zijn zuiver schuttersoog was aangetast.

Als hij en zij alleen waren wisselden ze, heel geleidelijk en mondjesmaat, beelden uit hun verleden met elkaar uit. Ze vertelde over een kleine familie, een stil huis, een jongere zuster die was gestorven, lange stiltes bij het eten tussen het zoveelste relaas van hetzelfde handjevol oude verhalen.

'Op een gegeven ogenblik gebeurde er bij die mensen nooit meer iets nieuws,' zei ze.

Het enige familielid over wie ze met genegenheid sprak was haar grootvader van moederskant. Hij was kaartenmaker geweest aan het hof van de Prinses-Gouverneur van Phaience en als hij kon worden gewekt uit zijn dutjes of zijn boeken, haalde hij zijn oude kaarten uit de foliomappen en vertelde haar wat hij wist over al die prachtige in kaart gebrachte en ingekleurde landen en bracht haar de verhalen over die de ontdekkingsreizigers mee naar huis hadden genomen.

Beth had het over het verlangen, dat uit die tijd dateerde, om een lange tocht te maken over de oceaan en misschien nooit meer terug te komen. 'Alles kwam ooit uit de zee. Dat is waar alle mogelijkheden huizen, in elk geval symbolisch gezien,' verklaarde ze. 'Misschien zelfs letterlijk.'

Op een nacht, toen ze cocktails zaten te drinken in een bar op de Blauwe Brug, zei ze tegen hem: 'Jouw deel van de wereld was altijd wit op de kaart. Er waren nooit meer dan een paar steden ingetekend, en een zee, geloof ik.'

Hij knikte. 'Dat zal de Nas Urla zijn geweest. Dat betekent Grijze Vloed. Het is een zee waar heel wat schepen ten onder zijn gegaan. We hadden diezelfde term voor het gevoel dat het leven wegebt. Oude mensen zeiden wel dat ze de grijze vloed hoorden opkomen, of ze bevalen je een deken voor ze te halen om de grijze vloed af te weren. Ik weet niet of de uitdrukking er het eerst was of de zee.'

'Mijn grootvader had nog nooit iemand ontmoet die verder was geweest dan de Scheidingsbergen,' zei ze. 'Ik stelde me voor dat jullie uit het noorden allemaal zuiver wit waren met wit haar en parelwitte ogen, huizend in kastelen van ijs.'

Gwynn glimlachte. 'Wit en groen en doorschijnend ijs, gesneden tot torens en zuilengangen en steunberen. Er waren standbeelden van ijs en zelfs uitgehouwen ijstuinen, want het was er te koud voor echte bomen.'

'IJsvogels ook?'

'Sneeuwganzen.'

'Hoe was het er echt?'

'In Falias? Druk en vies, net als hier, alleen zo koud dat de benzine bevroor. Er werd inderdaad wel ijs gebruikt om mee te bouwen, maar het was altijd zwart van roet en olie. Je zou kunnen zeggen dat het sfeervol was.'

'Is dat de waarheid?'

'Ik zou je niet graag teleurstellen,' zei hij. 'Geloof dus alsjeblieft wat je wil. Ik ben er zo lang geleden vertrokken; ik heb er geen idee van hoe het er nu uitziet.'

'Ik ken een oord dat net het paradijs is,' zei ze. 'Voordat de moesson komt zal ik het je tonen.'

9

DE JONGEN BEZAT DE SCHEVE X-benen die gemeengoed waren bij de kinderen die van kleins af aan in de fabriek hadden gewerkt. Hij was dertien en hij was daar begonnen toen hij zes was. De aandoening werd veroorzaakt doordat het jonge, nog zachte gebeente lang achtereen overeind moest staan achter de machines – dagen van veertien tot achttien uur waren de norm. Door de belasting op de gewrichten schoot de doorbloeding tekort, wat weer tot gevolg had dat het beenmerg uitdroogde. Het was een aandoening die in elk willekeurig bot kon ontstaan en het duidelijkst zichtbaar was in de rechterpols van de jongen, die was opgezwollen tot een omvang van negen duimbreedten en hem helse pijnen bezorgde.

Ledematen die dusdanig waren aangedaan moesten worden geamputeerd; het was een kwestie van óf een stuk van het lichaam, óf het leven verliezen. Toen de operatie voorbij was onderzocht Raule de botten. Het uiterlijk was precies datgene waaraan ze gewend was, net droog koraal, volstrekt gespeend van merg. Als de jongen het overleefde konden ze misschien ander werk voor hem vinden. Iets wat hij met een hand kon doen.

De fabrieken verminkten en doodden dagelijks jeugdige contractarbeiders, ja, elk uur zelfs. Ze werden allengs gebrekkiger, net als deze jongen, en een heleboel raakten afschuwelijk gewond bij ongelukken met niet-afgeschermde machinerie. Het was niet ongewoon te horen van jongens of meisjes die gegrepen werden door een bewegend deel van een machine en in hun geheel naar binnen werd gesleurd om daar te worden uiteengereten of vermorzeld. De contractarbeidertjes, opgekocht bij weeshuizen en armenhuizen en voor een loon dat een fractie was van wat een volwassene verdiende, uitbesteed tot hun twintigste jaar – als ze het tenminste overleefden – waren nauwelijks beter af dan de slaafjes uit de rimboe. Sommige gezinnen verkochten hun kinderen per werkcontract, omdat het beter was dan dat ze doodgingen van de honger, terwijl andere het deden om schulden te voldoen of hun verslaving te betalen.

Raule had de jongen zwaar verdoofd met papaversiroop. Aan de glimlach op zijn gezicht kon ze zien dat hij opiumdromen had. Soms werden patiënten na zo'n droom wakker met een voorliefde voor het roesmiddel. De ironie daarvan ontging haar niet.

Het was laat. Ze stak haar hoofd om de hoek van de aangrenzende ziekenzaal en zei tegen de nachtzuster die bij een van de bedden waakte: 'Zuster, ik ga naar bed. Wilt u een oogje houden op de jongen in bed zeventien?'

De zuster knikte. 'Natuurlijk. Welterus...'

Klop klop klop. Bonk Bonk Bonk

Raule voelde zich moedeloos worden. Ze had zo graag naar bed gewild. Zelfs al zou het draaimolenpaard van haar dromen haar zoals gebruikelijk ophalen en ronddragen langs alle vertrouwde, ijselijke verschrikkingen, dan kreeg haar lichaam tenminste nog wat rust.

De nachtzuster wierp een kille blik in de richting van de gang. 'U bent moe, dokter,' zei ze op besliste toon, zoals ze tegen een patiënt zou spreken. 'Laat mij dat maar afhandelen.'

Raule glimlachte bleekjes. 'Laten we eerst kijken wie het is. Het klinkt dit keer niet als die kinderen.' Ze hoorden minstens één vrouwenstem, die verwensingen en vloeken uitschreeuwde, duidelijk verstaanbaar, zelfs op die afstand en door alle tussenliggende muren heen.

De non haalde haar schouders op. 'Dat moet u zelf weten.' Ze aarzelde en zei toen terwijl ze haar hoofd schudde: 'Ik ben bang dat de mensen hier gemerkt hebben hoe aardig u bent. Ze maken schaamteloos misbruik van u.'

Dat wil ik juist, dacht Raule.

'Schaamte is een luxeartikel. Net als aardig zijn,' zei ze. De non keek haar bevreemd aan. Ze voelde zich niet op haar gemak en liep dus de gang in, pakte de sleutels en marcheerde naar de deur. Er zat een vierkant kijkgat in dat ze opende om naar buiten te kijken.

Haar oog ontmoette de blik van een ander oog. Het was donker, dik beschilderd met kohl en kleurige poeders, en het keek woedend. Het was het oog van madame Elavora, de uitbaatster van de herenclub aan het Saffraanterras, het chicste bordeel van de Lindenbuurt.

Het oog knipperde. Raule besefte dat ze zich vergist had. De verbeten uitdrukking in dat oog tussen de gestuukte oogleden was geen woede, het was angst.

De tiener die op het sleetse satijnen bed lag krijste de smerigste verwensingen. Ze schokte op en sloeg met armen en benen terwijl vier vrouwen haar ledematen probeerden vast te houden. Een stuk of tien andere vrouwen en meisjes en twee beschilderde jongens stonden in de kamer toen Raule en de madame er aankwamen. Ze schreeuwden allemaal bijna even ongeremd als het meisje op het bed.

Ze bezat een olijfbruine huid, steil zwart haar en blauwe ogen. Ze heette Lusan. Ze was Ikoi, had madame Elavora gezegd. De geboorte was heel plotseling op gang gekomen en het was een stuitligging.

En waarom had Elavora niet de deur van de vroedvrouw half ingeslagen, in plaats van die van het ziekenhuis? Het antwoord lag overduidelijk voor de hand: de vrouw hoopte iets te verkopen aan de dokter, van wie men wist dat ze belangstelling had voor dingen zoals wat nu met twee onderste ledematen uit de lelijk opengescheurde vagina van het meisje stak.

De eerste paar seconden dacht Raule dat ze het gevolg zag van een bizar seksueel spelletje, of zelfs van een afschuwelijke grap. Maar het vlies dat het wezen tussen de benen van het meisje omgaf, maakte het onmogelijk de waarheid te ontkennen. Door het vlies heen kon ze het lichaampje duidelijk onderscheiden: donkere geschubde ledematen met daartussen een klein staartje: een jonge krokodil, ter grootte van een menselijke zuigeling.

Raule stuurde iedereen de kamer uit. Madame Elavora vertrok uit eigen beweging, maar zou ongetwijfeld vlak achter de deur staan wachten. Toen ze eenmaal alleen waren en ze niet meer op het bed werd vastgehouden, werd Lusan wat rustiger. Ze greep de lakens vast met haar vuisten en perste. Ze schreeuwde niet meer, maar gromde ritmisch, en liet het geluid van haar pijn stuklopen op haar opeengeklemde tanden.

Raule stond zich niet toe na te denken. Ze hielp het meisje het wezen uit haar lichaam te persen, meer niet.

Toen het hoofdje verscheen was dat weer een schok: het was menselijk.

Het meisje deed Raule versteld staan. 'Geef het hier,' fluisterde ze.

Het schepsel ademde en schreeuwde als een doodgewone gezonde boreling. Het dronk aan de borst van zijn moeder met zijn kleine klauwtjes tegen elkaar.

Raule deed wat er gedaan moest worden, begon de verwondingen van het meisje schoon te maken en te hechten. Ondanks het feit dat ze nogal wat bloed had verloren bleef ze bij kennis en praatte kalm tegen haar kindje in haar eigen taal, schijnbaar ongevoelig voor de pijn van haar lichaam.

Toen zei ze tegen Raule: 'Ik weet dat u hier bent gehaald om mijn kind te kopen, dokter. Hoeveel denkt u dat hij waard is?'

Raule begreep dat het een retorische vraag was.

'Zijn vader was een god,' zei het meisje. 'De god van de rivier. Ik had hem tot me geroepen in een droom en ik heb met hem geslapen in zijn koninkrijk van water. Hij zei me dat ik zijn kind zou baren en dat het kind de redder zou worden van mijn volk. Mijn kind zou de macht krijgen van de rivier.'

Raule luisterde, met allengs het gevoel dat ze droomde.

'De god zei dat mijn zoon eruit zou zien zoals hij.'

Raule ging door met hechten. Toen ze klaar was keek ze op naar het meisje dat al een poosje zweeg. Het pasgeboren gedrocht maakte ook geen geluid. Het meisje stak het Raule toe. Het was dood.

'De riviergod heeft het hoofd van een krokodil en het lichaam van een mens,' zei het meisje kalm. 'Ik heb gefaald. Misschien dat de magie is misgegaan in mijn schoot, of misschien dat de god me bedrogen heeft. Ze zeggen dat u gedrochten verzamelt. Neem dit maar mee.'

Stijf als een opwindpop pakte Raule het aan.

Buiten stond madame Elavora te wachten en wilde haar al aanschieten, maar Raule hield het lijkje van het krokodilkind omhoog als een talisman en madame Elavora deinsde achteruit.

Raule zat tot laat die nacht werkeloos in haar stoel, verzonken in een draaikolk van gedachten. Uiteindelijk nam ze het kleine monsterlijkje mee naar haar laboratorium om er sectie op te verrichten. Er was geen duidelijke afwijking te zien in het krokodillengedeelte. Het was mannelijk van geslacht. Het menselijke hoofdje en de hersens in de schedel waren eveneens normaal en vertoonden geen lichamelijke afwijkingen. Het bezat blauwe ogen, net als zijn moeder. Waar het hoofd aan het lichaam zat, gingen de schubben heel geleidelijk en glad over in zachte mensenhuid.

Na gedetailleerde aantekeningen te hebben gemaakt en talloze schetsen van de uiterlijke en innerlijke anatomie, maakte Raule een glazen pot klaar en plaatste het kind erin. Ze kon ontelbaar vele theorieën ontlenen aan de dode afwijking, maar geen conclusies.

En ook voelde ze geen opwinding, verwondering, angst of zelfs maar afgrijzen.

Ze voelde zich bedroefd.

Met het idee dat het een shock kon zijn, die tijd nodig had om te slijten, liet ze de dagen voorbijgaan terwijl ze wachtte tot er in haar binnenste een of ander vuur zou worden ontstoken.

Hoe is het mogelijk dat ik hier getuige van ben geweest zonder dat ik er diepgaand door veranderd ben?

Dit was een vraag die ze zichzelf zo dikwijls stelde, dat het een bijna aanhoudend, zichzelf herhalend gemurmel werd in haar geest. Veel van haar vrije tijd besteedde ze starend naar het gedrocht in de fles. Maar als het erom ging hoe het haar aangreep, had het net zo goed een pot uien in het zuur kunnen zijn. Ze begon zich af te vragen of ze niet alleen haar geweten was kwijtgeraakt maar ook, net als een steen in het Koperland onder de aanhoudende erosie van de wind, steeds meer van zichzelf kwijtraakte aan een macht die haar afstompte en die ze evenmin kon vatten als de steen de wind begreep.

Raule had niemand met wie ze kon praten. Ze was niet op zoek gegaan naar liefde in Ashamoil. Avontuurtjes had ze wel, maar niet van een duur of inhoud die van enig belang waren, en hoewel ze werd gerespecteerd had ze toch geen vriendschappen opgedaan in de Lindenbuurt. Ze miste Gwynns gezelschap bijna.

Ze verwachtte geen verandering in haar vreugdeloze omstandigheden. Ze verwachtte al helemaal geen intimiteit te vinden bij Jacope Vargey.

De onwaarschijnlijke relatie was begonnen toen mevrouw Vargey overleed aan hondsdolheid op een Hiverdagochtend, twee weken na de geboorte van het krokodillenkindje. Raule kon vaststellen wat de oorzaak van de besmetting was: de beet van een aapje, dat gehouden werd door een orgeldraaier die in hetzelfde gebouw woonde. Toen hem verteld werd wat er gebeurd was smoorde de arme man onder hete tranen het aapje met een kussen. Maar dat was te laat voor mevrouw Vargey. *Het zoveelste bedrijf van de weelderige karikatuur van het leven*, was de gedachte waarop Raule zich betrapte.

Drie dagen nadat mevrouw Vargey in het ziekenhuis was gestorven vond Raule het nodig met Jacope te gaan praten.

'Emila moet naar school blijven gaan,' zei ze zacht maar beslist tegen de jongeman. 'Zul je dat doen voor je zuster?'

Jacope, die tegen een muur geleund stond terwijl hij het lemmet van een gloednieuwe stiletto polijstte, haalde achteloos zijn schouders op. 'En hoe moet ik dat betalen, dokter?'

'Met het geld dat je verdient. Het geld waarmee je dat aardige bestek bekostigt dat je daar hebt of die nieuwe laarzen van je. Ik weet dat je steelt. Dat maakt mij niet uit. Maar je moet je ook om je zuster bekommeren. Naar school gaan kost niet zoveel. Waarom doe je niet wat voor haar met je inkomsten?'

Jacope grijnslachte. 'U zegt dus dat ik maar door moet gaan met kwaad doen en mijzelf moet verdoemen, om mijn kleine zusje groot te laten worden met het idee dat ze beter is dan ik?'

Raule grijnslachte terug. 'Moet ik dan tegen je zeggen: "Jacope Vargey, zoek een ordentelijke baan dan zal niemand meer denken dat-ie beter is dan jij"?'

Toen gooide hij zijn hoofd in zijn nek en moest schaterlachen. Raule merkte dat ze zelf ook moest lachen, op precies dezelfde manier.

Ze dwong zich weer ernstig te zijn. 'Jacope, het zou heel goed zijn als je ermee op hield mensen te beroven. Als je gearresteerd wordt hangen ze je op. Dan kun je je voorstellen wat er met Emila zal gebeuren.'

'Ik ben kapot van uw bezorgdheid voor haar, dokter,' zei hij met bitter sarcasme in zijn stem.

Raule schaamde zich op slag. 'Jacope, het spijt me,' zei ze. 'Zullen we dit gesprek opnieuw beginnen?'

'Ik wil niet praten.'

Nadat hij dat gezegd had viel er een lange, onbehaaglijke stilte terwijl Raule zwijgend in de kamer stond en zich stom voelde en boos was op zichzelf.

Toen liep ze naar Jacope toe en sloeg haar armen om hem heen.

De heftigheid van zijn reactie verbaasde haar. Haar eigen enthousiasme verbaasde haar nog meer.

Grotendeels werd haar genot veroorzaakt door de te lang verzaakte opwinding van het verbodene. Hij was een misdadiger, misschien een moordenaar, en hij was half zo jong als zij. En met die opwinding kwam ook de weekheid van gedachten aan het verleden.

Deze lust was niet het soort vuur waarvan ze gedroomd had, maar het was in elk geval een menselijke hartstocht. Ze sliep opnieuw en vaak met Jacope, na die dag. Soms kwam ze naar de kamer die hij bleef huren en soms kwam hij naar het ziekenhuis.

Jacope praatte zelden; hij drukte zich liever uit met zijn tastzin. Of hij nu zijn wapens oppoetste of haar streelde, zijn handen waren welsprekend, terwijl zijn mond bleef staan in een verwaand, gekunsteld pruilen en zijn ogen woedend uitstraalden hoezeer hij de hele wereld vervloekte. Zijn liefdesspel was volwassen, als van een man met ervaring, maar in elk ander opzicht was hij nog een jongen.

Raule vond het prettig de oudere van de twee te zijn. Ze kwam op de gedachte dat het jong zijn haar niet zo goed was afgegaan, maar dat ze het er met oud zijn misschien op een goeie dag beter vanaf zou brengen. Ze deed niemand kwaad door die nachten met de jongeman door te brengen en haar spookgeweten haalde dus de schouders op en stond haar toe de ietwat platvloerse en ranzige geneugten van Jacopes gezelschap te nemen voor wat ze waren.

En hij liet Emila inderdaad naar school gaan. Raule kwam erachter dat hij in feite heel veel van zijn zusje hield. Emila werd heel stilletjes na de dood van haar moeder, maar ze was te taai om lang verdriet te hebben. Wat de manier betrof waarop Jacope aan de kost kwam, die veranderde niet.

'Ik wil een rijk man worden,' zei hij. 'Ik wil een paard en mooie kleren. En niet alleen voor mij, maar ook voor Emila. Begin nou niet over de gevaren. Ik ben niet m'n stomme dooie broertje. Ik lok geen gevechten uit die ik niet kan winnen.'

Raule zag wel dat het zinloos zou zijn te proberen hem op andere gedachten te brengen.

'Het is in de rimboe,' zei Beth.

Gwynn dacht aan het zwarte moeras waar ze Orley in gegooid hadden. 'Waar in de rimboe?'

'In het zuiden. Niet ver.'

Het was een prettige ochtend met een milde zon boven de bruggen van Ashamoil, een zwakke bries die over de rivier ruiste en een lichte luchtvochtigheid die de warmte verzachtte, de adem van het natte seizoen dat eraan kwam. De gehuurde kaïk was een lief bootje, dat donkerblauw was geschilderd met verzilverde kringels van houtsnijwerk langs de dolboorden en ietwat aftandse maar heel gerieflijke lichtblauwe zijden kussentjes op de banken.

Ze roeiden, allebei aan een riem, een mijl of twee naar het westen de Skamander op waar ze tussen de heuvels van het laagland geraakten. Op aanwijzing van Beth voeren ze toen linksaf een van de oude bevloeiingskanalen in, die aan beide kanten van de rivier naar het zuiden voerden. Het smalle kanaal liep in een volmaakt rechte, groene, beschaduwde lijn door de rimboe.

Zodra ze de rivier en het drukke waterverkeer achter zich hadden gelaten kwamen ze geen enkel vaartuig meer tegen. Hun enige zichtbare mede-watergebruikers waren grote, fel gekleurde slangen die weliswaar giftig maar niet gevaarlijk waren, want ze bleven in hun eigen element en meden de boot. Krokodillen vormden de enige mogelijke bedreiging, want een grote kon de boot doen kapseizen. Gwynn had dus een jachtgeweer meegebracht. Hoewel ze hier en daar de langgerekte donkere koppen half boven het water zagen uitsteken, toonde geen van de monsters ook maar de geringste belangstelling voor hen.

Nu de dichte rimboe het grootste deel van de zonneschijn tegenhield was het op het kanaal bijna koel. De lucht was vochtig en stil en er hing een oude geur. In het gefilterde, schemerige licht zagen ze enorme slangen, smaragdgroene boa constrictors, in afhangende lussen rond de donker van vocht doortrokken takken van bomen gewonden, even sloom als de krokodillen beneden. Reptielen waren niet de enige grote dieren die ze zagen – toen ze langs vervallen tempels voeren passeerden ze op nog geen meter afstand tijgers die aan het water rustten op de met klimop begroeide trappen van de ghat; en wat op het eerste gezicht een bende bandietenmaskers leek die over het water scheerden, maar zonder dat mensen ze droegen, bleek een zwerm reusachtige zwarte vlinders te zijn, met een witte tekening als van ogen op hun vleugels.

Uit alle richtingen klonken getoeter en gekrijs en gefluit uit dierenkelen. Vogels waren flitsen van onthutsend oranje, limoengroen, magenta, geel en blauw.

Toen de zon recht boven hen kwam te staan steeg de temperatuur op het kanaal snel en stelde Beth voor de riemen te laten rusten tot de middaghitte voorbij zou zijn. Onder een hoogopgaande mahonie meerden ze aan en openden de fles wijn en de potten met in cognac ingemaakte meloen en vijgen die ze hadden meegebracht bij wijze van verversingen.

Ze hadden weinig gezegd tijdens de tocht. Het was een kameraadschappelijke stilte en hij duurde voort terwijl ze aten en dronken.

Toen zei Beth, die met haar gezicht zat naar waar ze vandaan waren gekomen: 'Kijk.' Ze wees glimlachend ergens naar. Gwynn draaide zich om en zag een voorwerp in het kanaal dobberen. Het was een glazen drijver van een visnet, een blauwe bol bijna zo groot als een mensenhoofd. Toen de reiziger hun boot bereikt had boog Beth zich over het dolboord heen en pakte hem uit het water.

Ze bekeek hem bewonderend en wierp hem toen Gwynn toe. Hij draaide hem om en om. Het was primitief geblazen glas, maar door de onregelmatigheden en de luchtbellen werd het ding veel interessanter om naar te kijken. Speels hief hij het op ter hoogte van zijn gezicht en tuurde erdoor.

Beth lachte. 'De hele wereld op jouw schouders?'

'In jouw handen,' zei hij en hij gooide de bol weer terug.

Ze ving hem sierlijk. Ze hield hem voor zich uit, rustend op haar vingertoppen, als een trofee. Toen bukte ze zich weer over het dolboord en liet hem terug rollen in het water om zijn reis te vervolgen.

Gwynn leunde tegen de achtersteven. 'Zo,' zei hij. 'Dit is dus jouw paradijs?'

'Het komt er dicht in de buurt. Je bent het niet met me eens?'

'Het is een paradijs zonder veel plaats voor mensen.'

Een verholen glimlachje gleed over haar gezicht.

'Dat klopt,' zei ze. Ze strekte haar armen en benen. Ze droeg een groene zijden broek die tot halverwege haar kuiten kwam. Ze had haar laarzen uitgetrokken en wreef langzaam haar blote voeten over elkaar.

De zon stond nu lager en schaduwen dreven weer op het water. Gwynn vroeg wat er verderop langs het kanaal te vinden was.

'Nog meer kanalen. Dat gaat mijlenver zo door,' zei Beth. 'We moesten maar weer teruggaan, tenzij je hier in de boot wil slapen.'

Dat wilde hij niet en dus keerden ze de kaïk en begonnen terug te roeien. Toen ze weer bij de vervallen tempels waren zei ze: 'Laten we hier even aanleggen. De tijgers schijnen weg te zijn.'

Gwynn was daar minder gerust op, maar hij had zijn geweer bij zich en dacht niet dat een groot dier als een tijger hen helemaal geruisloos kon besluipen door zulk dicht struikgewas. Ze stapten uit en zaten naast elkaar op de met wingerd gedrapeerde stenen van een oude steiger.

Gwynn nam een ogenblik de tijd om naar Beth te kijken. Zelfs zo, beschenen door het weinige licht dat er was, straalden het rood en goud van haar haren en huid fel. Ze was een heldere schittering in deze vochtige, sijpelende wereld, iets wat uit het domein van de zon kwam.

Haar ogen echter waren ondergronds. Zwarter dan de duisternis van die ogen bestond er niet. Hij had het gevoel dat hij slechts met het topje van haar ziel te maken had, dat de rest onder het oppervlak school.

Ze drukte zijn schouders neer op de stenen.

Na het vrijen lagen ze halfnaakt en zwijgend met hun hoofd rustend op elkaars lichaam, en dommelden in terwijl de rimboe donkerder werd. Pas toen geluiden als zacht onweer begonnen te rommelen in de toenemende schaduwen en de boa's ontwaakten en zich strekten langs hun zwarte boomtakken, kwamen ze in beweging en stapten weer in hun kaïk.

In het donker bereikten ze de rivier weer en sloten zich aan bij het verkeer dat naar de stad op weg was, en naarmate ze in de omgeving van Ashamoil kwamen raakten ze langzaam de tropische sterren kwijt.

10

EEN ZWERM GEMASKERDE IBISSEN STEEG op, na zich te hebben ver-
gast aan de visresten die op de kade lagen na het schoonmaken van de och-
tendvangst. Ze vlogen over de onderste trede van de ghat, waar een drom
vrouwen bezig was de was te schrobben en kinderen vislijnen in het water
lieten bengelen. Boven aan de trappen ging de slavenmarkt open.

Het was nu al warm. Gwynn zat onder het zonnescherm met een glas
gekoelde punch en het *Ochtendkoor* van die dag. Marriott lag in de hangmat en maakte zijn nagels schoon met een mes. Twee jongens met blote
bovenlijven wuifden hen toe met grote waaiers van flamingoveren.

Drie verkopers van de Hoornen Waaier stonden bij de omheining en
hielden toezicht op de bedienden die bezig waren de geketende slaven in te
wrijven met olie. Ze werden vergezeld van een drietal jongens die parasols
boven hun hoofd hielden. Zelfs de paarden van Gwynn en Marriott, die
vlakbij stonden vastgebonden onder een zonnescherm, hadden een jongetje dat hun koelte toe waaierde.

Gwynn zette zijn glas neer op de brede gebeeldhouwde arm van zijn
stoel en wreef de restjes slaap uit zijn ogen. Hij was in hemdsmouwen en
droeg een hoed tegen de zon. Hij pakte zijn glas weer op en hervatte het lezen van zijn krant met maar de helft van zijn aandacht, terwijl hij met de
andere helft de omgeving in de gaten hield.

Ze waren getipt.

Een paar vroege kopers waren verschenen. Gwynn nam ze op. Doodgewone klanten, allemaal. Hij geeuwde.

Een uurtje later voelde hij het vel strak trekken achter in zijn nek. Hij
keek over de rand van zijn krant en zag het groepje aankomen.

'Aha, daar komen ze,' zei hij. Marriott ging er wat wakkerder bij zitten in
zijn hangmat. Hij liet het mes tussen zijn vingers rondwentelen alsof hij
een jonge knuppelaar was.

Door een poort tussen twee gebouwen, rechts van hen, verscheen de man met de diamanten oorbel. Hij was niet alleen de andere oorbel kwijt, maar ook het hele oor. Hij had tien gemeen uitziende gewapende kameraden bij zich. Op hun voorhoofd droegen ze allemaal een getatoeëerde of geschilderde rode glief. De man met de oorbel droeg er ook een.

Gwynn vouwde zijn krant op en zette zijn glas op de grond. Hij plaatste zijn ellebogen op de armleuningen van zijn stoel en wachtte tot Oorbel en zijn posse dichterbij waren gekomen.

Ze bleven voor het zonnescherm staan. Oorbel spoog op de grond tussen Gwynns voeten. De anderen hadden zich achter hun aanvoerder opgesteld.

'Goeiemorgen, maajebraaier,' zei Oorbel.

'Meneer maaiebraajer dan wel, hè,' zei Gwynn vriendelijk.

'Ik zeg tegen jou wat ik wil, mongool. Lamlul. Bruinwerker.'

Gwynn negeerde de beledigingen. 'Wat is er met je oor gebeurd?' vroeg hij.

'Het is gaan ontsteken. Ik moest het laten weghalen, omdat ik er bloedvergiftiging van kreeg. En dat is allemaal de schuld van die teringhoer van een slavin van je.' De man deed een stap naar voren. 'Dus nou,' grijnsde hij, 'kom ik verhaal halen.'

'Juist ja,' zei Gwynn. Hij wuifde met zijn hand in de richting van de posse. 'En die kerels met die opgeschilderde koppen zijn zeker vrienden van je die komen helpen?'

'De heren achter mij zijn mijn broeders. Ik heb mij aangesloten bij de Orde van de Bloedgeest. Ze zijn meegekomen om mij te helpen allebei de oren van je kop te scheuren en dan je lippen en...'

Hij ging nog een hele poos zo door. Tegen de tijd dat hij klaar was waren mensen stil blijven staan om te kijken. 'Nou, schiet op, dan,' zei Gwynn.

'Watte?'

'Vergeet nou niet dat-ie half doof is,' gaf Marriott een voorzetje.

Gwynn verhief zijn stem. 'Ik zei, schiet op, dan. Zoals je ziet, zijn mijn collega en ik nogal druk.'

Oorring smaalde: 'En zo dadelijk zijn jullie nogal dood.'

Er klonk een zacht snorren door de lucht. Sommige Bloedgeesten keken om, maar niet snel genoeg.

Terwijl ze werden afgeleid nam Gwynn de gelegenheid te baat een paar schoten te lossen.

De vijf Bloedgeesten op wie hij gemikt had vielen op de grond.

Intussen stond Oorbel zijn mond open en dicht te doen. Marriotts mes stak uit zijn hals. Fonteinen van bloed spoten uit de wond. Toen viel ook hij op de grond.

De overgebleven Bloedgeesten bleven onzeker dralen. Ze keken naar Marriott die een karabijn tevoorschijn had gehaald en naar Gwynn die niet eens uit zijn stoel was gekomen en nu met een rokend pistool in de ene hand zat en met de vingers van de andere hand op de kolf van het andere pistool trommelde. Ze keken naar hun kameraden. Stuk voor stuk waren die precies door het embleem op hun voorhoofd geschoten.

Gwynn wees met de lange loop van het pistool beurtelings naar een van de vijf die nog overeind stonden. 'Er zit nog een kogel in. Wie van jullie wou 'em hebben?'

Een van de Bloedgeesten grauwde en greep naar het wapen in zijn holster.

De anderen grepen het volgende ogenblik naar hun wapen. Nu het element van verrassing verdwenen was en het vijftal pal voor hen stond, had Gwynn al besloten dat de afstand veel te ongunstig was. Hij vuurde op de benen van de dichtstbijzijnde man, sprong uit zijn stoel, liet het rechter pistool vallen en trok op het moment van zijn sprong het linker. De man die hij had aangeschoten was met een gil op de grond gevallen, met zijn handen aan zijn knie. Gwynn landde boven op hem, zodat hij het opnieuw uitschreeuwde. Zoals hij gehoopt had, aarzelden de anderen met vuren uit angst hun eigen kameraad te raken, die lag te kronkelen in een poging Gwynn van zijn rug af te krijgen. Marriott, die nu onder de hangmat zat geknield met een pistool, schoot een van hen neer. Opeens dachten de anderen weer aan hem, maar te laat. Terwijl er twee hun aandacht op Marriott richtten en eentje met een weigerend pistool worstelde, schoot Gwynn zijn gevangene zonder omwegen in de rug, legde toen aan op een van de twee die zich juist omdraaiden en schoot er een door de kaak. Marriott legde de ander neer. Toen hoorde Gwynn opnieuw een pistoolschot en voelde een hete, felle klap tegen zijn schouder. De laatste Bloedgeest stond nog te worstelen met zijn pistool. Gwynn vuurde en hoorde dat Marriott op hetzelfde ogenblik schoot. De Bloedgeest schokte en viel op de grond.

Gwynn bekeek zijn schouder en stelde vast dat hij een te verwaarlozen schampwond had van nog geen halve duim lang, plus een kapot overhemd. Hij kwam overeind, klopte zich af en keek om naar Marriott.

Marriott zag er ongelukkig uit. 'Neem me niet kwalijk. Die eerste die ik neerlegde was nog niet helemaal dood.'

Gwynn raapte het pistool op dat hij had laten vallen. De pijn was minimaal en trok al weg. 'Geeft niet, beste vriend,' zei hij. '*Yche'ire faudhan bihat* – Je kan ze niet altijd allemaal doden.'

Marriott schonk hem een glimlachje zo dun als waterige pap, schudde zijn hoofd en klom weer in zijn hangmat.

Gwynn liep terug naar zijn stoel en pakte zijn krant en zijn glas van de vloer, want alle drie noodzakelijke behoeften voor zijn rust hadden het ongeschonden en onverstoord overleefd, alsof een onzichtbare hoeder van de bescheiden geneugten des levens hen had beschermd. Hij knipte met zijn vingers en de jongens kwamen vanachter de luifel tevoorschijn waar ze zich verborgen hadden gehouden en hervatten al gauw hun taak, namelijk het in beweging houden van de lucht.

Gwynn nam een slokje uit zijn glas en slaakte een beschouwende zucht. 'Bloedgeesten! Had jij daar ooit van gehoord?'

'Nee. Jij bent degene die het uitgaansleven bijhoudt.'

'Ingehuurde baliekluivers waarschijnlijk, met een aardig bedacht embleem.' Gwynn dronk zijn glas leeg, stak een sigaret op en hield toen Marriott het pakje voor.

Terwijl Marriott er een uit pakte keek hij eens naar de lijken. 'Niet veel meer dan bloed en geestverschijningen nu.' Hij spoog op de grond.

Gwynn lachte, maar Marriott scheen zijn eigen grapje niet leuk te vinden.

De trage ochtendhandel was alweer hervat bij de slavenkralen. De voorbijgangers liepen verder. Al gauw verscheen er een troep straatschoffies, schijnbaar uit het niets, die op de lijken af holden. Ze gingen doelmatig te werk. Binnen twee minuten hadden ze de lijken helemaal uitgekleed. Een van hen had een kruiwagen. Ze stapelden alles erop en draafden opzij van een van de loodsen weg.

Daarmee was het nog niet afgelopen. Gedaanten die groter waren dan straatschoffies begonnen nu het plein op te komen. Ze bewogen zich op een onhandige manier en droegen donkere vodden die hun gezicht en lichaam aan het licht en ieders blik onttrokken. Met twee- en drietallen togen ze aan de slag en sleepten de dode mannen weg, naburige donkere steegjes in.

Een van hen wierp Gwynn een muntstuk voor zijn voeten.

Lijkenpikkers vond je in alle delen van de stad, had hij gehoord. Ze waren niet kieskeurig, ze namen doden mee, stervenden en gebrekkigen – en

wie ze meenamen werd nooit meer gezien. Sommigen zeiden dat het lij-
kenvreters waren, anderen dat ze zwarte magiërs dienden en weer anderen
dat ze in dienst waren van het bevoegd gezag van de stad.

Verder viel er die ochtend niets meer voor en met het middaguur kwamen Scherpe Jasper en Elleboog om de dienst over te nemen.

Elleboog duwde de neus van zijn laars door een restje bloed dat op de
grond lag. 'Hebben we wat leuks gemist?' vroeg hij terwijl hij een beetje sip
keek

'Klopt,' zei Gwynn.

'Wat is er dan gebeurd?' vroeg Jasper. 'Zo te zien hadden jullie wel wat
hulp kunnen gebruiken,' voegde hij eraan toe terwijl hij naar Gwynns
mouw wees.

Gwynn haalde zijn schouders op. 'Een ontevreden klant die langskwam
met een stel maten.'

'Wat voor klant?' wilde Elleboog weten.

'Een schipper uit Phaience,' verzon Gwynn. Hij was niet van plan te zeggen dat hij was aangeschoten door de volgelingen van een pooier met één
oor.

'O ja? Wie was het?' nam Jasper de ondervraging over. 'Ik heb een paar
neven die daar varen.'

'We hebben helaas geen familiegeschiedenissen kunnen uitwisselen,' zei
Gwynn terwijl hij zijn krant opvouwde en opstond. Toen hij langs Jasper
liep gaf hij de donkere kerel een klap op de schouder. 'Jammer dat je er niet
bij was, kannibaal. Je had een heerlijk dampend vers ontbijtje kunnen
hebben.'

Wat Jasper daar ook op had willen zeggen, Marriott snoerde iedereen
de mond. Hij liet zich log uit zijn hangmat op de grond zakken en beende
tussen hen door met een verschrikkelijke, bittere trek op zijn gezicht. Hij
maakte zijn paard los, klom met een zwaai in het zadel en reed op een draf
weg, Gwynn en de twee anderen achterlatend met een onbehaaglijk gevoel, terwijl ze het vermeden elkaar aan te kijken.

Die avond zat Marriott in de Strass. Tareda Immer stond te zingen, gekleed in een japon vol met heel kleine zilveren spiegeltjes. Het was weken
geleden dat hij belangstelling had gehad voor enig ander vermaak dan het
kijken naar haar optreden. Op avonden dat ze niet zong – avonden waarop
ze alleen aan Olm toebehoorde – werd hij bezocht door zwarte wanhoop.

Vanavond werd ze begeleid door Tack en een aspirant met piekhaar, genaamd Koningsbos, die samen aan het voorste tafeltje zaten. Marriott was een heel eind naar achteren gaan zitten in de hoop dat ze hem niet zouden zien.

Hij probeerde te vergeten wat er op de slavenmarkt was gebeurd.

Keer op keer maakte Tareda een beweging alsof ze zichzelf omhelsde, alsof ze door die breekbare omvatting zichzelf bijeenhield. Marriott gaf zich over aan fantasieën over hoe hij haar in zijn armen zou houden. Hij wilde dat ze ophield met zingen, dat ze naar hem zou kijken en de droom zou laten uitkomen. Toen ze klaar was met haar liedjes en naar de kleedkamer werd geëscorteerd door Tack en Koningsbos, stak hij een roesstokje op van verdovende sterkte.

Olm had hem nooit de taak toebedeeld op haar te passen. Olm moest gezien hebben wat hij voor haar voelde, van het begin af aan. Hij vroeg zich af hoe lang Olm haar nog zou houden. Het kon toch niet veel langer meer duren voor hij haar beu was, zoals het altijd ging met zijn vrouwen. En dan was er misschien een kans.

Toen hij zijn roesstokje had opgerookt, verliet hij de Strass via de achterdeur en liep het eerste het beste bordeel binnen dat hij zag. De madame liet de meisjes opdraven en hij koos degene uit die nog het minst níet op Tareda leek.

Naderhand, toen hij door de van amber licht doordrenkte nachtelijke straten naar zijn appartement reed, piekerde hij somber over het heikele parket waarin hij zich bevond.

Omdat ze zo nabij is maar onaanraakbaar moet ik lijden. Maar de stad verlaten en haar nooit meer zien, dat zou nog erger zijn.

Ja, toch?

Ik ben een zwakkeling, besloot hij voor de miljoenste maal.

Wat kon hij doen? Hij kon alleen maar blijven waar hij was en hopen en lijden. Wie zou durven beweren dat daarin waardigheid en eer scholen?

Ik ben een stommeling.

Omlaag rijdend langs een steile, stille achterafstraat in de buurt van de Verbrande Brug, helemaal opgaand in zijn misère, hoorde Marriott plotseling grote opschudding achter zich. Hij keek om en zag een kar die ver uitzwenkend de straat in kwam, op twee wielen door de bocht. Het zag er even naar uit dat het gevaarte zou kapseizen maar toen richtte de kar zich weer op en kwam in vliegende vaart de helling af. Haastig stuurde hij zijn paard zo dicht mogelijk tegen de huizen aan.

De kar was krakkemikkig, de lading die bovenop heen en weer zwalkte was veel te groot en slecht verdeeld. De rem deed het kennelijk niet en de wagen meerderde snel vaart. Een ezel die er nog voor gespannen was, galoppeerde als een dolle, in een hopeloze poging te ontsnappen. De voerman zat half naast de bok, rukte met zijn ene hand aan de teugels en had zijn andere arm om de remknuppel geklemd. 'Uit de weg!' schreeuwde hij terwijl de kar de helling af raasde. 'Uit de weg allemaal!' Een deel van de lading viel eraf door het hotsen en zwalken. In papier gewikkelde pakketjes gingen aan stukken, spatten meteen uit elkaar met een salvo van luide knallen als van iets wat uiterst breekbaar is. Vrolijke scherven glas in allerlei kleuren belandden op straat.

Een ogenblik vroeg Marriott zich af wat voor idioot een kar zo onhandig kon laden, met glaswerk notabene.

De kar reed hem voorbij en haalde net op dat moment de ezel in. Het arme dier werd door de voorwielen tegen de grond gesmakt en zodra de kar de ezel had geraakt klapte ze om, voorover, waarbij de voerman eraf werd geslingerd en de rest van de lading de lucht in vloog. Veelkleurige bommetjes ontploften knallend op de grond, het ene na het andere.

Toen de cascade van geluid zich weer overgaf aan de stilte reed Marriott de straat weer op. Hij steeg af en onderzocht kort de voerman en vervolgens de ezel. Ze waren allebei dood. Een heel stuk straat lag bezaaid met een mengelmoes van schittering als millefiori-werk. Marriott staarde naar die regenboog waarvan niemand anders dan hij een levende getuige was. Hij geloofde niet dat het een goed teken was; hij wist wel beter.

Toen hij verder reed ontdekte hij dat zelfs het denken aan Tareda de herinnering aan de schermutseling bij de slavenmarkt niet helemaal uit zijn geest kon verdringen. Hij zag opnieuw de Bloedgeest worstelen met zijn weigerend pistool en zichzelf aanleggen. Opnieuw voelde hij de kramp die zijn hand deed beven op het ogenblik dat hij afdrukte en hij zag Gwynn van kleur verschieten (hij stelde zich voor dat de kogel een paar duimbreed verder naar rechts zou zijn beland, door Gwynns hoofd). Hij zag zich op een dode schieten terwijl hij had moeten schieten op die ene die nog leefde en hoorde zichzelf achteraf die leugen vertellen. Hij vond niet dat hij het er erg goed had afgebracht, maar Gwynn had hem geloofd.

Marriott stelde zich voor hoe hij Gwynn zou vertellen wat er werkelijk was gebeurd, terwijl hij wist dat hij dat nooit zou doen.

Hij zou wel zorgen dat hij het vergat.

Tegen de tijd dat Marriott aankwam bij het appartement dat hij huurde in een steegje dat uitkwam op de Lumenstraat, had hij zichzelf er al bijna van overtuigd dat de leugen waar was, en dat het de Orde van de Bloedgeest was, en niet hij, die Gwynn een nieuw overhemd verschuldigd was.

Maar toen hij zijn laarzen losreeg, krampte zijn rechterhand weer en bleef zo heftig beven dat hij zich verder met zijn linkerhand moest uitkleden.

'Beloof je me dat je het aan niemand zult vertellen?'

'U overschat het belang dat de meeste mensen in zoiets stellen. Maar ik beloof het. Zo plechtig als wat.'

Het was de Croaldag na het voorval bij de slavenmarkt. De aalmoezenier had een heleboel gedronken en had het nu weer over esoterische geheimen. Dit keer had de koppige Zwarte Bisschop zijn tong losgemaakt, zodat hij er nu aan toe was Gwynn zekere dingen mee te delen, die verondersteld werden aan de oren der ingewijden te zijn voorbehouden.

'Probeer te luisteren met een zekere eerbied voor de heilige aard van wat je nu zult horen: God is oneindig en een oneindige tegenwoordigheid zal logischerwijs alle dingen moeten omvatten, waaronder alles wat potentieel aanwezig is. Daarom bevat God ook het potentieel voor alles-wat-niet-God-is. Toen God het universum schiep kwam dat potentieel tot uitdrukking. Die manifestatie van het niet-goddelijke noemen we het helse. De aard ervan is volstrekt paradoxaal. En dat, mijn zoon is er de oorzaak van dat verschijnselen die niet goddelijk zijn, kunnen bestaan in een goddelijk universum.'

Gwynn nam een slokje van zijn thee. 'En dat is het?' vroeg hij.

'Het gaat je boven je pet?' De aalmoezenier keek tevreden. 'Dat verbaast me niets. Ongetwijfeld is het maar beter ook. Ik zou dit soort dingen eigenlijk niet moeten vertellen aan een atheïst.'

'Nou, u kunt ervan op aan dat ik het aan geen enkele levende ziel zal verder vertellen. Maar laten we eens veronderstellen, als hypothese dus, dat die theorie juist is. Gewoon als uitgangspunt van een discussie. Dat "helse" zou dus zich kunnen manifesteren in de vorm van iemand als ikzelf, bijvoorbeeld, ja?'

'Ja...'

'Uitstekend. Zelfs in die opzet ben ik wat ik zou willen zijn.'

'... zij het alleen waar het je ondeugden en misdaden betreft. Een deel van jou – en misschien wel meer dan de helft – is gewoon volmaakt. Je bent een prima ziel om te worden gered. Je verdorvenheid is wel diep maar niet breed.'

Gwynn nam een stukje pastei van schildpad met kweeperen, wat de dagschotel was. 'Zouden we uw god en dat helse dan elkaars vijanden mogen noemen?'

'Het ligt ingewikkelder. God wist natuurlijk dat dit zou gebeuren. Het goddelijke heeft zo zijn plannen met het helse. Omdat alles van God is, en niets wat van God is werkelijk kan worden vernietigd, moet het helse in plaats daarvan worden getransmuteerd. Het moet zijn fouten inzien, het onlogische van zijn bestaan bevatten en er zelf voor kiezen deel te gaan uitmaken van het goddelijke. Wanneer alles zal zijn omgevormd, zal dat potentieel tot het verkeerde niet meer bestaan. Dan zal de Volmaaktheid zijn bereikt. Wij allen zijn voorwerpen en substanties in de grootse alchemie van al, het Grote Werk van God.'

'Heel roerend. En jullie hel, hoe past die in dit toonbeeld van doelmatigheid?'

'Denk je een pottenbakker in, die een misvormde kom van zijn wiel neemt en hem met vuisten slaat en door de grote kleimassa in het vat werkt. Een ziel lijdt wanneer ze op die manier wordt geslagen en gekneed en ze zal blijven lijden tot ze niet meer bestaat. Je wordt stukgeslagen en wat ooit jij was, wordt door iets anders heen gekneed. God probeert het opnieuw en blijft het proberen, totdat het Werk volbracht is. En intussen besta jij, mijn zoon, allang niet meer.'

'Prachtig,' zei Gwynn bewonderend.

'Prachtig?'

'O, absoluut. Zo'n vreemd tragisch verhaal moet wel prachtig zijn.'

De aalmoezenier snoof. 'Ongetwijfeld vind je zelf dat je spot reuze verfijnd is, maar hij is gewoon kinderachtig. Wil je dan niet – durf je dan niet één keer te proberen te twijfelen aan de grondslagen van je ongelovigheid?'

Gwynn trok een wenkbrauw op. 'Ik dacht niet dat ik verplicht was me in te spannen om uw plannen vooruit te helpen, eerwaarde.'

'Da's ook weer waar,' zuchtte de aalmoezenier met tegenzin en zocht troost bij zijn fles.

'Desondanks zou ik verder willen praten over die imaginaire afwijking van uw imaginaire god, die hij zich zoveel moeite getroost om te elimineren. Heb ik het juist als ik aanneem dat geweld in het bereik van het helse thuishoort?'

'Geweld, wreedheden en alle vormen van verdorvenheid, mijn zoon,' zei de aalmoezenier tussen grote slokken door. 'Die maken geen deel uit van de goddelijke aard. Het spijt me dat ik je moet teleurstellen. Ik weet dat het denkbeeld van een kwaadaardige god je wel aanstond.'

Gwynn maakte een wegwerpend gebaar met zijn mes. 'Ik geef veruit de voorkeur aan helemaal geen god. Maar ik beken ruiterlijk dat ik het niet goed begrijp. Waarom wordt dit achterommetje van jullie doctrine zo geheimgehouden – willen jullie dan niet dat jullie kudde gelooft dat alleen de deugd goddelijk is?'

De aalmoezenier schudde heftig zijn hoofd. 'Misschien dat de massa dat zou accepteren, maar kwaadwillende intellectuelen zouden aanvoeren dat dít bewijst dat God onvolmaakt is en begrensd. Ze zouden meteen boven op dat denkbeeld springen van een zwoegende God, een God die onzuiverheden uitzweet, een God die streeft naar het hogere, net als een gewoon mens – zelfs van een God die ziek is. Dat is eerder voorgekomen. Het leidt tot dualisme. Mensen beginnen te denken dat het kwaad een op zichzelf staande macht is, even sterk als het goede. Dat kunnen we niet hebben.'

'Maar zelfs als we alleen de mensheid beschouwen lijkt het toch al, alsof dat kleine helse klompje zijn goddelijke verwekker gemakkelijk in omvang evenaart.'

'Je bent verdorven maar laat je daardoor niet verleiden de goedheid van anderen te onderschatten,' zei de aalmoezenier belerend.

Gwynn negeerde dat en vroeg: 'En dan die overweldigend grote verdorvenheid van de natuur. We weten niet of dieren genot beleven aan hun wreedheden zoals wij, maar al is het bij hen allemaal wat primitiever, de wreedheid is er overvloedig en gevarieerd. Dieren spreiden alle mogelijke vormen van wreedheid tentoon, van de eenvoudige bruutheid van de krokodil tot aan de klauwier die de schedel van zijn prooi openpikt en er het levende brein uit peuzelt, tot de ichneumonvlieg die haar eieren deponeert in de levende rupsen van andere insecten, waar ze na verloop van tijd uitkomen en de rupsen van binnenuit levend verslinden. Of, iets minder wreed maar bepaald geen heilige, de vrouwelijke weversvlieg die wordt geboren zonder pootjes of vleugels en erin slaagt zich te laten verzorgen, haar leven lang, door mieren; heel haar soort is gedwongen een leven te leiden van bedrog en ledigheid. En we zouden er ook alle ziekteverwekkers bij moeten betrekken die, zoals de wetenschap ons nu vertelt, kleine beestjes zijn.'

Gwynn hield zijn betoog met grote geestdrift. Aangezien hij het grootste deel van zijn leven had doorgebracht in landen waar maar weinig diersoorten voorkwamen, werd hij gefascineerd door de overvloed van leven in de tropen en zorgde dat hij op de hoogte bleef, dankzij de dierkundige tijdschriften in de bibliotheek.

'Het kwaad,' zo besloot hij, 'schijnt welig te tieren in de wereld.'

'Ben je nu klaar? Want je hebt niets anders gedaan dan laten zien dat je met stront in je ogen naar de wereld kijkt. Je gaat voorbij aan de grandeur en de tederheid in de natuur, als een dwaze hofnar, die met kakkerlakken speelt in het hoekje van een grootse troonzaal; met woorden wil je bevuilen wat geschapen is; dat is een onwaardig doel.'

'Hebt u nooit overwogen dat dat infernale van u ook kan vechten en bezig is de strijd te winnen – en al een hele poos ook?'

De aalmoezenier wilde zich niet van zijn apropos laten brengen. 'Wij kunnen,' zei hij, 'de intenties van het oneindige, het onbegrensde, niet kennen.' Hij nam een diepe teug. 'Hij heeft alles gereinigd, elk op zijn eigen tijd. Hoe rein, dat kun jij je niet voorstellen.'

Dat was het laatste samenhangende wat de aalmoezenier zei, voordat de drank, die kalm had liggen wachten in de binnenwateren van zijn bloed, de aanval inzette en zijn gastheer overweldigde.

De aalmoezenier ontwaakte de volgende dag in een chique hotel. Zijn kleren waren gereinigd en netjes voor hem klaargelegd en iemand had heel attent een pakje hoofdpijnpoeders naast het bed achtergelaten. Het was maar goed dat hij die had, want hij moest naar het ziekenhuis. Niet dat hij dacht dat de dokter of de nonnen hem zouden missen als hij niet kwam opdagen, maar hij wist dat een van de vrouwelijke patiënten stervende was en hij vond het vervelend een overlijden mis te lopen.

Toen hij aankwam leefde ze nog, zij het nét. Ze had niet een specifieke kwaal; ze was alleen maar oud. Hij nam plaats bij haar bed en ging er voor zitten om haar vleesloze, stille gezicht gade te slaan.

Hoe vaak had hij de dood al zien komen? Beslist duizenden malen. En elke keer was hij op hetzelfde gespitst geweest: een teken te zien, in het gezicht, in de ogen, dat hem duidelijk zou maken dat de stervende God aanschouwde. Dat teken had hij nog nooit gezien. Dat voortdurende uitblijven baarde hem zorgen, zozeer zelfs, dat hij de laatste tijd de gewoonte had er ronduit naar te vragen, zachtjes, maar met grote aandrang, zoals nu.

'Wat ziet u? Wat voelt u?'

'Ik zie niets,' zei de oude vrouw schor en geërgerd zonder haar ogen open te doen. 'Ik voel me zo moe. Als een oud bot dat rond gerold wordt door de wind.'

Met een schuldig gevoel drong de aalmoezenier aan: 'Hoort u niet iets? Alstublieft, probeer te luisteren.'

'Ik hoor jou kletsen, priester,' kreunde ze, 'en dat is een zware last voor mijn oren. Wees stil of ga weg naar waar ik je niet horen kan.'

'Neem me niet kwalijk,' mompelde de aalmoezenier. Hij gaf het op en bleef zwijgend bij het bed zitten en haar scherp opnemen. Er viel voor hem niets te zien. Op het moment dat ze stierf opende ze haar ogen, maar als die al iets heiligers zagen dan de zoldering, was er niets in haar uitdrukking dat erop wees. Weer een wake verspild.

Schichtig om zich heen kijkend of er geen nonnen waren die hem konden zien – nee, hier niet – viste hij zijn heupfles whisky uit de binnenzak van zijn jasje en nam een haastige teug.

De aalmoezenier was zich er heel wel van bewust dat de meeste mensen heel tevreden waren met ofwel onwetendheid over wat er achter de deur van de dood wachtte, ofwel vertrouwen in wat zijn of andermans godsdiensten hen aanzetten te geloven. Het maakte deel uit van zijn schuld dat hij, hoewel hij zich in discussies sterk maakte voor het geloof, zelf nooit het ware geloof bezeten had. Hij had het nooit nodig gehad, want hij had altijd zeker geweten dat God er was – althans dat had hij indertijd geloofd.

Dit was het punt waarop zijn gedachten elkaar in de staart beten en nijdig aan elkaar begonnen te vreten.

In de herinnering van de aalmoezenier – en de waarachtigheid van die herinnering was al een poos niet zeker meer – had hij God gekend, God gevoeld, God gehoord en zelfs gezien. De goddelijke tegenwoordigheid – of een verschijnsel dat hem een tegenwoordigheid had geleken, goddelijk vanwege een grootsheid die alle grootsheid die hij ooit had waargenomen in de mensheid of de natuur verre te boven ging – was naast en boven en onder en binnen in hem geweest, zijn hele leven lang.

Nooit had die hem ontbroken en daarom begreep hij het enorme van die tegenwoordigheid pas op de dag dat hij verdween. Het vertrek was abrupt, onaangekondigd, als de vlucht van een onbetrouwbare geliefde.

De aalmoezenier had geen woorden om die tegenwoordigheid zelf toereikend te beschrijven. De afwezigheid daarvan was de leegte, het ontbreken, het hartzeer van het verlies dat onbenoemd was maar nog het best kon worden omschreven als een gevoel van verbannen zijn, waaraan, zo was hij de laatste tijd begonnen te geloven, alle mensen leden, of ze dat nu beseften, of, zoals Gwynn, niet beseften.

Zelfs nog vaker dan met de stervenden had de aalmoezenier de gewoonte met, of liever tegen de doden te spreken. Hun stilte gaf hem altijd de behoefte om te praten. Nu sprak hij de oude vrouw toe.

'De tijd ontrooft ons het vermogen om ergens vol van te zijn, nietwaar? Langzaam maar zeker wast ze al onze geestdrift van ons af en brengt in plaats daarvan onzekerheid aan. In mijn jonge jaren was ik vol van God en vertrok ik om de goddelijke liefde te prediken in de woestijn. Ik was geestdriftig over woestijnen. Elke dag aanschouwde ik God in de verschrikkelijke zon, de verschroeide aarde en de schurende wind en elke nacht aanschouwde ik God in de wisselvallige maan en de vuren voor de tenten en de stilte van de slaap. Maar bovenal, moet ik u bekennen, madame, en het spijt me als ik uw oudevrouwenoren ontrief, aanschouwde ik God in de vrouwen, in hun glorieuze lichamen en hun gazellenogen, hun zoete en stormachtige temperament! Als ik vastte had ik visioenen van een sluier die in de lucht zweefde en ik begreep dat die sluier schoonheid op schoonheid verhulde, zoetheid op zoetheid, storm op storm en een oneindige genade en glorie.

Ironisch genoeg was het vanwege een meisje dat ik uiteindelijk God kwijtraakte. De sluier bleef, maar ik kon daarachter niets meer onderscheiden. Misschien was die sluier gewoon alles wat er was of ooit geweest was van het heilige. Als ik mijn ogen sluit zie ik die ijselijke sluier nog voor me!

Mijn ziel verlangt naar God, maar een mens is toch meer dan alleen een ziel, nietwaar? Verschrikkelijk als het is om het te moeten zeggen, maar mijn klei is belust op de klei van jonge huwbare meisjes. Om mijn schuldgevoel te sussen – vergeef me alstublieft mijn grofheid – heb ik mezelf er min of meer van overtuigd dat ik God tracht terug te vinden in hun armen en zekere andere plaatsen van het lichaam waarvan men niet spreekt. Ik dank u, madame, voor uw aandacht.'

Hij trok het laken over het hoofd van de dode vrouw. Toen ging hij naar het Gele Huis.

Daar wachtte hem slecht nieuws. Toen hij naar Calila vroeg, deelde de eigenaresse hem mee dat een andere man haar had gekocht en meegenomen voor zijn eigen gerief. Ze opperde een ander meisje, maar de aalmoezenier voelde zich bedrogen en beroofd en was alle lust naar genot kwijt. Hij ging weg en liep naar een stuk land vol puin, waar een rij huizen langs de rivieroever was gesloopt, en ging zitten onder een teerfakkel op een hoge paal. Overal rondom vond hij stukken baksteen en tegels die hij de een na de ander in het water smeet.

Toen hij dat beu was geworden liet hij cocons groeien op de palm van zijn hand.

Hij wist nooit van tevoren wat er dan uit zou komen. Vaak waren het wespen, maar hij had ook duizendpoten voortgebracht en mestkevers en zelfs kolibri's. Toen dit keer de cocons openbarstten waren het grote maanvlinders die op zijn handpalm kropen waar ze bleven zitten met wapperende, doorschijnend bleekgroene vleugels. Toen hun vleugels droog waren vlogen ze weg, omhoog, snel stijgend. De aalmoezenier keek ze na. Hoewel hij niet om ze wilde geven, bedacht hij toch hoe mooi ze wel waren – daar kon hij niets aan doen.

Maar ze waren gedoemd. Aangetrokken door het licht dat daarboven scheen vlogen de nachtvlinders op naar de ijzeren houder waarin de teer brandde. Ze cirkelden er tweemaal omheen en vlogen toen regelrecht de vlam in waar ze stierven met twee zachte plofjes.

Tranen van frustratie prikten in de ogen van de aalmoezenier. Hij wilde niet opgeven en deed weer een stel cocons groeien, waaruit een paar prachtige blauwe waterjuffers kropen. Ook zij stegen op naar de vlam en vielen op de grond als verschrompelde zwarte houtskoolstokjes, als afgebrande lucifers. Zwaar hijgend liet de aalmoezenier voor de derde maal cocons opzwellen. Hij kreeg weer nachtvlinders, saaie bruine dit keer, harig en helemaal niet mooi. De aalmoezenier probeerde ze weg te jagen naar het water, maar ze volgden hun voorgangers regelrecht het vuur in.

Hij gaf het op, liet de wonden in zijn handen zich sluiten en drukte zijn vuisten in zijn mond om het niet uit te brullen als een gek.

11

HET NATTE SEIZOEN ARRIVEERDE IN Ashamoil en bracht lucht die voelde als hete lijm, onweders en zwermen muskieten en kleine donder- vliegjes en aasvliegen en krekels. Rook en kolenstof bleven gevangen in vocht, deden de lucht boven de Skamander en langs de lager gelegen ter- rassen klonteren; stoffen rotten weg, pleisterwerk verpulverde, metaal be- gon te roesten. De hele stad smoorde en riekte naar overgelopen riolen, en elke stank was een voorbode van dysenterie en cholera.

De komst van de omslag in het jaar was traditiegetrouw de tijd voor vreemde rages, wanneer lieden die de middelen bezaten hun zinnen te verzetten, hun lijfelijk ongemak probeerden te vergeten door hun gedach- ten af te leiden van hun schrijnende lichamen. De gril van het vorig jaar was wetenschap geweest en zo was menige keuken omgebouwd tot een la- boratorium voor de duur van het seizoen. Het gevolg was uiteraard dat talloze figuren zichzelf opbliezen, stikten in wolken gifgas, branden stich- ten en ziekten opliepen van dieren waarmee ze aan het experimenteren waren. Als reactie hierop beleefde het huidige seizoen een rage voor een geromantiseerd middeleeuws verleden, doortrokken van magie en zonder enige technologie. Een zekere Durn Limment, die een groot fortuin had vergaard met chemische verfstoffen, verven en inkten, zag de kans schoon fantastisch spektakel aan commercie te paren en gaf Beth opdracht illus- traties te vervaardigen voor een bestiarium. Het moest een luxe, beperkte oplage worden – 'een modern incunabulum' zoals Limment het zei, ge- drukt met zijn inkt en gebonden in leer, gekleurd met behulp van zijn ul- tramarijn en goudverf. Hij had tegen Beth gezegd dat ze vrij was te doen wat ze wilde met haar afbeeldingen, zolang het werk maar zijn scala van kleuren tentoonspreidde die hij leverde, en snel klaar was, om nog voor- deel te kunnen hebben van de stemming van het seizoen.

Gwynn was erbij toen Beth afbeeldingen begon te maken voor het boek. Hij kreeg de indruk dat de tekeningen haar wereld van nog onuitgesproken vormen deels organiseerden tot meer stelselmatigheid. Ze bracht zekere elementen bij elkaar en gaf namen aan het resultaat. Een dier met het lichaam van een uil, vleugels van vuur en het hoofd van een lachend zwart kind, noemde ze Rambukul; aan een schepsel met het lichaam van een schip, negen zwanenhalzen en als koppen negen lelies gaf ze de naam Lalgorma. Het vreemdste dat ze ontwierp was een gladde rode steen met een baard van wit gras, die ze Ombelex noemde. Hoewel het een levenloos ding leek, had ze het afgebeeld als opgesloten in een zware kooi. Ook schiep ze nieuwe interpretaties van traditionele monsters, waaronder een nieuwe basilisk met een scherp gesneden mannengezicht, een 'kap' als van een cobra, bestaand uit pauwenveren en een gehoornde tong. De sfinx die ze tekende was van het traditionele type: leeuw-arend-vrouw, hoewel het schepsel ondeugend speelde met een glazen drijver van een visnet.

Terwijl ze met dat project bezig was bleef ze het werk produceren dat in haar normale inkomen voorzag. In het bijzonder maakte ze lange dagen om tegemoet te komen aan een toenemende vraag naar haar erotische afbeeldingen. De invloed van haar nieuwe minnaar was daarin duidelijk te zien. Ze had tegen Gwynn gezegd dat hij klare lijnen bezat en zwart-wit was, waardoor hij volmaakt geschikt was voor het medium van de etser. Gezichten en gedaanten in haar werk werden magerder, hun schoonheid werd krijgshaftiger; ze kregen iets van de serene uitdrukking van hun model, en ook iets van die onderstroom van kwaadaardigheid die in zijn gebruikelijke gebaren en gezichtsuitdrukkingen kon worden waargenomen. Het model zei er niet veel over, bood hen hoogstens een afstandelijk glimlachje als hij ermee geconfronteerd werd. Hij begreep welke opstelling er van hem verwacht werd in zijn rol van muze.

Het werk dat ze privé maakte sloeg nog veel uitgesprokener een andere richting in. Ze verklaarde dat het bestiarium haar belangstelling voor extreme gedaanten bevredigde en ze maakte haar wonderbaarlijke kermisachtige afbeeldingen niet meer, maar begon aan een reeks donkere aquatinten waarin de drukke, weelderige, sensationele chaos van haar vorige werk plaats had gemaakt voor bijna het tegengestelde. Binnen architecturale begrenzingen, ofwel drukkend bekrompen, ofwel drukkend groot, stonden vage menselijke gedaanten, alleen of in tweetallen. Gedeeltelijk in de schaduw verscholen of heel in de verte, leken ze op het punt te staan te verdwijnen. Uit deze taferelen kwam een gevoel van een geheim leven op Gwynn over, in een niet-getoonde wereld die achter die muren lag, en waarnaar verwezen werd door de schuwheid van de gedaanten, of door een onbekend, ingewikkeld voorwerp dat op straat lag, alsof het was weggegooid.

Onvermijdelijk werd het bij de Hoornen Waaier bekend dat hij een nieuwe geliefde had, en eentje die het aanzien meer dan waard was. De anderen plaagden hem en wilden weten wanneer ze haar konden ontmoeten. Alleen Marriott zei niets. Hij trok zich steeds verder in zichzelf terug. Intussen bracht Gwynn steeds minder tijd door met zijn collega's en steeds meer tijd met Beth. Soms sloeg hij haar gade als ze aan het werk was. Ze kon van een schepper van dromen opeens veranderen in een productiemachine. Toen hij haar de eerste keer zag zwoegen op het minder verheven werk dat aan het etsen vastzat, vanaf het vijlen van de randen van de metalen platen, tot aan het verwijderen van teer en inkt van de platen met zeeën terpentijn en pakken papier, had hij gevraagd waarom ze geen helper in dienst nam. Ze had geantwoord dat handarbeid haar lichaam beweging gaf, terwijl haar geest en hersenen konden uitrusten en voegde eraan toe dat ze ervan overtuigd was dat er grote waarde school in de discipline van het alledaagse, op voorwaarde dat het niet meer was dan discipline en niet een onveranderlijke toestand.

Op haar beurt keek ze toe als hij oefende met zijn zwaard, wat hij dikwijls een poosje deed, meteen nadat hij was opgestaan en zich gewassen had. Op een keer zei ze tegen hem dat ze hem om zijn krijgskunst benijdde. Alleen in gevaarlijke omstandigheden, beweerde ze, kon een mens er achter komen wat hij of zij waard was. Hij gaf een vaag antwoord en vroeg zich af, wat voor omstandigheden zij gevaarlijk achtte. In de ongure buurten die ze geregeld bezochten had hij haar nog niet één keer hoeven te beschermen.

Hij was niet bij machte haar te vragen waarom ze hem had uitgekozen, maar hij stelde zichzelf die vraag dikwijls. Hij begreep dat hun relatie in zeker opzicht een kwestie was van aantrekkingskracht tussen tegengestelden, die elkaar niet werkelijk aanvulden. Ze had het nu voor de tweede keer gehad over het maken van een buitenlandse reis op een schip, jarenlang, van de ene haven naar de andere zonder ooit ergens te blijven of zich voor te stellen dat er een eind aan kwam. Of ze het nu zo bedoeld had of niet, ze had 'ik' gezegd en niet 'wij', als ze het erover had van het Teleuteplateau te vertrekken. Hij kon zich goed voorstellen hoe zij op dat schip zou reizen, steeds verder, zonder vrees, op zoek naar nieuwe fenomenen die ze zou vinden ook, om hun essentie in te zetten voor haar bedachte werelden.

Gewaarschuwd door Marriotts toestand hield Gwynn zijn eigen temperament nauwlettend tegen het licht op tekenen van melancholie. Hij bespeurde een licht toegenomen ietwat pijnlijke voorliefde voor de romantische uren van dageraad en avondschemer en een marginaal verhoogd besef van de kortheid van het leven en de essentiële eenzaamheid van het bestaan, maar met die milde symptomen was hij vertrouwd op grond van zekere vroegere liefdesaffaires. Hij vond daarom dat hij nog geen reden had te vrezen voor zijn gezondheid – zijn geestelijke gezondheid althans. Gedurende het natte seizoen was hij, net als alle inwoners van de stad, bang voor lichamelijke kwalen. De vochtigheid was een voedingsbodem voor parasieten en epidemieën en de lijkenkar kwam tweemaal daags langs om de doden op te halen en in de rivier af te storten, een praktijk die de krokodillen aantrok met tientallen tegelijk. Ze leerden al gauw op welke tijden de karren kwamen en het water langs de kaaien van Ashamoil krioelde een uur na zonsopgang en een uur na zonsondergang van de hongerige sauriërs. Op die tijden hielden kleine scheepjes het midden van de rivier aan, ver uit de buurt van het primitieve, agressieve gebeuren in het oeverwater. En bij het dolle vreten en verslinden dat zich afspeelde bij de stortplaatsen waagde zich geen enkele boot.

Beth en Gwynn maakten om de twee weken uitstapjes naar het kanaal in de rimboe. De atmosfeer was daar niet minder drukkend dan in de stad, maar wel schoner. Op een van die tochtjes, op een dag dat de hemel helemaal overtogen was met hete witte wolken en de lucht vervuld was van een naar muskus riekende hete damp, zat Beth in de boeg van de kaïk met een oud overhemd, een broek met opgerolde pijpen en sandalen. Ze had haar teennagels goud gelakt. Ook Gwynn zat in zijn hemdsmouwen en had zijn haar boven op zijn hoofd opgebonden in een knot, zoals schippers droegen. Een draagbare brander op de bodem van de boot verspreidde de geur van verwarmde kamferolie om de muskieten af te stoten. Ook hadden ze een opvouwbaar gazen afdak meegebracht, met drie wanden en een dak, als bescherming tegen zowel de hitte als de insecten, vooral de grote spinnen die zich vermeerderden tijdens het natte seizoen en zich niets gelegen lieten liggen aan kamfer of andere luchtjes (het feit dat ze groot genoeg waren om op de korrel te worden genomen met een jachtgeweer was een schrale troost).

Midden op de dag legden ze aan bij een ghat en zetten het paviljoen op. En daar was het, toen ze na het middagmaal wat doelloos zaten te dobbelen, dat Gwynn meer te weten kwam over Beth en de oceaan die haar zo boeide.

'Ik ben nooit bij de oceaan geweest, maar ik heb wel de herinnering dat ik er overheen vloog,' zei ze. 'Ik herinner me al die schepen en de welving van de horizon. Ik zat op een klip en keek naar de haven. Zou je me geloven als ik zei, dat de herinnering me niet voorkomt als een droom?'

'Dat wil ik wel geloven, maar als je bleef volhouden dat het ook echt geen droom wás, dan zou mijn geloof misschien tekortschieten.'

'Ja, dat ligt wel in de lijn, hè? Ik kan me niet meer herinneren hoe oud ik was toen ik dat droomde. Ik was nog klein. Voordat ik het droomde was ik braaf en daarna begon ik te spijbelen en leugens te vertellen. Ze hadden voortdurend wat op me aan te merken, maar voor mij was het alsof ze boos waren op iemand anders. Ze waren boos op het brave kind dat ik geweest was. Ze begrepen niet dat zij er niet meer was, dat ze ergens verdwaald was of zo, en dat een ander schepsel in haar bed was wakker geworden. Ik denk soms dat het kleine meisje de oceaan op gegaan is en dat ik het enige deel van haar ben dat is achtergebleven; niets meer dan een neerslag van haar herinnering of verbeelding, gevangen in een vuilnisvat van een eeuwig verleden. Of misschien ben ik een vreemd schepsel dat ze tegenkwam en dat wel met haar wilde ruilen. Of misschien heb ik haar gedwongen met me te ruilen.'

'En van welke van die drie mogelijkheden zou je graag willen dat het waar was, als je mocht kiezen?'

'De één na laatste, denk ik.'

'Dus je wilt wel een vreemd schepsel zijn, maar geen wreed schepsel?'

'Niet al te wreed, nee. Wel een gedrocht maar geen monster. Ken je het verhaal van de man en het zware kistje?'

'Ik denk het niet.'

'Er is een man en die verwerft een kistje. In sommige versies koopt hij het, in andere krijgt hij het als beloning voor een goeie daad, dat doet er niet toe. Het verhaal begint er mee, wanneer degene die hem het kistje overhandigt hem vertelt dat, hoe langer hij het kan bewaren zonder het open te maken, des te waardevoller datgene wat erin zit zal worden. De man gelooft hem en sjouwt het kistje een paar maanden lang overal mee naartoe. Allengs wordt het zwaarder. En uiteindelijk is het op een dag zo zwaar geworden dat hij het niet meer dragen kan. Hij denkt erover een ezel te kopen, maar beseft dat het kistje algauw zo zwaar zal zijn dat ook een ezel het niet meer kan dragen. Op een dag zal hij een paard nodig hebben om het te torsen en ten slotte een olifant. Tegen die tijd zal hij oud zijn en geen tijd meer hebben om te genieten van wat er ook in het kistje zit. Hij besluit dat hij er verstandig aan zou doen het kistje open te maken.'

'En wat zit erin?'

'Een plaaggeest. Het is steevast een potsenmaker die schunnige moppen vertelt. Eerst is de man woedend dat het kistje hem niets beters heeft opgeleverd, maar de plaaggeest blijkt zowel slim te zijn als goedhartig en ten slotte helpt hij de man het hart te veroveren van een vrouw op wie hij vanaf het begin van het verhaal al een oogje had. Uiteraard was zij het, die hij had gehoopt in het kistje aan te treffen.'

Gwynn deed een gok. 'En hij is zich altijd blijven afvragen of ze er inderdaad in gezeten zou hebben als hij het kistje nog een poosje ongeopend had gelaten?'

'In sommige versies wel. Meestal vindt hij dat hij de juiste keus heeft gemaakt, want hij heeft niet alleen de vrouw van zijn dromen gekregen, maar ook een handige vriend in de vorm van de plaaggeest. Er is nog een versie die wat minder vaak voorkomt, waarin hij ontdekt dat er nooit iets anders in het kistje heeft gezeten dan de geest, die hem altijd geholpen zou hebben zijn hartenwens te vervullen, wat die ook mocht zijn. Dan begint hij er spijt van te krijgen dat hij niets anders dan die vrouw heeft gewenst en dan loopt het verhaal minder goed af.'

'Dat is de versie die jij prefereert?' gokte Gwynn opnieuw.

'Dat is zo, ja. Een van de oude filosofenscholen uit het binnenland stelt dat we altijd krijgen wat ons hart verlangt. Ze bonden de mensen dus op het hart koen te zijn en grootse dingen te verlangen.'

'Hebben die filosofen ooit laten vallen wat zíj wensten?'

'Nooit ronduit. Ze verlangden naar macht, maar gebruikten daar altijd eufemismen voor.'

Toen kreet ze triomfantelijk 'Aha!' omdat ze de hoogste ogen had gegooid. 'Ik heb je een verhaal verteld; nou moet jij mij een verhaal vertellen.'

Gwynn beaamde dat het niet meer dan eerlijk was en vroeg wat voor verhaal ze wilde horen.

'De waarheid omtrent jou zelf,' zei ze. 'Waarom ben je zo ver van je oorsprong? Wat zocht je?'

'Leven,' antwoordde hij, uitkijkend over het water. 'Mijn volk kent het gezegde, dat wanneer een familie niet bezig is vijanden te doden, ze toch iets moeten doden en dan dus elkaar maar. Op een nacht leek het me daarom nuttig om een hondenslee te stelen en Falias te verlaten, om niet te worden gedood. Ik was nog erg jong. Voor ik een eind weg was kwam ik een andere jongen tegen die mijn vriend werd. Hij en ik reden de zonsopgang achterna tot in een klein hertogdom dat Brumaya was genaamd. Helaas brak er toen wij daar verbleven oorlog uit. Toevalligerwijs was mijn clan de aanvallende partij. Ik werd herkend, gearresteerd en in de gevangenis van de hertog gegooid op verdenking van spionage.

Natuurlijk probeerde ik ze te vertellen dat ik thuis niet erg geliefd was, en natuurlijk geloofden zij dat weer niet. Gelukkig was mijn vriend erin geslaagd zich niet te laten arresteren en hij betaalde een paar mannetjes om hem te helpen mij te bevrijden. Ik moest echter vrijwel alles wat ik bezat verkopen om die lui af te betalen. Uiteindelijk hadden we niets meer over dan onze kleren en een jonge hond die ik bezat – drie monden om te voeden dus. Om niet weer gearresteerd te worden, of te verhongeren, namen we dienst in een huurlingenleger dat – de ironie zal je zeker bevallen – was ingehuurd door de hertog van Brumaya. Ik stond dus al gauw tegenover mijn eigen familie in de strijd. Ik wreekte me ruimschoots, genoeg zelfs voor de gekwetste trots van een opgeschoten jongeling. En bij die gelegenheid verwierf ik ook dit zwaard.' Gwynn klopte op de schede van Gol'achab.

'Om een lang verhaal kort te maken, in Brumaya moesten we voor drie jaar tekenen bij dat legertje. Daarna vervulden we diverse contracten in het zuiden en het westen. Toen onze drie jaar om waren, waren we net in het Koperland. Mijn vriend wilde er een streep onder zetten en ging zijn eigen weg. Ik bleef. Het ging een hele poos heel goed, daar, en toen wat minder goed. En toen ging het verschrikkelijk slecht, zodat ik blij was dat ik er levend vandaan kwam. Ik werd weer geholpen, door een vriendin. Of misschien mag ik haar zo niet noemen; ze zou er eens anders over kunnen denken. Maar een vrouw met hoogstaande principes, dat zeker.'

Hij zweeg. Beth zat heel vreemd naar hem te kijken.

Nee, niet naar hem, besefte hij. Naar iets achter hem.

'Gwynn...' fluisterde ze. Wat het ook mocht zijn, ze klonk niet bang. Haar toon en de manier waarop ze keek spraken van grote bewondering, ontzag zelfs. Hij voelde een kleine, bespottelijke steek van afgunst.

Langzaam hief ze haar hand op en wees naar iets schuin achter zijn schouder. 'We hebben hoog bezoek.'

Gwynn wilde zeggen dat het dramatisch opbouwen van de spanning allemaal goed en wel was, maar dat duidelijke mededelingen ook zo hun verdienste hadden. Maar toen drong een vlaag geur van de nieuw aangekomene in zijn neus en maakte zijn hart een salto.

Tijger.

Beths gezicht straalde.

Heel, heel geleidelijk maakte Gwynn het rechterpistool los uit de holster terwijl hij zijn hoofd omwendde.

Hij zag het beest, door de transparante stof van het paviljoen. Het zat zes voet verderop, op een steen. Gwynn legde aan. Hij was bang van die kracht, dat zware lijf alleen al. Het was een bijna lichamelijke prikkel, die aandrang om hem neer te schieten. Hij spande de haan. Het vergde al zijn zelfbeheersing om niet te schieten.

Terwijl hij wachtte en het hart hem in de keel klopte, voelde hij hoe kalm Beth was.

Uiteindelijk kwam de tijger in beweging. Langs de zijkant van het paviljoen liep hij, toen ging hij op zachte kussentjes de ghat af en sprong met een zware plons in het water. De kaïk schommelde heftig en sloeg tegen het onderste platform van de ghat.

Gwynn liet langzaam zijn adem ontsnappen. Hij keek Beth aan. Ze zat de zwart met gouden kop na te kijken, die het kanaal overstak.

'Dank je wel,' zei ze.

Hij haalde zijn schouders op. 'Ik denk dat je het me niet vergeven zou hebben.'

Ze schonk hem een van haar raadselachtige blikken en stak hem toen de beker met de dobbelstenen toe. Zuchtend borg hij zijn pistool weg.

Het volgende spel won hij. Beth vroeg sportief wat hij wilde.

'Ik wil de waarheid weten; waarom ben je niet bang voor datgene wat vrees zou moeten wettigen?' antwoordde hij terwijl hij haar strak aankeek.

'Het antwoord is eenvoudig,' zei ze. 'Kun je het niet raden?'

'Ik ben soldaat, madame. Ik heb geleerd alles te lezen in de ogen van een tegenstander. Eerst leer je de bedoelingen lezen. Dan begin je de ziel te zien. Mensen worden helder verlicht. Niets kan je meer verrassen. In theorie. Jouw kwintessens blijft me duister, moet ik bekennen. Als je mijn vijand was zou ik me zorgen moeten gaan maken. Zoals het nu ligt, ben ik geïntrigeerd.'

'Nou, misschien bezit ik geen ziel. Misschien was dát het gedeelte van mij dat wegging, die nacht dat ik droomde dat ik over de oceaan vloog. Misschien dat het wezen dat ik ben een tijger niet vreest omdat het zoveel sterker is dan een tijger. En de tijger begrijpt dat.'

Het leek hem geen baarlijke nonsens toe, wat ze zei. Die zintuigen van hem, die de subtielste aanwijzingen konden opvangen, waren overtuigd van het bestaan van een groot mysterie onder haar oppervlak, net als de niet-onthulde wereld in haar nieuwe reeks etsen.

'We zouden wijs moeten worden als we oud zijn.' Ze keek langs hem heen de rimboe in, het water over. 'We zouden van een peilloze weelde moeten zijn.'

Hij stak haar de stenen toe. 'Nog een spelletje?'

'Het laatste dan.'

'Goed.'

Ze speelden allebei vals en Beth won nipt. Ze zei dat ze geen vragen meer had, maar stond erop een overwinningsteken te ontvangen, en dus vlocht Gwynn een krans van winde en kroonde haar daarmee. Toen knielde hij voor haar neer en bood haar edelmoedig zijn onbeschermde keel.

Toen ze die avond terugkwamen in Ashamoil wilde Beth over de havenkermis lopen. Nadat ze de kaïk hadden teruggebracht bij de botenverhuur, kuierden ze een eindje langs de rivier in de richting van het fakkellicht en de vlaggetjes van de kermis.

Beth was verrukt dat er een nieuweling was, die een ruimte naast Modomo's met boeien behangen podium bezette. Deze attractie, die zichzelf niet bij name aankondigde, bestond uit een man van middelbare leeftijd die op zijn rug op een kleine matras lag met alleen een lendendoekje aan. Hij had een normaal postuur, was zo te zien gezond van lijf en leden en zowel hij als zijn matras was proper. Zijn huid was bijna net zo licht als die van Gwynn maar had een licht roze tint. Zijn ogen had hij dicht en zijn lippen waren gewelfd in een milde glimlach.

Hij was alleen in die zin een rariteit, dat er een lotus opstak uit zijn navel. Het was een grote, volmaakte lotusbloem, bleekroze, net als de man zelf.

Beth liep erheen en bestudeerde de bloem. De man verroerde zich niet. Beth streek met haar vinger over een van de kroonblaadjes.

'Voor een schellinkje mag je een keer trekken,' zei de man zonder zijn ogen open te doen. 'Als je hem d'r uit kan trekken win je een prijs.'

'Wat voor prijs?'

'Dat doet er niet toe,' zei hij, 'want je kan hem er niet uittrekken. Dat is niemand ooit gelukt en dat zal ze nooit lukken ook. Maar je mag het proberen als je wil.'

Beth diepte uit haar broekzak een schelling op. De man pakte hem aan en stopte hem onder de matras. Beth greep de stengel van de lotus en trok – zonder succes. Ze trok een tweede keer met al haar krachten. Maar zoals de man al had gezegd: de bloem wilde er niet uit. Hij leek net zo diepgeworteld als een berg.

De man bezat een nogal diepliggende navel en ze kon onmogelijk zien hoe de lotus precies aan hem vastzat. Beth deed een stap achteruit.

'Gwynn, probeer jij het eens,' zei ze.

Gwynn sloeg zijn armen over elkaar en keek hooghartig op de lotusman neer. 'Nee, dank je zeer, lieve. Dit soort exhibitionistische fantasietjes valt bij mij niet in de smaak.'

'Zuurpruim! Je zou hem kunnen afhakken. Dat zou je vast wel lijken.'

'Dan groeit-ie weer aan,' viel de man hen in de rede. 'De wortels zitten binnen in me en dan maken ze gewoon een nieuwe bloem.'

'Hoe lang zijn de wortels?' vroeg Beth.

De man slaakte een lange, slaperig klinkende zucht. 'Langer dan je kunt bedenken.'

'Doet het pijn?'

'Nee.'

'Waarom wil je dan dat-ie eruit getrokken wordt. Hij is best mooi. Vind je zelf van niet?'

'Ik heb er geen hekel aan. Maar de meeste mensen zijn de mening van je metgezel toegedaan; ze vinden het onsmakelijk. Niemand heeft ooit van me gehouden, behalve mijn ouders dan.'

'Volgens mij groeit dat ding werkelijk in hem,' zei Beth tegen Gwynn. 'Het voelde niet alsof het vastgeplakt zat.'

'Neem hem op in je bestiarium,' opperde Gwynn.

Ze liepen verder.

'Je wou niet eens in overweging nemen te geloven dat het ding echt in zijn binnenste groeit, wel?'

'Inderdaad, zoetelief,' zei hij, niet helemaal naar waarheid, maar iets in hem zette hem op dat ogenblik aan zich van haar te onderscheiden.

'Je wilt te weinig van de wereld, Gwynn,' zei ze hoofdschuddend.

Alleen in zijn appartement overdacht hij de betekenis van liefde.

Hoe dikwijls er ook ogenblikken waren geweest waarop hij graag zou hebben geloofd dat wat Beth en hij voor elkaar voelden ware liefde was, hij wist dat het niet zo was. Het was niet het gevoel, of liever de situatie die hij in het Anvallisch kende als *cariah*. Hoewel hij de taal van Ashamoil, die in wezen een geraamte was van elegante Halaciaanse grammatica, gul bekleed met de woordenschat van zo'n tiental andere talen, al snel was gaan waarderen, was hij van mening dat zijn moedertaal hem voorzag van het precisie-instrumentarium dat nodig was voor het uitdrukken van bepaalde begrippen en gevoelstoestanden, waarvan liefde er één was. In Beths taal kon hij, als hij wilde, 'Ik houd van jou' zeggen. In het Anvallisch was die zin onbestaanbaar, want van *cariah*, liefhebben, bestond geen eerste persoon enkelvoud – het kon uitsluitend worden gebruikt in het meervoud. Het werd opgevat als iets wat bestond als wederkerig gevoel, en anders niet, en impliceerde een vermenging van identiteit uit eigen vrije wil. Wanneer iemand *cariah* wilde bevestigen met iemand anders, was de meest gebruikte uitdrukking: 'Wij hebben elkaar lief als water water liefheeft en vuur vuur liefheeft.'

Om exact 'Ik houd van jou' te vertalen moest hij *naithul* gebruiken, dat de betekenis bezat van zich wenden tot, of gericht zijn op de persoon in kwestie. Het kon beurtelings diepe genegenheid betekenen, bewondering, vleselijke begeerte of zelfs gedreven toewijding, maar had geen element in zich dat beantwoording van de gevoelens uitdrukte. Marriotts obsessie met Tareda Immer was een geval van *naithul* op zijn ergst. Gelijken bezigden die term maar zelden tegenover elkaar.

Er was nog een ander woord, *suhath,* dat duidde op een ontmoeting op een wegkruising. Het had de betekenis van twee reizigers die elkaar tegenkwamen, van elkaars gezelschap plezier hadden en vervolgens afscheid namen en huns weegs gingen. Gwynn was ervan overtuigd dat Beth en hij tot die laatste categorie behoorden. Hij stond zich niet toe te hopen op meer, behalve dat hij hoopte haar te begrijpen voor ze uit elkaar gingen.

Het was hem niet ontgaan dat er iets was wat voor de hand lag, maar wat hij niet opmerkte – dat hij de strepen zag maar de tijger niet herkende, als het ware. Daarom had hij besloten een bezoek te brengen aan oom Vanbutchell. Dit keer had hij uit voorzorg een afspraak gemaakt, om niet voor niets op en neer te gaan.

Op het uur waarop Gwynn had afgesproken deed oom Vanbutchell de deur open; hij zag eruit als een heel oude, warrige, vriendelijke engel, met een goudkleurig smokingjasje op een gestreepte pyjama en een met kralen bestikt mutsje dat over zijn voorhoofd afhing. De alchemist verwelkomde Gwynn met hartelijke vertrouwelijkheid en loodste hem naar binnen, een gang door en een schemerige rookhol in, waar allemaal divans stonden. Gwynn nam plaats op een divan naast een wandvitrine met een verzameling antieke hookahs.

'Het lijkt me erg lang geleden dat ik je voor het laatst zag,' zei Vanbutchell terwijl hij zijn handen in zijn mouwen borg.

'U hebt helaas concurrentie, wat de aanspraken op mijn tijd betreft, oompje.'

'Als je het nou hebt over dat schorriemorrie van de nachtmarkt ga ik me beledigd voelen!'

'Het heeft een paar maal zo ver moeten komen dat ik bij hen langs ben gegaan, wanneer u op andere bewustzijnsniveaus op bezoek was. En eerlijk is eerlijk, de laatste keer was helemaal niet slecht. U mag wel zorgen dat u bijblijft.' Toen Vanbutchell diep verdrietig keek glimlachte Gwynn. 'Maak u geen zorgen. Uw rivaal is heel wat anders. Iets wat niet uit een flesje komt.'

'Aha, een dame dus. Of een jongen als het geen dame is.'

'Oompje, ik zeg niet wat het is,' antwoordde Gwynn hoofdschuddend. Ik zal u alleen vertellen dat ik behoefte heb aan inzicht in een onduidelijke zaak. Wat kunt u me verkopen?'

'Voor de verheldering van de waarneming,' zei Vanbutchell, terwijl hij naar een hoge kast liep met vele kleine laadjes met een glazen voorkant, 'heb ik heel toevallig iets heel goeds hier. En je boft uitermate, want ik kan het je op het ogenblik aanbieden voor een heel schappelijk prijsje.' Hij trok een la open en haalde er een glazen buisje uit dat hij aan Gwynn gaf. 'De naam is Zee van de Maan. Een lieflijke naam voor een lieflijk soepje, naar mijn mening.'

Met het buisje tussen duim en wijsvinger bekeek Gwynn de vloeistof die erin zat aandachtig. Het was roodachtig bruin, waterig en ietwat troebel. 'Je krijgt er dus een goeie roes van?' informeerde hij.

Vanbutchell keek hem stralend aan. 'De hallucinatie is totaal. U zult dansen tussen de sterren.'

Gwynn wilde Vanbutchell het buisje weer teruggeven. 'Als ik een uitstapje had willen maken had ik het wel gezegd. Ik zoek kennis, geen illusies.'

'O, nee, maar je begrijpt me verkeerd!' zei Vanbutchell haastig terwijl hij zijn handen bezwerend ophief. 'Die tinctuur zal je tot een gezichtspunt brengen vanwaar je alles zult kunnen waarnemen wat je dient te zien. Ze gaat voorbij aan de illusie van lineaire tijdbeleving. Ik heb het menigmaal gebruikt en ik kan eerlijk zeggen dat ik nog nooit teleurgesteld ben. Wat het schenkt is niet zozeer inzicht, als uitzicht.' Vanbutchell moest om zijn grapje grinniken – 'wat zeker nuttiger is voor iedereen die geen mysticus is, en jij, als ik zo vrij mag zijn om even persoonlijk te worden, komt niet over als mysticus. Maar voor een rationele en nieuwsgierige bon-vivant is het eenvoudig prachtig.'

'Als u er zo'n verkooppraatje bij doet word ik sceptisch.'

Vanbutchell breidde zijn handen uit en zei onderdanig: 'Je weet dat ik niet verwacht dat men mijn producten koopt zonder een kleine inleiding. Wat dacht je van een voorproefje, helemaal gratis?'

Gwynn draaide het buisje om en om. 'En de neveneffecten?'

'Niets, al zou ik het niet tegelijk met iets anders innemen. En als je er te veel van gebruikt kan ik natuurlijk niet voor je veiligheid instaan. Je kunt het zo innemen of aangelengd.'

'Goed, ik probeer het. Zet het water maar op, oompje.'

'Een vrouw zonder weerga,' merkte kolonel Bright goedkeurend op. 'Fraaie achterhand!'

'Heel fraai, kolonel!' Korporaal Join salueerde.

'Een ster,' glimlachte de sterrenkundige.

'Daar ruil ik Tareda voor in,' zei Olm met een knipoog.

De weelderige mond van Tareda Immer pruilde nijdig boven een kraag van groene veertjes. De trek sloeg echter om in een glimlach toen ze naar voren leunde en fluisterde: 'En wat zou jíj voor haar geven, Gwynn?'

Hij keek naar het schepsel waarover ze spraken. Een sfinx die op en neer beende op het strand voor het hotelterras waar ze met hun allen zaten onder een afdak van bamboe. Champagne en witte druiven in een glazen schaal stonden op tafel. Een gelakte hemel en zee strekten zich uit tot aan de horizon waar een rij stoomschepen zichtbaar was.

'Daar komen we denkelijk nu achter,' antwoordde hij.

Iedereen aan de tafel keek naar de schepen die heel snel de zee overstaken.

Terwijl de anderen aan tafel bleven zitten liep hij omlaag naar het strand. De sfinx hield op met ijsberen en sjokte over het strand naar hem toe. Haar adem was heet als van een oven en geurde naar rozen en versgedood wild. Haar ogen waren bollen ijzer.

Toen draaide ze zich om en liep een eindje opzij. Toen hij weer naar de zee keek waren de schepen voor anker gegaan.

Generaal Anforth, in een lichtblauwe jas met nog meer goudgalon dan kolonel Bright, stapte van het grootste schip en kwam aanmarcheren over het water, op de toppen van de golven lopend als een heilige. Hij had een hondenriem vast en aan het eind daarvan zat een naakte Marriott, die over het water kroop op zijn handen en knieën. Anforth bleef aan de rand van het zand staan. Marriott trok aan de riem, grauwend en kwijlend.

'Zit!' beet Anforth hem toe en Marriott ging op het zand zitten en keek naar hem op met krankzinnige, moordlustige ogen.

'Ik heb altijd geweten dat ik je een keer te pakken zou krijgen, Gwynn,' zei generaal Anforth. 'Het was gewoon een kwestie van geduld.' Hij trok zijn zwaard.

Wetend hoe het moest aflopen, weerde Gwynn zich niettemin zo goed hij kon. Terwijl de sfinx Marriott bezighield met raadsels, streed hij tegen generaal Anforth. De manier waarop de oude man zijn zwaard hanteerde was onnavolgbaar. Gwynn, duidelijk de mindere en verbijsterd, werd keer op keer geraakt. Hij voelde geen pijn, alleen een grenzeloze vernedering.

De sfinx had meer geluk. Ze beet Marriott het hoofd af en spuwde het uit in het water waar het bleef drijven, dobberend op de golven. Toen richtte ze haar aandacht op Anforth. Ze greep hem bij de schouder met een enorme poot, vol scheermesscherpe klauwen, trok hem op de grond en drukte hem daar neer met haar volle gewicht. Anforth stelde zich te weer maar tevergeefs; de sfinx liet de krallen van haar andere voorpoot naar buiten komen en haalde hem de buik open, als was hij een vis.

Gwynn wilde applaudisseren, maar toen hij probeerde te klappen zag hij vol verbazing dat Anforth hem zijn rechterhand had afgeslagen. Die lag voor hem op de grond, en hield niet Gol'achab vast, maar alleen een eindje rode draad, dat in de stomp van zijn pols stak.

Hij viel om in het water, boven op scherpe schelpen die zich in zijn vlees boorden. Smekend keek hij op in de nietszeggende ogen van de sfinx. Haar scherpzoete geur drong in zijn neus. Het monster gromde diep in haar borstkas. Gwynn zag dat de ijzeren ogen in werkelijkheid oogleden waren; er liep een naad horizontaal doorheen, over het midden, en de twee helften werden door piepkleine grendeltjes dicht gehouden. Met zijn laatste krachten stak hij zijn linkerhand uit en probeerde met zijn vingers het dichtstbijzijnde oog te bereiken.

Gwynn deed zijn ogen open. Hij was een ogenblik gedesorienteerd, maar toen stond de kamer van Vanbutchell hem weer scherp voor ogen. Hij vloekte zachtjes.

'Niet goed?' vroeg Vanbutchell die bezorgd bij hem stond. 'Gaat het een beetje?'

'Prima.'

Hij stond meteen op van de divan en trok zijn kleding recht. Hij merkte op dat Vanbutchell in elk geval de waarheid had verteld, toen hij beweerde dat er geen neveneffecten waren. Niet onmiddellijk, in elk geval. Aan niets kon hij merken dat hij in een chemische schemer had verkeerd voor de duur van – hij keek op zijn horloge – een half uur.

'Het was dieper en waarachtiger dan de gebruikelijke dromen, mag ik hopen?' informeerde Vanbutchell.

'Wie ben ik om over diepte of waarheid te oordelen?' zei Gwynn, terwijl hij een recalcitrante manchet in orde bracht.

'Hoe dan ook, kan ik je interesseren in verdere reizen naar de zeeën van de maan?'

Nu het visioen er niet meer was keerde Gwynns aanvankelijke scepticisme terug. Hij had gehoopt dat de chemische blik van het roesmiddel in zijn geheugen zou kijken en dan in staat zou zijn verborgen aspecten van Beth te ontcijferen, met behulp van de raadselachtige beeltenissen die zijn eigen ogen hadden opgeslagen, zoals klerken die een dictaat in een taal die ze niet kennen optekenen, lettergreep na ondoorgrondelijke lettergreep. Maar toen hij het visioen opriep, kreeg het de aura van iets onechts. Als het lang genoeg had geduurd om de ijzeren oogleden te openen, zou hem een leugen zijn getoond, dacht hij.

'Nee, ik geloof van niet. Doe maar het gebruikelijke. Vier grein is wel genoeg.'

'Zoals je wilt,' zei Vanbutchell. Hij liep naar de ladekast en haalde er een flaconnetje uit. 'Mag ik vragen waarom je deze zo plezierig vindt?'

'Hij dempt de angst voor de absolute waarheid,' zei Gwynn terwijl hij de prijs neertelde. 'Goedenacht, oompje.'

'Ach, ja, dat is natuurlijk een gevolg. Goede nacht en zoete dromen,' zei Vanbutchell.

❧ 12 ❧

IN DE STRASS HAD EEN BEPAALDE soort vuurkever een habitat naar zijn zin gevonden. Op de vloer, waar je ook keek, twinkelden en verschoten paarsgewijs kleine vuurrode stipjes. Het was een leuk effect om te zien maar als er op ze getrapt werd stonken de beestjes helaas naar rotting. Om zijn etablissement ervan te schonen had Olm een aantal gele pythons binnengehaald, waarvan bekend is dat ze grote trek hebben in kevers van allerlei slag. Een van de pythons was op Gwynns stoel geklommen en Scherpe Jasper had hem zover gekregen dat hij aan het schuim van een kroes bier likte, hoewel Gwynns pogingen hem een trekje van een sigaret te laten nemen op onwrikbare weerstand stootten.

Olm had zijn luitenants in de club bijeen geroepen voor een aankondiging.

'Heren, zoals u weet heeft mijn jongste zoon, Elei, het afgelopen jaar doorgebracht in de huishouding van mijn zuster in Musenda. Ik kan u tot mijn genoegen meedelen dat hij vanochtend weer in Ashamoil is gearriveerd. Morgenavond geef ik, om hem welkom thuis te heten, een feest in mijn villa.'

Gwynn klapte met de anderen mee terwijl hij maar met een half oor luisterde. Marriott die links van hem zat, was ongedurig aan het wiebelen. Het was een van de avonden waarop Tareda vrij had en nu zij er niet bij was leek Marriott niet te weten wat hij moest beginnen, behalve zuipen als een ketter. Zijn ogen waren bloeddoorlopen, zijn gezicht had de kleur van ondergepiste sneeuw en was uitgemergeld en vol wanhoop. Hij vouwde zijn servet dicht en dan weer open, maakte zijn cravat los en trok hem weer strak, maakte zijn tanden schoon met zijn nagels en zijn nagels vervolgens met zijn tanden; hij bood een jammerlijke aanblik. In de loop van de avond had Gwynn geprobeerd met hem te praten, maar hij kreeg niet anders als antwoord dan een ja of een nee en gekwelde blikken en had het dus maar opgegeven. De anderen hadden Marriott vanaf het begin genegeerd; ze wilden overduidelijk niet worden meegesleurd door iemand met wie het bergafwaarts ging. Zelfs Olm had hem genegeerd en dat maakte Gwynn zenuwachtig, want Olm negeerde nooit iets. Wachtte Olm tot Marriott volslagen krankzinnig was?

Toen hoorde hij zijn naam noemen. 'Gwynn, ik wil dat je die vriendin van je meebrengt. Je hebt haar nu lang genoeg verborgen gehouden, dunkt me.'

'Dat zal ik zeker doen, maar misschien heeft ze al andere plannen. Ze is zeer onafhankelijk van aard,' zei Gwynn met een onschuldig gezicht.

Olm leunde voorover met iets meer vertoon van tanden in zijn glimlach. 'Je denkt niet dat je haar ervan kan overtuigen, dat een avond drinken, dansen en dineren in mijn villa beter vermaak biedt dan je afgeven met het uitschot van de stad in een kot langs de rivier?'

Gwynn trok een tragisch gezicht. 'Olm, ze is een vrouw! Ik ben maar een mannetjesmens. Ik zou haar er niet van kunnen overtuigen dat de zon in het oosten opkomt, als zij liever had dat-ie in het westen opkwam,' zei hij, wat hem hier en daar gelach opleverde.

'Gwynn, je bent een watje. Waar ben je nou bang voor?' spotte Olm. 'Dacht je dat iemand aan deze tafel d'r van je zou roven?' Dat werd beloond met luidkeelse pret.

'Mocht ze de slechte smaak hebben om iets te beginnen met een van dit lelijke schorriemorrie, dan zal ik toch moeten besluiten dat ik haar beter kwijt dan rijk ben,' antwoordde Gwynn op lome toon. De anderen, met uitzondering van Marriott, reageerden met een koor van beledigingen. Het lawaai deed de python dusdanig schrikken dat hij van Gwynns stoel afgleed en onder het naburige tafeltje kroop (later zouden er lui beweren dat ze hem bier hadden zien likken onder aan de tapkranen op de toog). Scherpe Jasper daagde Gwynn uit tot een wedstrijd in schoonheid en adeldom, Tack en Snaai stelden een krachtmeting voor en Elleboog zag wel iets in een vergelijking van viriliteit.

'Wanneer jullie maar willen, arme schapen,' glimlachte Gwynn gelijkmoedig.

'Waarom niet op het feest, dan, Gwynn?' Die schimpscheut kwam van Biscay de Schaduw.

'Maar Biscay toch, m'n beste schurk, je was toch niet van plan mijn vrouwe het hoofd op hol te brengen met een brokje avontuurlijk boekhouden?'

'Financiële scherpzinnigheid heeft de gunsten van menig zoet jong lijfje weten te verwerven,' zei de dikke man.

'Ja, menig lijfje lijkt vast wel jong in een donker bordeel en ruikt zoet voor een kerel die met het aroma van zijn eigen zwetende spek moet leven.'

Biscay wierp zijn hoofd in zijn nek en lachte. 'Schelden doet geen zeer, slaan des te meer!'

'Al goed, heren, zo kan het wel weer,' zei Olm. 'Gwynn, breng haar mee. Wees niet zo zelfzuchtig, zorg voor een sieraad voor de thuiskomst van mijn zoon.' Ondanks de speelse manier waarop hij het zei, school er een bevelende klank in.

Gwynn wist dat hij nu niet verder moest tegensputteren. Hij hief gelaten zijn handen op. 'Wat u wenst zal ik uiteraard altijd proberen uit te voeren.'

Toen hij later het gesprek in zijn gedachten naliep, kromp hij inwendig ineen toen hij besefte hoezeer dat alles Beth kleineerde. Maar hij had tegenover zijn collega's op geen andere manier over haar kunnen praten.

Beth begroette zijn verontschuldigende uitleg van Olms bevel met geschater. 'Maar ik wil juist graag gaan! Ik geloof dat het goede leven me bepaald niet zou tegenvallen.' Ze zwierde bij hem vandaan en nam een elegante pose aan, tegen het rad van een drukpers in de studio. 'Ik ga morgen een japon kopen en dan gaat Assepoester fijn naar het bal van de slechte mannen' – ze kwam teruggeslenterd en sloeg haar armen om zijn middel – 'met haar zwarte ridder.'

Ze zag dat hij niet bepaald gelukkig was en beantwoordde zijn blik met een uitdagend: 'Waar ben je bang voor?'

Als hij eerlijk moest zijn, was hij niet langer bang dat haar iets overkomen zou in het gezelschap van zijn collega's. Olm had gelijk. Hij was inderdaad bang haar aan een van de anderen kwijt te raken.

'Voor het steeds maar weer horen van die vraag, lieve, dat om te beginnen!' was het antwoord dat hij haar gaf.

Gwynn herinnerde zich weinig van het feest. Hij nam aan dat het een overmatige slemppartij was geworden, want hij was daarna twee volle dagen niet lekker. De details waren ergens in een donker riool gevallen en niet terug te halen, op enkele na, die als luchtbellen boven kwamen drijven terwijl hij op zijn ziekbed verbleef.

Bijna al die herinneringen betroffen Beth. Olms zoon, die Gwynn zich volstrekt niet kon herinneren, was in naam de ster van het feest geweest, maar Beth was de echte ster die zelfs Tareda Immer overstraalde. Ze had de mannen van de Hoornen Waaier veranderd, wat Tareda zelfs op haar tragische hoogtepunten nooit had gekund. Gwynns herinnering speelde, in flakkerende beelden, ogenblikken af waarop zijn collega's, in Beths tegenwoordigheid, stuk voor stuk charmant waren, edel van optreden, sierlijk en attent in hun woordkeus. In een herinneringsfragment werden hij en Beth omhelsd door Olm die, kennelijk oprecht gemeend, zei: 'Trouw met elkaar. Ik wens jullie het allerbeste.'

Van zijn eigen gedrag kon hij niets meer boven water halen; er was zelfs geen flard van herinnering meer, waaruit hij kon opmaken of hij deel had gehad aan die bizarre uitstorting van genade, ja of nee. Marriott niet, dat herinnerde hij zich nog wel. Hij had een herinnering aan Marriott die in een hoekje geknield zat met zijn hoofd in zijn handen, huilend: 'Mijn handen beven zo, mijn handen beven zo, ik kan het niet aanzien.'

Gwynn merkte dat zijn gedachten zich bewogen langs lijnen die hij niet gewend was: 'Als ik haar werkelijk voor me zou willen winnen, wat zou ik daarvoor dan moeten opgeven?'

Tegen Croaldag was hij weer genoeg opgeknapt om zijn gebruikelijke afspraak met de aalmoezenier na te komen.

De aalmoezenier zag dat Gwynn bleker oogde dan gewoonlijk en maar weinig at. Hij liet zijn argumenten – die toch al warrig waren – varen en priemde met zijn mes in de richting van het bijna onaangeroerde bord van zijn tegenstander. 'Wat is er met je? Ben je ziek?'

'Een beetje moe alleen maar.'

'Nou, voor mij zie je er ziek uit. Vooruit, mijn zoon, wat is er aan de hand?'

Gwynn merkte dat hij al bezig was te zeggen wat hij op zijn hart had: 'Het is wellicht een lichte aanval van...' Hij herwon haastig zijn discretie en maakte de zin niet af maar probeerde met een vaag gebaar het ontbrekende woord in te vullen.

'Sief?' deed de aalmoezenier een gooi. 'Mijn zoon, ik hoop niet dat je te bleu bent om naar de dokter te gaan!'

'De staat van mijn gezondheid is bevredigend, dank u wel,' zei Gwynn. '"Te veel werk" wilde ik zeggen.'

'Nee, helemaal niet,' zei de aalmoezenier hoofdschuddend. 'Ik herken de manier van spreken van iemand die een ongelukje heeft gehad in de intieme sfeer. Als het geen sief is, dan is het die vriendin van je – die waar je nooit over praat. Heb je d'r zwanger gemaakt? Nou, zeg op.'

'Nee.'

'Dan,' bleef de aalmoezenier aanhouden, 'is ze misschien zwanger van een ander, en zegt ze dat jij de schuldige bent? Of is ze onvermoeibaar en ben jij een beetje... "verdord"?' Om het te onderstrepen liet hij een slap eind macaroni heen en weer zwabberen aan zijn vork.

Opeens werd Gwynn kwaad. 'U mag grappen maken ten koste van mij zoveel u wilt, maar als u nog een keer met zo'n gebrek aan respect over Beth spreekt, dan bent u er geweest, begrepen? Ouwe gek...'

De aalmoezenier floot zachtjes. 'Sjonge, jonge. Daar is duidelijk iets mis. Je begrijpt mijn bezorgdheid natuurlijk. Je weet dat je intact moet blijven voor mijn doeleinden en dat ik daarom belang heb bij je gezondheid.'

'Ik hoop dat u niet denkt dat ik u grappig vind.'

'Ik vrees, mijn zoon, dat ik me nooit heb verbeeld jouw privé-hofnar te zijn!'

Gwynn kreeg zichzelf weer in de hand. Hij vond zijn gevoel voor humor terug. 'Is die positie niet wederzijds? Ik breng immers verstrooiing in uw somber bestaan, waar of niet, eerwaarde? En we mogen allebei een beetje overdrijven...' Hij stak een Auto-da-fé op, inhaleerde diep en blies kringetjes naar de aalmoezenier.

'Weet je wat ik denk?' zei de aalmoezenier. 'Ik denk dat je liefdesverdriet hebt. Of liever, dat je je dat inbeeldt.'

'En wat dan nog?'

De aalmoezenier deed zijn vaste goochelkunstje en haalde sigaretten en lucifers als uit het niets tevoorschijn. Hij blies kringetjes rook terug en stuurde er een door het midden van eentje van Gwynn. 'Mijn zoon, geloof me, er is geen enkele kans dat jij verliefd bent. Er zijn mannen die in staat zijn tot liefde – ware, gemeende, diepe liefde – en mannen die dat niet zijn en nooit zullen zijn. Het is ondenkbaar dat iemand als jij ooit tot iets anders zou kunnen behoren dan tot die tweede categorie.'

'Fraaie woorden, maar ik betwijfel of u ze zelf gelooft.'

'En wat, mag ik vragen, geloof ik dan wel?'

'Het tegenovergestelde. Ik gok erop dat u jaloers bent. U wilt niet dat ik gelukkig ben. U stelt zich liever voor dat ik lijd, want dan voelt u zich een beetje gerustgesteld omdat u niet de enige bent. Heb ik gelijk, eerwaarde?'

Na een ogenblik van zelfonderzoek besloot de aalmoezenier dat het inderdaad een geest van afgunst en kwaadaardigheid was die bezit van hem genomen had. Hij besloot tevens dat het hem niet kon schelen. Gwynn mocht een vriend zijn, hij was tegelijk een vijand, iemand die het lot tot lijden had behoren te veroordelen, maar in plaats daarvan met oneerlijke gulheid had bedeeld. De aalmoezenier dacht aan al zijn verloren geliefden, van God tot en met Calila, en het belang van het redden van Gwynns ziel of die van hemzelf, ontglipte hem meer naarmate een geest van wraakzuchtigheid hem steviger in zijn greep kreeg. Hij kon niet voorkomen dat hij woorden vol kwaadaardigheid uitbraakte.

'Je kwetst me – en dat terwijl ik zoveel moeite doe om alles ook van jouw kant te bekijken! Ik denk dat een man als jij, een man van de wereld, een boulevardier, van de wereld zal genieten, zonder die wereld toe te staan van hem te genieten. Heb je jezelf niet immuun gemaakt voor gevoelens, heb je je ziel niet verminkt om je ijdelheid te beschermen? Hoe kun je je dan verbeelden dat je kwijnt van liefde? Wat er ook met je mis mag zijn, een aanval van liefde is het zeker niet!'

Gwynn trok een nadenkend gezicht. Op een voor hem zeldzaam zachte toon en met een nog zeldzamer oprechtheid, zei hij: 'Denkt u dat? U probeert me aan te spreken op een perverse trots, waarvan u meent dat ik erdoor beheerst word, in een poging mij te verleiden het bestaan van mijn betere gevoelens te ontkennen. En daarmee glijdt u kwalijk uit. Dat zie ik zelfs. Wilt u werkelijk uw eigen keel doorsnijden om een goedkope, wraakzuchtige overwinning op mij te behalen? En denkt u werkelijk dat ik toelaat dat u die overwinning behaalt, gezien het feit dat ík degene ben die iets van waarde te verliezen heeft?'

Met nog grotere waardigheid vervolgde hij: 'Het gezelschap van Beth is mij een zeldzaam genoegen en een grote uitdaging. Zij heeft in mij een vlam doen ontbranden die niet bepaald gewoon is. Ik geloof dat ik het nooit moe zal worden bij haar te zijn. En hoewel het onverstandig zou zijn te hopen dat er een gezamenlijke toekomst voor ons ligt, zou alleen een dwaas op grond daarvan het geluk van het heden verbieden. Ik wens haar niet te onteren door anders dan volkomen oprecht te zijn in wat ik over haar zeg. Wanneer zij het onderwerp van gesprek is zult u merken dat ik volstrekt serieus ben.'

De aalmoezenier liet het hoofd hangen. Zijn kwaadaardige bevlieging was voorbij. Hij was tegelijk beschaamd en verward. Maar uit die verwarring groeide een besef van verwondering, toen hij doorhad dat hij eindelijk een slag had toegebracht die doel trof. Wat paradoxaal en ironisch, dat hij in zijn uitbarsting van kwade zin, zijn ogenblik van falen, iets naar buiten had gedreven dat diep in het hart van zijn tegenstander begraven had gelegen. Zijn onhandige pijl had een onbeschermde plek gevonden en was ver genoeg binnengedrongen zodat er een druppel deugd was gevloeid.

'Het spijt me,' zei de aalmoezenier terwijl hij opkeek. 'Kun je me vergeven?'

'Niets kan vergeven worden of er is niets te vergeven. Ik heb dergelijke woorden vele malen gezegd, maar voorzover ik kan zien heeft nog nooit iemand geluisterd.'

Na een aantal minuten die in stilte verstreken, nam de aalmoezenier opnieuw het woord. Hij was teruggekeerd naar zijn oude vertrouwde trant. 'Mijn zoon, je genegenheid voor deze dame is een symptoom van je ware verlangen naar vereniging met God, dat spreekt vanzelf. Ik heb vooruitgang geboekt in jouw geval! Ja, zeker wel. Ik ben nu aan de winnende hand, want je hebt toegegeven deze waarachtige, diepe genegenheid te bezitten en te verlangen naar een vorm van fatsoenlijk samenleven met je beminde.'

'U begrijpt me weer helemaal verkeerd, zoals gewoonlijk, als u denkt dat het fatsoen is waarnaar ik verlang.'

'Ach, naar de hel met dat fatsoen! Het doet er niet toe. Een soort van samenleven, samen met haar. God is mijn getuige, ik ben aan de winnende hand!' De aalmoezenier sloeg met zijn vuist op tafel zodat de borden rinkelden.

'Geloof maar wat u wilt. Mij maakt het niet uit.'

'Dan heb ik deze ronde gewonnen, of je het nu toegeeft of niet.'

'Ik geef het niet toe. Maar het was een interessante ronde. Mijn dank daarvoor. Maar zoals ik al zei, ik ben moe. Ik wens u goedenacht.' Gwynn legde het geld voor de maaltijd op tafel en schoof zijn stoel achteruit. Met een knikje naar de aalmoezenier stond hij op en vertrok.

Buitengekomen floot Gwynn zachtjes terwijl hij met een zwaai opsteeg. Hij reed op een drafje de straat uit.

Hij voelde hoe een bloem van verrukking zich ontvouwde in zijn binnenste. Dat gevoel was begonnen toen hij gesproken had over de oprechtheid van zijn gevoelens voor Beth.

'En of u nou iets gewonnen hebt of niet, eerwaarde, ik heb in elk geval wel iets gewonnen,' peinsde hij hardop.

Het kleine instrument – net een pikhouweel in miniatuur – gleed soepel in de oogkas van de jongeman die op zijn rug op de tafel lag. De lange, energieke man die zich dr. Eenzaat noemde maakte een vaardige polsbeweging en haalde het houweeltje er weer uit. De naar buiten hangende oogbol van zijn patiënt gleed weer op zijn plaats.

'Ziedaar, dames en heren!' zei dr. Eenzaat tegen het publiek dat opeengepakt zat in de nieuwe bakstenen aula van de Maatschappij voor Publieke Hygiëne. 'Met een minimale inzet van geld, tijd en inspanning, is onze wolf veranderd in een lammetje! Wanneer hij bijkomt, zal hij niet langer de aandrang voelen een ander mens te slaan, te verkrachten, te vermoorden of anderszins te mishandelen of kwaad te doen! Uw bejaarde moeders, uw jonge dochters hoeven hem niet langer te vrezen in de nacht. Hij is mak geworden. Hij is mild geworden. Mocht u het bewijs hiervan willen zien, keer dan morgen terug; dan zal hij wakker zijn en gereed om te worden onderzocht door wie van de weledelzeergeleerde heren dat maar wenst!'

Eenzaat stak zijn hand op om het applaus dat op zijn aankondiging volgde te bezweren. 'Dames en heren, we staan hier op de drempel van een nieuw tijdperk. Niet langer zullen mensen als deze man, beklagenswaardige slachtoffers van hun eigen kwade inborst, gevangenissen en gekkenhuizen overbevolken. Nimmermeer zullen ze fatsoenlijke mensen bedreigen! Evenmin zullen deze voormalige misdadigers en gekken in hun nieuwe staat van vreedzaamheid hardwerkende lieden tot last zijn, want zij zullen arbeiden en betrouwbaar als ossen de eenvoudige lichamelijke taken verrichten waarvoor we op het ogenblik zwakke kinderen en gevaarlijke wilden inzetten. In een notendop – een gouden notendop met als kern een heus wonder, dames en heren: kwaad zal in goed verkeren en wel op uiterst doeltreffende wijze.'

Raule luisterde, achteraan tussen het grote publiek gezeten – de voorste rijen werden bezet door de leden van de Maatschappij, onder wie een aantal artsen van het College, somber opvallend in hun zwarte gewaden – maar half naar het verkooppraatje.

In het begin van haar tijd als dokter van de Lindenbuurt had ze heel bewust pogingen gedaan op de hoogte te blijven van het voortschrijden van de medische wetenschap; ze las de tijdschriften en woonde openbare lezingen bij, wanneer ze maar even de tijd kon vinden. Het kwakzalvergehalte was echter dusdanig hoog, en het gehalte nuttige kennis zo minuscuul, dat ze er na een paar maanden mee opgehouden was. Ze was alleen op dr. Eenzaats aanplakbiljetten afgekomen uit een soort perverse nieuwsgierigheid.

'En nu, hooggeachte collegae in ons groot, menselijk streven naar een volmaakte wereld, is het mij een eer u een aantal voorbeelden te presenteren van wat u morgen zult zien. Mijn dochter Opaal zal ze u tonen!'

Een goedverzorgd jong meisje kwam aan het hoofd van een groepje van zes mannen en vrouwen, het podium op. Eenzaat kondigde aan dat dit voormalige patiënten van hem waren op wie hij diezelfde operatie had uitgevoerd. Ze waren allemaal, zo beweerde hij, gewelddadig geweest, krankzinnig, of zwaar getroubleerd. Maar nu, tegenover het publiek staand, leken de persoonlijkheden die ze lieten zien als twee druppels water op elkaar: traag en onaangedaan. Eenzaat gaf een van de mannen een klap; hij kromp in elkaar. Hij schreeuwde tegen een jonge vrouw; ze keek hem aan met doffe blik. Intussen had Eenzaats dochter tobbes met aardappelen het podium op gebracht. Ze zette ze voor het zestal neer en reikte schilmesjes uit.

'Ga aardappelen schillen, jullie!' gelastte dr. Eenzaat. Zijn patiënten hurkten neer en begonnen gehoorzaam te doen wat hun opgedragen was.

Op dat ogenblik draaide Raule zich om en ging weg; haar wetenschappelijke nieuwsgierigheid had haar natuurlijke grens bereikt. Het kon haar niet schelen hoe de jongeman, wiens hersens zojuist in zijn schedelpan stuk gesneden waren, het verder maakte. Ze reed op haar muilezel door de warme drensregen terug naar het ziekenhuis, om haar middagronde te maken over de zalen. Het gasthuis had het druk, zoals altijd in de natte tijd. De onzindelijke Lindenbuurt was bij uitstek een vruchtbare broedplaats van ziekten en de zalen lagen vol ouden van dagen, jonge kinderen, zwakken en mensen die gewoon de pech hadden gehad aan koortsen en ontstekingen ten prooi te vallen.

Op de terugweg zag ze een jongen en een meisje staan vrijen in een portiek. Het meisje kende ze niet, de jongen was Jacope Vargey. Raule betreurde het – een beetje.

≈ 13 ≈

DE WOEKERAAR VLAK BIJ DE havenkermis zat vol drinkers, zoals gewoonlijk, en tegen middernacht begon het rumoerig te worden. De gasten
waren voornamelijk arbeiders in de nachtploeg en kooplui en artiesten
van de kermis. Hart, Modomo en de enorme Palee zaten aan een tafeltje
en aten gezamenlijk uit een grote soepterrine. Gwynn, Biscay, Elleboog en
Koningsbos waren er ook, en nog een aspirant, vrij nieuw bij de Hoornen
Waaier, namelijk Whelt. Ze zaten in de Woekeraar omdat Biscay op de
kroeg gesteld was. De dikke financiële man had verkondigd dat hij geld
nodig had en had voorgesteld te gaan kaarten. Helaas was het geluk niet
met hem, maar met Whelt, die maar niet leek te kunnen verliezen. Hij was
een klein, praatgraag, opgewonden standje en werd luidruchtiger naarmate zijn stapeltje gewonnen geld groeide. Elleboog en Koningsbos, allebei behoorlijk aangeschoten, verloren bijna net zo erg als Biscay. Wat
Gwynn betrof, die bleef redelijk nuchter, speelde voorzichtig en had zich
neergelegd bij het feit dat het hun nacht niet was.

Maar toen de kleine uurtjes van de ochtend aanbraken, was het Rad van
Fortuin verder gedraaid. Whelt en Koningsbos gingen even naar het pri-
vaat en toen ze terugkwamen begon Whelt te verliezen. Koningsbos zei
voor de grap dat hij zijn geluk had weggepist. Biscay maakte er genadeloos
gebruik van en had al gauw teruggewonnen wat hij verloren had. Toen
Whelt door zijn geld heen was bood Biscay aan hem nog wat te lenen.

'Voorzichtig, hij is je niet vriendelijk gezind,' waarschuwde Gwynn de
jongen. Hij haalde zijn schouders op als reactie op de vuile blik die Biscay
hem toewierp. Whelt nam Biscays aanbod niet aan en stapte uit.

Vanaf dat ogenblik bleef Biscay aan een stuk door winnen. Gwynn sloeg
de dikke man aandachtig gade, want hij was ervan overtuigd dat die vals
speelde, maar hij kon hem niet betrappen. Elleboog werd te dronken om
er nog om te malen hoeveel geld hij verloor, terwijl Koningsbos steeds
woedender werd totdat hij bijna plofte en Whelt erbij zat met een zielig ge-

zicht en medelijden had met zichzelf. Gwynn zuchtte bijna van opluchting toen de tapper de laatste ronde aankondigde.

Hij was begonnen te twijfelen aan de waarheid van zijn herinneringen aan het feest. Sinds die nacht had geen van zijn collega's ook maar iets gezegd over Beth. Bovendien was er van het effect dat ze op hen scheen te hebben gehad, niets meer over, in geen enkel opzicht.

Toen Beth en hij de volgende avond een slaapmutsje namen in de kroeg op de Blauwe Brug bracht hij het te berde.

'Alle herinneringen aan dat feest zijn nauwelijks betrouwbaar, denk ik. Op de mijne ga ik zeker niet af,' zei ze. 'Maar er bestaat een theorie dat de wereld niet gewoon een oord is, voor alle mensen tegelijk, maar dat ze een meervoudige gedaante heeft – dus een wereld voor iedereen apart – en dat al onze werelden als vloeistoffen elkaar doordringen wanneer ze elkaar tegenkomen, hoewel de substantie van die werelden, in tegenstelling tot vloeistoffen, makkelijk mengt maar even makkelijk weer scheidt. Misschien dat er iets dergelijks is gebeurd.'

'Hecht jij geloof aan die theorie?'

'Hij spreekt me aan. En dat wat ons aanspreekt zijn we geneigd te geloven, ja toch?'

Gwynn vond het een interessant denkbeeld, maar in hoeverre het waar was liet hem onverschillig. Weliswaar had het er wel veel van alsof een wereld, doortrokken van haar bijzondere betovering, de wereld die de leden van de Hoornen Waaier gemeen hadden had ontmoet en overrompeld, om zich daarna weer snel terug te trekken. Maar zoals ze al zei kon je je niet verlaten op herinneringen aan die ontmoeting.

Eén ding was wel zeker: hijzelf was aan het veranderen. Hij voelde zich anders. Zelfs als hij niet aan haar dacht. Hij beweerde niet dat hij de verandering helemaal begreep; hij nam aan dat hij het achteraf wel begrijpen zou, als er wat meer tijd verstreken was en hij kon terugblikken. Hij twijfelde er niet aan of Beth zou hem nog verder doen veranderen, als hij dat toestond; in welke mate en hoe blijvend die verandering zou zijn, daarnaar kon hij niet raden.

Hij overwoog geen enkele keer in ernst zich terug te trekken. De gedachte dat iets bezig was hem te veranderen was verleidelijk. Het sprak, zo besefte hij, het gevoel van weerzin aan dat hij koesterde ten opzichte van het absolute en het blijvende.

Dit bleken voorlopig de laatste filosofische overpeinzingen te zijn waar

Gwynn zich mee bezig kon houden. Het werk, dat zo aangenaam kalm was geweest, eiste met veel vertoon opeens weer het hoofdtoneel van zijn leven op.

Hij had de hondenwacht gehad, wat betekende toezicht houden op het laden van een partij wapens voor de kolonel, en sliep halverwege de ochtend dus nog. Het lawaai van iemand die op zijn deur stond te bonken wekte hem. Het was Koningsbos. Hij had het gezicht van iemand die levende spinnen had moeten opeten.

'De *Gouden Flamingo* is in beslag genomen. De baas is hels. Er is een vergadering in de villa, nu dadelijk.'

Gwynn vloekte vermoeid en zei tegen Koningsbos dat hij even moest wachten terwijl hij zich aankleedde.

'Maar schiet wel op.'

'Wie moet je verder nog halen?'

'Marriott, Elleboog en Jasper.'

Gwynn schoot zijn kleren aan en drukte een hoed op zijn haren die nog warrig waren van de slaap. Voorafgegaan door Koningsbos draafde hij de trap af en naar de stal, terwijl hij zijn pistoolgordel omgespte.

Het had geregend en de zon stond te branden door laaghangende oesterzwarte wolken die de bovenstad aan het zicht onttrokken. Damp steeg op van de natte straten en zweefde omhoog om zich met de wolken te verenigen. Bladeren, modder en dode krekels lagen in de goten. Terwijl Gwynn met Koningsbos door de straten reed vroeg hij naar de bijzonderheden. Koningsbos scheen heel weinig te weten.

'Het schip is geënterd toen het vanmorgen binnenliep. Daarna is er een soort van coup geweest op de dienst Douane en Accijnzen. De klootzak die de *Flamingo* heeft gepakt is nu de nieuwe Directeur.'

'En wie is dat?'

'Udo Nanid.'

Gwynn kende de naam niet, maar dat hoefde ook niet.

Ze gingen bij de anderen langs om ze op te halen; ze waren allemaal thuis, want ochtendmensen waren het niet. Terwijl ze door de straten reden hield Gwynn Koningsbos nauwlettend in het oog. Iets in het optreden van de jongeman maakte een achterbakse indruk, alsof Koningsbos hem niet alles had verteld. Daardoor trokken al Gwynns zenuwen strak. Olms stemming zou bepaald bar en boos zijn, vanochtend, en in zo'n stormachtige stemming was Olm in staat alles en iedereen te verdenken. Gwynn had weinig lust in een verhoor nog voor het ontbijt. Hij moest toegeven dat Koningsbos' schichtige manier van doen misschien uit hetzelfde angstige vermoeden voortkwam.

Een uur later waren de senioren en de hoogste junioren onder de cavaliers bijeen in Olms villa op het Palmetumterras, in een lange met mahonie betimmerde zaal zonder vensters die voor vergaderingen werd gebruikt. Elei was erbij, naast zijn vader gezeten in een zwart met zilveren jas, met gloednieuwe pistolen en gekruiste bandelieren. Met zijn veertien jaar had de jongen iets kwetsbaars, dat door de zwierig krijgshaftige uitrusting alleen maar werd benadrukt.

Olm begon met woedend de gepolitoerde tafel met zijn vazallen rond te kijken. Toen hij het woord nam klonk zijn stem vrij kalm.

'Heren, vannacht is ons schip de *Gouden Flamingo* aangevallen, buiten gevecht gesteld en geënterd door een douanepatrouille onder leiding van een zekere Udo Nanid. Het tweede ruim werd geopend, de aanwezig lading werd geconfisqueerd en de bemanning werd gearresteerd. Om vijf uur vanochtend werd onze vriend de Directeur der Douane gearresteerd op verdenking van corruptie. Om zes uur werd Nanid beëdigd als de nieuwe Directeur. Om zeven uur werd mij een brief overhandigd, die mij berichtte dat meneer Nanid voornemens is als eerste van zijn taken een grondig onderzoek in te stellen naar de Maatschappij van de Hoornen Waaier, waaronder begrepen een doorlichten van de boeken. Om half acht las ik dit bericht in de kranten.'

Olm zweeg even – misschien, dacht Gwynn, om de minder slimmen onder zijn gehoor de kans te geven de feiten in zich op te nemen. Hij nam een teugje van een glas dat naast hem stond en vervolgde toen: 'Omdat het nu al op alle voorpagina's staat, is de optie om Nanid te vermoorden helaas van de baan, althans op korte termijn. Chantage is eveneens een doodlopende weg. De schoft schijnt van onbesproken gedrag te zijn en we hebben de tijd niet, nu nog iets in elkaar te zetten. Zelfs al zou hij openstaan voor een eerzame regeling, wat onwaarschijnlijk is, dan zou een aanbod van onze kant op dit ogenblik als een zwaktebod worden gezien. Dit is precies het soort situatie dat ik altijd heb proberen te voorkomen, mijne heren.' Olm ontblootte zijn tanden in een verkillende glimlach. 'Heb ik de teugels misschien te veel laten vieren? Heb ik het goedgevonden dat u mijn geld opstreek terwijl u daar vrijwel niets voor deed, terwijl ik erop had moeten staan dat u voortdurend waakzaam bleef?'

Niemand had er zin in die vraag te beantwoorden.

'Onder de luie honden hier schuilt kennelijk een bezige rat. Ik zal ontdekken wie die man is en hij zal sterven. Wat de anderen betreft, die zullen niet langer luieren. In deze gerieflijke tijden stellen wij ons niet voldoende open voor uitdagingen. Dat is een tekortkoming van de hedendaagse burger en zal ongetwijfeld eens zijn ondergang worden. Er zou een tijd moeten zijn in het leven van elke man waarop hij in het vuur moet afdalen om verteerd te worden of te worden omgesmeed tot een sterker iemand. Ik heb besloten die stap nu te zetten, en dus zullen jullie mij volgen. Ik stel in jullie mijn vertrouwen en jullie zullen dat niet beschamen of anders het leven erbij laten.'

'Baas, wat bedoelt u daarmee?' Dat was Jasper die het waagde zijn mond open te doen.

'Ik zeg dat ik de hand van vijandschap heb uitgestoken. Jullie zullen allemaal worden beproefd in een godsoordeel. De voorzienigheid zij dank bestaan er nog vreemde, oude tradities. Ik heb het Douanekantoor al verwittigd van ons voornemen. Ik verwacht zeer binnenkort een bevestigend antwoord.

'Wat zijn de voorwaarden?' vroeg Biscay.

'Een van ons tegen drie van hen, op de Herdenkingsbrug. Zwaar in hun voordeel, dat weet ik. Nanid moet niet in de verleiding komen te weigeren. Heren, jullie zullen me een overwinning leveren die zo grandioos is, dat die tolgaarders ons nooit meer lastig zullen vallen, en anders strijden jullie door tot de dood erop volgt. En dat geldt ook voor mij. Jullie behoren mij toe; hoe zou ik niet een deel van de schuld op mij kunnen nemen voor jullie tekortschieten?'

Een roerloze stemming beving de cavaliers van de Hoornen Waaier. Ze waren zich allemaal bewust van de oude traditie in de stad die dateerde van voor het bewind van de wettige rechtbanken. Van tijd tot tijd was de Herdenkingsbrug voor de gardes van Ashamoil geweest wat de Boomgaard was voor de jeugdbendes van de Lindenbuurt. Iedereen die een conflict had en genoeg geld om het hoge honorarium te betalen dat het gemeentelijk gezag vroeg, had het recht de tegenstander uit te dagen tot een godsoordeel in de vorm van een kampgevecht op de boog van de brug. Het ontstaan van de traditie lag in de verre voorgeschiedenis, tezamen met de oorspronkelijke naam van de Brug, want zijn huidige titel verwees slechts naar de enorme beelden van helden uit de oude tijd, die langs de borstwering waren geplaatst. Het was meer dan vijftig jaar geleden dat er voor het laatst gevochten was, maar de statuten waren niet veranderd. Als Nanid de uitdaging afsloeg zou hij verplicht zijn de beschuldiging van smokkelarij te laten vallen en alle onderzoekingen op grond daarvan afgelasten.

'Die Nanid durft. Ik betwijfel of hij het zal afslaan,' zei Olm. 'Misschien hoopt hij dat ik die richting uit wil. Laat hij zich maar de nek breken op die hoop. Wij trekken ten strijde. Heren, maak u klaar. Ingerukt!'

Ze stonden allemaal op van de tafel en verlieten zwijgend de zaal. Terwijl Gwynn door de marmeren gangen van de villa liep met zijn maten, nam hij hun gezichten op. Hij zag een paar stoïcijnse en een paar blije gezichten. Geen een keek er ontevreden of bang. Het was alleen bij zichzelf dat hij de emoties bespeurde die hij bij anderen vergeefs zocht.

In het bijzonder bestudeerde hij Koningsbos. Gedurende Olms toespraak had een flauw glimlachje om zijn mond gespeeld; het was er nog. Gwynn kon het gevoel niet van zich af zetten dat er iets vreemds aan de hand was; hij besloot op zijn instinct af te gaan.

Toen ze de tuin in liepen sloot hij zich aan bij Marriott, Jasper, en Elleboog. Alle drie – zelfs Marriott – keken ze wakker en opgewekt uit hun ogen. Het schoot Gwynn te binnen dat Marriott er lang geleden plezier aan had beleefd soldaat te zijn in een echt leger, veel meer dan hijzelf.

De mannen reden in een groep van de villa omlaag de stad in. Na een poosje maakte Gwynn zich van de anderen los om discreet Koningsbos te volgen die een eindje vooruitreed. Koningsbos reed regelrecht de heuvel af, de benedenstad in. De smallere straatjes dwongen Gwynn tot een keuze: de onderlinge afstand verkleinen of het risico te lopen dat hij zijn prooi kwijtraakte in de bochtige straatjes. De route voerde langs het Corinthische badhuis, dus hij sprong van zijn paard en wierp de portier van de club de teugels toe, waarna hij te voet verderging, opgaand in de ochtendmenigte.

Koningsbos sloeg ten slotte een straatje in, gelegen in een vervallen buurt bij de Gevangenenbrug, niet ver van de kroeg van Feni, waar hij een morsig bakstenen gebouw binnenging met een uithangbord dat er kamers te huur waren. Gwynn ging een halve minuut later naar binnen en kwam terecht in een hal die naar muizen stonk. Achter de balie van de conciërge prijkte een vrouwelijke dwerg boven op een houten kinderstoel.

'De man die net binnenkwam, waar is hij heen?' vroeg Gwynn terwijl hij wat muntjes op het blad van de kinderstoel legde.

'Eerste verdieping, kamer twaalf,' zei de dwerg.

'De sleutel.'

'Hij heeft de reserve meegenomen.' Ze wees naar een deur achter Gwynn. 'Daarachter zit de trap. Maak geen zooi en vooral geen *lijken*. De schoonmaker haat lijken.'

Gwynn ging de trap op naar de eerste verdieping en liep een houten gang in. Hij hoorde het lawaai van een gewelddadig handgemeen en begon harder te lopen. Het lawaai kwam uit kamer twaalf.

De deur bleek niet op slot en hij smeet hem open. Midden in een rommelige kamer waren Koningsbos en Whelt aan het vechten. Koningsbos had een pistool dat Whelt probeerde weg te duwen bij zijn gezicht. Toen de deur met een knal openvloog sprongen ze bij elkaar vandaan; Koningsbos vuurde; het schot verdween door de vloer. Het volgende ogenblik had Gwynn het pistool uit Koningsbos' hand geschoten. Koningsbos stond als versteend en staarde ontzet naar Gwynn in de deuropening. Whelt begon hysterisch te giechelen.

Toen klonken er snelle voetstappen op de gang. Gwynn gleed zijwaarts de kamer in terwijl hij zijn pistool op Koningsbos gericht hield, nieuwsgierig naar wie daar aankwamen.

Het waren Scherpe Jasper en Elleboog. Ze bleven in de deuropening staan. Ook zij hadden hun wapens getrokken. Elleboog wapperde ermee in Gwynns richting.

'Wat voor de duivel,' zei Gwynn, 'voeren jullie hier uit?'

'Nou, we vonden dat je vreemd deed, Gwynn en daarom zijn we je gevolgd,' zei Jasper.

Gwynn trok langzaam een wenkbrauw op.

'En wat voor de duivel voer jij hier uit?' vroeg Elleboog.

''k ben hem gevolgd,' antwoordde Gwynn terwijl hij met een hoofdbeweging Koningsbos aanduidde. 'Omdat ik vond dat-ie vreemd deed.' Hij glimlachte. 'En ik maar denken dat er vandaag helemaal niks leuks zou gebeuren.'

Elleboog liet het pistool zakken. Hij wreef over zijn neus. 'Sorry,' zei hij.

'Laat maar zitten.'

'Maar wat deed-ie?'

'Hij probeerde Whelt te vermoorden.'

Koningsbos wilde iets zeggen.

'Hou je smoel!' blafte Elleboog.

'Wie was z'n voorspraak ook weer?' wilde Jasper weten. Elleboog brom
de bij wijze van antwoord.

'O, nou, moet jij dat dan niet afhandelen?'

'Ik ben een kennis van z'n moeder,' zei Elleboog. 'Ik heb haar beloofd
dat ik hem onder m'n hoede zou nemen. Ik kan m'n woord niet breken.'

'Heb je toch zeker schijt aan,' zei Jasper.

'Laat maar.' Gwynn liep naar Koningsbos en Whelt toe en beval hun te
knielen met gebogen hoofd. Terwijl ze het bevel opvolgden begon Whelt
die opgehouden was met lachen, te schreeuwen. Gwynn gaf hem met de
kolf van zijn pistool een harde klap op zijn schedel, zodat hij het bewustzijn verloor en zweeg. Een seconde later deed hij hetzelfde bij Koningsbos.
'Mijn goeie daad voor vandaag, zal ik maar zeggen,' merkte hij op toen hij
langs Elleboog naar buiten liep.

'Je bent er een uit duizenden, Gwynn,' zei Elleboog.

'Heb ik schijt aan,' zei Gwynn.

De schroeven van de barkas klopten het stilstaande water in de drassige
kreek op. Gwynn liet de boot uitlopen tot ze stillag. Tegen het stuurwiel
geleund rookte hij een sigaret terwijl hij keek hoe de namiddagzon fonkelde op het water. Boven het pruttelen van de motor en de opera van vogel-
kreten in de huif van de rimboe uit vingen zijn oren heel flauw de plonzen
voor de boeg op. Na een poosje liep Olm langs de stuurhut.

'Breng ons maar terug,' beval hij.

Gwynn keerde de barkas en liet de kreek terugvallen in haar zompige,
landelijke vrede.

Whelt had als volgt getuigd: toen hij en Koningsbos naar buiten waren
gegaan om gebruik te maken van de goot, die avond dat ze gekaart hadden
in de Woekeraar, had hij Koningsbos gevraagd hoe Olm toch zoveel slaven
binnen wist te brengen, onder de neus van de douaneautoriteiten, waarop
Koningsbos hem had verteld over het tweede ruim van de *Flamingo* – een
feit waarvan Whelt als nieuweling nog niet op de hoogte was. Whelt zwoer
dat hij de informatie niet had overgebriefd aan Nanid en hield vol dat er
een derde persoon moest zijn geweest die hen had afgeluisterd. Hij zwoer
vervolgens dat Koningsbos, die er niet gerust op was dat hij zijn mond zou
houden over die indiscretie, geprobeerd had hem het zwijgen op te leggen
toen Gwynn verscheen. Koningsbos, die afzonderlijk werd verhoord, had
uiteraard beweerd onschuldig te zijn en zei dat het gevecht met Whelt

privé was, iets over een vrouw. De vrouw werd opgezocht en zei dat ze inderdaad met allebei de mannen ging, en wel met Whelt achter Koningsbos' rug. Dat betekende niet veel, want zelfs al was haar verhaal waar, dan bewees het nog niet dat de bewering van Koningsbos dat ook was. En dan bleef nog de vraag over hoe Whelt van dat tweede ruim had afgeweten, als Koningsbos het hem niet verteld had.

Het was Scherpe Jasper die opperde er een waarzegger bij te halen en Gwynn die zwoer bij de kundigheid van het oude wijf op de nachtmarkt.

Olm stemde ermee in en het wijf werd naar de villa gehaald.

Koningsbos en Whelt werden haar getoond. Ze onderzocht hen allebei door diep in hun ogen te staren, hun handpalmen te besnuffelen en hun vingertoppen te likken. Na deze procedures te hebben doorlopen verklaarde ze dat beide mannen schuldig waren aan stommiteit en verbale incontinentie. Maar ze verklaarde ook dat Whelt een oprechte idioot was en Koningsbos de leugenaar. Er was inderdaad een derde persoon geweest binnen gehoorsafstand die de informatie aan Nanid had doorgespeeld.

Olm vroeg haar wie deze derde persoon was.

'Het is u niet gegeven dat te weten, heer,' zei ze.

Ze bood weerstand aan al Olms pogingen om haar de informatie te ontfutselen. Ten slotte verloor hij zijn geduld en sneed haar eigenhandig de keel door.

Hij gaf zijn mannen opdracht de derde persoon op te sporen zodra ze de tocht stroomopwaarts hadden gemaakt om zich te ontdoen van Koningsbos en van Whelt, wiens oprechtheid een geprikkelde Olm er niet toe had kunnen brengen hem te sparen.

Een half uur nadat de barkas de kreek had verlaten kwam Olm weer aan de deur van de stuurhut. Hij leek ontspannen, bijna vriendelijk, maar zijn woorden waren vreemd.

'Gwynn, gisternacht, voordat dit allemaal begon, had ik een visioen van een albino krokodil. Het beest sprak tegen me en zei dat er geen glorie kan bestaan zonder opoffering. Wat denk jij daarvan?'

Gwynn herkende de woorden van de aalmoezenier en had het gevoel dat hij in een diepte viel. Hij deed zijn mond al open om het te beamen, wat hem het verstandigste leek, maar voordat hij iets kon zeggen kwam Olm er alweer tussen, hoofdschuddend. 'Jij bent niet degene die ik dat vragen moet. Sommigen die vechten zijn als kortstondig levende bloemen en anderen als onkruid dat niemand uitgeroeid krijgt. Jij hoort bij het onkruid. Jij gelooft niet in opoffering, wel?'

'Het is maar een mening,' zei Gwynn behoedzaam, 'maar ik geloof dat de gemoedsinstelling die opoffering vergt, in deze vorm van adeldom in wezen tragisch is. De tragedie vindt glorie in de dappere ondergang, maar het eindresultaat blijft verlies. De komedie vindt glorie in een blijde zegepraal. Ik geef de voorkeur aan de komedie.'

Olm lachte. 'Als je het zo stelt, dan ik ook, heel beslist.' Hij keek op zijn horloge en liep de stuurhut uit waar Gwynn met allerlei vragen achterbleef.

Het antwoord van de dienst Douane arriveerde. De uitdaging was aanvaard. De strijd op de Herdenkingsbrug zou plaatsvinden over drie dagen, op Sorndag.

De reactie hierop was een geestdrift waarvoor Gwynn geen aanleiding kon bedenken. Het meest belachelijk was in zijn ogen Elleboog. Omdat hij Koningsbos' voorspraak was geweest, had Elleboog gezichtsverlies geleden. Nu had hij gezworen zich te revancheren in de strijd.

Gwynn vroeg zich af of Beth dan toch een blijvend effect had gehad op zijn collega's. Was die vreemde heroïsche stemming iets wat sinds het feest al die tijd sluimerend aanwezig was geweest? Maar Marriott, herinnerde hij zich, was ongelukkig geweest op het feest – en Marriott was nu opgewekter dan Gwynn hem in tijden had gezien.

Uiteindelijk vroeg hij het aan Jasper.

'Waarom ik me gelukkig voel?' Jasper hield verbijsterd zijn hoofd schuin achterover. 'We gaan de belastinggaarders om zeep brengen, en dan ben jij niet gelukkig?'

'Ik zou een stuk gelukkiger zijn als de kansen een beetje meer in ons voordeel waren,' zei Gwynn.

Jasper gaf hem een speelse stomp tegen zijn schouder en grinnikte: 'Ga liever je ballen ophalen uit het pandjeshuis.'

Het werd bekend dat de Dienst Douane hulp zou krijgen van bondgenoten om op de vereiste getalsterkte te komen. Gwynn vroeg zich af of Au Courant of het Gulden Vierkant de Hoornen Waaier zou verraden, of dat de Vijf Winden misschien zou herrijzen uit het graf, maar kennelijk had de Dienst Douane versterking gekregen van diverse groepen die tegen de slavernij waren. Een vreemde alliantie, aangezien de stad heel veel verdiende aan de belasting op slaven en de autoriteiten de handel absoluut geen halt wilden toeroepen, maar in oorlogstijd werden vaak de vreemdste bondgenootschappen gesloten.

De avond was gevallen, weinig goeds voorspellend, gepantserd in koperkleurige wolken. Raule zat een bord rijst te eten – haar avondmaal – toen een van de jonge novicen aan haar deur kwam en zei: 'Er staat een man buiten, madame, die u wil spreken. Hij zegt dat u hem wel kent.' Het gezicht van het meisje was een en al twijfel. 'Hij draagt de kleding van een handlanger...'

Raule had geen woord met Gwynn gewisseld sinds de nacht dat Scarletino Quai Bellor Vargey had gedood. Ze had hem gemeden en hij was haar niet komen opzoeken. Raule had in de krant gelezen over de aanstaande strijd van de Hoornen Waaier met de Dienst Douane en vermoedde dat het bezoek daar iets mee te maken had. Ze kwam in de verleiding tegen de novice te zeggen dat ze hem moest wegsturen. Het was echter niet waarschijnlijk dat hij zich zou láten wegsturen en trouwens, als ze heel eerlijk was moest ze bekennen dat ze toch wel een beetje nieuwsgierig was.

'Hij zal zich netjes gedragen, heus. Laat hem binnen.'

'Ja, madame.' Het meisje was te netjes opgevoed in de orde om iets oneerbiedigs te zeggen, maar haar blik maakte duidelijk dat ze vond dat de bezoeker iemand was die de dokter helemaal niet behoorde te kennen. Met een starre nek liep ze weg. Even later stond Gwynn voor Raules deur.

'Dag dokter,' groette hij met een vluchtige vormelijke buiging.

'Dag beul van de slavenhaler,' was haar tegengroet.

Hij zuchtte. 'Moet dat zo?'

'Nee, maar ik wil het zo. Ga zitten.' Ze wees naar een stoel bij het raam en nam zelf achter haar schrijftafel plaats.

'Mag ik raden?' zei ze. 'Dit heeft te maken met de gewonden die jullie op Sorndag verwachten?'

'Inderdaad.' Hij ging zitten, sloeg zijn benen over elkaar en stak een sigaret op. 'Ik hoef je niet te vertellen dat de meeste dokters hier in de stad net zo veel weten van slagveldgeneeskunde als van het achterend van een hond.'

'Met het afkammen van mijn vijanden krijg je mij niet aan jouw kant. Je werkt voor een smerige zaak, Gwynn.'

Hij spreidde zijn handen uit. 'Ik wou zeker niet voorstellen dat je onze kant kiest, ik wou alleen vragen of je bereid zou zijn hier de gewonden te verzorgen. De Herdenkingsbrug is zo dichtbij dat ze makkelijk hierheen gebracht kunnen worden.'

'Ongetwijfeld. Maar dit gasthuis is bedoeld voor de parochianen van de Lindenbuurt. Ik heb een afschrift van het parochieregister hier. Als er onder jouw mannen bij zijn die hier staan ingeschreven, dan zijn ze hier welkom en krijgen ze een bed.'

'Over bedden gesproken, ik heb de zalen hier gezien toen ik binnenkwam, heel toevallig, hoor. Ze zien eruit alsof jullie een stevige geldinjectie zouden kunnen gebruiken.'

'Hoe stevig?'

'Zo'n tienduizend florijnen, zou ik denken.'

Raule had de aandrang om te gaan lachen. 'Ik voel me bijna geroerd dat je baas zoveel geeft om zijn beulsknechtjes.'

Gwynn trok een nietszeggend gezicht. 'Goede mensen zijn moeilijk te vinden. Ik heb tegen hem gezegd dat als er levens gered moeten worden, jij de beste bent. Hij is bereid een schenking aan het gasthuis te doen, in ruil voor de garantie dat je ons medisch zult bijstaan. Ik ben zo vrij geweest te zeggen dat je waarschijnlijk geen steekpenningen zou aanvaarden op persoonlijke titel.'

Ze pakte een pen en tikte ermee op de rand van de schrijftafel. Toen schudde ze haar hoofd. 'Ik moet bekennen dat ik, als ik eraan denk hoe jullie daar allemaal op een rijtje zullen staan om vervolgens op elkaar af te galopperen over een brug, me afvraag of het voorspelbare resultaat deze stad misschien nog goed zou doen ook.'

'Jij hebt recht op jouw gezichtspunt,' zei hij op milde toon. 'Geloof me, zelfs al heb jij duidelijk geen greintje respect of genegenheid meer voor me, ik ben mijn achting voor jou niet kwijtgeraakt. Misschien ben je bot genoeg om te zeggen dat jij respect verdient en ik niet. Maar vergeet desondanks niet, dat ik geld aanbied dat je zou kunnen gebruiken om de mensen in deze trieste wijk te helpen.'

'Je weet dat het zo eenvoudig niet ligt.'

'Jij maakt het ingewikkeld.'

Hij zag een pamflet op haar schrijftafel liggen. Hij pakte het op. 'Doctor Eenzaat,' las hij hardop, 'stelt u voor: een omwenteling in de medische wetenschap: de frontale lobotomie. Misdadigers en krankzinnigen worden gehoorzaam en mak dankzij deze snelle en goedkope ingreep.' Hij keek op. 'Wat is dat?'

'Een heer die een houweel in je oogkas steekt en je hersens doorsnijdt.'

'En de persoon die deze dienstverlening ondergaat blijft leven?'

'Zolang de houweel schoon is en er dus geen infectie kan optreden. Misschien moest je je baas er eens over vertellen. Dr. Eenzaat presenteert zijn patiënten als mankracht die de slaven kan vervangen.'

'Interessant.' Gwynn legde het pamflet weer terug.

'Ik vind toevallig van niet.' Raule haalde haar schouders op en zei opeens: 'Zal ik je laten zien wat míj intrigeert?'

'Ga je gang.'

Ze stond op. 'Kom mee.'

Hij liep achter haar aan door de gang naar het kleine laboratorium. Ze deed de deur open. Toen hij de verzameling misgeboorten zag, trok hij zijn wenkbrauwen op.

'Dat is bewijsmateriaal,' zei ze. 'Wat vind je ervan?'

Gwynn liep naar een van de planken en bestudeerde de potten aandachtiger. Toen hij de dubbelblank foetus zag, pakte hij de pot en draaide hem om en bekeek de inhoud van alle kanten. 'Bewijs waarvoor?' zei hij ten slotte terwijl hij de pot terugzette.

'Dat het niet goed is. Dat het verkeerd gaat hier. Niet echt een revolutionaire gedachte, dat weet ik. Maar toen kwam dit. Vang.'

Hij ving de pot op die ze hem toewierp. Erin dreef het krokodillenkind. Hij bekeek de zuigeling aandachtig. 'Wat een dotje. Moet dat me vaderlijke gevoelens geven of zo?'

'Het moet helemaal niets. Liever gezegd, het hád een bedoeling, maar was niet in staat zijn belofte te vervullen. Het bleef niet leven.'

Hij tuurde nog eens naar het ding in de pot. 'Zeg je nou dat dit echt is en geen namaak?'

'Het is echt, helaas. Het werd gebaard door een van jullie Ikoi-vrouwen. Als antwoord op een gebed, is mij verteld. Dit kind was bedoeld de redder van haar volk te worden, maar zijn hoofd en zijn lichaam bleken verkeerd om te zitten en toen is het gestorven.'

'Geloof jij dat?'

'Weet ik niet. Een geloofwaardiger verklaring heb ik ook niet. Maar ik weet wel waar dat ding voor staat.'

Hij keek haar vol verwachting aan.

'Dat ben jij, Gwynn. Jij en Olm en al die anderen die al lang geleden krom zijn gegroeid en zich niet meer recht kunnen buigen. Ik weet niet wat jullie gebrek is. Ik wou dat ik het wist.'

Met een zacht lachje wierp hij de pot terug.

'Goed,' zei hij. 'Ik geloof dat je subtiel gebrachte argument nu wel tot me is doorgedrongen. Ik zal niet verder beslag leggen op je tijd.' Hij draaide zich om en wilde weglopen.

'Wacht even.'

Hij bleef in de deuropening staan.

'Twintigduizend. Omwille van de mensen hier in de Lindenbuurt. En omdat ik ja heb gezegd wil ik de helft vooruit.'

'Voor de helft toverdokter, voor de helft bloedzuiger.' Gwynn lachte opnieuw. 'Het was uiteindelijk toch erg eenvoudig, niet? Je krijgt je twintigduizend.'

Raule sloeg zich bijna voor het hoofd dat ze niet meer had gevraagd. Maar ze liet niets blijken en zei: 'We hebben de afspraak gemaakt. Wees dan nu zo vriendelijk om weg te gaan.'

'Welzeker, madame.' Hij neeg het hoofd en liep de gang in. Raule wachtte tot ze zijn voetstappen niet meer hoorde. Toen tilde ze de pot op en zei tegen de bewoner: 'Zo te zien komt het schip met geld binnen, kleine god. Misschien breng je me geluk.'

De meeste cavaliers van de Hoornen Waaier brachten de ochtend voor de strijd door met het africhten van hun paarden in sportclub Het Mimosaterras. Naderhand ging Gwynn met Marriott naar het badhuis waar het vanwege de hitte en de vochtigheid een hele drukte was.

'Jouw paard sprong goed, vandaag,' merkte Marriott op toen ze eenmaal in het grote bad zaten, bediend door meisjes in gazen jurkjes.

'Ik dacht dat ik hem maar moest voorbereiden op het springen over stapels lijken,' zei Gwynn terwijl hij zich languit in het water liet drijven en de ene glimlachende nymf een naar viooltjes ruikend haarwasmiddel in zijn hoofdhuid wreef terwijl de andere zijn schouders masseerde.

'Aah, dat is je ware taal. Het is veel te lang geleden dat we goed gevochten hebben. Ik kijk ernaar uit.' Marriott klonk alsof hij het helemaal meende.

'Nou, kijk dan ook uit namens mij, dan verzorg ik mijn rugdekking.'

'Hé, toe nou, zeg nou niet dat je het niet gemist hebt. Het zit in je bloed, net zo goed als in het mijne. Oorlog, beste vriend. Olm had gelijk. Soms moet je door het vuur gaan.'

'Je bent zo te horen goed gemutst,' waagde Gwynn op te merken.

'Ik heb het gevoel dat ik leef, Gwynn. Dat is al zo'n tijd geleden. Ik hoop alleen maar dat het voldoende zal zijn.'

Met een angstig voorgevoel vroeg Gwynn: 'Voldoende waarvoor?'

'Voor een waardige dood. Mijn handen beven. Dat heb ik je toch al verteld? En dit is de beste manier om te gaan, Gwynn. De weg van eer. Ik heb het er niet zo slecht vanaf gebracht, al met al. Maar verder kom ik niet. Dus ik vind het niet erg om er nu een eind aan te maken.'

Gwynn was het een beetje zat. 'Ook goed, Marriott. Als jij doodgaat, mag ik dan jouw smaragden manchetknopen hebben?'

'Vanzelf. Je mag al mijn manchetknopen hebben.'

'Dat is al te gul.'

'Niets te danken.'

Gwynn dook onder en hield zijn hoofd net zo lang onder water als hij zijn adem kon inhouden. Hij stelde zich voor dat hij op een oceaan dreef, dobberend als een fles met een briefje van een schipbreukeling.

Het is hier heerlijk. De sterren zijn warm, het nachtelijk zand glanst als zijde. Ik mis je.

Gwynn schonk een kleine hoeveelheid cognac in, vulde het glas verder met spuitwater en liep ermee het balkon op. Hij keek neer op het voorterras van de Corozotoren en dacht erover met de noorderzon uit Ashamoil te vertrekken. Als hij bleef kon hij net zo goed naar de Herdenkingsbrug gaan en zichzelf voor zijn hoofd schieten, dat bespaarde hem het gedoe om door een ander te worden neergeschoten

Maar als hij vertrok kon hij Beth niet vragen haar werk in de steek te laten en met hem mee te gaan. Dat zou onredelijk zijn, en belachelijk en ze zou beslist weigeren, ook.

En hij kon niet in zijn eentje weggaan en haar in de stad achterlaten. Het was niet alleen een kwestie van de gevaarlijke positie waarin hij haar op die manier zou brengen. Hij dwong zich in zijn innerlijke tweegesprek tot eerlijkheid en gaf toe dat hij niet alleen wílde gaan. Hij was er nog niet aan toe om met haar te breken. En nu vroeg hij zich af of hij dat ooit wel zou zijn.

Dat gevoel van verrukking heerste nog steeds in zijn binnenste. Toen hij het voor het eerst voelde had hij het vergeleken met een bloem, maar nu neigde hij naar de analogie van een zaadje: een kern die diep begraven had gelegen, zijn eerste geheimen onthulde in de intieme duisternis rondom, terwijl het grootste deel van zijn potentieel nog niet meer was dan een slapende droom. Terwijl hij nadacht over dat ontvouwen voelde hij een lichtend bewegen in zijn hart. En was het niet komisch, zei hij bij zichzelf, dat hij, zo kort nadat hij het ontdekt had, hoogstwaarschijnlijk het leven zou laten, voordat hij de kans had gekregen er iets meer mee te doen dan het bestaan ervan bewonderend aanschouwen?

Hij beantwoordde zijn vraag aan zichzelf met een onechte glimlach.

Hij dacht erover naar haar toe te gaan, maar besloot uiteindelijk van niet. Hij geneerde zich voor de idioterie waaraan hij zou deelnemen als de zon eenmaal opkwam; ook vreesde hij dat zijn emoties met hem aan de haal zouden gaan zodat hij zich helemaal voor haar open zou leggen. Hij voelde dat hij nog niet zover was, net zomin als hij zo ver was dat hij wilde afzien van haar gezelschap.

Hart, de sterke man van de kermis, lag naast zijn slapende vrouw in hun bed in het ene kamertje waar ze huisden. Het was midden in de nacht, maar ze zou al gauw weer opstaan om aan het werk te gaan in de textielfabriek waar ze zestien uur per dag ploeterde, dag in, dag uit. Haar vermoeide, alledaagse gezicht, dat de sterke man zo dierbaar was, leek zachter en jonger in het schemerlicht. Als hij zijn hoofd optilde kon hij over zijn voeten heen hun kind zien dat als een roos lag te slapen in de wieg aan het voeteneind van het bed.

'Ik heb wat opgevangen, schat,' zei Hart tegen zijn vrouw, maar heel zacht om haar niet wakker te maken. 'Bij De Woekeraar. Ik moest even uit de broek. Ik was achterom gelopen en had een goed plekje gevonden om mijn gevoeg te doen, boven een afvoer. Sommige lui geven nergens om, die dirken waar iedereen het kan zien, maar ik ben nou eenmaal overgevoelig, dat weet je. Ik had een mooi donker plekje opgezocht. Terwijl ik daar bezig was kwamen er twee leeghoofden naar buiten. Ik hoorde ze tegen de muur pissen. Onder het wateren waren ze nog aan de praat. En niet zachtjes ook; je had een dove rooie kool moeten zijn om het niet te verstaan. De een zei iets heel interessants tegen de ander – iets wat sommige lieden bij de Dienst Douane en Accijnzen misschien wel zouden willen horen, bedacht ik. Je weet dat ik een plichtsgetrouw mens ben en een goed burger. Ik heb het dus gerapporteerd. En toen ontdekte ik hoeveel sommige mensen bereid zijn te betalen, als je alleen maar wat doorvertelt. Je vraagt je af wat geld nou helemaal waard is, op die manier.'

Harts vrouw bewoog in haar slaap. Ze begon zachtjes te snurken. Hij porde haar aan. Ze bromde wat, en ademde toen weer rustiger.

'En onze kleine meid,' vervolgde Hart. 'Wat mogen we voor haar hopen als ze opgroeit als armeluiskind? Ik weet dat je meer voor haar wilt dan wij haar kunnen geven. Ik word er akelig van als ik bedenk dat ze straks dag in, dag uit als een hond zal moeten werken, net als jij, arme ziel. Nee, ik wil dat mijn dochter een mooi leven krijgt. En dit is alvast het begin.' Hart pakte zijn portefeuille die op het nachtkastje lag en haalde er een paar opgevouwen bankbiljetten uit. 'Vijfhonderd florijnen!' zei hij terwijl hij er met zijn grote vingers over streek. 'Die zet ik morgenochtend meteen op de bank. En d'r kan meer komen, als iemand baat heeft bij wat ik heb overgebriefd. Dan komt er nog heel wat meer. Ik zou het je anders wel vertellen, schat, maar ik weet dat je het niet leuk zou vinden. Je hebt veel te veel aan je hoofd. Laat mij deze zorg maar dragen. Dat een man sterk is moet toch ergens goed voor wezen, niet?'

Hart vouwde de biljetten weer op, stopte ze in de portefeuille en legde die terug op het nachtkastje. Hij ging weer naast zijn vrouw liggen en probeerde te vergeten dat er nu een geheim tussen hen lag.

∾ 14 ∾

DE LUCHT BOVEN DE HERDENKINGSBRUG werd gekruid door de geur van paardenvijgen die lagen te rijpen in de zware hitte van de ochtend. Onzichtbare krekels snerpten boven het gerommel van de fabrieken langs de rivier uit. De twee partijen die het oorlogspad hadden gekozen stonden tegenover elkaar, elk aan het uiteinde van de brug. Op de zuidelijke oever had de Hoornen Waaier veertig ruiters staan en ongeveer tweehonderd manschappen te voet. Olm had elke vechtersbaas en potige kerel die op zijn onofficiële loonlijst stond opgeroepen. Op de noordelijke oever had zich een veel grotere troepenmacht van douaneagenten en hun bondgenoten opgesteld. Tussen hen in keken de standbeelden uit over het strijdtoneel. Ze waren bedoeld om van een afstand te worden bekeken en bereikten stuk voor stuk een hoogte van zo'n twintig voet, boven op een sokkel van zes voet hoog, langs de binnenkant van de borstwering die nog voorzien was van een balustrade.

De cavaliers van de Hoornen Waaier zaten allemaal te transpireren in hun beste kleren. Paardenknechts waren in de weer geweest sinds het vroegste ochtenduur en alle rijdieren waren voorzien van gevlochten manen en een vacht die glom als satijn. Olm, op een witte merrie gezeten, was vooraan bezig een toespraak te houden over opoffering en glorie. Vooraan in de voorhoede van ruiters zat Gwynn op zijn paard, dat van oogkleppen was voorzien, tussen Marriott en Elleboog in. Hij keek naar de gezichten om hem heen. Terwijl ze een laatste sigaretje paften en een vloeibaar ontbijt tot zich namen uit heupflacons en flessen, zaten er veel te veel te grijnzen als idioten. Elleboog oogde streng en nobel – Gwynn wist niet hoe Elleboog dat voor elkaar had gekregen, maar het was hem gelukt – terwijl Marriott er veel te vreedzaam uitzag. Elei stond ergens in de achterste gelederen, want Olm wilde dat hij deelnam aan de strijd en had gezegd: 'Laat die jongen zijn sporen verdienen.' Van de senioren was alleen Biscay geëxcuseerd; hij hoefde niet te vechten. Hij was in een draagstoel gekomen om te kijken. Ook Tareda zat te kijken, in een koets met rookkleurig glas in de raampjes.

Terwijl de strijdende partijen stonden te wachten als schaakstukken aan het begin van het spel, was er rondom hen heel wat drukte aan de gang. Een nieuwsgierige menigte was al rijen dik samengedromd op de terrassen naast en boven de brug en verdrong zich voor vensters en op daken. Jongens van de sloppenbendes waren prominent aanwezig in hun kleurige kostuums en schoten heen en weer als waterjuffers; venters deden goeie zaken met ontbijtworstjes en taarten; diverse verslaggevers van de kranten in de stad hadden zich vlak bij de brug opgesteld met hun opengeslagen opschrijfboekjes. Beneden hen was, midden op de rivier, een feestelijk pleziervaartuig voor anker gegaan met vele modieus geklede lieden aan dek, die reikhalzend en in sommige gevallen zelfs met toneelkijkertjes het gebeuren volgden.

Dit wordt een slachtpartij, dacht Gwynn vol overtuiging, terwijl hij aan zijn achttiende Auto-da-fé van die ochtend trok. Olm had helemaal geen strategie uitgezet. Hij had geen bevelen gegeven, alleen gezegd dat ze op de vijand af moesten stormen en dapper moesten zijn. Gwynn vroeg zich af hoe het de paarden zou vergaan. De rijdieren van de Hoornen Waaier waren erop getraind kalm te blijven tijdens een gevecht en waren aan schoten gewend. Maar niet aan conflicten op deze schaal en Gwynn vermoedde dat ze, wanneer ze een veldslag werden binnengereden, pardoes zouden proberen terug te draven.

Omdat hij niet verwachtte in leven te blijven in het geval ze verloren, had hij het grootste deel van zijn geld verwed op de overwinning. De gokbaas had hem één tegen acht geboden als hij inzette tégen de Hoornen Waaier, waarbij hij opgewekt verklaarde: 'Ze vegen de brug met jullie aan. Maar de klanten vinden het een leuke kans. Van mijn standpunt uit gezien is dit een fantastische dag voor jou om te sterven.'

Terwijl Olm zijn toespraak hield controleerde Gwynn zijn vuurwapens. Hij droeg zijn gebruikelijke span revolvers, plus nog twee onder zijn jas, met extra reserve cilinders om te kunnen herladen en aan zijn schouder de Speer, want hij had in Ashamoil geen beter geweer kunnen vinden.

Olm beëindigde zijn toespraak. Hij wenste zijn mannen succes en trok zich terug naar het achterste deel van het strijdperk. Zijn nieuw verworven koenheid reikte niet zo ver dat hij de aanval persoonlijk zou leiden. Die taak viel Marriott te beurt, die zich er als eerste voor had aangemeld. Nu keek Marriott opzij naar Gwynn.

'Aha, dat voelt goed! Alsof ik een heel wolvenpak in mijn bloed heb!' gromde hij waarna hij een gekunstelde woeste lach slaakte.

'Ik ben extatisch blij voor je,' zei Gwynn. Marriott en hij hadden elkaar altijd rugdekking gegeven. Hij verwachtte die waakzaamheid vandaag niet van zijn landgenoot. Hij maakte zich op door de teugels over de zadelknop te hangen en zijn geweer in zijn armen te nemen.

Marriott snoof, lachte toen opnieuw en gaf hem een klap op zijn arm. 'Vanavond drinken we uit de schedels van belastinggaarders, mijn vriend – of dat nu in levenden lijve is of feestend in de zalen van de dode dapperen!'

En toen trok Marriott zijn wapen, een machtige strijdhamer die hij van een dode had afgepakt, jaren geleden in het noorden, en beval brullend: 'Ten aanval!'

Gwynn drukte even de sporen in de flanken van zijn paard en het sprong vooruit in galop, één met de anderen. De lucht was vervuld van het geroffel van hoefijzers op de stenen. De vijandelijke cavalerie was een golvende massa van donkerblauwe uniformen, verderop.

Links van Gwynn verhief Scherpe Jasper zich in zijn stijgbeugels, luid brullend, waarbij hij zijn met juwelen bezette hoektanden liet zien. Rechts van hem zwaaide Sam Spijkervast met een olifantsgeweer. Terwijl hij het paard met zijn knieën bestuurde legde Gwynn aan, nam een aanstormende ruiter op de korrel en vuurde.

Toen hij de trekker overhaalde barstte rondom hem een oorverdovend vuren los. Een ruiter aan de vijandelijke kant viel van zijn paard en werd vertrapt door zijn voortstormende kameraden. Gwynn kon niet zien of er iemand aan zijn eigen kant was getroffen. Met een inwendige verontschuldiging aan de hippische dierfamilie mikte hij voornamelijk op de paarden en werd beloond door de aanblik van twee galopperende dieren die neer gingen en een aantal andere die over de eerste heen vielen en hun berijders afwierpen.

Marriott daverde door het dolle heen in zijn eentje verder tot in de voorhoede van de vijand, om zich heen maaiend met zijn hamer. Zijn paard werd geveld, maar terwijl hij viel wist hij een man vast te grijpen en hem uit het zadel te sleuren. Terwijl Marriott probeerde op dat paard te klauteren richtte een ander zijn pistool op hem, maar werd doodgeschoten door Gwynn.

Gwynn was niet van plan op het midden van de brug terecht te komen.

Hij manoeuvreerde zich naar het rechtertrottoir, pakte zijn teugels en probeerde het paard in te tomen naast een van de standbeelden, maar het kudde-instinct had het verstand van het dier in bezit genomen en het weigerde vaart te minderen. Gwynn nam het standbeeld op waar ze op af draafden: een monument voor een amazone. De sokkel kwam ongeveer ter hoogte van zijn middel. Zonder erover na te denken of het nu wel zo'n goed idee was schoof hij het geweer naar achteren, op zijn rug, trok zijn voeten op zodat hij een kort ogenblik in het zadel hurkte, en sprong.

Hij kwam veilig op de sokkel terecht, zij het wat onverzorgd, want hij sloeg tegen de knie van het beeld. Toen hij zich in evenwicht had gebracht en omkeek was zijn paard verdwenen in het strijdgewoel. De toestand op de brug was er nu één van vastgelopen chaos. Zoals Gwynn al had vermoed, probeerden talloze paarden te vluchten – hoewel de dieren die hij zag allemaal de blauw met zwarte dekkleden droegen van de Dienst Douane – en vormden de gevallen dieren obstakels voor alle ruiters. Hoewel sommigen in het zadel bleven sprongen de meesten op de grond om te voet verder te vechten. Er waren er heel wat die van vuurwapens waren overgegaan op bajonetten en zwaarden.

Beschut achter de stevige benen van de amazone zocht Gwynn zijn slachtoffers. Iemand anders – zo te zien Elleboog, maar hij was moeilijk te ontwaren door de zwarte kruitdamp die de lucht al bewolkte – had precies hetzelfde gedaan als hij en schoot vanachter een standbeeld aan de overkant zijn vijanden af.

Kansen op een duidelijk schot waren niet talrijk. Gwynn koos ervoor het geweer op een bepaald punt gericht te houden en te vuren zodra een tegenstander in het vizier kwam. Tegen de tijd dat hij het geweer had leeggeschoten had hij zes mannen gedood. Hij overwoog even over te stappen op pistolen, maar besloot dat hij de voorkeur gaf aan de precisie van zijn geweer en begon het te herladen.

Halverwege het laden sloeg een kogel in zijn rechterarm. Door de klap werd hij achteruit gestoten en hij viel van zijn zitplaats met een kreet die verloren ging in het lawaai om hem heen. Als het stukje balustrade achter het beeld er niet geweest was zou hij van de brug gevallen zijn. Hij slaagde erin het te grijpen met zijn linkerhand – terwijl hij er tegelijkertijd met zijn tanden hard tegenaan sloeg – en klemde zich wanhopig vast.

Er stak een gloeiende vleesspies door zijn rechterarm, maar toen hij de arm wilde bewegen gehoorzaamde hij. Hij verbeet de pijn, hees zich op en wist zijn ene knie over de muur te krijgen. Met het idee zich op de grond naast het beeld te laten zakken en zich daar te verschuilen schoof hij op zijn buik over de balustrade, zwaar hijgend en gehinderd door de Speer die onder hem terecht was gekomen.

Zodra hij voorbij de sokkel was liet hij zich voorover rollen en landde hurkend op de grond. Meteen kwam er iets om de hoek van het standbeeld suizend op zijn hoofd af.

Gwynn zwaaide met een ruk de Speer omhoog. De loop blokkeerde de slag van een kromzwaard en vuur scheurde door zijn arm. Nu kon hij zien wie het zwaard hanteerde: een man met een saffraangeel geverfd sikje dat Gwynn aan schaamhaar deed denken.

Gwynn sprong op terwijl hij het geweer tegelijkertijd hard tegen de klok in draaide. Door de draai werd het zwaard opzij gedrukt wat een opening betekende in 's mans verdediging waar Gwynn van gebruik van maakte door hem hard tegen zijn knieschijf te schoppen.

Gwynn hoorde en voelde botten breken. Sik schaamhaar wankelde en liet het kromzwaard vallen. Gwynn liet het geweer los, trok zijn linker pistool en vuurde drie schoten in de borst onder het saffraangele toefje.

Toen zijn overwonnen tegenstander op de grond zeeg volgde Gwynn zijn voorbeeld. Hij wierp even een blik op zijn arm. Er zaten twee gaten van een halve duim in zijn mouw, een boven- en een onderop, waar de kogel door het spierweefsel was gegaan. Om de feestvreugde te verhogen deden al zijn voortanden pijn en zaten zo te voelen los.

Er kwam een man op hem afgestormd met een bajonet. Gwynn miste met zijn eerste linkshandige schot en trof hem op het nippertje met het tweede. Hij dook opzij toen de man voorover in zijn richting viel en schoot hem nog een kogel door het hoofd.

Het gevecht had zich over de hele brug uitgesmeerd, maar het voornaamste handgemeen speelde zich af aan de noordkant wat betekende dat de Hoornen Waaier aan de winnende hand moest zijn. Gwynn kon zijn ogen amper geloven.

Maar toen moest hij echt even met zijn ogen knipperen, want uit de kolkende, loodkleurige rook dook een tastbare donkere gedaante op. Het was zijn paard, op een luchtig drafje, alsof het ergens buiten de stad was in een aangenaam weitje.

'Waar ben jij geweest – een ommetje gemaakt, zeker?' Gwynn zuchtte. Omdat het paard geen antwoord gaf, kroop Gwynn moeizaam in het zadel terwijl hij in gedachten eens fors zijn schouders ophaalde en reed verder de brug op. Hij schoot nog drie mannen neer en besefte toen dat hij de laatste twee in de rug geschoten had. De troepen van de Dienst Douane waren op de terugtocht. Ergens ver voor hem hoorde hij een stem in het Anvallisch brullen: 'Laiho! Geyro laiho!'

De overwinning.

'Je hebt geluk gehad – voor de zoveelste keer,' zei Raule terwijl ze ontsmettingsmiddel op Gwynns wond druppelde. Het beet als vuur. 'Het is een keurig, schoon gat. Dat zal prima genezen, hoewel je er een poosje welverdiende pijn en hinder van zult hebben.'

'We hebben allemaal geluk gehad,' zei Gwynn. *Meer dan alleen geluk,* voegde hij er in stilte aan toe.

De spelregels zijn ineens veranderd. Geen van de cavaliers van de Hoornen Waaier was gesneuveld of zwaargewond geraakt. Een paar ruiters waren hun paard kwijt geraakt, voornamelijk door gebroken benen, en meer niet. Geen wonder dat Raule goede zin leek te hebben – ze hoefde maar weinig te doen voor haar twintigduizend florijnen.

Hij wilde naar Beth toe, maar Olm had ogenblikkelijk een feest bevolen in de Strass. Hij was er al heen, met Elei. Olms zoon had iemand gedood en was er zelf ongeschonden doorheen gekomen. De dapperste en meest fortuinlijke held van de dag was ongetwijfeld Marriott. Hij had Nanid gedood door 's mans schedel te verbrijzelen met zijn strijdhamer.

Nadat een van de novicen zijn arm had verbonden zocht Gwynn Marriott op. Hij kwam langs Elleboog, die het serene uiterlijk had van iemand die zich had gerevancheerd en trof Marriott aan die een jaap in zijn kaak liet verzorgen door een andere jonge non. In plaats van opgetogen te zijn dat hij nog leefde, stond zijn gezicht gekweld.

Zijn mond vertrok in een bittere glimlach. 'Tja, dit had ik niet verwacht, Gwynn.'

Gwynn deed zijn best. 'Kom, kom, zo erg is leven toch niet?'

'Ja, maar als je andere plannen had, Gwynn, als je andere plannen had...'

Gwynn liep weg en ging op zoek naar een wasruimte.

Hij voelde haarfijn aan dat hij op het feest in de Strass veel meer toeschouwer was dan deelnemer. Terwijl zijn collega's bronstig lagen te bonken op de divans en de van ongedierte vergeven vloer – Olm had namelijk een roedel van de beste hoeren naar de club gehaald, voor de gelegenheid – zat Gwynn naast Marriott en dronk zich een stuk in zijn kraag.

Hij had gelijk moeten krijgen. De strijd had op een ramp moeten uitlopen. Hij had er geen flauw idee van hoe het kon dat het waanzinnige zelfvertrouwen van de anderen over de werkelijkheid had gezegevierd, maar dat was wat er onmiskenbaar gebeurd was. Hij wilde een gegeven paard niet in de bek kijken, maar hij moest zich wel afvragen wat de implicaties waren van wat er die dag was gebeurd.

Loopjongens van de wedkantoren kwamen binnen met envelopjes. Iedereen had kennelijk zwaar ingezet. Gwynn pakte zijn envelop aan en borg hem zorgvuldig op. Marriott had niets.

'Ik was er zo zeker van dat ik zou sterven,' zei hij.

Het enige wat Gwynn kon bedenken was nog maar een glas voor hem te gaan halen.

In de loop van het feest kwam er ook nog een boodschapper met een bericht voor Olm. Nadat hij hem had aangehoord, ging Olm naar Gwynn toe.

'We hebben onze stem in het donker gevonden,' zei hij. 'Ik wil dat jij dat verder afwerkt. Hij heeft een vrouw en één kind. De gewone methode. Ben je nuchter genoeg om een adres te onthouden?'

Gwynn knikte.

'Kamer zeventien in het oude gildehuis van de Kaasmakers aan de Catostraat.'

'En wie...'

'De sterke man van de kermis, verdomme – geloof het of niet.'

Gwynn herinnerde zich dat Hart in De Woekeraar was geweest. Hij kende de sterke man niet, maar was toch verbaasd. Gezien zijn uiterlijk had hij Hart altijd gehouden voor een rustig en eerlijk iemand, geen kletskous of iemand die zich met andermans zaken bemoeide.

'En dat is zeker?'

'Zo zeker als dat soort berichten altijd is. Hoezo, is het een vriend van je?'

'Nee. Hij leek me alleen niet het soort man voor dat soort dingen.'

'Iemand hoort iets wat niet voor hem bestemd is, wordt inhalig, krijgt grootse ideeën.' Olm haalde zijn schouders op. 'En gaat dood.'

'Wanneer ongeveer?'

'Voor Hiverdag. Elei gaat met je mee. Vandaag was allemaal goed en wel maar hij moet het dagelijkse werk in de vingers krijgen.'

'Komt in orde.'

Olm liep weg. Gwynn keek om zich heen tot zijn blik op Elei viel. De jongen lag op een divan, amper zichtbaar onder twee naakte schoonheden. Olm had niet openlijk een erfgenaam aangewezen maar was kennelijk erg gesteld op zijn jongste kind. Als Elei in leven wist te blijven tot een aanvaardbare leeftijd, zou de gunst van zijn vader hem mogelijk het leiderschap van de Hoornen Waaier bezorgen, over de hoofden van zijn oudere broers heen, die op dit ogenblik Olm assisteerden met het bestieren van zijn zaken in andere steden. Als dat gebeurde, peinsde Gwynn, kon het er hier nog heel interessant aan toegaan.

Hij ging niet verder met denken over de toekomst. Wanneer het met Beth voorbij zou zijn – hij geloofde nog steeds dat het niet lang kon duren – wist hij nog niet of hij wel in Ashamoil wilde blijven. Hij kwam een beetje zwalkend overeind. 'Tijd om op te stappen, denk ik,' zei hij tegen Marriott.

'Voordat je gaat moet je eens naar mijn handen kijken.'

Gwynn keek. Marriotts vingers beefden.

'Op de brug vandaag, toen waren ze weer zo vast als wát. Kijk ze nou eens – als maagden op hun huwelijksnacht!'

Marriott begon te huilen. Gwynn ging weer zitten en sloeg zijn goede arm om zijn vriend heen, niet in staat om ook maar iets te bedenken wat hij zeggen kon. Hij bleef zitten met zijn laatste glas terwijl Marriott koppig sterkedrank achterover bleef slaan tot hij het bewustzijn verloor.

Gwynn sleepte zich doodmoe het trapje op. Bovenaan bleef hij staan, knipperend tegen het licht. Toen hij achterom liep door het steegje om zijn paard te halen hield hij zijn blik op de grond gevestigd; hij wist dat hij een beetje liep te zwalken en dat hij zijn kleren van de veldslag nog aanhad, met bloed en alles. Hij wilde liever niemand aankijken. Hij klom behoedzaam in het zadel, pakte de teugels en reed eindelijk naar Beth.

Hij had verwacht dat ze kwaad zou zijn of in elk geval geërgerd, omdat hij het niet tevoren verteld had, van de slag, maar dat was niet zo. Ze zei flegmatiek dat ze erover had gelezen in de krant. Voor haar was dat kennelijk genoeg.

'Je ziet er morsig uit,' merkte ze op.

'En jij bent zo mooi,' zei hij.

Ze bracht hem naar het bed en liet hem daar achter.

De hele middag sliep hij schoksgewijs. De eerste keer dat hij wakker werd merkte hij dat hij naakt was. Een keer voelde hij haar handen over zijn lichaam gaan, licht als een fluistering, terwijl ze trage cirkels beschreven. Later merkte hij dat haar aandacht gericht was op zijn verbonden arm en de diverse beurse plekken die hij bezat, alsof de schade haar interesseerde. Als dat zo was dan begreep hij het wel. Hij had er niet echt bezwaar tegen.

De volgende keer dat hij wakker werd en haar naar zich zag staren, slaagde hij erin haar een ironische glimlach te schenken. 'Had ik mijn neus moeten breken of een oog moeten verliezen?'

'Nee, dat zou volstrekt onaanvaardbaar zijn geweest.'

'Er zijn wel een paar tanden bijna uit mijn mond geslagen...'

'Ik zou niet thuis hebben gegeven, als je kwam.'

'Je bent wreder nog dan ik, madame.'

'Ik ben bang,' zei ze, 'dat het je eigendunk is die bepaalt wie je bent. Als je niets meer had om op te bogen, zou je een heel ander iemand zijn.'

Hij werd iets helderder. 'Je schrijft me niet genoeg fantasie toe, lieve. Ik zou me aanpassen aan de omstandigheden. Ik zou valse tanden hebben laten maken van bloedkoraal en goud en een glazen oog – nee, een heel reeks glazen ogen; ik zou ze verzamelen. Ik zou ze hebben in elke denkbare soort glas – rood glas, spiegelglas, matglas, met geëtste afbeeldingen, met geslepen facetten...'

'Wel,' zei ze, 'dan denk ik dat het ik het niet erg zou vinden. Ik moet toegeven dat ik een veel conventioneler gevoel voor schoonheid bij je zou hebben verwacht.'

'Misschien heb ik dat wel,' gaf hij toe, 'maar ik kan natuurlijk altijd van smaak veranderen.'

Ze glimlachte. 'De meeste mensen zouden proberen dergelijke verminkingen te verbergen, maar jij zou ze vervangen door versieringen. Zie jij je lichaam als een soort kledingstuk – iets wat volkomen uitwisselbaar is met koraal en kermisglas?'

'Als we het alleen hebben over het uiterlijk, ja, dat denk ik wel, tot op zekere hoogte. Het is tenslotte allemaal materie.'

'Het geraamte draagt spieren, de spieren dragen vel en het vel draagt kleren?'

'Precies. Een gezicht is een masker van vel; een oog is een knikker die verbonden is met de hersenen.'

Hij stak zijn hand uit en trok een lijntje tussen haar ooghoek en haar haarwortels. Ze kuste hem op zijn voorhoofd, stond toen op en ging weg. Ze deed de deur achter zich dicht en al gauw hoorde hij hoe ze druk aan het werk was in haar atelier.

Zijn gedachten zweefden weg. Niet alleen hijzelf, de aard van de wereld zelf leek te zijn veranderd. De wonderbaarlijke overwinning van de Hoornen Waaier, het krokodillenkind, de lotusman, als dat geen bedrog was; allemaal zaken om zich over te verwonderen. Als Beths theorie over die meervoudige werelden waar was, en als zijn wereld zich vermengd had met een andere wereld, dan bezat die andere wereld kennelijk wetten die hij niet begreep. Zo'n andere wereld zou je kunnen vergelijken met een plant die, als hij naar vreemde grond werd overgebracht, buiten alle perken groeide, of zelfs woekerde als een besmettelijke ziekte. Stel dat er een wereld was die alles wat hij aanraakte kon doen veranderen? Beth zou zich hoogstwaarschijnlijk opwerpen als eigenaar, maar ze kon net zo goed gewoon een van zijn vreemde schepsels zijn, van zijn mengvormen, zijn symptomen.

'Discretie is altijd van het hoogste belang,' zei Gwynn op zachte toon tegen Elei die naast hem reed door een met klinkers geplaveid steegje tussen de muur van een terras en de achterkant van de conservenfabriek. Het geklepper van de paardenhoeven maskeerde hun gesprek. 'Mochten er vragen worden gesteld – en dat gebeurt soms; niet elke ambtenaar in deze stad is een vriend van je vader – zullen we een alibi nodig hebben dat bewijst dat we ergens anders waren, vannacht.'

'We gaan dus op bezoek bij de getuige?'

'Precies.' De schaduw in het steegje was te dicht om het gezicht van zijn pupil te kunnen zien, maar Gwynn voelde de bedeesde vreugde van de jongen over het feit dat hij juist had geraden.

Dit was voor het eerst dat Gwynn iets te maken had met Elei, die op een kostschool had gezeten in Phaience voordat hij dat jaar in Musenda doorbracht. Tot nog toe had Olms zoon zich vanavond een oplettend, kalm en niet opdringerig, vriendelijk iemand betoond. Zijn optreden verried niet de aanwezigheid van inhaligheid of genadeloosheid in zijn karakter. Gwynn vroeg zich af of die trekjes er wel waren maar werden verborgen – en dan wel bijzonder goed voor zo'n jonge jongen – of dat ze werkelijk niet aanwezig waren.

Het steegje bracht hen naar het Klokkenspelplein. Gwynn bracht zijn paard tot stilstand voor een boog in een muur die toegang gaf tot de binnenplaats van een huis met een rood venster op de eerste verdieping, waardoor licht naar buiten viel. Ze maakten de paarden vast op de binnenplaats, gespten de pakketten los die ze aan hun zadel hadden gebonden en beklommen een trapje naar een betegeld bordes. In een diepe boogdoorgang was een oude gebeeldhouwde sandelhouten deur aangebracht met een koperen klopper in de vorm van twee verstrengelde gedaanten. Gwynn lichtte de klopper op en liet hem op de deur neerkomen. Al gauw hoorden ze trage voetstappen naderen. De deur werd opengedaan door een knappe vrouw in een fluwelen japon die dezelfde dieprode kleur had als het venster, en die laag was uitgesneden om haar aantrekkelijke borsten te laten uitkomen. Ze glimlachte en stak haar hand uit en Gwynn vulde hem met bankbiljetten.

De vrouw gebaarde dat Gwynn en Elei binnen moesten komen. Daar was het één en al rozerode schemering, meubels met satijnen overtrekken en zware parfums die in de holten van de lucht hingen. Ze bracht hen naar een slaapkamer waar ze Gwynn en Elei alleen liet. Ze trokken de kleren aan die ze in de pakken hadden meegebracht: laarzen met rubber zolen, zwarte jasjes met een capuchon en zwarte sjaals. Toen ze de kamer uit kwamen bracht de vrouw hen naar een achterdeur. Hij kwam uit op een natte, ranzig stinkende afvoergoot, amper breder dan Gwynns schouders. Hij ging voor, Elei volgde.

'En zij zal zeggen dat we bij haar waren?' vroeg Elei met gedempte stem.

'Precies. Een uitje voor jou, op je vrije dag.'

'En dan zouden ze haar geloven?'

'Als niemand haar tegensprak, ja.'

'Waarom vertrouwen we haar?'

'Ze is een vrouw van eer; althans, ze eerbiedigt het geld dat ze ervoor krijgt. En ja, iemand anders zou haar meer kunnen bieden, maar dan zal ze dat moeten afwegen tegen wat het haar kost als ze jouw vader boos maakt.'

Elei vroeg niet verder. Gwynn liep naar schatting een halve mijl met hem door een reeks achtrommetjes die hen uiteindelijk naar een schemerige straat brachten waarlangs gebouwen stonden die ooit aanzienlijk waren geweest. De meeste droegen nog de ingebeitelde opschriften van weleer: gemeentekantoren, banken, gildehuizen en andere gebouwen van even groot belang. De meeste waren ten minste een eeuw geleden omgebouwd tot goedkope woonruimte en hadden sindsdien geen timmermanshamer of schoonmakersboender meer gezien. Bij het schijnsel van de gelige lucht en de ver uiteen staande lantaarns waren boven de monumentale ingangen grote, drukke fantasieën te zien van barok steenhouwerswerk en uitgezakte opstapelingen van ijzeren balkonnetjes.

Gwynn bleef staan voor een gebouw met grijze marmeren zuilen en twee gebeeldhouwde stenen koeien aan weerszijden van de hoofdingang, en ging op in de schaduwen van de deur onder het fronton. Elei drukte zich tegen de muur tussen twee pilasters aan de andere kant van de deur. Ze trokken hun sjaal op, om hun gezicht te bedekken. Gwynn haalde een stel stalen stiften tevoorschijn en toog aan de slag met het slot. Het was van verrassend goede kwaliteit voor zo'n afgeleefd gebouw en het duurde langer dan hij wel gewild had om het te openen. Uiteindelijk wist hij het te bedwingen en duwde hij de deur voorzichtig open.

In de hal hoorden ze het snurken van de ouderdom. Gwynn knipte zijn aansteker aan. Een portier of conciërge met een gerimpeld gezicht lag op een veldbed tegen een muur met een fresco van een landelijk tafereel, dat door de tand des tijds en het werk van vandalen bijna was verdwenen. Gwynn gaf Elei de aansteker en pakte uit de zak van zijn jasje een klein flesje en een spons. Hij hield het flesje even ondersteboven op het sponsje en de zoete dampen van chloroform ontsnapten in de lucht. Toen hield hij de spons boven de mond van de oude man tot diens slaap zich verdiepte tot bewusteloosheid. Vervolgens zette hij zijn voet op de eerste tree van de trap en begon te klimmen. Zijn rubber zolen maakten geen geluid. Hij knikte naar Elei, die met een aanvaardbaar minimum aan geluid achter hem aankwam, een goedkeurend knikje.

Nummer zeventien lag aan de overloop op de vijfde en dit keer leverde het slot geen problemen op. Toen de deur openging stonden ze in een enkele schamel gemeubileerde kamer met een houten schot in het midden. Voor het raam hing geen gordijn of jaloezie zodat de nachtelijke gloed van de stad alles in de kamer overgoot met een gelig schijnsel.

Gwynn wenkte Elei hem te volgen, liep naar het scherm en keek eroverheen. Aan de andere kant stond een oud koperen ledikant waarin een vrouw lag te slapen, alleen. In een wieg aan de voet van het bed lag een slapende zuigeling. Gwynn liet het onaantrekkelijke gezicht van de vrouw tot zich doordringen, haar zurige geur, de lompe omtrekken van haar lichaam onder de lakens en de lakens zelf, die een saai patroontje hadden van lichtgroene bloemetjes.

Hij haalde langzaam en diep adem. Zijn gewonde arm deed pijn en de chloroform had hem hoofdpijn bezorgd. Hij vermande zich, haalde het flesje en de spons weer tevoorschijn en ging het slaapgedeelte binnen. Toen hij zich over de vrouw boog begon ze wakker te worden. Hij drukte snel de spons op haar gezicht en hield hem daar totdat ze verdoofd was. Uit zijn andere zak viste hij een smal mes en een tang. Die bood hij Elei aan.

'Moet ik het doen?' fluisterde Elei.

'Als je wilt.'

Elei pakte de werktuigen langzaam aan. Hij bekeek de tang onzeker. 'Wat moet ik dan doen?'

'Is je verteld waar het hier om gaat?'

Elei schudde zijn hoofd.

'De fout die haar man beging was spraakzaamheid. De represaille zal dus worden uitgevoerd aan het orgaan waarmee men spreekt: de tong. Dat is de methode die jouw vader verkiest om dit soort situaties af te handelen. Het is een duidelijk signaal.'

Elei knikte.

Gwynn besloot dat de jongen het maar helemaal moest doen. Hij was er niet voor in de stemming, niet voor dit minne soort behuizing, niet voor dit minne soort werk. Hij leunde tegen de muur en stak een Auto-da-fé op. 'Doe je jas uit en rol je mouwen op. Je wilt niet straks overdekt met bewijsmateriaal de straat op,' adviseerde hij. Elei volgde zijn raad op.

'Goed, hijs haar nu omhoog tot ze rechtop zit en leg haar hoofd achterover.' Toen Elei dat gedaan had droeg Gwynn hem op: 'Doe haar mond open, pak met je tang haar tong en trek die naar boven. Op de plaats waar de tong aan de onderkant vastzit in de mond, snij je van boven naar beneden en van zo ver mogelijk achter in de mond.'

Elei volgde de aanwijzingen op die Gwynn hem gaf. 'Ik kan niet zien wat ik doe. Het bloedt nogal,' fluisterde hij na een paar seconden.

'Doe het op de tast.'

Elei prikte en zaagde gehoorzaam met het mes. Uiteindelijk had hij de tong verwijderd. Hij hield hem omhoog met de tang en vroeg: 'Waar zal ik hem leggen?'

'Waar je wilt. Doe maar op die plank. Knap jezelf nu even op, en dan gaan we.'

Elei legde de tang op de plank die Gwynn had aangewezen. Er stond een lampetstel rechts van het bed, met een kan met water. Elei spoelde het mes en de tang af, droogde ze af aan de lakens en gaf ze terug aan Gwynn. Hij waste zijn handen terwijl hij opzij keek naar de vrouw met een trek van milde nieuwsgierigheid op zijn gezicht.

Luide, vochtige geluiden stegen op uit haar keel. Al gauw kwam er bloed uit haar neus en mond borrelen.

'Is ze nou aan het doodgaan?' fluisterde Elei.

'Ja.'

Elei droogde zich af. Gwynn ging bij de vrouw kijken. Ze was dood. Hij wilde naar buiten lopen, maar Elei raakte zijn mouw aan en hij bleef staan.

'Wat?'

'Wat doen we met...?' Elei knikte in de richting van de wieg.

'Niets, gewoon laten liggen.'

'Bij wijze van genade?'

'Bij wijze van verzekering. Iemand die het niet meer uitmaakt of hij doodgaat of niet, kan jou makkelijk doden. Als je een vijand maakt en je laat hem leven, moet je er heel zeker van zijn dat hij nog iets heeft om voor verder te leven. Ik persoonlijk dood mijn vijanden liever, maar jouw vader is wat verfijnder dan ik.'

Elei knikte.

Gwynn ging hem voor naar buiten en terug langs dezelfde route als de heenweg. Ze liepen juist van een smal trapje af toen achter hem een geluid hem waarschuwde snel opzij te gaan. Hij was maar net op tijd. Elei's braaksel spetterde de treden af.

'Het spijt me...' zei Elei schor toen hij klaar was. 'Het spijt me heel erg...' Zelfs in het schemerlicht was duidelijk te zien dat hij zich geneerde.

'Elei, even een stukje etiquette. Als je denkt dat er zoiets staat te gebeuren wordt een waarschuwing aan degene die voor je loopt gezien als een bewijs van goede manieren. Tenzij het je bedoeling was mijn reflexen op de proef te stellen?'

Het was als grapje bedoeld, om een luchtige draai aan het voorval te geven, maar Elei nam het serieus op, als een veel jonger kind, met een blik van diep gekwetste trots.

'Elei, ik plaagde je maar.'

'O.'

'Gaat het weer?'

'Ja, ik geloof het wel. Moet je het aan mijn vader vertellen?'

'Niet als hij er niet naar vraagt.'

'Hij denkt er vast niet aan naar zoiets te vragen, toch?'

'Waarschijnlijk niet.'

'Goed,' zei Elei. Hij rechtte zijn rug. 'Ik zal nooit meer misselijk zijn als ik iemand dood.'

Met Gwynn voorop keerden ze zonder verdere incidenten terug naar het huis met het rode venster. Ze kleedden zich om in hun gewone kleren en namen afscheid van de meesteres van het huis. Toen ze op de binnenplaats stonden vroeg Elei of ze naar de Strass konden gaan om wat te drinken. Hij had, zei hij, een smerige smaak in zijn mond. Gwynn vond het goed en zo reden ze naar de Lumenstraat.

Toevallig waren er van de anderen ook een paar in de club. Tareda stond op het podium en Marriott, Scherpe Jasper, Elleboog en twee aspiranten, genaamd Porlock en Spindrel, zaten aan een tafel helemaal vooraan. De kevers met de rooie oogjes waren verdwenen, maar van de pythons waren er nog een paar overgebleven, vet en lui, vertroeteld door de gasten die ze nu behandelden als schoothondjes en ze overvoerden met etensrestjes en snoepjes. Gwynn zag dat Marriott moeite deed zijn blikken van Tareda af te houden, maar het zegel van tragische liefde was op zijn gezicht gedrukt. Intussen begroetten Jasper en Elleboog Elei met de jovialiteit van een aardige oom. Natuurlijk wilden ze weten hoe hij gevaren was. Gwynn legde zijn holle handen in elkaar, het teken dat het karwei geklaard was waarop ze Elei feliciteerden. Elleboog sloeg hem op zijn rug en zei dat hij eensdaags de baas zou zijn. Elei nam hun complimenten bescheiden in ontvangst.

Jasper bestelde voor Elei een koppige cocktail. Een van de junioren gaf wiet door, die Gwynn onderschepte. Olm zou het niet erg vinden als Elei dronken werd met de mannen, maar hij zou niet zo blij zijn als hij de jongen laveloos liet worden.

Alle cavaliers trakteerden Elei op drankjes en zo wankelde de nacht verder. Gwynn hield gewetensvol een oogje op zijn pupil en probeerde niet te laten zien dat hij zich helemaal niet feestelijk voelde.

De eerstvolgende keer dat Tareda pauze had kwam ze naar hun tafeltje. Aangemoedigd door zijn 'ooms' verzocht een hoogrode Elei Tareda of ze hem de eer wilde aandoen naast hem plaats te nemen. Ze glimlachte op hem neer als een oudere zus en zei dat hij echt een zoon van zijn vader was. Ze ging zitten op de stoel die hij onhandig voor haar uittrok en vroeg hem naar zijn familie in Musenda en de school die hij daar bezocht had. Marriott staarde in de leegte.

Gwynn dronk zijn glas leeg en ging naar de tapkast om zich weer te laten inschenken. Hij was net bezig af te rekenen toen hij het schot hoorde, een enkel schot.

Hij rende terug, duwde andere mensen opzij. In de stilte die in de club was gevallen hoorde hij hoe Scherpe Jasper zijn stem verhief en de smerigste verwensingen ten beste gaf. Hij bereikte hun tafel en zag Elei op de vloer liggen, in elkaar gerold op zijn zij. Tareda, Scherpe Jasper en Elleboog stonden over hem heen gebukt. Marriott ontbrak.

'Zeg op,' fluisterde Gwynn.

Tareda keek op. 'Hij werd opgewonden en legde zijn hand op mijn tiet. Ik duwde hem weg en toen schoot Marriott hem neer,' zei ze onomwonden.

Eleis gezicht was vertrokken van pijn. Bij elke uitademing slaakte hij een zacht kreetje.

'In zijn buik is het,' zei Jasper. 'Misschien nog de moeite waard om hem naar die kennis van jou te brengen, die dokter. Tenzij je nu meteen aan je stutten wil trekken.'

Gwynn voelde zich heel afstandelijk alsof hij een ander was, heel ergens anders, die het tafereel door een telescoop bekeek. Hij knielde en probeerde de schade vast te stellen. De kogel was aan de linkerkant van de romp van de jongen naar binnen gegaan, een paar duimbreedten beneden de ribben. Gwynn had een grotere wond verwacht, vanwege een groot kaliber, maar dit zag er niet veel groter uit dan van een .22. Het bloed dat uit de wond sijpelde was donker van kleur.

Hij bekeek Eleis rug van boven tot onder. Hij zag nergens de wond waar de kogel het lichaam zou hebben verlaten.

Zonder te weten waar in de ingewanden van de jongen de kogel zich bevond, kon hij met geen mogelijkheid zeggen hoe ernstig het was.

'Ik breng hem naar het ziekenhuis,' hoorde hij zichzelf aanbieden. 'Hij was mijn verantwoordelijkheid. Jullie twee,' beval hij Spindrel en Porlock, 'dragen hem. En laat iemand Olm op de hoogte stellen.'

De twee junioren keken alsof ze verwachtten dat Olm elk ogenblik uit de schaduwen tevoorschijn kon springen. Heel behoedzaam tilden ze Elei op, die daarbij een lang, kermend gejammer liet horen.

'Weet je het zeker?' vroeg Jasper terwijl hij Gwynn vreemd aankeek.

Gwynn knikte. Hij had nog steeds het gevoel dat hij heel ver weg was. Toen vroeg hij: 'Marriott is gevlogen?'

'De nacht in.'

'Neem mijn rijtuig maar,' bood Tareda aan.

'Dank je, dat was ik al van plan,' zei Gwynn. 'Iemand hier zal je wel thuisbrengen.' Hij wenkte de twee jongelui die Elei droegen met een onge- duldig gebaar en ze liepen met hun allen tussen de andere gasten door, die in een volmaakt roerloos zwijgen zaten en overal heen keken, behalve naar het ongelukkige groepje van de Hoornen Waaier.

 DEEL 3

15

HALF WAKKER DRAAIDE RAULE ZICH om en probeerde de slaap weer te vatten. Maar het kloppen op haar deur hield aan en ze hoorde de zuster haar naam roepen.

Ze kwam overeind. 'Wat is er?' Ze tastte in het donker naar haar kleren.

'Schotwond,' klonk de stem van de zuster. 'Een jongen. Er is een man bij hem, een van die cavaliers. Ze zijn nu in de operatiekamer.'

Raule haastte zich naar beneden, de zuster achterna en de kleine operatiekamer van het ziekenhuis in. De gewonde lag op de tafel met ontbloot bovenlijf. Hij was bij kennis en kreunde. Het verbaasde Raule niet te zien wie de andere man was.

Gwynn had het gezicht van een engel des doods die danig last van zenuwen had. Hij hield iets tegen de wond gedrukt, een servet zo te zien. Hij ging achteruit om haar meer ruimte te geven.

'Waarom kan ik jou maar niet kwijtraken?' vroeg Raule met een lelijk gezicht. 'Nee, geef maar geen antwoord. Wie is dit?'

'Elei. De zoon van Olu,' zei Gwynn haastig. 'Hij is tien minuten geleden neergeschoten. Je kunt ervan overtuigd zijn dat ik je...'

'... zal betalen voor de moeite. Ja, dat zul je zeker.' Raule zeepte haar handen in. 'Heb jij hem neergeschoten?'

'Nee.'

Raule keek naar de wond waar de kogel was binnengegaan.

'De kogel zit er nog in,' zei de zuster die bezig was een morfine-injectie klaar te maken.

Elei hief zijn hoofd op. 'Ga ik nou dood?' hijgde hij.

'Misschien niet,' zei Raule.

Terwijl de zuster Elei de injectie gaf in zijn heup, ging de deur open en kwamen nog meer nonnen de operatiekamer binnen met lappen, ketels en teiltjes. Al gauw was Elei verdwenen achter een muur van habijten en kappen.

Gwynn schoof de kamer uit. Toen de deur eenmaal achter hem was dichtgevallen, leunde hij tegen de muur en streek met zijn hand over zijn ogen.

Hij was alleen, want hij had Porlock en Spindrel teruggestuurd met het rijtuig. Hij keek op zijn horloge. Het was tien voor drie.

Hij liep naar Raules kantoortje, ontdekte dat het op slot zat, herinnerde zich de sleutels die bij de ingang hingen en ging ze halen. Een ervan ontsloot de deur. Binnen zocht hij pen en papier en schreef Beth een briefje waarin hij zei dat hij betrokken was geraakt bij iets onverkwikkelijks en dat het misschien verstandig was als ze een paar dagen niet thuis was. Hij ondertekende de brief en stopte hem in een envelop die hij dichtplakte. Hij ging de voordeur uit en draafde naar de dichtstbijzijnde hoofdstraat waar hij om zich heen keek of hij iemand zag die een boodschap kon wegbrengen, want zijn paard stond nog bij de Strass. Er waren maar weinig mensen op straat. Een stelletje stond te vrijen in een portiek, helemaal in elkaar opgaand. Verderop lag iemand op straat, in een deken gerold.

Toen vond Gwynn wat hij zocht. In een steegje zat een groepje jongelui niks te doen rond een vuurtje in een olievat. Een vest met lovertjes die fonkelden in het vlammenschijnsel trok Gwynns aandacht.

Hij liep op de groep af, waar meteen waakzaam de koppen omhooggingen bij het horen van zijn stappen. Hij sprak de jongen met de lovertjes aan.

'Jij daar, zin in een karweitje?'

Een verrukte uitdrukking trok even over het gezicht van de jongen, voordat hij zijn gezicht in een onverschillige plooi kon trekken. 'Misschien. Wat voor karwei?'

Gwynn stak hem de brief toe. 'Dit bezorgen.' Hij gaf het adres op van het huis op de Kraanvogeltrappen en bood vijftig florijnen aan.

'Wanneer?' vroeg de jongen.

'Nu meteen,' zei Gwynn.

'Hé, ik doe het voor twintig!' zei een kleinere jongen. Degene met wie Gwynn aan het praten was draaide zich om en gaf hem een oorvijg.

'Neem me niet kwalijk,' verontschuldigde hij zich bij Gwynn.

'Schiet nou maar op,' zei Gwynn.

De jongen haalde vriendelijk zijn schouders op en liep op een sukkeldrafje de straat uit.

'Sneller!' schreeuwde Gwynn

De jongen zette de vaart erin.

Gwynn ging terug naar het gasthuis, waar hij plaatsnam op een houten bank tegenover de operatiekamer en een sigaret opstak. Zijn wond bonsde fel en hij had alweer akelige hoofdpijn. Er zou hier ergens wel laudanum zijn, maar hij bedwong de aandrang om het te gaan zoeken. Hij mocht zijn geest nu niet laten vertroebelen.

Of Marriott echt van plan was geweest Elei te doden of alleen een waarschuwingsschot had willen lossen en door zijn bevende handen verraden was, deed er niet toe. Marriott was al zo goed als dood, tenzij hij de stad was ontvlucht en intussen al ver weg was, maar dat betwijfelde Gwynn. Marriott had zich misschien ergens verstopt, maar hij zou niet de stad verlaten waar Tareda Immer nog was.

Gwynn glimlachte bitter. Hij had niet verwacht dat hij Marriotts obsessie ooit zo diepgaand zou begrijpen.

Eleis dood betekende zijn eigen doodvonnis. Als Elei in leven bleef zou Olm hem heel waarschijnlijk nog steeds willen straffen omdat hij in de bescherming van de jongen te kort was geschoten. Als hij alleen aan zichzelf had hoeven denken zou hij kunnen vluchten of het gevecht aangaan. Op zijn allerergst zou hij worden doodgeschoten, wat altijd beter was dan een tochtje op de rivier met betonnen laarzen.

Maar hij moest aan Beth denken. Hij had er geen idee van of haar vreemde macht over mannenharten haar zou behoeden voor Olms kwaadaardige grillen, als alles verkeerd liep. Maar als hij in de stad bleef en zich overgaf – dan mocht hij hopen dat de straffen die Olm wilde uitvaardigen hem rechtstreeks zouden treffen en dat Beth dan veilig zou zijn. Kennelijk was hij dus toch in staat tot zelfopoffering.

Hij rookte het hele pakje Auto-da-fés op. Omringd door uitgedrukte peuken staarde hij om zich heen. Er brandde geen licht in de gangen, maar de deur van de operatiekamer had glas bovenin en daar viel genoeg licht doorheen zodat hij de aanplakbiljetten kon lezen op het mededelingenbord aan de muur. Ze droegen de zegels van de Kerk en diverse genootschappen voor het openbare dit en het morele dat en waren bedrukt met lugubere beschrijvingen van geslachtsziekten en tirades tegen 'onnatuurlijk tijdverdrijf'.

Eentje betoogde er tegen het gebruik van tabak: 'de Smerige en Gevaarlijke Verdorven Gewoonte van het Roken, dat de Neus ontrieft, de Smaak verdooft, de Huid voortijdig Oud maakt en een Voortschrijdende Aftakeling van geheel het Lichaam Bewerkstelligt.' Gwynn las verder tot en met de laatste regel: 'Tabak zal u Langzaam maar Zeker Doden.'

Ja, de tijd ook, dacht Gwynn. *Maar als je het snel gedaan wilt hebben, dan bevelen de experts kogels aan.*

'Gwynn.'

Hij schrok wakker.

Hij lag op de bank; hij kon zich niet herinneren dat hij in slaap was gevallen. Raule stond voor hem.

Ze liet een klein gemangeld stukje lood zien op een blaadje. 'Dank de voorzienigheid maar dat er kleine kogels bestaan,' zei ze. 'Hij is de maag binnengedrongen en daar gewoon gebleven. Al die drank die erin zat heeft het ding waarschijnlijk afgeremd. Als hij geen infectie oploopt mag hij over een week of wat weer naar huis. En met een maand is hij weer het heertje.'

'Dit is toch geen droom, hè?' vroeg Gwynn.

'Hoe moet ik dat weten?' zei Raule.

Gwynn keek naar de kogel. Hij herinnerde zich dat hij gedacht had dat de wond erg klein was. Marriott was kennelijk een kleiner pistool gaan gebruiken, vanwege zijn onbetrouwbare handen.

'Je bent een koningin onder de dokters,' zei hij tegen Raule. Hij stond op. 'Hoeveel ben ik je schuldig?'

Raule wapperde afwijzend met haar hand. Even keek ze hem strak aan met een norse blik waarin een heleboel tegelijk te lezen viel. Toen draaide ze zich om en ging de operatiekamer weer binnen en deed de deur dicht.

Gwynn ging naar buiten en aanvaardde de terugweg naar de Strass om zijn paard op te halen. Het was ondertussen zes uur in de ochtend. Hij stopte bij een kiosk om sigaretten en een krant te kopen. De schietpartij stond op de voorpagina. Gwynn las het artikel niet. Hij gooide de krant in een vuilnisbak en maakte zich op om Olm onder ogen te komen.

Tack en Snaai hielden Gwynn aan in de tuin voor de villa.

'Je weet hoe het gaat, hè?' zei Tack.

Gwynn overhandigde zijn wapens aan Tack en spreidde zijn armen uit. Snaai klopte hem grondig af. Hij kromp ineen toen de hand van Snaai zich om de wond sloot.

'Neem me niet kwalijk,' zei Snaai. Na een mes dat in Gwynns rechterlaars zat te hebben geconfisqueerd, richtte hij zich op en knikte.

'Goed. De baas zit in het bad.'

Gwynn ging de villa binnen, geëscorteerd door de tweeling. Olms privé-suite lag boven in het huis, drie trappen op.

'Mochten we je moeten doden,' begon Tack terwijl ze de trap op gingen, 'dan willen we alvast zeggen dat het prettig was je gekend te hebben, Gwynn,' besloot Snaai.

'Van hetzelfde, heren,' zei Gwynn op hartelijke toon. Mocht Olm besluiten wraakzuchtig te zijn, dan zouden het Tack en Snaai zijn die zijn handen kapotsloegen en zijn voeten in cement zetten en hem in de Skamander kieperden. Maar tot het zover was konden ze net zo goed aardig tegen elkaar blijven doen.

Op de bovenste verdieping gingen ze een gang door die was betimmerd met panelen van notenhout en belegd was met in reliëf geschoren tapijt. Aan het eind, tussen twee gouden bustes van Olm, bevond zich de matglazen deur van de badruimte. Snaai trok aan een schellekoord aan de muur naast de deur om hun aanwezigheid aan te kondigen en toen namen de broers Gwynn mee naar binnen.

De ruimte stond vol stoom en werd zacht verlicht door olielampen in nissen. Op plaatsen waar de damp wat ijler was werden nog meer gouden beelden zichtbaar: naakte nimfen, sirenes en engelen, allemaal aan de marmer muren vastgelegd met fijne, vergulde kettingen. In een aangrenzende ruimte stond een waterverhitter; het holle winderige geruis van de brander drong zacht tot hen door.

In het eerste bad stond water, maar er was niemand. Een scherm versierd met bladgoud onttrok het tweede bad, daarachter, aan het oog. Gwynn bleef stilstaan. Tack en Snaai trokken hun pistolen. De minuten verstreken terwijl aan de andere kant van het scherm water klotste.

Tenslotte klonk Olms stem vanuit de achterste nissen van de ruimte.

'Zo, je laat je neus zien. Mijn zoon leeft dus nog.'

De woorden werden gevolgd door nog meer geplons. Gwynn probeerde Olms bedoelingen af te lezen uit zijn toon en stembuigingen, maar Olms stem bleef een raadsel.

'Ja,' zei Gwynn eenvoudig.

'Zeg me,' klonk Olms stem, 'hoe het met hem gaat.'

'De dokter verwacht dat hij volledig zal genezen, mits er zich geen complicaties voordoen.'

Er werd water verplaatst.

'Er is mij gezegd,' zei Olm, 'dat Marriott hem heeft neergeschoten.'

'Ja.'

Weer een lange pauze. Gwynn voelde het zweet langs zijn rug sijpelen. Eindelijk maakte Olm een eind aan de stilte.

'Gwynn, ik moet besluiten wat ik met je moet. Elei heeft iets stoms gedaan en de anderen hadden op hem moeten passen toen jij er niet was; maar ik moet iemand aanwijzen om te straffen.'

Gwynn richtte zijn blik op het gezicht van een van de standbeelden.

'Voorlopig,' zei de stem van Olm, 'ga ik ervan uit dat de prognose van de dokter juist is. En daarom is mijn oordeel – voorlopig – het volgende, aangaande jou en Marriott. Men zou het een zonde van het hart kunnen noemen, of van de pik, maar ik noem het een zonde van de handen. Jij bezorgt me Marriotts handen. En wel vóór morgen middernacht. Dat is mijn straf en mijn genade jegens jullie beiden. Ik vertrouw erop dat je begrijpt dat mijn genade zeer groot is.'

Heel even voelde Gwynn een golf van enorme, lafhartige opluchting door zich heen slaan. Op de voet gevolgd door een golf van walging; hij stelde zich voor hoe hij Olms schedel tegen een muur zou slaan, keer op keer, tot het ding openbarstte als een granaatappel. Daarna nam een muf, droog gevoel bezit van hem dat hem niet verliet.

Olm ging verder alsof hij niets bijzonders had gezegd: 'Jasper heeft al laten uitkijken naar Marriott. Die lui zijn in de Violenarcade. Ga daar nu heen.'

Hij kon gaan. Gwynn draaide zich om en verliet de ruimte. Irrationeel genoeg verwachtte hij nog half en half de beet van kogels in zijn rug. Die kwam niet. Tack en Snaai volgden hem de kamer uit en gaven hem zijn wapens terug. Ze zwegen allebei; hij ook. Hij gespte zijn ijzerwinkel weer om en beende de gang uit. De tweeling volgde hem niet.

Op de trap ving hij een bulderend geluid op van buiten de villa. Toen hij in de tuin kwam ontdekte hij dat de regen met bakken tegelijk uit de lucht kwam zetten, alsof de bodem uit een hemelse oceaan was gevallen. Terwijl hij in de villa was, was de moesson gearriveerd.

Een diepe klankvolle stem van vallend water, dat daken en straten trof en zich in de Skamander stortte, weergalmde tussen de wanden van het dal. Het grootste deel van Ashamoil was aan het zicht onttrokken en ging schuil achter een massief grijswit gordijn. Binnen een paar tellen was Gwynn doorweekt.

Door de tuin op weg naar de stallen zag hij de omtrek van iemand die in zijn richting kwam.

Het was Tareda. Ze was net zo door en door nat als hij en had geen schoenen aan. Ze liep naar hem toe.

'Ik heb met hem gepraat,' zei ze. 'Ik heb gedaan wat ik kon.'

'Waarmee je waarschijnlijk mijn leven gered hebt.'

Ze wendde haar blik af. 'Wat gaat er nu gebeuren?'

Gwynn vertelde het haar.

'Ik vind het heel erg voor je,' fluisterde ze.

Ze stonden elkaar knipperend met hun ogen in de regen aan te kijken, door de krachten van het ogenblik gedwongen zo te blijven staan, wachtend tot hun een toereikende opmerking of een veilig gebaar te binnen wilde schieten, alsof ze door zo'n minuscule overwinning van de hoffelijkheid alles konden doen veranderen.

Na een poosje zei ze: 'Ik moet weer naar binnen.'

Ze liep langs hem heen. Hij voelde zich ontastbaar als een geestverschijning, toen hij alleen verder liep.

Hij was met een uurtje in de arcade. De winkels waren nog gesloten achter ijzeren hekwerken. Hij had nog niet zo lang staan wachten toen een paar louche types hem benaderden. Ze stelden zich voor als Nageltjes en Snoek.

'We hebben 'm gevonden,' zei de man die Nageltjes werd genoemd. 'Hij zit in de Sangréal. Heeft zo te zien helemaal geen haast om op te stappen.'

Gwynn kende de Sangréal. Het was een van de smerigste kelderkroegen van de kaden.

'Houdt iemand hem in de gaten?' vroeg hij.

Nageltjes gromde bevestigend. 'We laten wel bericht achter in de Strass, mocht-ie in beweging komen.'

Gwynn schudde zijn hoofd en zei: 'Nee.' Hij wilde zo min mogelijk in de club van Olm zijn. 'Zelfs de slangen daar luisteren mee en kletsen het door,' zei hij bij wijze van verklaring. Hij bedacht een aanvaardbaar alternatief. 'Geef het maar af in De Mensenwaan. Ik zie jullie daar morgenavond wel.'

'Hoe laat?'

'Acht uur.'

'Komt in orde,' zei Nageltjes.

De twee mannen vertrokken. Gwynn klom in het zadel en reed door de regen de Kraanvogeltrappen op.

Beth kwam aan de deur, alleen gekleed in een hemdje. Op haar zolder was het drukkend heet.

'Ik heb je briefje gekregen,' zei ze. 'Maar ik ga nergens heen. Ik heb van jouw baas niks te vrezen. Je maakt je veel te veel zorgen, Gwynn.' Ze pakte hem bij de hand. 'Kom kijken waar ik mee bezig geweest ben.'

Gwynn deed zijn mond al open om iets te zeggen, maar deed hem toen weer dicht. Hij had in de brief geen details vermeld en kennelijk interesseerde het haar helemaal niet om er meer over te horen.

Op dat ogenblik besefte hij dat hij voor haar niet op dezelfde manier bestond als in zijn eigen beleving. Zij had alleen een kopie, een interpretatie van wie hij was, gefilterd door de matrix van haar prioriteiten en verlangens.

Dan moest hij dus ook alleen een kopie van haar bezitten.

Hij volgde haar het atelier in.

'Dat zijn de eerste proefdrukken,' zei ze terwijl ze wees naar een stuk of tien etsen die op een rek waren uitgestald om te drogen. 'Wat vind je ervan?'

De etsen grepen in vele opzichten terug op haar taferelen van drukkende architectuur en ongrijpbaar leven, die hem zo hadden geïntrigeerd. De nieuwe beelden vertoonden nog steeds de donkere inktschakeringen en de monumentale bouwstijl en leken dezelfde gefantaseerde plaats uit te beelden. Maar het leven van de bewoners, waarnaar aanvankelijk alleen werd verwezen, was nu open en bloot te zien. Deuren en luiken stonden open en onthulden de wereld achter de muren.

Gwynn vond het een onmogelijke opgave zijn mening in woorden om te zetten.

In haar uitbeelding van de verborgen wereld leek Beth door haar talent in de steek te zijn gelaten.

De bewoners leken op de kermismonsters uit haar vroegere werk. Ze hadden nu echter de grens overgestoken tussen het paradigma van grillige schepping en een verloederde mensheid: een man met een varkenspoot bij wijze van derde been; een vrouw met in plaats van borsten een enkele opgezwollen uier van een koe; bij een andere vrouw waren de armen twee slangen en de man die tussen haar gespreide benen knielde had de bladen van een snoeischaar tussen zijn kaken in plaats van een mond en tanden, en zo ging het verder. Net als tevoren waren ze doende met zinnelijke bezigheden, maar ditmaal ontbrak het genot. De gezichten, die allemaal menselijk waren, droegen uitdrukkingen van verachting, hersenloosheid en walging.

Gwynn vroeg zich af of hij verzuurd was, of hij op dit ogenblik, met alles wat er tegelijk in zijn leven voorviel, misschien niet in staat was schoonheid te zien of genot te voelen. Maar hoe langer hij de beelden bekeek, des te zekerder was hij van zijn oordeel.

Bij de inkijkjes die voor hem lagen was werkelijk niets, dat een krankzinnige niet uit de verkankerde krochten van zijn geest had kunnen opdiepen. Daarbij ontstelde het hem dat hij zichzelf overal terugzag, of liever, fragmenten van zichzelf, alsof hij in stukken was gehakt en over de afbeeldingen was uitgestrooid. Zowel bij de gedaanten die pijn en vernedering uitdeelden, als bij hen die het lijdelijk ondergingen waren er velen die op een of andere manier op hem leken.

Huiverig om rechtstreeks zijn onbehagen te uiten, zei hij: 'Ik ben bang dat ik dit niet helemaal begrijp! Wat wordt hier precies uitgebeeld?'

'Het krijgen van littekens,' zei Beth. Als reactie op het niet-begrijpend fronsen van zijn voorhoofd beval ze: 'Blijf stilstaan.'

Hij deed wat ze zei en ze begon zijn kleren los te maken. Hij voelde zich net een etalagepop. Al gauw stond hij met ontbloot bovenlijf. Ze streelde zijn huid heel zacht met haar vingertoppen. Toen legde ze haar hand om zijn gewonde arm en kneep er hard in, met verband en al.

Vol pijn keek hij haar aan met grote ogen.

'Dat is echt,' zei ze, 'Het vlees is echt. Het houdt onze herinneringen veel getrouwer vast dan onze geest.'

'Madame, wat in 's hemelsnaam...' barstte hij los. Toen verstierf zijn stem, want haar gezicht was heel dicht bij het zijne gekomen en hij rook haar adem. Haar mond was als een wierookvat waaruit een dubbele geur opsteeg: de weldadige geur van een rozentuin, besmeurd met het bloed van een pas gedode prooi.

Hij stond roekeloos van schrik terwijl haar handen zijn oude littekens natrokken en ze zei: 'Ik ben altijd jaloers op je geweest omdat jij de voorgeschiedenis van je ontmoetingen met de dood met je meedroeg. Ieder mens kan schoonheid dragen, maar kracht weet maar zelden hoe ze zich moet vertonen en hoe ze bewonderd moet worden. Als ik het zuur in het metaal zie bijten, stel ik me voor dat het metaal mijn huid is. Begrijp je me?'

Gwynn schudde zijn hoofd. 'Beth...' Hij keek in haar ogen en ontdekte dat de ijzeren barrière eindelijk verdwenen was. In de stralende zwarte diepte daarachter zag hij iets wat hij van vanouds kende.

Wat hij ook gehoopt had daar aan te treffen, zeker niet iets wat hij zelf voortgebracht had kunnen hebben.

Hij probeerde verwoed na te denken. De geur van haar adem kende hij van het visioen dat hij bij Vanbutchell had gehad. Was dat visioen mogelijk een waarachtig voorbeeld geweest van het voorzien van de toekomst, een waarschuwing? In dat geval was de geur misschien een symptoom van een kwaal, of van een vergif; misschien dat een van de chemicaliën waarmee ze werkte haar aangetast had.

'Wat is er, Gwynn?'

'Ik ben bang dat je onwel bent. Net of je jezelf niet bent.'

'Ik heb me nooit beter gevoeld,' verzekerde ze hem. 'Ik ga het vervelend vinden als je je steeds zorgen om mij maakt. Ik ben een buitengewoon gezond exemplaar van mijn diersoort.'

Ze bewees hem haar potentie. Haar liefdesspel was gewelddadig en hij beantwoordde het op dezelfde manier. Op een gegeven ogenblik sloeg ze hem in het gezicht en merkte hij dat hij al zijn krachten inspande om haar op haar buik te draaien met het idee haar zo vast te houden en dan te nemen als een dier. Hij wist niet of hij erop terugkwam en zijn houdgreep uit eigen vrije wil ophief, of dat ze het van hem won, maar ze keken elkaar weer aan en toen schoten haar handen omhoog en sloten zich om zijn hals. Het was maar een speelse greep en meer niet, maar hij voelde hoe een kwade gewelddadigheid achter het spel zweefde. Terwijl zijn lichaam bijna werktuiglijk doorging en zijn genot beleefde, werd zijn geest hoe langer hoe bedrukter, terwijl de belofte van onbekende bereiken achter de horizon verdween.

Toen ze klaar waren met elkaar bleven ze een eindje van elkaar af liggen. Hij zei: 'Het lijkt erop dat iets van jou zich in mij heeft geworteld. Ik heb me daar zelf voor opengesteld dus ik kan er geen bezwaar tegen maken. Maar wat ik vrees is, dat iets van mij nu bij jou wortel geschoten heeft.'

'Jij wilde immers veranderen? Dat wil ik misschien ook wel.' De kalmte was bij haar teruggekeerd. Ze lag glimlachend op haar zij. Maar de geur was sterk in haar adem en in haar zweet.

Haar woorden verrasten hem.

'Ik had me jou voorgesteld als katalysator, die verandert wat ze aanraakt, terwijl ze zelf onveranderd blijft,' zei hij.

'Romantisch, maar fout gedacht. Ik was degene die naar jou zocht, weet je nog. Jij was het ingrediënt waaraan ik behoefte had.'

'Dat weet ik niet zo zeker.'

'Nou, wacht dan maar af.'

Je bent me dierbaar geworden, had hij haar willen zeggen, maar hij ontdekte dat hij niet veel anders kon zeggen dan dat hij moe was en niet kon blijven en dat hij het druk had met werk, de volgende dag, en dus niet met haar kon afspreken.

Die middag lag hij op de bank in zijn zitkamer en probeerde wat tot rust te komen en de zaken op een rijtje te zetten. Maar hij kon geen gemoedsrust vinden terwijl gedachten aan Beth en Marriott rondmaalden in zijn hoofd als draaimolenpaarden.

Als hij de bevelen van Olm naar de letter opvolgde hoefde hij Marriott niet te doden. Een mens kon best overleven zonder handen. Misschien moest hij Marriott die keus bieden. Maar uiteindelijk besloot hij dat Marriott toch sterven wilde en dat het zo beter was.

In het holst van de nacht wikkelde Hart, de sterke man van de kermis, het lijk van zijn vrouw in een schoon laken. Hij nam de last in zijn armen en droeg haar naar het huis van iemand die hij kende als bedrijver van toverkunsten.

De tovenaar deed open op Harts kloppen in een zwart gewaad met geheime symbolen in gouddraad erop geborduurd. Toen hij zag wat de sterke man in zijn armen droeg, vertrok zijn oude gezicht in groeven van diep verdriet.

'Meester Vanbutchell!' Hart zei de naam waaronder hij de tovenaar kende, maar kon toen niet verdergaan.

Vanbutchell de toverkunstenaar zei: 'Ik kan haar niet terugbrengen, begrijp je wel? Ik kan je alleen een wapen geven. En daaraan verbonden is een prijs, en dan nog een prijs.'

'Ik aanvaard het,' zei Hart. Tranen liepen uit zijn ogen, zo vol van de bitterheid van schuld, dat ze twee bloedige groeven hadden geslepen in zijn gezicht.

'Goed dan.'

Vanbutchell ging hem voor door het huis naar een vertrek dat leeg was, verbonden met de hemel door een rond gat in het dak en met de aarde door een tegenoverliggend gat in de vloer.

'We staan in het athanor,' zei Vanbutchell. Deze plek is de as en de matrix. Hier kan je, op zekere tijdstippen en met het geëigende materiaal, ongehoorde alchemie bedrijven. Blijf staan; kom niet dichterbij. Ik zal je zeggen wat de prijs is. Aan het universum dien je te betalen met je leven.'

'Dat maakt mij niets uit.'

'Daarnaast vraag ik een vergoeding voor mijzelf. Je hebt een dochter. Breng haar morgen bij me. Ze zal voor me zorgen in deze najaren van mijn oude dag en als ze er aanleg voor heeft zal ik een tovenares van haar maken.'

'Beter dat ú haar neemt dan het armenhuis. U hebt mijn woord; ze wordt uw eigendom.'

'Laat dan hier wat je draagt,' zei Vanbutchell, 'en ga en kom morgen terug op ditzelfde uur, dan zal ik je je wapen geven.'

'Waarom moet ik haar achterlaten? Ze dient fatsoenlijk begraven te worden.'

'Vanwege het materiaal. Haar stoffelijke resten zullen worden omgevormd tot het instrument waarmee je wraak zult nemen. Heb je daar bezwaar tegen?'

Hart boog het hoofd. 'Dat is misschien wel zo rechtvaardig,' zei hij langzaam. 'Ja, dat is rechtvaardig.'

Hij knielde en liet de bundel in het laken op de grond zakken.

Vanbutchell legde zijn hand op de zware schouder van de sterke man. 'Ik zou je iets kunnen geven tegen je pijn.'

'Nee.'

Vanbutchell knikte, heel bedroefd.

Hart vertrok en liep naar huis waar hij zijn dochtertje in zijn armen nam en haar alles vertelde over haar moeder, waarbij hij haar niet de manier bespaarde waarop ze gestorven was, noch zijn aandeel daarin. Hoewel ze te jong was om er een woord van te verstaan, voelde hij het als een plicht haar de waarheid te vertellen. Daarna lag hij wakker, stortte opnieuw zijn onnatuurlijke, bijtende tranen, of verloor zich in een fantasie waarin zijn vrouw naast hem lag, een klein eindje van hem af.

De moessonregens kwamen de volgende dag. Hij lag in bed en luisterde naar het vallende water met zijn dochter in zijn armen. Toen het eindelijk donker werd probeerde hij wat met haar te spelen, maar ze was huilerig. Hij verschoonde haar en voerde haar, maar ze bleef donker kijken en huilen. Ook hij begon weer te huilen, gewone tranen dit keer, die door de rauwe goten in zijn huid stroomden.

'De hemel huilt, jij huilt, ik huil ook,' mompelde hij. Hij liep met haar de kamer op en neer. Die beweging leek haar te kalmeren dus hij ging er mee door tot het tijd was om weer naar Vanbutchell te gaan.

Het duurde een hele poos voordat de toverkunstenaar de deur opende. Hij zag er ouder uit. Hij zei tegen Hart: 'Het was niet makkelijk; ook ik heb een prijs betaald.' En prevelend, voornamelijk tegen zichzelf leek het, vervolgde hij: 'Maar ik heb er goed aan gedaan deze afrekening mogelijk te maken. Er wordt te weinig afgerekend; te veel van wat verkeerd is laat men maar passeren. Misschien dat we hierna wat kieskeuriger en nuchterder zullen blijken te zijn.' Toen keek hij de sterke man vol verwachting aan.

'Ze heet Ada.' Hart kuste zijn dochtertje één keer zachtjes op haar voorhoofd en legde haar toen in Vanbutchells armen.

Vanbutchell bekeek het kleine gezichtje aandachtig en knikte afgemeten. 'Ze zou tovenares kunnen worden op een goede dag. Ze krijgt een nieuwe naam.'

'Dat gaat mij niet aan,' zei Hart met lege stem.

'Wacht hier.' Vanbutchell liep de gang in met het kleine meisje en verdween in het achterhuis. Korte tijd later kwam hij terug, langzaam lopend, met iets in zijn handen.

Het was een wapen, een bijl. Een schacht van zwart ijzer, vier voet lang. Met een waaiervormig bijlblad van twee voet bovenaan. Vanbutchell stak Hart het wapen toe.

Hart nam het heel behoedzaam aan. Het woog zwaar. Het bijlblad was blank, scherp als een nieuw scheermes en voorzien van ingegraveerde bloemetjes die in drukke patronen over het metaal klommen. Hij raakte het voorzichtig aan en streek met zijn vingertoppen over het versierde oppervlak.

'Ja, het is vervaardigd van de stoffelijke resten van je vrouw – moge haar ziel spoedig rust vinden,' antwoordde Vanbutchell op Harts onuitgesproken vraag. 'Ik heb niet de vorm gekozen of het patroon geschapen dat je op het bijlblad ziet; dit is eenvoudig wat ze geworden is.'

Te midden van zijn verdriet en afgrijzen voelde de sterke man een golf van trots voor de vrouw die zijn echtgenote was geweest. Een hard leven had haar voortijdig versleten. Maar hier in zijn handen had hij een bewijs voor de prachtige ziel die de wereld nooit gezien had. Die gedachte schonk hem geen troost, maar vuurde wel zijn vastberadenheid aan.

Hij was geen krijger; als jongeling had hij een poosje soldaat gespeeld, maar het was intussen twintig jaar geleden dat hij zijn kracht voor iets anders had gebruikt dan voor kermisvermaak. Hij had echter het gevoel dat hij het wapen in zijn hand even goed kende als hij het lichaam van zijn vrouw had gekend.

'Ga in voorspoed je wraak en je noodlot tegemoet. Ik zal je dochter vertellen dat haar vader een held was,' zei Vanbutchell, niet zonder ironie maar evenmin onoprecht. 'Ik heb nog iets anders voor je bewerkstelligd. Je vijanden zullen spoedig menen dat je dood bent. Ze zullen dus niet naar je uitkijken.'

De tovenaar boog, draaide zich toen om en schuifelde weg, de gang in.

Buiten stond Hart, gegeseld door de regen. Met de bijl tegen zijn borst. Hij twijfelde er niet aan, of het Genootschap van de Hoornen Waaier had de verminking en dood van zijn vrouw bewerkstelligd. Een andere kandidaat was er niet. Hij had een tegenstander van formaat. Maar als hij stierf bij de uitoefening van zijn wraak, dan zou dat alleen maar een verdiende straf zijn voor zijn schuld.

 16

MET OVERPEINZINGEN DIE ZO DIEP en zo breed gingen als hij onder de gegeven omstandigheden kon opbrengen, bracht Gwynn de dag door met het overwegen van de moord op Marriott.

Hij stond vroeg op en ging de deur uit, gehuld in een cape van oliegoed. Bijna niemand was buiten in de hitte en de plensregen. De Skamander kolkte; krokodillen dreven in het opgezweepte water.

Niet de rivier in. Daar was hij heel zeker van.

Drie uur rijden langs de rivier naar het oosten bracht hem aan de buitenste rand van Ashamoil en de nieuwe uitleg van de stad, die in de korte tijd van zijn bestaan de naam De Kleine Hel had verdiend. Hier lagen de slachthuizen en de leerlooierijen, de paardenslachterijen en de lijmfabrieken, die zo'n drie jaar geleden met geweld waren verdreven van hun oeroude zetel naar deze nieuwe plek, in een poging van het stadsbestuur de rivieroevers in het hart van de stad te verbeteren. Gwynn was er meermalen met de barkas langs gevaren, maar had De Kleine Hel nooit bezocht.

Hij trof een wildernis aan van loodsen met daken van golfplaat en een stank, die zo agressief was dat zijn ogen ervan prikten. Zijn paard gooide het hoofd in de nek en snoof van woede.

Vanuit het zadel sloeg hij de bedrijvigheid in een slachterij gade. Er werden juist varkens geslacht. Een afdak van zeildoek beschutte de grote binnenplaats van aangestampte aarde tegen de regen, maar dierenbloed en uitwerpselen maakten er een moeras van. Gwynn was niet de enige bezoeker van het slachthuis; twee ingewandlezers zaten op hun hurken naast een ontvleesd varkenskarkas en porden in de ingewanden met bamboe stokjes.

Gwynn dacht aan zwaarden, messen, dolken. Hij keek hoe de mannen de varkens de strot afsneden, zag hoeveel moeite het hun kostte het mes door het vlees van de dieren te halen.

Hij had de laatste tijd niet veel aan Marriott gehad, als vriend. Gwynn voelde zich niet meer zo intiem met hem als in vroeger tijd.

Al met al was scherp staal gewoon een gebruiksvoorwerp. Zelfs het voortreffelijkste zwaard was familie van het slagersmes. En hij wilde ook eigenlijk niet het bloed van zijn oude vriend ruiken, of voelen hoe zijn vlees in tweeën spleet of hoe zijn botten braken.

Nee. Hij zou een andere manier kiezen.

Gwynn nam afscheid van De Kleine Hel en reed terug naar het hart van de stad vanwaar hij de weg nam die tegen de Titanenheuvel op voerde naar het oorlogsmuseum. Daar bracht hij twee uren door in de zalen van het koele, droge stenen gebouw, waar hij de enige bezoeker was, en bekeek er werkeloze wapens. Terwijl sommige best interessant waren uit technisch, esthetisch of historisch oogpunt, waren er maar weinig bij die hem praktisch leken, afgezien van de vuurwapens. Maar een lemmet mocht dan te intiem zijn, een vuurwapen was te afstandelijk en te achteloos, terwijl het gemak waarmee men het gebruiken kon een zeker gebrek aan hoffelijkheid betekende, iets waaraan hij zich niet schuldig wenste te maken.

Buiten boetseerde een krachtige wind de regen tot wapperende gordijnen en joeg ze tegen elkaar op, waarbij ze op elkaar uiteenspatten. Gwynn reed de heuvel af door de waternevel. Het was voorbij de middag en hij had honger. Hij stapte af bij een cafetaria en bestelde een portie gebraden bokking met roerei die hij opat zonder er iets van te proeven.

Verderop in de straat kwam hij bij toeval bij een plein waar net iemand werd opgehangen. De stakker schokte heftig terwijl hij langzaam werd verstikt omdat de beul een te kort stuk touw had gebruikt. Gwynn kon alleen maar het hoofd schudden over zoveel stuntligheid. Hij bleef kijken tot het lichaam eindelijk slap hing, zij het niet bewegingloos, want de wind trok het heen en weer als een lampion in een storm.

Wurging zonder meer zou grotesk worden én moeilijk. Hij dacht aan het gebruik van chloroform, gevolgd door een wat minder gewelddadige vorm van verstikking, maar liet het idee varen omdat het geen stijl had.

Dan bleef vergif over.

Dat had zo zijn verdienste. Als de juiste substantie werd gekozen kon lichamelijk lijden worden vermeden; het kon van dichtbij worden toegediend, maar toch met enige afstandelijkheid en wat de stijl aangaat, het was discreet en bezat een traditioneel element van dramatische tragedie. Voor de ten dode opgeschreven hoofdpersoon was vergif de zwarte pijl die een vreemde, gestileerde dood aanbracht, een dood waarbij nog ruimte was voor een alleenspraak, een dood waarbij het lichaam niet ineenzakte als een gebroken marionet, maar langzaam op het toneel kon veranderen in een stenen beeld, een monument dat de betekenis van die persoon voorgoed bewaarde.

Uiteraard was, in het werkelijke leven, een dergelijk einde van een gedoemde geen waarschijnlijk vooruitzicht. Desondanks lag de gedachtegang voor de hand en Gwynn vond dat, als hij degene moest zijn die Marriotts dood teweeg bracht, hij ook wilde dat die dood niet in een volslagen onzinnige betrekking stond tot het leven dat eraan vooraf was gegaan. De vrouw van de sterke man van de kermis kwam hem ineens in gedachten, als een voorbeeld van een absurde dood. Het ongepaste bracht een klucht voort, tot op zekere hoogte – en waar die grens lag was heel persoonlijk, dat gaf hij toe – maar daar voorbij lag het rijk van het afgrijzen. Dat bezat natuurlijk ook zijn aantrekkingskracht, maar alleen als het slachtoffer een vreemde was.

Het idee, Marriott het leven te benemen op een schrikwekkende manier, kwam wel bij hem op maar dan als hypothese. Hij dacht erover na, uit nieuwsgierigheid wat de uitwerking op zijn geest zou zijn. Hij doorliep in gedachten diverse scenario's, zette een homunculus van zichzelf op het toneel van zijn wildste verbeelding, zag het groteske wreedheden bedrijven met een sullige, hypocriete glimlach en wist zich verzekerd van zijn eigen grenzen. Die homunculus was hij niet; zelfs de akeligste kant van zijn persoonlijkheid stelde er geen belang in Marriott te laten lijden.

Het viel hem in dat hij nog nooit een vriend verraden had. Dat was iets wat hij altijd had weten te vermijden.

Maar nu niet meer.

Gwynn besloot tot vergif. Maar hij had er verhoudingsgewijs weinig ervaring mee. Daarom reed hij, met de gedachte zijn kennis te vermeerderen, over de Fonteinbrug naar de noordelijke oever en dan door smalle kasseienstraatjes in de universiteitswijk naar de bibliotheek met zijn hoge koepel, de bewaarplaats van duizend jaar kennis.

De bibliotheek stond halverwege de helling en keek uit over de rivier. Maar die dag bestond het uitzicht uit de chaos van de regen. Binnen het uur had Gwynn drie ter plaatse verkrijgbare substanties gevonden die voor zijn doel aanvaardbaar waren. Ervan overtuigd dat Vanbutchell er in elk geval een van zou hebben, bleef Gwynn in de leeszaal zitten en doorzocht allerlei teksten op zoek naar een aanwijzing voor Beths toestand. Maar hij vond niets in alle doolhoven van de chemie, de biologie en de geschiedenis.

Hij had het overdrachtelijk bedoeld toen hij zei dat iets van hem zich in haar had geworteld, maar kon een dergelijke binnendringing ook verdergaan dan alleen psychologisch? Zou het niet ironisch zijn, in het licht van al zijn zorgen vanwege de Hoornen Waaier, als het enige gevaar dat haar bedreigde hij zelf was?

Toen hij de folianten eindelijk opzij legde was de zon al onder.

Het bleef heet en de regen viel nog steeds met bakken. Overal gutste water uit afvoerpijpen en stroomde langs de straten, terwijl vuilnis in de overstroming werd meegesleurd. Waar plaveisel ontbrak was de modder diep. Van de ene dag op de andere was Ashamoil veranderd in de onelegante watergrot van een reus.

Gwynn reed naar de havenkermis, om een bestemming te hebben. De zaken gingen er gewoon door, onder rood en blauw gestreepte afdaken. De meeste artiesten waren bezig een publiek binnen te praten dat maar klein was. De sterke man was er begrijpelijkerwijs niet bij. Gwynn had geregeld dat een van Olms ogen en oren, een vrouw die bekend stond als Suikermuis, hem in de gaten zou houden. De dwergen maakten salto's en radslagen met grimmige gezichten.

Gwynn reed verder zonder veel aandacht te besteden aan de dingen om hem heen.

Hij reed bijna iemand omver die om de hoek kwam stuiven. Het bleek de aalmoezenier te zijn. Hij had geen regenkleding aan en was doorweekt. Hij holde naar Gwynn toe. 'Ik weet wat jij in je schild voert!' schreeuwde de aalmoezenier.

Gwynn nam hem zwijgend op.

'Ik weet wat je in je schild voert,' zei de aalmoezenier nog eens. 'Doe het niet. Alsjeblieft, doe het niet.'

'Eerwaarde, u slaat wartaal uit.'

De aalmoezenier schudde heftig het hoofd. 'Er gaan al geruchten. Je arme vriend is algemeen bekend. Er waren heel wat getuigen van dat onfortuinlijke voorval in de club. Er wordt druk gegist naar wat er van hem worden zal. Ik waagde de veronderstelling dat de omstandigheden zouden vergen dat jij erbij betrokken werd, mijn zoon, en daarom ben ik je vandaag gevolgd op je omzwervingen. De regen heeft me geholpen me te verbergen. Je bedoeling was niet moeilijk te raden, voor iemand die jou kent. Ik weet dat je het niet wilt doen!'

'U weet heel weinig, maar u zou beter moeten weten dan gehoor geven aan achterklap.'

'Dit wordt je verdoemenis!'

De aalmoezenier wierp zich voorover op de grond zodat hij vlak voor Gwynn lag. Gwynn zette zijn paard aan. Het stapte over de aalmoezenier heen die overeind krabbelde, op een drafje langszij kwam en Gwynn bij zijn enkel pakte. Gwynn probeerde zich los te rukken, maar merkte dat het niet lukte; de greep van de geestelijke was onverwacht sterk.

'Wat wou je nou? Wou je me neerschieten?' riep de aalmoezenier uitdagend.

De paar mensen die in de buurt waren hadden geen oog meer voor de attracties, maar keken nu naar deze nieuwe vertoning. Gwynn keek de aalmoezenier verbaasd aan alsof hij hem opeens niet meer kende.

'Zal ik ze vertellen wat je gaat doen?' siste de aalmoezenier. 'Ik kan het omroepen, hoor, en dan zullen al deze mensen het horen. En die vertellen het door aan andere mensen. Wou je die allemaal doodschieten?'

'Het maakt niemand uit wat u roept,' zei Gwynn. 'En mij al helemaal niet.'

'Goed dan,' zei de aalmoezenier. 'Goed dan!' Hij liet Gwynns been los en deed een paar stappen achteruit. Hij haalde diep adem om te brullen, maar op het laatst liet de moed hem in de steek. Verwonderde toeschouwers zagen hem als een dwaas staan met zijn kaken wijdopen terwijl hij zwijgend het achterste van zijn tong liet zien, alsof hij bij de tandarts was.

'Heren, neemt u me alstublieft niet kwalijk,' klonk een stem ergens vlak bij de grond achter de aalmoezenier. Het was een kalme, vermoeide stem en hij was afkomstig van de man bij wie een lotus uit de navel groeide.

'Ik kon er niets aan doen dat ik hoorde wat u zei.' Hij hield zijn hoofd schuin en keek de aalmoezenier en Gwynn aan. 'Het is niet mijn gewoonte me te bemoeien met andermans zaken, maar in dit geval voel ik me gedwongen. Priester, waarom laat u hem niet zien wat heiligheid vermag? Wat geen ander heeft kunnen doen, kunt u. Verlos me uit dit stagnerende bestaan. Zonder die lotus in mij kan ik misschien fatsoenlijk werk vinden, en een vrouw; dan kan ik misschien kinderen krijgen.'

'Ik kan het niet,' zei de aalmoezenier.

'Dat is gelogen,' zei de lotusman.

De aalmoezenier trok een onbehaaglijk gezicht terwijl Gwynn toekeek zonder enig teken van belangstelling.

'Zal hij,' zei de aalmoezenier tegen de lotusman, 'zich beheersen en zijn ziel niet nog erger verraden, als ik erin slaag deze plant te verwijderen die een bezoeking voor u is?'

'U kunt het proberen.'

'Mijnheer, wie bent u?'

'Ik?' zei de man. 'Niemand, mijnheer. Een dadeloos mens.'

Onder de capuchon van zijn oliegoed kneep Gwynn zijn ogen tot spleetjes. De lotusman zag het en hief zijn gezicht schuin op in zijn richting. 'Slechte dag gehad?' Hij glimlachte. 'Ach, morgen gaat het misschien beter.' Toen wenkte hij de aalmoezenier. 'Kom, doe het dan. Wat hebt u te verliezen?'

'Daar hebt u geen idee van,' zei de aalmoezenier. Hij kwam echter dichterbij. Hij bukte zich en stak zijn hand uit naar de hoogopgaande roze bloem.

'Eén schelling,' zei de gastheer. De aalmoezenier overhandigde een muntstuk dat de man onder zijn matras duwde.

Terwijl Gwynn toekeek knielde de aalmoezenier, greep de lotus met beide handen bij de stengel en trok.

De lotus kwam eruit. Er zat een lange wortel aan waaraan draden dik bloed hingen. De man slaakte een scherpe kreet en toen een kermend gekreun. Bloed – helderrood slagaderlijk bloed – werd uit het gat in zijn middelste gepompt. De aalmoezenier liet de lotus vallen en staarde vol afgrijzen naar de rode springbron. De man staarde recht omhoog met donkere vochtige ogen die vervuld waren van teleurstelling. De aalmoezenier boog zijn hoofd en verborg zijn gezicht in zijn handen.

'Ik heb een verzoek,' fluisterde de stervende. 'Plant die wortel in vruchtbare grond. Mogelijkerwijs komt er nog iets goeds uit voort.' De aalmoezenier hoorde die woorden niet of sloeg er geen acht op, dus stapte Gwynn af en raapte de lotus op.

Op dat ogenblik zei iemand luid: 'Moordenaar!'

Gwynn keek op om te zien wie dat gezegd had. Maar het was niet tegen hem gericht. Een morsige vechtersbaas had een mes in zijn hand en wilde het naar de rug van de aalmoezenier werpen. Gwynn had de aalmoezenier uit de weg kunnen stoten, maar stond in plaats daarvan opeens met het pistool in de hand te schieten. De moordenaar-in-spe verstijfde, wankelde en viel om.

Gwynn wuifde de kruitdamp voor zijn gezicht weg. 'Verder nog iemand?' informeerde hij.

De menigte verwijderde zich haastig.

Gwynn wachtte, maar de aalmoezenier keek niet op en verroerde zich niet. Intussen bloedde de voormalige attractie dood. Gwynn liet de aalmoezenier achter en reed naar de rivier. Hij dacht aan de modder die onder het oppervlak lag: vol rotting en bezaaid met lijken. Voorzover hij iets van het kweken van planten af wist, meende hij dat een dergelijke ondergrond waarschijnlijk wel vruchtbaar zou zijn. Hij gooide de lotus in het water.

Vervolgens begaf hij zich naar De Mensenwaan waar Nageltjes op hem zat te wachten.

Nageltjes rapporteerde dat Marriott nog steeds in de Sangréal zat. 'Hij gaat nergens heen. Gaat effen naar buiten om te pissen, verders niet.'

'Goed. Blijf hem toch maar in de gaten houden.'

'Wat u wilt.'

Gwynn gaf Nageltjes wat geld en ging toen naar oom Vanbutchell. De alchemist was thuis. Bij deze gelegenheid deed hij de deur open in een zwart gewaad met een zwart rond kapje. De pyjama was nergens te bekennen en zijn optreden was noch vaag, noch engelachtig. Hij kon Gwynn precies leveren wat die wilde hebben. Hij kwam terug met een klein porseleinen doosje, verzegeld met zwarte lak. De prijs die hij noemde deed Gwynn een wenkbrauw optrekken.

'Die balsem is zeer zeldzaam. Je bof dat ik hem in voorraad heb,' zei Vanbutchell. 'Trouwens,' zei hij terwijl hij zijn zwarte schouders ophaalde, 'aangezien je voor je wandaden zult moeten betalen kun je net zo goed meteen beginnen.'

Het was Gwynn te veel moeite met hem te redetwisten. Hij telde het geld uit en pakte het porseleinen doosje. Toen bedacht hij nog iets. Hij vroeg Vanbutchell of die iets wist van een roesmiddel of vergif dat de adem van de gebruiker het aroma gaf van rozen en rauw vlees.

'Volstrekt niets,' zei Vanbutchell. 'Niets wat ik verkoop in elk geval.'

'Kan daar een andere oorzaak voor zijn dan; een kwaal bijvoorbeeld?'

'Geen enkele die ik ken.'

Gwynn had niet het gevoel dat Vanbutchell iets achterhield. Hij vertrok en probeerde zijn zorgen om Beth te verdringen.

De Sangréal stonk als een latrine. Halfnaakte lijven wreven kronkelend tegen elkaar in kwade hitte en donkerte, op een modderige tegelvloer. Een hand verhief zich uit de vleesmassa en greep zich vast aan Gwynns jaspanden. Gwynn trapte van zich af met zijn gespoorde laars. Iemand slaakte een overrijpe vloek en de hand trok zich schielijk terug.

Gwynn baande zich een weg naar het andere eind van de ruimte, op zoek naar Snoek. Hij zag hem, maakte oogcontact en maakte een hoofdbeweging naar de uitgang. Snoek keek hem een ogenblik aan met doffe nieuwsgierigheid, en schuifelde toen de deur uit.

De achterste helft van de ruimte werd in beslag genomen door smalle britsen waarop verloederde verslaafden lagen. Gwynn vond Marriott liggend tegen de achterwand. De brits was te kort voor hem en zijn voeten staken klunzig over de rand. Een lange koperen opiumpijp lag in zijn hand. Zijn ogen waren gesloten in een gezicht dat tien jaar ouder was geworden. Zijn huid was asgrauw, zijn haar plakte aan zijn voorhoofd en wangen in zweterige dotten. Naast zijn brits stond er één die onbezet was. Gwynn ging er op zitten.

'Marriott.'

Marriott verroerde zich niet.

Ik zou het hier en nu al kunnen doen, dacht Gwynn, terwijl zijn vingers een sigaret opstaken. Hij liet zijn eigen ogen dichtvallen terwijl hij probeerde zich in de juiste stemming te brengen. Gezien Marriotts toestand ontging de ironie van zijn plan hem niet.

'Jij...'

Toen Gwynn Marriotts schorre stem hoorde deed hij zijn ogen weer open.

Marriott lag naar hem te kijken. 'Jij... het is zo gek... er waren zoveel mensen, maar jij was er niet. Ik vroeg me af wat er met je gebeurd was.' Zijn mond vormde een scheefhangende glimlach. 'Ik dacht dat ze je in de rivier hadden gegooid.' Hij hoestte, draaide traag zijn hoofd opzij en spoog in het zaagsel. Hij rolde weer terug. 'Hoe gaat het, Gwynn?'

'Met mij goed.'

'Hoe is het met Tareda?'

'Met haar ook goed.'

'Vertel me over haar, wil je? Vertel me alles. Wat voor liedjes zingt ze nu?'

'Dezelfde liedjes.'

'Dan is ze nog steeds ongelukkig,' fluisterde Marriott. Hij zoog aan zijn pijp. 'Houden ze nog steeds allemaal van haar?'

'Ja.'

'Ze zingt vanavond in de Strass. Ga je mee?'

'Vanavond niet. Misschien een andere keer.'

'Je roosharige dame, hè? Ik zal niet beweren dat ik niet jaloers ben. Maar ik ben ook blij voor je. Maak haar de jouwe, vriend. Verlies haar niet.' Marriott gromde, hoestte en verhief zich op zijn ellebogen. Hij draaide zich naar Gwynn toe. 'Ik ben blij dat je me bent komen opzoeken. Ik verwachtte je al. Ik dacht dat je hier wel eerder zou zijn. Ik was verbaasd dat je niet met de anderen was meegekomen.'

'De anderen?'

'O, ik weet het ook niet. Ik heb van zoveel mensen gedroomd.'

'Dit is geen droom, je bent nu wakker.'

Marriott zoog weer aan de pijp. 'Het kwam door mijn handen. Ik was niet van plan dat joch neer te schieten. Ik was niet eens van plan mijn pistool te trekken. Mijn handen beefden zo, Gwynn.'

Gwynn onderdrukte gedachten en gevoelens, alsof hij een kraan stijf dichtdraaide. 'Mag ik er ook 'ns wat van?' vroeg hij met een gebaar naar de pijp.

'Ga je gang.' Marriott stak hem de pijp toe. Gwynn legde zijn sigaret neer en nam de zware pijp met twee handen aan. Hij stond zich een teugje van de zoete rook toe, maar niet te veel. Voordat hij de pijp teruggaf, veegde hij langs het mondstuk met zijn gehandschoende vingers. Toen Marriott hem terugnam knikte hij, alsof hij wist wat hij had gedaan. De volgende teug die hij nam was lang en diep. Gwynn zag hoe hij achterover zakte op de brits en stil bleef liggen, rustig ademend. Gwynn dacht dat het hiermee misschien al afgelopen was. Van het vergif was bekend dat het slaap opwekte die zoetjes overging in de dood, soepel als stoom die verwaaide in de lucht. Maar Marriott begon weer te praten.

'Het is een goeie zaak dat een mens zoveel kan slapen, vind ik. Een derde van de dag. Een halve dag als hij zijn best doet. Ik herinner me toen in Brumaya, toen we jou uit die gevangenis van de hertog bevrijdden, toen sliep je als een blok. Je werd maar niet wakker. Weet je dat nog?'

Gwynn pakte zijn sigaret weer op. 'Ik weet het nog.'

'En herinner je je nog die trein die we toen gestolen hebben?'

'Natuurlijk. De zevenennegentig.'

'Ik moest kolen scheppen van jou.'

'Omdat jij niet wist hoe je een loc moest besturen.'

'De volgende keer stuur ik. Dan mag jij kolen scheppen.'

'Mij best, Marriott.'

'Ik was als een pad die de maan wilde hebben.' Marriotts stem begon onduidelijk te worden. Gwynn moest goed luisteren om te horen wat hij zei. 'Ik dacht dat ik hem kon inslikken als een parel. Ik weet wat je gedaan hebt. Ik ben je voorspraak geweest, heb gegarandeerd dat je een man van eer was. Maar op deze manier kun je je dame houden. Dat zou ik denken, als ik jou was.'

Gwynn wachtte. Marriotts borstkas ging steeds langzamer op en neer. Gwynn liet nog een paar minuten voorbijgaan, voelde toen Marriotts pols. Die werd trager. Marriott sprak niet meer en toen Gwynn daarna nog eens voelde was hij dood.

Gwynn ging naar buiten en kwam terug met Scherpe Jasper met wie hij in een rijtuig was gekomen. Samen hesen ze het lichaam overeind en sjouwden het de achtertrap op. Niemand schoot hen aan. In gelegenheden als de Sangréal was men gewend aan lijken die de deur uit werden gedragen.

Gwynn en Jasper tilden hun last in het rijtuig. De stortregen en de wind waren opgehouden en hadden plaatsgemaakt voor een nacht van windstille broeikashitte. Jasper nam de teugels en reed naar een stil steegje dat uitkwam op de rivier. Ze stopten aan de waterkant en tilden het lichaam eruit.

'Wil je dat ik het doe?' vroeg Jasper.

'Ik doe het,' antwoordde Gwynn.

Gwynn had loden gewichten meegebracht die hij aan Marriotts voeten bond. Toen trok hij zijn zwaard en hieuw met twee bewegingen de polsen van het lijk door. Hij knikte tegen Jasper en samen rolden ze het lijk de rivier in. Het zonk snel; Marriotts gezicht was een vage havermoutkleurige vlek en toen was hij verdwenen. Gwynn richtte zich hijgend op. Zijn handschoenen droegen nog sporen van een heldere, vettige balsem. Hij stroopte ze af en gooide ze ook in het water.

In de villa nam Olm de leren zak aan die Gwynn hem overhandigde. Hij deed hem open om de inhoud te controleren. Met een spottende grijns spoog hij erin. Zonder een woord te zeggen keek hij op naar Gwynn en liet de zak op de grond vallen. Toen legde hij langzaam zijn ene holle hand in zijn andere.

Gwynn ging terug naar de Sangréal die avond, nam er een brits en rookte zich de diepste afstomping in. Terwijl hij wegzakte was er onder de visioenen die door zijn geest trokken er een van een kleine korrel, die in de aarde begraven was, zwart, als was hij verkoold in een vuur.

17

TOEN OLM ELEI KWAM OPZOEKEN in het ziekenhuis zag Raule de edelman voor de tweede keer. De eerste keer, na de slag op de brug, had ze de indruk gekregen van iemand die graag koninkje speelde. Hij had haar met veel plichtplegingen bedankt voor haar inspanningen, hoewel ze uiteindelijk heel weinig had gedaan en toen de beloning voor het gasthuis uit een jaden kistje genomen, dat vol nieuwe bankbiljetten zat. Ze had gehoopt hem nooit meer te hoeven zien.

Hij kwam dit keer met in zijn kielzog zijn omvangrijke tweelingboeven, van wie er één een paraplu ophield. Hij maakte een elegante buiging. De boeven bogen eveneens, gezamenlijk, als een stel komische mimespelers.

'Dokter, Gwynn zegt dat u meent dat Elei weer geheel en al zal herstellen,' zei Olm.

'Met voldoende tijd en rust, ja.'

'Ik zou hem graag willen zien.'

'Natuurlijk. De zuster zal u de weg wijzen.'

'Dank u.' Olm boog opnieuw en volgde toen de zuster van dienst die strak voor zich uit keek alsof ze de duivel in eigen persoon begeleidde.

Raule leunde achterover in haar stoel met een bitter gevoel in haar binnenste. Aan haar gevoelens jegens Olm viel niet te twijfelen. Ze verfoeide hem omdat hij voet had gezet in haar kleine rijk.

Ze onderzocht haar hart, of ze de bijbehorende gevoelens van medelijden kon vinden voor de slachtoffers van Olms handel. Die gevoelens waren er niet. Haar geweten bleef een schimmig iets. Afkeer kon ze voelen, medeleven niet. Denkend aan dr. Eenzaat, de lobotomist, bedacht Raule dat het was alsof er een operatie was uitgevoerd op haar hersens waarbij een belangrijk gedeelte was weggesneden.

Ze kon zich die keer herinneren dat ze voor het eerst gemerkt had dat haar geweten ontbrak. In zekere zin was dat tijdens een operatie geweest.

Het was gebeurd in het Koperland, in een van die kenmerkende ommuurde oasestadjes, een plaatsje met een honderdtal primitieve aarden huisjes en meer geiten en kippen dan mensen. Het was geen paradijs, maar het was genoeg als uitvalsbasis voor de soldaten die bandiet waren geworden en het stadje hadden ingenomen.

Gwynn hield voor de angstige bewoners, die zich hadden overgegeven zonder te vechten, een toespraak waarin hij hen wees op de vruchten die ze zouden plukken als ze zijn groep onderdak verschaften. De bandieten zouden betalen voor wat ze verteerden, beloofde hij, en zolang ze binnen de muren waren zouden ze zich gedragen als dankbare gasten. Toen een van zijn mannen werd betrapt bij een poging een plaatselijk meisje te verkrachten, onderstreepte hij zijn woorden; hij beval de stadsbewoners en de vogelvrijen bijeen te komen en onthoofdde de boosdoener ten overstaan van iedereen.

De groep, die nu zesendertig man telde, reed een paar nachten later uit om een naderende karavaan vanuit een hinderlaag te overvallen. Raule wachtte in de dokterspost die ze in een van de huizen had ingericht, met drie stadsvrouwen bij de hand om water te koken en lappen te versnijden tot verband. Ze herinnerde zich die drie: vrouwen die nooit glimlachten en wier ogen een constant schouderophalen uitdrukten jegens wat het leven hen bracht.

Van de zesendertig keerde precies de helft terug. Van die helft waren er maar weinig die niet gewond waren. Twee stierven voor het ochtend was. Vermomde soldaten van het Heldenheir hadden met de kooplui meegereden. De hinderlaag was in een hinderlaag gelopen.

De overlevende vogelvrijen waren erin geslaagd twee van de soldaten van de karavaan gevangen te nemen. Gwynn – hinkend, met een been in het verband, maar voor de zoveelste keer op het nippertje ontkomen aan een blijvende verminking, en kwader dan Raule hem ooit had gezien – had er, met een paar anderen, bij de soldaten uit gekregen dat ze getipt waren door iemand uit het stadje. Omdat de gevangenen niet wisten of niet wilden zeggen om wie het ging, gaf Gwynn bevel hun de keel af te snijden.

De volgende ochtend liet hij de hele bevolking samenkomen bij het stadsschavot. Zijn mensen, mannen en vrouwen gezeten op kamelen, omsingelden de stadsbewoners en dwongen ze in rijen te knielen. Gwynn stond op het schavot tegen de galg geleund en verzocht de schuldige naar voren te komen. Op het schavot stond ook een ijzeren ledikant dat uit een huis was gesleept en van de matras was ontdaan.

De bewoners beantwoordden zijn verzoek met zwijgen. Zij, die zich gezamenlijk bij de aanwezigheid van de indringers hadden neergelegd, waren als door de grillen van de wind gezamenlijk opstandig geworden.

'Overdenk dan het volgende,' had hij gezegd tegen hun zwijgzaamheid. 'Als niemand zich meldt wordt het weer het oude liedje. Elke minuut zal er een van jullie sterven, totdat degene die met de soldaten heeft samengespannen zich meldt, of door een ander wordt aangewezen.'

Een man riep: 'Het gaat je niet om de waarheid! Je wilt alleen maar bloed vergieten!'

Gwynn gaf een knikje aan Rode Harni, die de man prompt doodschoot.

Het bloed dat over het zand stroomde verbrak de stilte rond de galg niet. Gwynn liet een minuut verstrijken en knikte toen opnieuw tegen Rode Harni.

Opeens sprong er een jonge jongen overeind en schreeuwde dat ze op moesten houden, dat hij de schuldige was. En toen kwam er een vrouw overeind die krijste dat zij aan een stel officieren in een soek had verteld dat er bandieten in haar stad waren. Een uitbarsting van bekentenissen volgde waarin alle bewoners, jong en oud, hun stem verhieven en elk voor zich schreeuwden dat zij het waren.

Gwynn vuurde een schot af. De knal maakte abrupt een einde aan het rumoer, want de stadsbewoners begonnen om zich heen te kijken wie van hen er gedood was. Nu had hij alleen maar in de lucht geschoten, maar de vaart van het verzet was gebroken. De krankzinnige moed van het volk sijpelde weg. Terwijl de geweren van voormalige gasten op hen gericht waren knielden ze allemaal langzaam weer neer.

Gwynn wees naar de jongen die als eerste bekend had en knipte met zijn vingers. De dichtstbijzijnde bandiet steeg af, greep de jongen en sleurde hem het schavot op. Dit keer riep niemand uit vrije wil dat hij of zij schuldig was.

De jongen droeg de onwereldse, wonderschone en bijna achterlijke glimlach van een martelaar toen de bandieten hem opknoopten. Eerst werd hij gehangen, maar niet zodat zijn nek kon breken – alleen om hem pijn te bezorgen. Voordat de dood al te nabij kwam sneden ze hem los en bonden hem met touwen op het bed vast.

Raule, die van Gwynn bevel had gekregen bij het bed te staan in de functie van medisch adviseur, merkte op dat zodra de jongen weer op adem was, na half gestikt te zijn, de onwereldse glimlach terugkwam op zijn gezicht. En daar bleef, zelfs toen Gwynn een gemeen lang mes trok.

Met de eerste haal werd het hemd van de jongen opengesneden; met de tweede kwam er bloed. Bij de derde begon de jongen te gillen en zou niet meer glimlachen, alleen nog maar gillen, al maar door, want hij werd niet gehinderd door een knevel. Raule merkte dat ze overbodig was, terwijl Gwynn met vaardige en vaste hand te werk ging. Al gauw waren het granaatrood en koraalrood en kornalijnrood, de verborgen kostbaarheden van het lichaam, blootgelegd en werd hun stank losgelaten in de ochtendlucht. Gwynn porde en kerfde en ontweide ongehaast. Nu en dan hield hij even op om loom uit te halen naar de vliegen die rond het geopende lichaam zwermden. De honden van het stadje verzamelden zich rond het schavot, aangelokt door de geur van bloed; Gwynns eigen forse witte strijdhond vol littekens was erbij, kwispelstaartend en opgewonden blaffend tegen zijn baas.

Terwijl Raule de trage terechtstelling gadesloeg kwam haar een oud verhaal in herinnering van een profeet die op een gegeven ogenblik in zijn loopbaan een ontmoeting had met een engel die hem opensneed van keel tot kruis, vervolgens zijn hart waste met heilig water en het vulde met edelstenen, die kennis en geloof symboliseerden. Afwezig had ze gedacht: *Zouden we ons niet allemaal graag verbeelden dat we er vanbinnen zó uitzien, vol kostbare, mooie, onverslijtbare zaken, en niet dat kwetsbare, riekende orgaanvlees?*

Het gekrijs van de jongen was erg genoeg om de bergen van de aarde te schrapen. Raule wist dat de man die door Rode Harni was neergeschoten gelijk had gehad. Het ging hier niet om de waarheid. Of er nu verraad was gepleegd of niet, wie er nu schuldig was en wie niet, deed er niet in het minst toe. Het restant van Gwynns volgelingen wilde bloed zien en hij moest ze dat geven; het moest ergens vandaan komen, want anders zouden ze het zijne willen zien en hij, zag Raule, schepte duidelijk behagen in het uitleven van zijn frustraties.

Hij drentelde om het bed heen met lome stappen, prikkend en snijdend. Toen Raule hem waarschuwde dat de jongen stervende was, draaide hij een kronkel van de ingewanden om de punt van zijn mes en wierp de lus over de rand van het schavot, naar de honden. Die sprongen op om het afhangende stukje te grijpen en sleurden er steeds meer van over de rand, zodat de hele meute er wat van kreeg, totdat uiteindelijk alles was losgetrokken.

De mensen die beneden geknield lagen, bleven gedurende de hele te-rechtstelling zwijgen. Hun waardigheid was verschrikkelijk, angstaanja-gend. Op dat ogenblik had ze voor het eerst beseft dat er iets mis met haar was, zoals ze daar stond, zonder afgrijzen of schaamte, zonder iets anders te voelen dan angst voor de waardigheid van de nederigen van geest.

Aan haar herinneringen kwam een eind toen Olm met zijn twee mas-sieve schaduwen weer haar kantoortje binnenkwam.

'Mijn diepste dankbaarheid dat u het leven van mijn zoon hebt gered,' zei Olm. Hij haalde een geldklem met een dikke bundel bankbiljetten te-voorschijn en begon biljetten af te tellen.

Raule hief afwerend haar hand op. 'Dat is niet nodig,' zei ze koel.

Olm haalde zijn schouders op en stak het geld weg.

'Ik heb een verzoek,' zei hij. 'Ik ben ervan overtuigd dat ik mijn zoon met een gerust hart aan uw zorg kan toevertrouwen, maar ik wil niet dat hij nog langer tussen al die zieke mensen ligt. Hij moet een kamer voor zich alleen krijgen.'

'Natuurlijk,' smaalde Raule. 'Ik zal meteen de koninklijke suite in orde laten maken.' Ze keek Olm woedend aan. 'Er is in dit hele gebouw geen vierkante duim privé. Het is hier even openbaar en publiek als in uw sla-venkralen, mijnheer. Uw zoon ligt op de zaal voor niet-besmettelijke pa-tiënten. Als dat niet voldoende voor u is, dan stel ik voor dat u het in een ander ziekenhuis probeert.'

Olm schudde zijn hoofd. 'Je mag dan een toverdokter zijn, met de ma-nieren van een geit, maar je hebt bewezen dat je een bedreven chirurgijn bent. Die heb ik verder nergens in de stad gezien. Mijn zoon blijft hier.'

Raule haalde haar schouders op. 'Dan blijft hij in dat bed. Vergeet niet dat hij eigenlijk helemaal niet hier behoort te liggen. Dit ziekenhuis is voor de bewoners van de Lindenbuurt.'

Olm trok een wenkbrauw op. Hij vertrok zijn mond. 'Je ziet jezelf als een soort voorvechtster van de armen, klopt dat?'

'Nee. Alleen als hun arts,' antwoordde Raule kortaf.

'Vind je niet dat het je op een gegeven moment aangrijpt?' vroeg hij. Ze gaf geen antwoord. Hij liet het er niet bij. 'Al dat vuil, dat lijden, die ellende – krijg je niet het gevoel dat je het nooit meer van je af kan wassen?' Hij glimlachte.

Raule schoof haar stoel achteruit en stond op. 'Waarom vraagt u zich niet af of die handel van u, u op een gegeven moment niet aangrijpt? Dat is iets om te overdenken terwijl u naar buiten loopt.' Ze gebaarde naar de deur.

De glimlach bleef op Olms gezicht liggen. 'Zo je wilt, dokter. Maar zorg goed voor mijn zoon.' Hij zweeg even. 'Misschien iets om voor jou om te overdenken, namelijk dat jouw lot nu aan het zijne verbonden is.'

Hij draaide zich om en liep de deur uit, met zijn gelijkvormige kracht-patsers achter zich aan. Toen ze weg waren slaakte Raule een lange, diepe zucht.

Die avond verraste Jacope Vargey haar met een bezoek. Hij had het meisje bij zich dat Raule eerder had gezien. Ze keken allebei erg gelukkig. Ze gingen weg uit Ashamoil, zij samen en Emila ook, zei Jacope.

'We vinden wel een betere plaats om te wonen,' zei het meisje.

Raule wenste ze geluk. Misschien was er ergens wel een betere plaats. Wie was zij om dat te bestrijden?

Het goede in de wereld groeide in spleten, als mos, dacht ze. Het groei-de, op een of andere manier, met verborgen worteltjes, gevoed door iets ongeziens.

Drie avonden nadat hij Marriott had gedood reed Gwynn naar De Men-senwaan, waar hij met Suikermuis had afgesproken.

Suikermuis had nieuws over de sterke man Hart. 'Hij is dood,' zei de jonge vrouw terwijl ze haar zwarte pijpenkrullen naar achteren wierp over haar blote bruine schouders. 'Hij heeft zich verhangen aan de grote vijgen-boom op het Klokkenspelplein.'

Gwynn vroeg of ze het lijk zelf gezien had, ze antwoordde van niet, maar ze had het nieuws van een stuk of vijf, zes betrouwbare mensen ge-hoord. Gwynn betaalde haar en wilde al weggaan.

'Hé!' zei Suikermuis.

'Wat is er?'

'Ik heb je al een poosje niet met die roodharige godin gezien. Ben je weer vrijgezel?'

Ze was ongeveer net zo oud als Tareda, een aardig meisje om te zien. Toen Gwynn zijn hoofd schudde zei ze: 'Da's jammer,' en ze glimlachte hem toe met half geloken wimpers. 'Maar ik wed dat je best ontrouw kan zijn.'

Gwynn legde een vinger onder haar kin en duwde haar hoofd omhoog. 'O ja, en op manieren die waarschijnlijk nog nooit bij je zijn opgekomen, ook.'

Haar glimlach trok weg toen ze zijn gezicht zag. Ze duwde zijn vinger weg.

'Je bent een vreemde kerel, jij.'

'Het is een vreemde wereld,' zei hij zacht.

Ze trok een gemelijk gezicht en scheen nog iets te willen zeggen. Op dat ogenblik stormde er iemand de kroeg binnen die naar Gwynn rende. Het was Spindrel. Hij scheen erg van streek te zijn.

'Verdomme! Ik ben nou al drie uur lang naar je op zoek!'

Gwynn smoorde de zucht die bij hem opkwam. Wat het probleem ook was, hij wilde er niets van weten.

'Je moet komen,' zei Spindrel.

Gwynn kneep zijn lippen samen en knarsetandde in stilte.

Suikermuis lachte vol leedvermaak. 'Veel plezier vannacht, heren.' Toen slenterde ze weg.

Gwynn keek nietsziend langs Spindrels vragende gezicht. Spindrel haalde zijn schouders op en liep naar de deur. Bijna was Gwynn hem achternagegaan. Maar hij kreeg een inval, greep de aspirant bij zijn arm en dwong hem om te keren. Gwynn gebaarde naar de achterdeur en begon zich duwend een weg te banen door de menigte. Spindrel slaakte een verwensing en ging hem achterna. Gwynn maakte dat hij snel een voorsprong kreeg, glipte de deur door en liet die dichtvallen.

Toen Spindrel even later door de deur kwam keek hij in de zwarte monding van een pistool.

'Staat er een ploegje lynchers op me te wachten als ik de voordeur uit kom?' siste Gwynn.

'Waaat?'

'Als Elei doodgaat moet ik de rivier in. Dat weet je. Is hij dood?'

'Krankzinnige klootzak die je bent, het gaat verdomme niet om dat joch!' hijgde Spindrel woedend. 'Het gaat om Elleboog. Elleboog is dood.'

Olms blik ging langs zijn verzamelde cavaliers op de wijze waarop een roestig zaagblad over naakt vlees gaat.

'Geen ideeën. Niemand?' vroeg hij. 'Groeit het gras dan ook al op jullie hersens?'

Het was niet de bedoeling dat er om die kwinkslag gelachen werd en dus lachte er niemand.

De vergadering vond niet plaats in de vergaderzaal maar in de koelkamer in het souterrain van de villa. Een enkele lamp verlichtte veertig man die hun voorhoofd fronsten, hun kleren rechttrokken, met belangstelling hun nagels bekeken, hun hoofd krabden – van alles, kortom, behalve Olm recht aankijken.

'Waar betaal ik jullie nog voor, al mijn hoeren nog aan toe?' vroeg Olm vermoeid.

'Niet voor een deskundige mening over het paranormale,' had Gwynn willen antwoorden. Midden in het vertrek, op blokken ijs op een stalen tafel, lag Elleboog. Een slag met een scherp voorwerp had zijn schedel gekloofd van zijn rechterslaap tot aan zijn bovenlip. Maar dat was niet zo ontstellend als de bloemetjes. Kleine, vlakke lichtgroene bloempjes met vijf kroonblaadjes vulden de wond en onder het oppervlak van de omringende huid waren er nog meer zichtbaar.

Gwynn stond doodstil en probeerde zijn gezicht zo nietszeggend te laten ogen als de witte muren van het vertrek. Hij had precies zulke bloempjes eerder gezien, en kort geleden ook: in de slaapkamer van de sterke man, op diens lakens.

Hoe hij het ook wendde of keerde, hij kwam steeds terug op die ene gedachte: de staat van Elleboog na diens overlijden wees op een ontmoeting tussen de wereld van de levenden en die van de doden.

En een dergelijke ontmoeting hoorde, dat sprak vanzelf, thuis in het rijk van het uitzonderlijke – het rijk dat hij allengs was binnengetrokken, of dat hém was binnengetrokken, sinds die avond dat hij Beth vond.

Hij hoorde Olm zeggen: 'De Dienst Douane is uiteraard verdacht. En verder iedereen die een reden had om Elleboog een kopje kleiner te maken. Ga op onderzoek uit. En verder bewaken twee van jullie van nu af aan onafgebroken mijn zoon. Alle uren van de dag, in de gebruikelijke ploegendiensten. En zorg verder dat jullie ogen in je achterhoofd hebben, allemaal.'

Terwijl Gwynn door de druilregen weer omlaag reed naar het centrum dacht hij terug aan zijn discussie met de aalmoezenier over de gek en de piano. Hij had nu het gevoel dat de gek in zijn hoofd zat en tegelijk in de wereld om hem heen, en de onlogica van dromen oplegde aan gedachte en materie.

Zijn geest, die zich vastklampte aan de rede, benaderde de betekenis van Elleboogs dood logischerwijs. Als er inderdaad een geest was – die van de

273

sterke man of van zijn vrouw – die van gene zijde van het graf was opgetreden, waarom had die dan Elleboog gedood, terwijl hij en Elei de voor de hand liggende doelen waren? Misschien kon het de geest niet veel schelen; of misschien werkte hij langzaam naar een finale toe. Hoe dan ook, hij had alle reden bang te zijn.

Een aantal collega's had een gebaar gemaakt om het boze oog af te weren toen ze het lijk zagen, maar niemand had hardop het bovennatuurlijke aan de orde willen stellen. Hij had duidelijke tekenen van opluchting gezien toen Olm de Dienst Douane noemde.

Gwynn reed naar de Kraanvogeltrappen.

Het was overduidelijk dat het slechter ging met Beth.

Gezien de hoeveelheid werk die ze had verricht had ze dagen doorgezwoegd en amper rust genomen. Haar gezicht was zichtbaar magerder en haar ogen scholen in schaduwen. De dubbelzinnige geur uit zijn droom hing om haar heen als de geslachtsgeur van een dier. Het kwam Gwynn voor dat ze hem aankeek met de blik van een moordenares en een slachtoffer tegelijk, van een wapen en een wond: van dien aard was wat hij vermoedde te hebben aangericht, wat hij gezien had bij hun laatste treffen.

Ze zei heel weinig. Tekeningen, honderden tekeningen, lagen opgestapeld op de vloer van haar atelier en haar slaapkamer. Ze ging in een stoel zitten en liet haar oogleden halfdicht zakken.

Gwynn raapte lukraak een stapel schetsen op. Sommige waren in inkt uitgevoerd, andere in houtskool en krijt. Hij was in elke schets afgebeeld, althans een man die sterk op hem leek. Al bladerend zag Gwynn deze man in de ene situatie na de andere, maar nooit in een aangename: staand op een brug boven een triest moeras als een eenzame vogelverschrikker van houtskoolstrepen; ineengedoken in een donker portiek, een lelijk gezicht trekkend naar iets in een steegje wat opging in de duisternis; op een breed, donker terras, geluidloos klagend tegen een sombere hemel; en keer op keer samen met doden, naast hen staand met een bebloed zwaard of een rokend pistool, verscholen tussen de rouwenden aan het graf, in een omhelzing met een gehangen vrouw, de tarantella dansend met skeletten; en dan hijzelf dood of stervende, in lege straten, op het dek van een boot, op een altaar, verdronken in een onderzees woud van wier, rottend in ketenen in een kerker, onverklaarbaar doodgeslagen en achtergelaten in een salon, naakt voorover liggend op een ghat, terwijl fallische slangen rondom hem de kop opstaken, klaar om te bijten.

Plichtsgetrouw pakte hij een volgende stapel op en keek hem door. Hij kwam bij een afbeelding waarop hij naast een bed stond waarop een uitgemergeld gezin lag, bestaand uit man, vrouw en twee kinderen. Zijn dubbelganger keek vanuit de prent de beschouwer aan met een listige, uitnodigende uitdrukking op zijn gezicht en zijn ene hand gestrekt, om de kijker op het gezin te wijzen, wat eruitzag alsof hij probeerde genotshandelingen aan de man te brengen met de ellendige lichamen die daar lagen. De volgende tekening was bijna identiek, maar het was zijn eigen lichaam, in dezelfde ellendige staat als de anderen daareven, dat op het bed lag, terwijl twee jongens met spichtige gezichtjes samen de rol van verkoper speelden. Al bladerend door de tafereeltjes verloor zijn evenbeeld alle betekenis voor hem, als een woord dat te vaak is herhaald. Gwynn legde de tekeningen terug op de vloer, klopte een restje krijt van zijn handschoenen en keerde zich om naar Beth.

Ze bestudeerde hem en zei loom: 'Ik verwachtte niet dat ze je zouden bevallen. Ik ben niet van plan ze aan anderen te laten zien.'

'Ik moet bekennen dat ik blij ben,' zei hij. 'Madame, ik vrees dat ik mijn taak als muze niet goed heb vervuld.'

'O. Integendeel,' weersprak ze hem terwijl ze haar hoofd schudde. 'Je bent ideaal. Ik had het niet beter kunnen treffen als ik je zelf geschapen had.'

Gwynn ging in de stoel tegenover haar zitten.

'Er is geen wijn,' zei ze. 'Ik ben de deur niet uit geweest om wat te halen.'

'Heb je gegeten?'

'Ik heb vreemd vlees gegeten.' Ze gebaarde naar de tekeningen. 'En ik heb vreemde vrucht gedragen. Ik ben niet ziek. Maar jij bent ongelukkig.'

'Ingevolge jouw wens, kennelijk.'

Beth schudde opnieuw haar hoofd. 'Het komt gewoon doordat een basilisk het niet kan verdragen zichzelf in de spiegel te zien. Ik heb je weerspiegeld en de aanblik van jouw evenbeeld doet je pijn.'

'Ik kwam je vertellen,' zei hij, 'dat mijn leven vanaf die nacht dat we elkaar ontmoetten, steeds meer op een droom is gaan lijken. Op die nacht joeg ik verandering na. Stond ik open voor betovering. Ik had je toen niet kunnen zeggen wat voor soort verandering ik zocht, ik wist het alleen toen ik het gevonden had. Maar ik raakte het al te snel weer kwijt. Desondanks gaat de droom verder. Heb je ooit een gekloofde schedel gezien waaruit bloemetjes groeien, als in een bloembak? Dat heb ik zojuist gezien, nog geen uur geleden.'

'Mijn arme duivel,' murmelde ze. 'Je hebt je rol in dit geheel niet begrepen. Weet je wat het doel is van kunst?'

'Mijn instinct zegt me dat het doel van kunst is het leven te verfraaien – maar ik ben geen kunstenaar.'

'Je bent meer kunstenaar dan je denkt. Kunst is het bewust scheppen van bijzondere verschijnselen. De meeste voorwerpen zijn niet meer dan dat – bewegingloos, nuttig en meer niet. De meeste voorvallen zijn van geen enkel belang, te banaal om iets toe te voegen aan onze belevenis van het leven. Dat is jammer, omdat we alleen kunnen groeien wanneer onze geest in grote opwinding geraakt en de geest kan niet in opwinding geraken door wat geestloos is. Een groot deel van ons leven is dood. Voor de primitieve mens was dat niet zo. Hij maakte zijn bezittingen zelf en vormde ze en versierde ze met het doel ze niet alleen nuttig te doen zijn maar ook krachtig. Hij probeerde zijn wapens te doordringen van de aard van de tijger, zijn kookpotten te doordringen van het leven van al wat groeit en hij slaagde daar ook in. Uiterlijke vorm, materiaal, geschiedenis, gebruik en zeldzaamheid – en misschien zeldzaamheid nog het allermeest – scheppen, samengebracht op magische wijze, dat wat we bezieling noemen. Maar wij hedendaagse halfgoden zijn zulke vruchtbare namakers, dat we maar weinig dingen een eigen ziel verlenen. Misschien dat locomotieven, die zo sterk op dieren gelijken, de grote uitzondering vormen, maar in bijna al het andere waarmee de armzalige mens van vandaag de wereld vult, zie ik een smoren van het uitzonderlijke, het vuur van het leven dat tot as vergaat. We scheppen een bewegingloze wereld, we bouwen een begraafplaats. En op de grafzerken leggen wij, om ons aan het leven te herinneren, kransen van dichtkunst en boeketten van schilderijen. Die toestand beschreef je, toen je zei dat de kunst het leven verfraait. Het uitzonderlijke is niet meer integraal maar een extra, een luxe – en een luxe waarop jij, mijn dierbare vriend, zeer gesteld bent, al is het onbewust. Je tooit jezelf volgens dezelfde instincten als de primitieve mens, die een angstaanjagend masker van klei en veren op zijn hoofd zet. Je gedraagt je op een ongewoon berekenende manier – net als ik. En zo maken we uitzonderlijke verschijnselen van onszelf. En dat is een hele kunst – van jezelf een zeldzaamheid maken in deze overbevolkte tijd.'

Haar hand verhief zich van de stoelleuning en beschreef een cirkel. 'Ik ben gaan geloven dat wij onze afzonderlijke wezenssferen sturen door de spectra van de mogelijke werelden, door middel van de keuzes die we maken, de daden die we verrichten. De meeste mensen houden zich aan de bekende paden en komen dus niet erg ver. Ze leven te bescheiden en misschien te afgezonderd. Alleen als we vreemd zijn kunnen we van onze plaats komen, want vreemde handelingen zorgen ervoor dat we worden afgestoten door de normaliteit die we ontrieven en worden voortgestuwd naar een normaliteit die beter geschikt voor ons is. Excentriciteit brengt risico's met zich mee, maar ik heb geluk gehad – nee, ik ben heel voorzichtig geweest. Ik ben langzaam te werk gegaan, met kleine stapjes, en ik heb gebruikgemaakt van instrumenten als symboliek en metaforen. De ouden waren huiverig voor kunst. Het bezichtigen van sommige kunstwerken was voorbehouden aan kleine groepjes ingewijde geleerden, omdat de aanblik van zekere kunstvoorwerpen onvoorbereide kijkers in steen kon doen veranderen of in bomen of beesten. Vandaag de dag maalt niemand erom. Ik kan hier werken en machtsvoorwerpen scheppen, de hele dag, elke dag van de week, maar geen mens zal me nog van toverij beschuldigen.' Ze glimlachte flauw. 'Ik heb een kwade geest opgeroepen. Ik heb hem ontboden en nu – nu bestaat al mijn werk uit mijn pogingen hem te bestuderen. Hij is geen brave soldaat die alleen tegen andere soldaten strijdt; hij is de misdadiger die binnendringt en zijn paradigma aan anderen opdringt en hen kiest voor de rol van slachtoffer. Maar dan volgt hij de kringloop terug; hij keert terug naar een plaats in de menigte en doet net als zij. Hij kan littekens dragen, maar is in wezen ondoordringbaar als marmer. Hij prikkelt met de belofte van een vollediger verandering, een wond ten dode, het drama dat de dood omgeeft, de bevrijding en het opnieuw vormen van uiterlijkheden en innerlijk vocht... Ik heb me de verhalen die hij me niet vertelt alleen maar verbeeld.' Ze zuchtte. 'Jij bent hem niet, maar je bent hem ook wel. Ik heb je bij me ontboden; die ets was een heel krachtig voorwerp. Ongetwijfeld zijn er velen die jouw rol hadden kunnen spelen, maar jij bent degene die nu hier zit.'

'Vertel me dan welke rol ik gespeeld heb,' zei Gwynn, 'want ik vrees dat ik de rol van krankzinnige speel en dat ik je kwaad heb gedaan.' Hij haalde diep adem, gravend naar woorden. 'Toen ik in deze stad aankwam zou ik het met iedereen eens zijn geweest die gezegd had dat er nog maar weinig mysterie in de wereld is. Maar in jou, eerst in je ets en daarna in levenden lijve, zag ik de bekoring van iets wat even ver verwijderd en even geheim was als de sterren. Toen ik tastte naar dat onbekende begon ik me te voelen als iemand die door een reusachtige woestijn rijdt, en nooit iets anders

heeft gekend dan zand rondom en de droge weg onder hem, en die dan ineens op een fata morgana stoot van een tuin en een stad, om dan te ontdekken dat de begoocheling werkelijkheid is en veel groter dan de woestijn, dat de woestijn ondanks al zijn reizen maar een klein deeltje was van
die begoocheling.'

'En toen ervoer je liefde, wat de toestand is van het voelen van verlangen en het tegelijkertijd bevredigen van datzelfde verlangen,' zei ze.

'Misschien dat je daar het juiste antwoord hebt. Om het in jouw woorden te zeggen: ik keerde terug naar mijn plaats in de menigte. Maar dat is
niet alles. Vanuit mijn gezichtspunt zijn de natuurwetten veranderd. Ze
begonnen te veranderen, die nacht dat ik je tegenkwam. Ik droomde, die
nacht, en ik volgde een rode draad om jou te vinden. Ik droomde dat je
geurde naar rozen en bloed, en die geur is er nog.'

Ze glimlachte. 'De zouten van de transformatie. De werkelijkheid, geen
droom. Ik geloof dat je altijd geneigd bent geweest me te zien als een
schepsel van jouw dromen, je te verbeelden dat jij de reiziger was en ik het
avontuur, waardoor jij een staat van hoger geluk zou bereiken. Je hebt magische dingen gezien en je verkiest te geloven dat die tot mijn bestaanssfeer
behoren. Heb je jezelf niet aangemerkt als een gevaarlijke indringer, als
misschien het enige wezen dat mij kwaad zou kunnen doen?'

Opeens was Gwynn doodmoe. Zijn wond bonsde op de maat van zijn
hart, alsof een hamer een spijker door zijn arm timmerde.

'Ik zal je ons beider geschiedenissen vertellen,' zei Beth. Ze stond op uit
haar stoel en liep het atelier in. Hij volgde haar maar bleef bij de deuropening staan, terwijl zij door de ruimte beende naar het trapeziumvormige
raam. 'Ik heb je ooit verteld dat ik naar deze wereld ben gekomen door de
plaats in te nemen van een kind dat deze wereld wilde verlaten – weet je
dat nog?'

'Ik herinner me dat je zei dat je zoiets had gedroomd of je had verbeeld.'

'Ik droomde,' zei ze, 'dat ik een zijden draad uit mijn mond trok en hem
om mijn hoofd begon te winden. Het was een begin van een cocon.'

Het ei dat Gwynn haar had gegeven lag nog op de vensterbank. Ze pakte
het op. 'Zullen we kijken wat erin zit?'

'Als je wilt. Het is van jou.'

Ze boog haar arm, deed alsof ze het ei tegen de muur zou smijten. Toen
lachte ze even en legde het terug op de vensterbank. Ze ging bij het raam
vandaan en sloeg haar armen over elkaar. 'Je komt van ver, Gwynn. Als je je

hier ooit eenzaam hebt gevoeld, hoef je niet naar de oorzaak te zoeken.' Ze zweeg even, misschien omdat ze verwachtte dat hij het met haar oneens zou zijn, maar hij wachtte zwijgend tot ze verder zou gaan.

'Ik heb een herinnering aan toen ik heel klein was; ik huilde, en wel om een voor niemand duidelijke aanleiding,' zei ze. 'Een van mijn tantes vroeg me wat er toch was; ik zei toen dat ik naar huis wilde. Ze zei natuurlijk tegen me dat ik al thuis wás. Ik zei niets, maar ik was ervan overtuigd dat ze tegen me loog. Ik heb me altijd een gestrande reiziger gevoeld, ook al heb ik heel mijn leven hier in de stad gewoond. Ik ben in de rivierenwijk gaan wonen waar het altijd een komen en gaan is en het leven in niets lijkt op de ordelijke samenleving waarin ik ben opgegroeid, opdat ik een excuus zou hebben om me vreemdeling te voelen. Maar nu wil ik terug naar huis. Terug naar waar ik vandaan kwam, voordat ik ruilde met dat kind. Ooit dacht ik aan dit alles in termen van een metafoor; nu geloof ik in termen van een metamorfose.' Al pratend liep ze terug naar de slaapkamer, hem voorbij. Ze wierp zich op het bed en spreidde haar armen uit. 'Ik ben bezig mijn cocon te bouwen,' zei ze tegen het plafond. 'Als ik eruit tevoorschijn kom zal ik naar huis kunnen.'

'En als ik zeg dat ik bang ben dat je een labyrint aan het bouwen bent, een gevangenis?'

'Dat is een gedachte die ik zelf ook heb gehad. Maar in het wormstekige hart van een labyrint behoort iets levends, iets zeldzaams begraven te liggen. Een gevangenis moet een gevangene hebben. Misschien ontstaat dat zeldzame wezen, die gevangene, pas als de kerker ervoor gebouwd is. En misschien moet dat wezen binnenin groeien. Je hebt voorliefde opgevat voor mijn larve-gedaante, maar zal mijn imago je ook bevallen?'

Gwynn kwam de slaapkamer in. 'Heel lang heb ik geloofd dat het in de aard van de mens ligt de vreemdste verklaringen te bedenken voor alles wat voor ons een raadsel is, en te geloven in iets wat alles te boven gaat waarvan wij tot nog toe weet hebben, omdat we geen eind en geen grens kunnen verdragen; we zijn onverzadigbaar en we verlangen het onmogelijke. Ik ging er prat op dat ik geen illusies had – maar ik moet er wel naar verlangd hebben, zoals ieder mens.'

'De cocon waarvan ik droomde is gesponnen van een rode draad,' zei ze. 'Wat denk je, heeft mijn geest de droom eenvoudig gemaakt van het vertrouwde materiaal dat mijn lichaam bood, of denk je eerder dat mijn lichaam, mijn kleur, in deze vorm bestaat om de droom mogelijk te maken?'

'Daar kan ik geen antwoord op geven,' zei hij. 'Het is jouw lichaam en jouw droom.'

'Onze droom,' zei ze. 'Ik heb bewust gedroomd en mijn kwade geest heeft bijna onbewust gedroomd, maar de dromende geest van elk van ons bezit dezelfde macht. Aan onze droom droeg ik de ordenende kracht van de ziel bij, en hij de chaos van de materie. Hij is erger dan vreemd, erger dan excentriek – hij is rampzalig. Hij scheurt de voorhang tussen leven en dood. Ook ik heb een verbrokkelen van de natuurwetten waargenomen en dit geschiedt door zijn macht – en als symbool, als uitzonderlijkheid en door de kracht van de wetten van metafoor en beeld, ben jij diegene. Ik heb je gezegd dat jij het ingrediënt was dat ik nodig had. Jij bent degene die de regels breekt. Jij bent de onnatuurlijke die de natuur veranderen kan.'

'Ik ben een mens,' zei Gwynn. 'Ik ben geboren. Ik ben ouder geworden en op een dag zal ik heel beslist sterven.'

'Misschien kan dat anders geregeld worden,' zei ze.

Hij haalde zijn schouders op. 'Je hebt een keer tegen me gezegd dat ik te weinig verlangde van het leven. Maar het weinige dat ik wel wil schijnt mij te ontglippen.'

'Daar spreekt de inslag van de winter,' zei ze. 'Je zult moeten beslissen hoe ver je bereid bent te reizen, mijn noordse basilisk – als je niet steeds op dezelfde plek wilt uitkomen. Er is alchemie werkzaam, het proces is begonnen en je kunt jezelf er niet aan onttrekken. Je kunt echter kiezen in welke toestand je het tenslotte beëindigt. Als je op zoek bent naar raadselen dan zal ik je altijd een stap voorblijven. Je hoeft me maar te volgen.'

Gwynn schudde langzaam zijn hoofd. 'Ik vrees dat de doden aanspraak op mij maken. Ik zou alles kunnen geloven wat je mij vertelde en misschien geloof ik het inderdaad ook, madame. Ik zou kunnen vergeten dat ik mezelf was en me inbeelden dat ik een element van jou ben. Misschien dat ik zal sterven, dan blijf je achter met je kwade geest, onbezoedeld door de mens.'

'Wil je me vertrouwen?' vroeg ze. 'Wil je wachten terwijl het proces zijn loop neemt?'

'Ik moet gaan,' zei hij tegen haar.

'Je komt terug,' zei ze.

Hij liet zichzelf uit.

Terwijl Gwynn met het paard aan de teugel de Kraanvogeltrappen af liep, door de beschaduwde doorgang onder de huizen op stelten, verviel hij in overpeinzingen. Hij dacht:

Ik ben altijd een ander mens, een herinterpretatie van de mens die ik gisteren was, en eergisteren en alle dagen van mijn leven. Het verleden is weg, en is altijd weg geweest; het bestaat niet, behalve in de herinnering, en wat is herinnering anders dan gedachte, een afgietsel van de waarneming, dat niet meer of minder van waarheid doordrongen is dan elke andere luim of inval of andersoortige gemoedsbeweging. En als het daden, woorden, gedachten zijn die een mens omschrijven, dan veranderen die omschrijvingen net als het weer – vaak is er wel duurzaamheid en een patroon te onderscheiden, maar net zo goed chaos en plotselinge omslag.

Hij realiseerde zich dat hij meer als Beth begon denken. Dat verbaasde hem niets. En – dacht hij, zijn gedachte najagend in een kringetje – dat verbaasde hem ook niets, juist omdát hij net als zij begon te denken.

Toen hij ten slotte naar bed ging was het met een verhoogd besef van hoe dicht slaap en dood bij elkaar lagen. En in de eenzaamheid van de slaap werd hij gevangengezet in een herinnering. In zijn dromen moest hij een ontmoeting met Marriott verduren, in een labyrint van stenen gangen waar hij tot zijn enkels door hopen vuile stuifsneeuw en gebroken glas liep. Het begon ermee dat Marriott zijn handen afhakte zodat hij niet kon vechten, en vervolgens zijn voeten, zodat hij niet weg kon lopen en toen werd het nog erger en bracht hij urenlang door in pijn, waaruit hij maar niet ontwaken kon. Hij schrok overeind toen zijn wekker ging, met een lichaam dat drijfnat was van het zweet, met hartkloppingen en verkrampte, pijnlijke spieren.

Hij voelde zich verschrikkelijk en was het liefst in bed gebleven, maar hij moest weg. Het was zijn beurt om te waken bij Elei.

18

RAULE WAS ER NIET BLIJ mee dat Olms krachtpatsers voortdurend rondhingen in het gasthuis en had dat Gwynn in niet mis te verstane, ja, in grove termen duidelijk gemaakt, toen hij aankwam om de ochtenddienst te doen met Scherpe Jasper. Toen hij probeerde verontschuldigingen onder woorden te brengen beval ze hem met een gebaar haar kantoor uit te gaan en de deur achter zich dicht te doen.

Elei had lichte koorts en gleed steeds kort weg in slaap. Gwynn en Jasper verdreven de tijd met een potje kaarten, waarbij ze het bed als tafeltje gebruikten. De aalmoezenier ging er op in toen Gwynn hem uitnodigde mee te doen.

Voordat hun dienst voorbij was kwam Spindrel met een junior binnenrennen. Ze waren nat en buiten adem en zagen eruit alsof ze bang waren.

'Biscay is afgemaakt,' stootte Spindrel uit. 'Porlock ook. Zo te zien zijn ze allebei gisteravond gedood. Net als Elleboog –precies hetzelfde.' Spindrel slikte. 'Er is weer een vergadering. Wij moeten jullie dienst overnemen.'

Gwynn en Jasper lieten de kaarten in de steek en vertrokken haastig, de pot aan de aalmoezenier latend. Binnen de kortste keren joegen ze hun paarden door een kolkende onweersbui de lange, steile helling op van de Lindenbuurt naar Olms villa.

'Wat deed jij gisteravond, Gwynn?' hijgde Jasper.

'Slapen,' antwoordde Gwynn.

'Ik ook.' Jasper likte langs zijn gepunte tanden, een hebbelijkheidje van hem als hij van streek was.

Het andere verkeer was steeds voor hen uit de weg gegaan, maar nu werden ze aan de kant gedrongen door een koets met zes paarden die hen in dolle vaart tegemoetkwam. De koetsier, een omvangrijke gedaante, gaf hun een korte groet.

Toen de koets voorbij was keken de twee cavaliers elkaar aan. Jasper schudde het water uit zijn oren. Ze hadden de koets allebei herkend: hij was van Olm en de koetsier was ofwel Tack, ofwel Snaai.

'Waar zou die heen gaan, denk je?' vroeg Jasper.

Gwynn had geen idee en schudde zijn hoofd. 'Naar de hel en de sode-mieter misschien?'

'Dit wordt me te veel,' klaagde Jasper. 'Ik denk dat ik me terugtrek uit het vak en ergens naartoe ga waar het vredig is.'

'Wees voorzichtig met wat je wenst,' zei Gwynn. 'Er is niks vreedzamers dan een knekelhuis.'

Jasper keek Gwynn nijdig aan, vol kwade wil.

Biscays corpulente gedaante en het magere lijf van Porlock lagen samen in de koelkelder; de schedel van de boekhouder was, net als bij Elleboog, ge-kloofd en Porlock was vrijwel in tweeën gehakt ter hoogte van zijn middel.

Sam Spijkervast was de enige aanwezige toen Gwynn en Jasper arriveer-den.

'Sam, waar is de baas naartoe?' vroeg Jasper. 'We zagen zijn koets net richting rivier daveren als een goederentrein.'

Sam trok aan zijn snor met een vinger en het naburige stompje. 'In me-kaar gezakt,' zei hij. 'Hier ter plaatse. Leek iets met het hart te zijn. Voordat hij buiten westen raakte zei hij nog tegen Tack en Snaai dat ze hem naar Gwynns toverdokter moesten brengen.'

Gwynn vroeg zich af hoe Raule zou reageren.

'Ik heb nu de leiding,' zei Sam. Hij had de langste staat van dienst, na Biscay. 'Ik weet niet wat het allemaal voor gelazer is, maar er moet iemand zijn die het wel weet. We gaan dus eerst de vijanden langs die we kennen. Er ligt een boek uit Olms kantoor boven in de vergaderzaal. Neem een bladzij mee en werk de namen af. Doe het samen – niemand gaat er nog alleen op uit.'

'Is dat een bladzij met z'n tweeën of elk een bladzij, Sam?' vroeg Jasper.

'Een bladzij de man, Jasper. Het is een verdomd lange lijst.'

De regen hield een van zijn zeldzame pauzes. Toen ze buiten kwamen was het alsof ze de hete, grijze muil van een beest binnenstapten, een beest dat zijn adem inhield en bezig was nieuwe, en zwaardere buien te brouwen in zijn buik. De bomen in de tuin stonden er na hun langdurige afranse-ling door de regen bij met slappe, druipende bladeren en het gekwetste air van miskende gelieven.

Gwynn trok zijn cravat los. Hij stak een sigaret op, net als Jasper.

Jasper inhaleerde diep en keek op naar de lucht. 'Wat denk jij daar nou van, Gwynn?'

Gwynn haalde zijn schouders op en gaf geen antwoord.

'Ik dacht dat jij d'r wel vandoor zou gaan, na...' Jaspers stem stierf weg. Hij kuchte. 'Heb ik niks mee te maken. Je zult zo je redenen hebben om te blijven. Maar toch...'

'Ik weet het. We hebben net drie goeie redenen gezien om te vertrekken.'

'Sommige lui zouden deze kans aangrijpen om te maken dat ze wegkwamen.'

'Dat zullen d'r ook wel doen.'

'Ik blijf ook. Gek hè, hoe je erachter komt wat je principes zijn?'

'We moesten maar een route opstellen.'

Gwynn had het gevoel dat hij twee levens tegelijkertijd moest leven.

Er was een heleboel te doen en Gwynn en Scherpe Jasper moesten er hard aan trekken om op schema te blijven. Ze kregen bericht dat Olm aan de beterende hand was, maar dat Sam de zaak voorlopig nog bestierde. Eleis koorts kwam en ging. Zoals Gwynn had voorspeld raakte de Hoornen Waaier leden kwijt: zo'n twintig man verliet het zinkende schip. Tegen het eind van de tweede dag hadden Gwynn en Jasper dertig mensen verhoord. De tanden van de donkere man, die op een haarbreedte van neus, mond of ogen van een gebonden slachtoffer op elkaar sloegen, hadden al heel wat namen ontlokt. Wetend dat het allemaal futiel was, ging Gwynn met groot dreigend vertoon te werk en hoopte maar dat Jasper niet zou merken dat hij zijn gedachten er niet bij had.

Laat op de tweede avond van hun onderzoek gingen ze om bij te komen naar een rustige theesalon op de zuidelijke punt van de Verbrande Brug, waarvan het middendeel ontbrak en waar hun laatste bezoek van die dag hen in de buurt had gebracht. De verkoolde bogen en spanten van de houten brug waren eeuwen geleden geschoord met metalen steigerwerk. Aan die steigers, die snel roestten in het vochtige klimaat van Ashamoil, waren vele malen nieuwe stutten toegevoegd, maar de oude palen waren nooit verwijderd, zodat de brug in de loop van de tijd een nietig element was geworden in een groots rasterwerk van roest. De regen raspte de oudste roest weg en wierp die tegen het raam van de theesalon.

'We zouden eigenlijk de baas moeten gaan opzoeken,' zei Jasper.

Gwynn moest dat beamen. 'Morgen dan. Met de lunch moeten we al die gesprekjes aan huis wel achter de rug hebben.'

Hij wreef zijn arm. De bezigheden van de afgelopen twee dagen waren ook niet gunstig voor het genezen van zijn wond.

De volgende dag was de regen vuil en de wind smerig, alsof de wolken te lang in de lucht hadden gehangen en ervan waren gaan rotten, alsof de lucht bedorven was in de muil van het moessonbeest. De bliksem sloeg de hele dag door in, boven in de heuvels, en velde een paar hoge bomen in de tuinen van de rijken, terwijl de donder door het rivierdal bulderde. Krokodillen waren nog steeds heer en meester in de Skamander. Gwynn zag er een van dichtbij toen hij over de Esplanade reed op weg naar zijn afspraak met Scherpe Jasper. Het dier leek het volmaakte toonbeeld van kracht en luiheid; honderd miljoen jaren scholen in zijn ogen en zijn grijnzende, overdreven grote kaken. Gwynn vond het een van de leukste toevalstreffers van de natuur, dat de domme monsters met hun minuscule hersens er altijd uitzagen alsof ze diepzinnige noodlottige geheimen overdachten, of zich verlustigden in ingewikkelde kwaadaardige plannen.

Hij had de tijd kunnen nemen om Beth op te zoeken, maar hij stelde het uit. In plaats daarvan ging hij een uurtje naar het badhuis, helemaal alleen op de zorgzame jonge schoonheden na, die zijn haar inzeepten en hem drankjes brachten.

'Ik blijf leven,' zei Olm. 'En mijn zoon ook. Ons huis zal overeind blijven.'

'Je ziet er geweldig uit, baas,' zei Snaai.

'Jasper, is er verder nog iemand dood? Hebben jullie ons raadsel al opgelost?'

Het was de derde keer dat Olm die vraag stelde.

'Nee, niemand, en nee, nog niet,' herhaalde Jasper zijn antwoord. 'We zijn ermee bezig. Iedereen is aan het werk.'

Olm sloot zijn ogen. 'Werk dan harder. Stelletje luie honden dat jullie zijn.'

Olm lag in het bed naast Elei. Tack en Snaai waren bij hun baas ingetrokken op de zaal. Omdat alle andere bedden bezet waren, moest Gwynn aannemen dat ze op de grond sliepen. Olm en zijn zoon waren allebei zwaar gedrogeerd. Gwynn vroeg zich af of zoveel medicijnen werkelijk nodig waren. Raule was er niet; ze was op huisbezoek bij zieken, volgens de zuster van dienst. Zou het zo zijn dat Olm zich gewoon niet kon voorstellen dat de efficiënte arts met haar verheven taak en haar bijtende afkeuring van immoreel gedrag in staat was tot kwade streken? Na het een poosje te hebben overwogen besloot Gwynn zijn gedachten voor zich te houden.

'Gwynn.'

Gwynn kwam naar voren.

'Als mijn zoon het niet overleeft... Ik heb besloten wat er dan met jou gebeurt. De rivier, Gwynn. Je bent nuttig, maar als Elei sterft wil ik je kop niet meer zien.' Olm slaakte een lange, trage zucht. 'Dat mag je nu dus vrezen. Ongetwijfeld vreesde je dat al. Toch ben je gebleven, net als die Marriott. Ik heb liggen denken dat ik je misschien beter niet kan vertrouwen. Hoe kan ik je nog vertrouwen, nadat ik je gedwongen heb Marriott dat aan te doen?'

Gwynn toonde een uitgestreken gezicht. 'Ik dacht dat ik wel heb laten blijken aan wie ik loyaal ben.'

'Lijken... lijken... zeg je? Daar maak ik me bezorgd over.'

Toen viel hij abrupt in slaap.

In de ondergelopen kelder van een verlaten huis in een van de rustiger, sjofele straten aan de rivier, zat Hart op de tafel die hem tot bed diende. Tussen de tafel en de tegenoverliggende muur, waar een trap omhoog ging naar de straat, vormden vijf stoelen waarvan de zitting boven het water uit stak een voetpad. De stoelen waren daar neergezet door de oude man die de vorige bewoner van de kelder was geweest. De oude was doodgebleven van schrik toen hij Hart zag, die alleen de trap af was gekomen omdat hij een schuilplaats zocht voor de regen. Nu lag zijn lijk in het water, omgeven door knabbelende visjes. Wanneer het daglicht door de smalle vensters boven in de muur aan de straatkant viel, kon Hart ze vaag ontwaren, kleine scherpe schimmen die heen en weer schoten rond een grote schim.

Het was dag, nu. Hart zat in kleermakerszit op de tafel, met de bijl op zijn knieën.

'Margriet,' prevelde Hart. Hij was begonnen het wapen aan te spreken met de naam van zijn vrouw. 'Margriet, m'n lief...' Zijn stem verstierf terwijl hij het bijlblad tegen zijn ongeschoren wang drukte. 'Lief,' fluisterde hij. 'Moeten we het echt doen?'

Niet wetend welk lid van het Genootschap van de Hoornen Waaier haar gedood had, had hij besloten ze allemaal te doden, een voor een. Hij had er pas drie gedood en nu al ebde zijn bloeddorst weg en begonnen zijn plannen voor een grandioze wraakoefening hem grotesk voor te komen.

'Ik weet dat jij nu een moordenaar bent, maar ik misschien niet.' Hij streelde het bijlblad. 'Het spijt me, lieve schat. Het spijt me.'

Het bijlblad was koud en mooi en de fonkelende snede sprak luider tot hem dan woorden: was zijn liefde zo'n dovende kaars, waren tien jaar huwelijk zo makkelijk vergeten?

'O, m'n lief, m'n schat...' kreunde Hart steeds weer, terwijl verdriet over hem heen spoelde alsof hij het was die daar half opgevreten in het water lag. Hij huilde en zijn tranen liepen door de groeven in zijn wangen. Hij zat daar en kreunde en huilde, tot hij helemaal hol was vanbinnen. Maar er rammelde nog iets rond in die leegte, iets wat te teder was, te passief, te strak gekluisterd in dienst van het idee van wat goed en slecht was.

Dat moest zijn ziel toch wel zijn; wat kon het anders wezen? Hij haatte hem, omdat het zo'n miezerig zieltje was, niet tot het grootse in staat. En denkend aan hoe klein zijn ziel was, vroeg hij zich af, of hij er daarom altijd naar gestreefd had zijn lichaam groot en sterk te maken.

Hij legde het wapen op tafel, kroop over de stoelen heen en beklom het trapje naar de straat.

De regen die op zijn gezicht viel stonk en was gelig van kleur, een regen als de pis van alle honden ter wereld bij elkaar. En de regen werd verwaaid door een smerige wind, die uit de latrines kwam en uit het graf.

Hij liep de trap weer af. Hij liet de stoelen voor wat ze waren en plonsde door het water. Hij pakte de bijl en legde hem tegen zijn wang. 'Help me, lief,' fluisterde hij. 'Help me uit te zoeken hoe het moet.'

Een deur leek zich te openen achter zijn ogen. Hij zag een kamer en in die kamer zag hij Olm die Gwynn beval zijn vrouw te doden. Toen zag hij zijn oude woning. Hij zag de moord gebeuren. Hij deed zijn uiterste best het visioen te laten ophouden, maar hij werd gedwongen alles gade te slaan. Toen het eindelijk voorbij was brulde hij beneden in die kelder als een sprakeloos beest.

19

TERWIJL OLM IN HET GASTHUIS van de Lindenbuurt verbleef, probeerde Sam Spijkervast te laten zien hoe bekwaam hij was. Er was nog geen moordenaar opgespoord, maar die kon natuurlijk verzonnen worden. Er werd een zondebok gevonden in de persoon van een jongeman, een uitgesproken tegenstander van de slavenhandel, die bekendstond om zijn grootse en vaag artistieke gebaren. Het jaar tevoren had hij een stuk of vijftig handen, armen en voeten verzameld die slaven bij ongelukken met machines in de fabrieken waren verloren en had die aan metaaldraad opgehangen voor een spandoek, waarop werd uitgelegd waar die lichaamsdelen vandaan kwamen; vervolgens had hij het spandoek tussen de middelste pijlers van de Fonteinenbrug opgehangen, zodat al het verkeer te water het wel moest zien. In de slag om de Herdenkingsbrug had hij ook meegevochten en diverse kameraden verloren. Toen hij werd ondervraagd wilde hij maar al te graag aanspraak maken op de verantwoordelijkheid voor de dood van Elleboog, Biscay en Porlock.

Strevend naar verfijning regelde Sam een terechtstelling, waarbij de idealist meegenomen werd, de tuin bij de villa in, naar een seringenbosje bij het huis, waar in een prieeltje een wurgpaal was opgesteld. Het lijk werd aan de rivier toevertrouwd.

De volgende dag was het Croaldag. Gwynn kwam zijn gebruikelijke afspraak met de aalmoezenier na.

'Je ziet er klote uit, mijn zoon; echt waar,' deelde de aalmoezenier zijn tegenstander mee. 'Wat heb jij uitgevoerd?'

'Me in de nesten gewerkt zoals gebruikelijk.' Gwynn tikte de as van zijn Auto-da-fé en bekeek het eten dat op tafel stond. Het zag eruit alsof het minder zorgzaam bereid was dan anders; er stonden nogal wat schotels met merkwaardige kleingesneden en fijngeprakte prut, glimmend van de olie en de aspic, opgediend in omgekeerde schildpadschilden. Feni, die gedienstig in de buurt stond, legde uit dat hij gedwongen was geweest tot bezuinigingen.

'Ik kan,' zei hij, wijzend op een roze-achtig gerecht, 'de olio van strot, dikke darm en endeldarm echt aanbevelen. Het is lekkerder dan het klinkt.'

'We zijn geen kieskeurige eters, Feni,' zei Gwynn en hij schepte zich op.

'Ben je nog met Beth?' vroeg de aalmoezenier.

'Ik denk dat ik daar ja op moet zeggen.'

'Dat is mooi. Alleen maar door van iemand te houden wordt je ziel niet gered, natuurlijk, maar het is een begin.' De aalmoezenier propte zijn mond vol met pens en deed toen zijn kunstje met de sigaretten en de lucifers.

'Hoe doet u dat toch?'

'Kom, kom, een tovenaar mag zijn geheimen niet verraden. Maar ik zal het je vertellen. Ik heb de sigaretten en de lucifers in mijn mouwen. Ik haal ze eruit en stop ze weer terug. Een heel eenvoudig kunstje, feitelijk.'

'Dat geloof ik niet. Zelfs de minste straatgoochelaar heeft een ongebruikelijke manier van zijn handen bewegen, een zekere steelse gratie, en heel eerlijk gezegd: u bent niet gracieus.'

'Wat wil je daarmee zeggen?'

'Laat me eerst even uitweiden en iets vertellen over bepaalde verschijnselen waarvan ik de laatste tijd getuige ben geweest. Het eerste was een kind met het hoofd van een mens en het lichaam van een krokodil – dood, gelukkigerwijs.'

'Dat ken ik,' zei de aalmoezenier. 'Dat ding in de gruwelkamer van de dokter.'

Feni kwam aan met de zilveren theepot en de kom van lakwerk. Gwynn verrichtte zijn gebruikelijke ritueel met zijn agaten flaconnetje en nam een teugje. 'Het tweede verschijnsel betreft drie mannen, stuk voor stuk gedood door middel van een zwaar snijwapen dat met grote kracht werd gehanteerd. Bij alle drie de gevallen waren de wonden gevuld met niet te verklaren kleine groene bloemetjes die ook onder het oppervlak van de huid rondom de wonden zitten. Misschien zou het niet onmogelijk zijn ze daar te plaatsen als men de huid met behulp van chemicaliën losmaakt, maar de huid vertoont daar geen tekenen van; van geen enkel ingrijpen, kortom.'

Toen vertelde hij van de beddenlakens van de sterke man.

Toen hij het verhaal had verteld slaakte de aalmoezenier een droevige zucht. 'Mijn zoon. Mijn zoon, ik begin aan je te wanhopen.'

'Daar hebben we nu geen tijd voor,' zei Gwynn met een geërgerd gebaar met zijn vork. 'Ik meen dat mijn collega's zijn vermoord door een geest. Hij heeft driemaal lukraak toegeslagen en daarna niet meer, maar ik vrees dat hij terugkomt.'

De aalmoezenier knikte en slaakte opnieuw een zucht. 'Spoken worden steeds hinderlijker. En dat komt allemaal omdat we steeds slordiger met de doden omgaan. Als je me had willen vragen als exorcist op te treden – dat doe ik niet. Wat er ook met je gebeurt als gevolg van je meest recente misdaden, je hebt het verdiend. Ik zal niet proberen je te redden. Ik vind wel iemand anders en dan begin ik opnieuw.'

Gwynn schudde ongeduldig zijn hoofd. 'Ik wou u ook niet om hulp vragen. Er is meer aan de hand. Meer dan dit zal ik u niet vertellen. Laat ik het erop houden dat zekere regels schijnbaar zijn veranderd. Ik probeer die veranderingen te begrijpen. U hebt zich niet verbaasd betoond over het bestaan van een nakomeling van een vrouw en een krokodil en kennelijk vindt u spoken ook niet opmerkelijk. Voor mij is dat soort dingen niet normaal.'

'Mijn zoon, natuurlijk zijn ze niet normaal. Maar de verklaring is uiterst eenvoudig. Zoals ik al zei zijn spoken een gevolg van menselijke slordigheid; net zoiets als zwerfvuil op straat. Wat monsters betreft en alles wat de natuurwetten overtreedt, dat is het werk van God. Door middel van wonderbaarlijkheden manifesteert de heilige aanwezigheid zijn macht, ten behoeve van buitengewoon blinde mensen.'

'Precies het soort kletskoek dat ik van u verwachten kon,' zei Gwynn met een vermoeide smalende lach, maar zijn minachting was niet zo heel erg oprecht. Het was zo prettig, zo troostend om met de aalmoezenier te praten, om voor de zoveelste keer over afgegraasd terrein te gaan.

'Wie slaat hier nu kletskoek uit, mijn zoon? Ik begin te geloven dat je onstuitbaar verdorven bent; ik vrees dat ik mijn tijd met jou heb verspild.'

'Werkelijk? Gek genoeg begon ik juist te vrezen van niet.'

De aalmoezenier probeerde onverschillig zijn schouders op te halen, maar zijn ogen verrieden een sprankje hoop.

'Ik vermoed,' zei Gwynn, 'dat wat u met die sigaretten doet ook een overtreding is van de natuurwetten, Als ik uw jas zou doorzoeken, zouden de mouwen leeg blijken te zijn, waar of niet?'

Het was Gwynns bedoeling zoveel mogelijk gegevens te verzamelen. Hij bedacht, met enige zwarte humor, dat in een wereld waar van alles kon gebeuren ook een god kon bestaan – en dat zou zijn moeilijkheden alleen maar verergeren.

De aalmoezenier keek Gwynn lang aan. 'Ik had je bijna opgegeven,' zei hij ten slotte. 'Misschien is dat voor mij niet weggelegd. Goed dan. Je hebt het gewaagd jezelf mogelijk voor gek te zetten; misschien is dat een teken van vooruitgang.' Hij stond op. 'Ga mee naar buiten.'

Gwynn volgde de aalmoezenier Fenı's bar uit, het steegje achter het pand in.

De regen had weer even opgehouden. In plaats daarvan hing er een tastbare vochtige hitte. Het steegje was nat, stilstaand water stond in de goten terwijl de moessonwolken boven zweetten en afzakten in massa's van geel en over de bovenste verdiepingen afhingen als plooien vettig vel. Toen Gwynn en de aalmoezenier naar buiten kwamen verstrooide juist een paarse bliksemschicht zich tussen de wolken. Een briesje verkoelde de lucht heel even, waarna de hitte het moeiteloos in zich opnam, als een reus die een vingerhoedje water drinkt.

Opnieuw flitste een drietand van bliksem neer, gevolgd door een mortiersalvo van donder. Gwynn keek omhoog naar de etterende wolken en voelde opeens een groot verlangen naar een zwarte hemel, sterren, de planeten, de maan.

'Goed dan,' zei de aalmoezenier. 'Kijk je wel?' Zijn slappe gezicht zag eruit als dat van een buldog, die hoopt op een bot.

'Als een oog voor het sleutelgat, eerwaarde.'

De aalmoezenier greep een sigaret uit de lucht. Hij pakte een lucifer. 'Heb je gezien waar die vandaan kwamen?'

'Nee.'

'Goed.' De aalmoezenier trok zijn jasje uit. Hij liet Gwynn zien dat er niets in de mouwen zat. Hij hield Gwynn het jasje voor om het te inspecteren. Gwynn bekeek het jasje, vond niets en gaf het terug. De aalmoezenier rolde zijn hemdsmouwen op en liet zijn blote armen zien. 'Zal ik me uitkleden?' stelde hij voor.

Gwynn haalde zijn schouders op. 'We leven in een vrije stad, eerwaarde.'

De aalmoezenier stak een sigaret op. Hij blies kringetjes. En de ene kring na de ander vormde zich tot vrouwengezichten die een ogenblik bleven zweven, tot de damp in de lucht de rook geleidelijk aan opnam. Hij blies weer rook uit, driemaal en maakte een zeilschip van rook op een zee van rook, een bandiet van rook opgehangen aan een boom van rook. Een jongetje van rook die een vis van rook ving.

Er volgde een hele lange stilte. Tenslotte zei Gwynn: 'Goed, ik zie het al.'

'Maar het licht zie je niet, of wel?'

Gwynn slaakte een diepe zucht. 'Is dat iets wat u altijd al hebt gekund of is het een kortelings verworven talent?'

'Sommige dingen,' zei de aalmoezenier, 'zijn privé. Die liggen tussen een mens en zijn God.' Hij trok zijn jasje aan. 'Je bent niet van standpunt veranderd, dat is wel duidelijk.'

'Ik geloof liever dat u het op eigen kracht doet,' zei Gwynn.

'Goed, omdat niets natuurlijks of onnatuurlijks je kan overtuigen van Gods bestaan, had ik niet moeten denken dat ik dat kon met mijn grappige goochelnummer. Wou je me hier buiten bespotten of zullen we weer naar binnen gaan?'

Gwynn schudde zijn hoofd. 'Naarmate ik de wereld bespottelijker zie worden, schijn ik het vermogen kwijt te raken om haar met een spottend oog te bezien.'

'Je eten wordt koud,' zei de aalmoezenier.

Gwynn vroeg zich af wat de aalmoezenier in werkelijkheid verloren had.

Hij deed een stap achteruit en keek het steegje in. 'Er bestaat geen antwoord, waar of niet? Vroeger deed u misschien goocheltoeren en nu hebt u – hoe zal ik dat noemen? – occulte vermogens. Zelfs al zou u het me allemaal uiteenzetten, dan kon ik u toch niet geloven, want ik weet dat u aan waanvoorstellingen lijdt.' Hij schudde opnieuw zijn hoofd. 'Ik ben te moe. Ik ga naar huis.'

Hij liep weg en zijn laarzen spatten door de plassen op de grond.

Toen Gwynn uit het gezicht verdwenen was keek de aalmoezenier omhoog. 'Het spijt me, maar ik kan tegenwoordig niets beters, dat weet u wel,' zei hij hardop. 'Het ontbreekt hem aan gevoel. Ik zou niet durven zeggen of het diegenen onder ons die pijn lijden aan dankbaarheid ontbreekt. Dat zult u zelf wel weten.'

De aalmoezenier keek naar de wolken en ervoer niets van de weerzin die Gwynn had gevoeld. Hij kon zich in elk geval voorstellen dat er iets was, daarboven. Het zou erger zijn een heldere hemel in te kijken en nog steeds niets te zien.

Pas de volgende nacht kon Gwynn de moed op brengen om naar het huis op de Kraanvogeltrappen te gaan.

Er hing een sterke geur voor Beths deur; niet de wilde geur van rozen en bloed, maar de gewone stank van een knekelhuis. Op de naamplaat naast de deur stond nu: BETHIZE CONSTANZIN, THEURG.

Geluiden en de gedempte stemmen van diverse sprekers klonken op aan de andere kant van de deur. Met zijn rechterhand op zijn pistool klopte Gwynn aan.

De deur werd snel geopend; het was Beth.

De vermoeidheid was uit haar trekken verdwenen en haar vroegere bekoorlijke kracht was teruggekeerd. Ze was gekleed in het lange groen met gouden gewaad dat haar beste avondjapon was. Haar haren waren ingewikkeld opgemaakt, met behulp van met juwelen bezette kammen en haarspelden die fonkelden in de rode krullen.

'Mijn duistere heer,' zei ze met een trage glimlach en omhelsde hem toen. Van dichtbij overweldigde haar parfum de stank van slachtvlees.

Gwynn drukte haar dicht tegen zich aan.

'Beth.'

Ze deed een stap achteruit.

'En wie mag jij zijn?' vroeg ze. 'De dood of de duivel?'

'Mijn antwoord is nog hetzelfde,' zei hij.

Ze sloeg haar arm om hem heen en loodste hem naar binnen. 'Kom, doodsgeest van het kerkhof, kom kijken,' fluisterde ze.

In haar atelier — en de hitte daarbinnen was taai als was, en de stank deed denken aan De Kleine Hel — stonden, hurkten en lagen monsters. Ze vormden de bron van de stank, want ze waren allemaal samengesteld uit delen van karkassen, doorspekt met elementen plantaardige en niet-organische materie — orchideeën, granaatappelen, machineonderdelen, glasscherven.

Ze bezaten vele koppen — van apen, zwijnen, paarden en zelfs één tijger — en vele ledematen. Gedaanten in vodden gesluierd waren met ze aan het werk, naaiend en dichtbindend en lijmend. Gwynn herkende deze helpers als de lijkenpikkers, hetzelfde soort dat maanden geleden haastig was toegeschoten om de stoffelijke resten van de pooier en zijn Bloedgeesten weg te halen.

Het atelier leek wel te zijn uitgedijd om aan dit alles plaats te kunnen bieden. En de tijd, dacht Gwynn, had ook een kunstgreep uitgehaald; het leek immers onmogelijk dat Beth al dat materiaal zou hebben kunnen vergaren, laat staan al die sculpturen had kunnen maken, sinds de laatste keer dat hij haar had gesproken, zelfs met hulp van haar sinistere assistenten.

Waren dit de monsters uit Beths verbeelding, van het papier gelicht en uitgebreid tot in de derde dimensie? Ze spreidden niet de luidruchtige vreugde van de eerste generatie tentoon, noch de wreedheid van de tweede; er sprak helemaal geen gevoel meer uit. Toch hadden de figuren, onaf, samengepakt in het atelier als vee in een kraal, een aanwezigheid die Gwynn niet kon ontkennen – een aanwezigheid die uitsteeg boven de aanslag op het gezichtsvermogen en de reuk. Het was, dacht hij, alsof de lichamen van voorwereldlijke titanen uit de aarde waren opgegraven, of uit de oceanen waren opgedregd, compleet met alle fragmenten uit later tijden die door de zwaartekracht en het schuiven van de aarde in hen gedrukt waren. Hoewel ze net nieuw waren en het materiaal waarvan ze gemaakt waren een korte levensduur garandeerde, was dankzij een of andere kunstgreep elk buitenissig gedrocht geladen met de kracht van de oudheid zelf.

Gwynn voelde zich klein, voorbijgestreefd, een cliché, een verliezer.

'We kunnen iets tot bestaan dwingen door de weerspiegeling ervan te bedenken,' zei Beth. 'En dan heb ik een raadsel voor je: als een spiegel materie weerkaatst, wat weerkaatst materie dan?'

'Wie kaatst moet de bal verwachten,' waagde Gwynn een kwinkslag.

Beth die achter hem stond greep hem bij de schouders. 'Alle materie is oeroud. Jij en ik, onze lichamelijke gedaante, deze kadavers – ze zijn allemaal begonnen bij het ontstaan van het universum. Het verste verleden bestaat nog steeds, zij het opnieuw geschud en vormgegeven, in het heden. De levende materie, vlees – dit onbehouwen geheel van spieren en gebeente en haar – is het meest toegankelijke en het krachtigste medium tot transformatie dat we hebben. Dat heb ik van jou geleerd, mijn slavenhaler, mijn beul, mijn huurmoordenaar.'

'Dit zijn geen intelligente wezens,' mompelde hij. 'Hun onzuiverheid spreekt me aan, hun stupiditeit niet.'

'Het zijn de tegenheersers, de gebieders van de wanorde,' zei ze terwijl ze zich tegen hem aandrukte en haar stem tegen zijn hals gonsde als de vleugels van een wesp, en toen voegde ze eraan toe: 'Die anderen zijn de deskundigen, de kenners, die zeiden dat ze weet hadden van mijn werk en me hun diensten aanboden. Ze bezitten zeer lange tradities.'

Gwynn hoorde haar wel, maar wat ze zei was onduidelijk. Nu hij zijn mening had gegeven voelde hij al die dode ogen in hun beestenschedels als waanzinnig naar hem staren. Zweet sijpelde langs zijn gezicht en zijn mond werd droog. Hij probeerde te zeggen dat de slaap van de rede monsters voortbracht, maar in plaats daarvan sprak zijn stem: 'Mijn legerstede is een nest oorwurmen.'

Alles wat hij voor zich zag golfde in de hitte. Vormen smolten, verstijfden, smolten dan opnieuw.

Het dichtstbijzijnde gedrocht, een wezen met een kop aan elk eind, en wel die van een baviaan en een ezel, vastgenaaid op het lichaam van een buffelkoe, leek zijn twee monden te bewegen.

'Ben je niet belust op de stank van het ware?' vroeg de baviaan. 'In de verdachte kelder?' zei de ezel.

Opeens voelde Gwynn zich als geëlektrificeerd door het loutere feit van zijn hedendaagsheid. Hij was de enige hier die geen plezier scheen te hebben en dat, vond hij, kwam niet te pas; volstrekt niet. Hij vermande zich, schudde Beths handen van zich af en glimlachte wreed. 'Ik zal je de stank van de werkelijkheid eens laten ruiken,' zei hij en trok Gol'achab uit de schede. Met een zwierige beweging hakte hij de bavianenkop eraf.

De kop van de ezel begon te wenen.

Een van de lijkenpikkers strompelde naar hen toe en raapte de gevallen kop op. Hij pakte een benen naald ergens uit zijn vodden vandaan, zette de kop op zijn plaats en begon hem vast te naaien.

Beth greep Gwynns arm. 'Waarom deed je dat?' wilde zij weten.

'Hij tergde me, madame,' zei hij achteloos.

'Het zijn maar kínderen,' zei ze.

Gwynn legde zijn hoofd in zijn nek en schaterde het uit. De vrolijkheid bande zijn norse bui volledig uit, hij was weer bekoord, de onmin werd weggekust. Hij bleef lachen terwijl de lijkenpikkers naar hem toe kwamen geschuifeld, hem ontwapenden en hem toen, met onhandige maar tedere vingers, van zijn kleren ontdeden. Het vond het heerlijk naakt te zijn in die hitte, maar een van de lijkenpikkers raapte een zak van de vloer, deed hem open en haalde er een slagersvoorschoot van stijf, zwart leer en een lange zwarte lap uit. Het schepsel strikte Gwynn het schort om zijn middel en zijn hals terwijl een tweede de lap voor zijn ogen bond. Een derde kwam erbij en behing zijn schouders met een zwarte chenille mantel die rook naar bier en knoflook. Hij slaagde erin zijn lachen te smoren en weer een beetje op adem te komen terwijl ze hem naar de slaapkamer loodsten.

De muskusgeur van de sfinx overspoelde zijn neus terwijl zijn blote voeten door het papier waadden; het voelde als al zijn onflatteuze portretten bij elkaar.

Geërgerd worstelend met de strikbanden wist Gwynn uit het omslachtige kostuum te ontsnappen. Hij knipperde met zijn ogen, want de kamer was hel verlicht; er hingen rond de twintig lampen aan het plafond, zo niet meer. Beth zat op de rand van het bed, naakt op de juwelen in haar kapsel na, met haar benen koket opgetrokken.

Ze wendde haar hoofd om zodat hij de prachtige spieren van haar hals kon bewonderen.

Hij knielde op het bed, liet zich achterover zakken en trok haar over zich heen. Hij vroeg zich af hoe hij ooit hinder kon hebben gehad van haar geur: hij zoog gretig haar adem op, vulde zijn longen met haar geur.

De lijkenpikkers bleven in de kamer, opeengepakt tegen de muren gedrukt. Met stemmen zo glad als talk begonnen ze te zingen.

Luisterend kon hij het volgende onderscheiden:

Schedel is een destilleerketel van misdaad
Hals is een koperen goot
Hart is een vogel die vliegend slaapt
Ruggengraat is de trap van de saboteur
Rechterhand is een schaduw
Linkerhand is een wortel
Oog is een zonsverduistering
Buik is een crematorium
Kont is een doodskist gevoerd met zijde
Huid is een vod voor de botten

'Wat zingen ze toch?' giechelde Gwynn.

'Een liefdeslied,' antwoordde Beth.

'O, in dat geval... Kut is een speelhol,' zei Gwynn onduidelijk terwijl hij haar hongerig kuste op die plek, 'en die van jou is waarlijk wonderbaarlijk...'

'Zo mag ik het horen,' zei Beth geestdriftig en ze strekte haar benen.

Zoals een schip naar het nachtelijk strand komt,
Zo geschiedt de paring van chaos en tijd

zongen de lijkenpikkers. Gwynn had geen enkel bezwaar tegen de rei die toekeek. Bij deze gelegenheid, zo begreep hij, was het nastreven van vleselijke verstrooiing alleen maar een deel van een groter, complexer spektakel, een spektakel dat zich niet binnen de cirkel van menselijke hartstocht liet vatten. Met zijn mond prikkelde en bedaarde hij haar afwisselend: haar vlees was het meest volmaakte ter wereld, als ambrozijn, en door het te bezitten – zo begreep hij in een ogenblik van verlichting – werd zijn eigen vlees rein, gezond, onberoerd, een schepsel zonder voorgeschiedenis. Met zijn tong langs Beths mond nipte hij van haar, zoals een dier regendroppels oplikt uit mos, bereid om alle gevolgen te ondergaan die het indrinken van haar vocht met zich meebracht.

Vier stemmen spraken, tezamen:

Gij nobele ledepoppen, gij mannen en vrouwen met strenge gelaatstrekken, opmerkelijke ogen, tanden als messen, ik omhels u allen. Gij bemint de nevelige herfstmaan, de frangipanibloesem van de zomer, het profiel van een elegante geliefde, de avondvlucht van de kraanvogels, de regen die in zee valt en zelf sommigen van uw medemensen. Bravo!

...

Mij is gezegd dat ik naar de koudslingermachine word gebracht en naar de oliepers, want de artsen zijn genadeloos optimistisch en geloven dat ze door heroïsche maatregelen nog iets van waarde in mij zullen vinden. Eenmaal per week komen hun van medelijden verstoken dienaren mijn tranen ophalen.

...

Ik heb nimmer neergekeken op het huis der herinnering waarin verrassingen wachten als daar zijn: een rij boogramen waarin de zee wordt weerkaatst, een bemoste stenen vuist die als kraagsteen dienstdoet, een oude vrouw met een brede rug die haar hand in een mand vol gele appels steekt, de klank van een luide, diepklinkende klok. Roem werd be-

vochten in de goten der rouw en met de noen veranderde de liefde in een
tijger.

...

Ergens zijn tuinen waar pauwen zingen als nachtegalen, ergens zijn ka-
ravanen van gescheiden gelieven die op weg zijn om elkaar te ontmoe-
ten, ergens zijn robijnrode vuren op verre bergen en blauwe kometen die
in de lente voorbijkomen als saffieren in de zwarte hemel. Als dat alles
niet zo is, kom dan bij mij op het erf der schande en dan zullen we er een
galgenboom planten en er bengelen als droeve klokkenslingers, zonder
elkaar ooit aan te raken.

Hij zag een licht in de duisternis voor zich. Het bescheen de geheimen in
het vlees en ging Beths binnenste binnen: hiëroglyfen tekenden haar huid
als tatoeages en tussen die tekens waren fossielen van minuscule wezentjes
ingebed, zelf ook gevormd als schrifttekens, zonnewezens, maanwezens,
sterren met kromstaarten, slakkenhuizen.

Inmiddels had ze hem in haar mond genomen en het diep gezetelde genot ziedde en gistte en was even vreemd als al het andere. Hij voelde een
zuigende druk overal om zich heen, alsof hij in de mond lag van een reus
die zijn lichaamsvocht uit zijn diepste binnenste deed opwellen, hem soepel binnenstebuiten keerde door de honingraat van zijn poriën.

Toen deed fosfor elke zenuw in zijn lichaam ontvlammen en rolde een
godenwagen met wielen van vuur door zijn lichaam. Hij stond in vuur en
vlam, werd tot rook, een wolk van as; hij probeerde de zon te doen schif-
ten, de zon verzette zich en verbrandde hem opnieuw en verfijnde hem tot
een veel subtielere substantie.

Hij kwam weer tot zichzelf op het ogenblik dat hij en zijn geliefde een
climax van extase bereikten, even krachtig en onweerstaanbaar als de
dood. Toen de golven van verrukking uiteindelijk gingen liggen viel hij terug op het kussen, gloeiend heet maar bijna verdoofd, gevoelloos als een
melaatse.

De lijkenpikkers verlieten achter elkaar de kamer en trokken zich terug
in het atelier, onderling mompelend.

Net als op die nacht dat ze elkaar voor het eerst tegenkwamen zei Beth:
'Blijf maar hier. Slaap.'

Gwynn kon zijn ogen niet openhouden.

De kaïk gleed over het kanaal door de rimboe.

Haar dromende geest zweefde als een ketting van manen in de zwarte hemel boven de zuilengangen van bomen en omgaf de boot met een escorte in de vorm van een armada van waterslangen wier koppen gloeiden als hete kooltjes.

Een kledingstuk van rode zijde omsloot haar, voegde zich als een handschoen naar haar lichaam en op haar gezicht droeg ze een masker van robijnrood glas. Haar metgezel, aan de riemen, ging op in het donker van de achtergrond en alleen de plooien van een zwarte mantel en de brede rand van een grote zwarte hoed traden aan het licht.

Terwijl hij roeide sprak zij: 'Toen dit kleine meisje heel klein was had ze een gele vilten bal om mee te spelen in de kinderkamer als ze binnen moest blijven vanwege de moesson. Toen ze nog heel klein was hield ze van die bal omdat hij kleurig was en zacht, warm en licht. Maar toen kwam er een dag dat ze van de bal hield omdat ze hem kon veranderen in de zon. Door hem vurig rond te dragen door de kamer deed ze de uren van de dag voorbijgaan en door hem verborgen te ruste te leggen in een koffer, zorgde ze ervoor dat de nacht viel. De dag en de nacht die ze op die manier maakte waren veel werkelijker dan de dag en de nacht buiten, waar ze niet naartoe mocht. Op die dag, toen de bal de zon werd, begon ze aan haar tocht. En op deze avond nadert ze haar bestemming. Roosje Rafel gaat naar het grote Geheime Gala; ze zal door de droom naar buiten komen in de plaats zonder kluisters waar alle dromen waar zijn, in het universum dat ze lang geleden gebouwd heeft.'

Haar roeier zei niets, maar bleef de boot voortstuwen door het water.

Ze kwamen aan een viersprong waar een ander kanaal het hunne kruiste.

'Links,' zei ze.

'Voor mij of voor u links, madame?' vroeg hij.

'Voor jou,' verhelderde ze.

Hij roeide hen de hoek om. Die viersprong was het begin van een doolhof van kriskrasse waterwegen, waardoorheen ze hem de weg wees, langs de ogen van grote beesten, langs flakkerende fakkels, langs afbrokkelende muren van steen en tichels, die tot in het water reikten, langs zwermen orchideeën en wolken van stuifmeel.

Langzaam werd de hemel lichter. De manen bleven hangen maar boetten aan lichtkracht in, terwijl de rimboe plaatsmaakte voor een minder dicht woud van varens en slanke palmen.

Terwijl de wereld lichter werd, werd haar begeleider zo mogelijk nog donkerder.

Tenslotte stuurde hij de boot naar de oever en liet de riemen in het water hangen, want ze waren aan de rand van een hoge rots gekomen. Hij kwam overeind en bleef staan terwijl ze uit de boot stapte. De klip was zo hoog dat ze niets anders dan lucht kon zien voorbij de rand, maar ze hoorde het gemurmel van open water en wist dat de oceaan daar beneden lag.

'Kom je met me mee naar de rand om de dageraad te zien komen?' vroeg ze.

Hij stapte uit en ging met haar mee.

Ze liepen tussen de laatste palmbomen door en bereikten de rand van de klip. Daar ontrolde zich de oceaan, weids en ver. Onuitputtelijk, stuk scheurend en herstellend, dook hij op uit de nacht, afstand nemend van de angst, de diepte die zichzelf aanroept. Licht pakte zich samen aan de einder.

'Ik kan maar heel even blijven,' zei hij.

Ze keek hem niet aan, want ze wist dat ze niets zou zien.

Ze zei: 'Nu staan we elkaar heel na.'

En de stem van de oceaan fluisterde: 'Nu en nu en nu en nu...'

En ze hoorde degene die bij haar was zeggen, met een stem die onverbloemd was en zachter dan anders:'Ik heb alles wat ik in jou vond bemind en alles begeerd wat ik niet in je vond.'

Toen hoorde ze een zucht; en de zon kwam op en de schaduw naast haar viel op de grond, waar ze zich achter haar uitstrekte als een lange, zwarte, eenzame streep.

Gwynn werd laat die nacht wakker, met een uitgedroogde keel. Beth lag in diepe slaap. Alle lampen waren leeggebrand, de gordijnen waren dicht en hij kon haar gezicht niet zien. Stilletjes stond hij op en liep het atelier in.

De lijkenpikkers lagen allemaal te slapen op de vloer. Gwynn bestudeerde de monsters bij het gelige licht van de nacht. Hij probeerde er niets anders in te zien dan stinkende afgodsbeelden, potsierlijke dingen, geschapen door waanzin. Maar zijn ogen wilden niet. Het was alsof zijn waarneming anders geworden was – maar of ze was aangescherpt of geschaad kon hij niet meten. Hij zag onthulde theofanieën, intelligenties die niet beperkt werden door de dood en oneindig veel verhevener waren dan de mens.

Hij probeerde zich de schepping voor te stellen die hen teweeg had ge-bracht, maar kon het niet. Hij wachtte tot de ezelbaviaan – gerepareerd in-tussen – iets zou zeggen. Of een van de andere. Maar dat deden ze niet. En dat konden ze ook niet, viel hem in, zolang zij die hen geschapen had sliep.

Hij herinnerde zich het verhaal van Beth over de plaaggeest in het kistje en vroeg zich af hoe het zou aflopen als hij volmondig op haar uitnodiging inging; als hij hier zou blijven, langer door zou slapen – in wat voor soort wereld hij dan ontwaken zou en wat zijn plaats daarin zou zijn. En zou, vroeg hij zich af, ooit de dag aanbreken waarop ook zijn bewustzijn van het hare afhankelijk was?

Hij liep naar het trapeziumvormige raam en bleef daar heel lang staan, denkend aan de doden, zich afvragend waar ze waren.

Uiteindelijk gaf hij toe aan wat hij was, omdat hij voor zijn verlangens geen begrenzing had.

20

DE WOLKEN BRAKEN EN STORTTEN de zwaarste regens uit die het seizoen tot dan toe had gebracht. Gebouwen aan de waterkant die niet op palen stonden liepen onder en van de meest wrakkige viel een aantal in de rivier en werd meegesleurd.

Niets kon de voorwaartse beweging van het zakendoen stuiten. Gwynn moest, samen met Scherpe Jasper, een partij wapens naar de kolonel brengen. Hij stond laat op en treuzelde moedwillig over zijn ontbijt in een eettentje op de Tourbillionparade. Hij trakteerde zich op gebakken eieren, palingpastei en wafels met mango en slagroom, want hij had een knallende honger. Onder het eten las hij de *Ochtendzang* van voor tot achter. Er werd nergens iets gezegd over Olm of de Hoornen Waaier, wat ongewoon was. Het hoofdartikel ging over een krokodil die op een of andere manier terecht was gekomen in de badruimte van een villa hoog op de heuvel, eigendom van een familie van aanzien. De modepagina's kondigden een nieuwe uitvinding aan, een chemisch vervaardigde zijde, met de klankvolle naam cuprammonium xephron. Gwynn leende een potlood van het dienstertje en probeerde het cryptogram op te lossen op de Denksportpagina. En kwam tot halverwege. Niet gek voor een buitenlander, dacht hij.

Na zijn uitgelopen maaltijd reed hij naar de kade waar de barkassen van de Hoornen Waaier lagen. Jasper en Spindrel stonden te wachten. Gwynn stak van wal onder een zon die een bleke draaikolk was tussen de regenwolken, die het hele rijk van de lucht vervulden en de stad en de rivier bedekten met een dikke witte mist. Andere boten waren slechts zichtbaar dankzij hun lantaarns en de zwarte dotten rook uit hun schoorstenen en het zou vrijwel onmogelijk zijn geweest te navigeren, als het verkeer niet aanmerkelijk minder was geweest vanwege het weer.

In de barkas was de hitte zo straf dat de drie mannen zich uitkleedden tot aan hun pantalon en Tarfid, in de hel van de machinekamer, alleen in onderbroek stond te werken. Gwynn stak uit gewoonte een sigaret op, maar het was te heet om te roken en hij liet het ding vanzelf opbranden.

Hij voelde een vage verstrooidheid en had het gevoel te gast te zijn op een feestje waar iedereen net bezig was weg te gaan. Verloren in gedachten die zich keerden en wendden en elkaar kruisten als de sporen van een stel blinde ontdekkingsreizigers, had hij bijna de steiger van het Majesta gemist. De mistlampen aan weerszijden waren niet aangestoken. Gwynn vloekte, sloot de stoomtoevoer af en gaf een lange, nijdige stoot op de claxon. De rivier was gezwollen, bijna tot aan het plankier. Spindrel meerde de boot af terwijl Gwynn en Jasper de uitgetrokken lagen kleding weer aanschoten. Met instructies aan Spindrel om de claxon te gebruiken als hij ook maar iets zag dat niet in de haak was, stapten ze de steiger op en liepen het pad door het gazon op.

Toen ze het hotel naderden ging Jasper met zijn tong langs zijn barokke tanden. 'Die lucht...' mompelde hij.

Gwynn snoof en ving het ook op: een geur die hem niet onbekend was. De stank van dood dreef aan in de mist.

Hij vroeg zich af wat het nu weer zou zijn.

Bij het hotel heerste een merkwaardige rust. Hoewel de lampen beneden brandden en achter sommige bovenramen ook, zag hij geen knechts of bewakers onder de veranda en hoorde hij geen muziek van binnen komen.

Gwynn en Jasper stapten de veranda op en liepen naar de deur. Gwynn legde een oog tegen de glazen ruit naast de deur en trok zijn rechter pistool terwijl hij naar binnen tuurde. Hij kon de donkere omtrek ontwaren van de receptiebalie in de hal, maar zag nergens personeel of gasten lopen, zoals anders. Hij schudde zijn hoofd tegen Jasper die ook zijn wapen getrokken had. Samen liepen ze om naar de achterkant van het hotel. Daar was alles even stil als aan de voorkant.

Gwynn stond dichter bij de deur. 'Na u,' zei Jasper.

'Dank je wel, schat,' mompelde Gwynn. Hij duwde de deur open en gleed soepel opzij langs de muur, klaar om te vuren of te vluchten. Er gebeurde niets. Toen het er niet naar uitzag dat er een aanval te verwachten was schoof hij langzaam om de deur heen en keek van achteren de hal in.

De oorzaak van de stilte, de geur en de afwezigheid van het personeel staarden naar hem op vanaf de vloer met roerloze ogen. De kroonluchters lieten hun schijnsel vallen op de lijken van een tiental bewakers, bedienden en lieden in het uniform van kolonel Brights organisatie. De meesten waren neergeschoten, een paar waren in stukken gehakt of doodgeknuppeld.

Gwynn en Jasper keken elkaar eens aan. Zwijgend deden ze de ronde en inspecteerden de ruimtes op de begane grond. In de salon en de eetzaal lagen nog meer lijken, ontdaan van kostbaarheden en wapens. Van sommige slachtoffers ontbrak een deel van of zelfs al hun kleding. Er lagen wat gewone gasten tussen de dode soldaten van de kolonel maar niet erg veel. Weinig mensen gingen op reis tijdens de moesson, plezierboten voeren al helemaal niet en Gwynn herkende de meeste burgers als permanente bewoners van het hotel.

De inspectie van de keukens leverde nog een stuk of twintig vermoorde bedienden op en een uitzondering: een bijna naakte man, dood, net als de anderen, maar bij wie een hakmes half uit zijn gezicht stak. Op zijn armen prijkten de geometrische rituele littekens van de Ikoi-soldaat.

Gwynn porde de dode Ikoi met zijn laars. 'De verdrukte slaat dus terug...'

'Deze ene, ja, maar waar zijn de anderen?' mompelde Jasper. 'Als hij als enige door het geluk in de steek was gelaten, zouden de anderen zijn lijk toch niet laten liggen. Dat kan ik maar moeilijk geloven.'

'Slordigheidje misschien?'

'Of een vals spoor. De Siba zouden dit gedaan kunnen hebben.' Jasper maakte een smakkend geluid.

Daarna gingen ze naar beneden om de kelder te controleren. De deur naar de keldertrap was open en er lagen nog meer lijken, maar geen enkele Lusaan.

Jasper wiste zijn voorhoofd af. 'Dan blijft de bar alleen nog over,' zei hij. 'Zin in een glaasje of wat?'

'Vanzelfsprekend,' zei Gwynn. 'Laten we de bijeenkomst verdagen.'

Ze klommen de trap weer op en liepen naar de bar op de begane grond. De gelagkamer bezat dubbele deuren van donker hout met groene matglazen ruitjes erin: de belofte van een echt mannelijk toevluchtsoord, ver van het wit en kristal van de rest van het hotel.

Scherpe Jasper stootte de deuren open.

Hij deed een stap achteruit. 'Grote god...' hijgde hij.

Gwynn bleef in de deuropening staan. 'Ja, maar niet die van jou, kennelijk.'

Wie de slachting ook mochten hebben uitgevoerd, Gwynn moest ze nageven dat ze hun uiterste best hadden gedaan. De ruwweg vijftig doden, voornamelijk manschappen van de kolonel alsmede een paar kelners, bewakers en musici, waren op de vloer gerangschikt in een asymmetrisch maar heel duidelijk bewust bedoeld lijnenpatroon, in dezelfde stijl als de tatoeages van de dode Ikoi. De tafels in de bar waren opzij geschoven en keurig opgestapeld langs de kant om plaats te maken voor de uitstalling.

In het midden van het ontwerp stonden drie hoge staande schemerlampen, heel ceremonieel in een driehoek opgesteld. De kappen waren eraf gehaald en in plaats daarvan waren er hoofden op gestoken, van kolonel Bright, korporaal Join en een derde man die Gwynn een paar keer eerder gezien had en die hij herkende als een koopman die de andere helft van het dubbelbedrog van de Hoornen Waaier voor zijn rekening nam. Wat de staat van de oorlog in Lusa op dit moment ook mocht zijn, indringers waren er niet langer welkom.

Jasper liep naar het hoofd van de kolonel en wrikte het van de paal af. Hij keek er vol afkeer naar en smeet het toen de kamer door. Het stuiterde tegen de muur en rolde weg om bij de tapkast te blijven liggen.

Jasper stond midden in de ruimte en draaide zich om naar Gwynn. 'Het is afgelopen, zo te zien,' zei hij.

Gwynn moest het wel met Jasper eens zijn. Mocht Olm ooit weer opknappen, dan zou hij de zaken van de Hoornen Waaier misschien wel weer kunnen opbouwen, maar dat zou veel tijd vergen en hij zou niet in staat zijn het salaris te betalen van lui zoals zij.

Jasper liep naar de tapkast en schonk zich een drankje in, Gwynn volgde zijn voorbeeld.

'Op de vrienden van weleer,' zei hij.

'Op de vrienden van weleer,' herhaalde Jasper terwijl hij klonk met Gwynn.

Een halve fles cognac later waagden ze zich op de eerste verdieping. Op de trappen en in de hotelkamers vonden ze nog meer doden maar geen artistieke uitstallingen meer en nog altijd geen Lusanen. Gwynn was nog steeds van mening dat ze hun doden hadden meegenomen, maar moest toegeven dat alles mogelijk was – hoe dan ook, het maakte hem niet veel uit.

De suite van Kolonel Bright bleek grondig overhoop te zijn gehaald en bijna niets was er nog heel. Het schilderij van de vrouw en de ridder lag op de vloer, in stukken gesneden. In de muur bevond zich, waar het schilderij gehangen had, een vierkante holte waar kennelijk een brandkast had gezeten. In het bureau van de kolonel vonden ze nog wat paperassen. Ze zagen er niet bijzonder interessant uit, maar Jasper raapte ze toch bij elkaar. De controle van de andere kamers op die verdieping en de verdieping erboven leverde niets meer op dan nog meer afgeslachte soldaten en gasten.

Ze verlieten hotel Majesta door de voordeur en keerden terug naar de barkas. Jasper lichtte Spindler in, terwijl Gwynn hen terugbracht naar Ashamoil. Halverwege de terugweg hield het op met regenen, maar Gwynn meerderde geen vaart. De twee anderen klaagden niet. Er was geen enkele reden meer om zo snel mogelijk terug te gaan.

De zonsondergang kleurde de Skamander roestrood en de avondlijke krokodillen verzamelden zich al langs de kaden toen ze eindelijk terugkwamen. Sam Spijkervast nam het nieuws niet erg filosofisch op. Toen hij klaar was met tieren, zakte hij op een stoel neer en hij begon zich zenuwachtig te maken over hoe hij het Olm moest vertellen.

Gwynn bood aan het te doen. De drie anderen keken hem schuins aan.

'Ik moet er toch heen,' zei hij, 'om me ervan te vergewissen of de brave dokter onze baas niet op straat gezet heeft.'

Scherpe Jasper keek alsof hij iets wilde zeggen, maar hij deed het niet.

Sam haalde zijn schouders op. 'Mij best.'

Terwijl Gwynn naar buiten liep hoorde hij Spindrel hysterisch tekeergaan: 'Wat moeten we nou doen?'

En hij hoorde nog net hoe Jasper antwoordde: 'Maken dat we wegkomen.'

Raule speelde nadenkend met het instrumentje in haar rechterhand, en nam de minuscule weergave en de absurd elegante vormgeving in zich op. Toen richtte ze haar blik op de bewusteloze man die op de operatietafel lag.

'Het spijt me werkelijk van uw zoon,' zei Raule zacht terwijl ze zich dicht naar zijn gezicht overboog. 'Ik kon er werkelijk niets tegen doen. Zijn ziekte had niets te maken met de wond. Het was een parasiet, Margoyls worm genaamd. De lijkschouwing heeft het bevestigd. De eitjes huizen doorgaans in speeksel, waar ze werkeloos blijven en dus onschadelijk zijn, maar als ze in het bloed terechtkomen, komen ze uit, vermenigvuldigen zich als ratten en vallen de organen aan. Het heeft vrijwel altijd een dodelijke afloop. Een van de symptomen is dat de urine bijna zwart van kleur is, de fecaliën worden geel. Toen die symptomen in het geval van uw zoon onder mijn aandacht werden gebracht, heb ik hem laten weten wat er met hem gebeurd was. Toen hij besefte dat het onwaarschijnlijk was dat hij het zou overleven, beschreef hij mij een zekere handeling die hij had uitgevoerd op uw bevel. Daarbij had hij, zei hij, in zijn vinger gesneden, maar het was een ondiepe snee geweest, en hij had het amper opgemerkt. Maar zelfs een klein sneetje was voor de worm al een wijdopen deur.

Ik moet ook nog uitdrukking geven aan mijn spijt betreffende uw knechts. Ik weet dat ze alleen hun plicht deden, maar ik doe de mijne. Dat heet chirurgie: het verwijderen van ziek, kwaadaardig en afgestorven weefsel uit een organisme. In dit geval bent u dus dat weefsel.'

Toen ze beseft had dat Elei stervende was, was het een heel eenvoudige zaak geweest een tweetal injecties klaar te maken en ze, met assistentie van de non van dienst, toe te dienen aan de twee lijfwachten. De dosis morfine was in beide gevallen sterk genoeg om een paard te vellen. Het had heel aardig gewerkt op Tack en Snaai.

Olm had er niets van gemerkt dat de tweeling boven hun kaarten in slaap viel. Hij was te druk bezig de kleurige dromen te bekijken die voorbijkwamen.

Voorzover ze had kunnen vaststellen was Olms liefde voor zijn zoon oprecht geweest. Dat op zich had haar niet kunnen beroeren. 'Dieren voeden toch ook hun jongen op? Meer is het niet,' zei ze hardop. 'Hoeveel gewicht legt de liefde van de ouder voor het kind nu eigenlijk in de weegschaal van de deugd? Het is toch alleen liefde voor diegenen, die niet eigen zijn, die werkelijk telt?'

Zekerheid was er niet, natuurlijk. Ze was zich ervan bewust dat haar spookgeweten het echte niet kon vervangen. Aan de andere kant, misschien was er wel iets te zeggen voor het vermogen een moreel oordeel te vellen zonder hinder van een geweten dat op de onbetrouwbare grondvesten van emotie was opgetrokken.

'Het kwaad tiert welig omdat goede mensen niet goed genoeg zijn,' mompelde ze. 'En soms hebben goede mensen ook gewoon een slechte dag.'

'Ik vond al dat het nogal naïef van hem was om jou te vertrouwen.'

Raule keek op en zag Gwynn staan, die stilletjes de kamer was binnengekomen. Ze zei niets.

'Ik kwam om te kijken of je niks overkomen was,' zei hij terwijl hij haar recht aankeek. Hij sloeg zijn armen over elkaar zodat zijn handen zich niet meer in de buurt van zijn wapens bevonden. 'Maar kennelijk ben je nog steeds in staat voor jezelf te zorgen.' Hij wierp een blik op Tack en Snaai die op de grond lagen.

'Leven die nog?'

'Voorlopig wel,' zei ze. 'Maar hij daar...' – ze gebaarde naar Olm – 'is een grofbesnaard en dom iemand, Gwynn. Hij is een meester die het dienen niet waard is.'

'Ik ken zijn karakter,' zei Gwynn. 'We zijn allemaal grof en dom op z'n tijd. Met de Hoornen Waaier is het hoe dan ook afgelopen, misschien aardig om te weten. Maar ongetwijfeld is je minachting op zijn plaats. Doe maar met hem wat je wilt.'

'Dank je wel voor de permissie,' zei ze sarcastisch.

Hij haalde zijn schouders op. 'Het zal je misschien ook interesseren,' zei hij, 'dat je mij niet meer terugziet. We zijn geen dikke vrienden geweest, in deze stad. Desondanks hoop ik dat we zonder beledigingen over en weer uit elkaar kunnen gaan.'

Raule dacht na en stond er zelf verbaasd van toen ze knikte. 'Als we niet langer tegenover elkaar staan,' zei ze voorzichtig. Ze stak haar hand uit, de hand die niet het instrumentje vasthield.

Ze drukten elkaar kort de hand. Ze glimlachte niet en zei alleen: 'Probeer niet in de problemen te raken, revolverheld.'

'En jij ook, dokter. In elk geval na vanavond.'

En zo gingen ze uiteen.

Toen Raule weer alleen was begon ze met haar werk. Het duurde niet lang. Toen ze klaar was, waste ze haar handen en liep naar haar kantoortje, waar ze ging zitten en een zorgvuldig verwoorde ontslagbrief schreef. Ze deed hem in een envelop, maakte die dicht en legde hem op haar bureau. Toen liep ze naar haar laboratorium en wierp een laatste blik op haar verzameling monsters. Ze keek vooral heel aandachtig naar het krokodillenkind. Bijna had ze het meegenomen, maar ze besloot dat het bij Ashamoil hoorde en liet het staan waar het stond.

Drie dagen achtereen werd Gwynn gesignaleerd op plaatsen in de stad waar hij anders nooit kwam, en bracht hij bezoekers van voorsteedse danszalen en jeneverzolders in verwarring. Men merkte op dat hij gedurig achterom keek alsof hij vermoedde dat hij werd gevolgd. Hij besteedde veel tijd aan het reinigen van zijn vuurwapens en hij sliep niet.

Uiteindelijk verliet Gwynn de helse wachtkamer die hij zelf gekozen had en keerde terug naar Beths dakkamertje. Hij was bang dat het pervers van hem geweest was om zo weg te sluipen; hij verbeeldde zich dat hij de wilskracht niet kon opbrengen om te vertrekken omdat zij achterbleef. Daarom hoopte hij haar daar te vinden, veranderd, zo durfde hij te dagdromen, en weer de vrouw met wie hij zoveel gelukkige, doelloze dagen en nachten had doorgebracht. De regen bleef nog steeds uit en de lucht was een bijna niet in te ademen soep van as, waarin Gwynns paard moeizaam voortsjokte met gebogen hals en schuim op de flanken, als een dier dat een monumentale last voortzeult.

Het dakraam was onverlicht. Op de binnenplaats keek Gwynn omhoog om te zien dat de deur boven aan de trap een eindje openhing. Hij wierp de teugels over een tak van de wilde appelboom en draafde met twee treden tegelijk de trap op. Er klonk geen geluid vanachter de deur. Hij duwde hem open.

Het atelier was leeg.

Weg waren de lijkenpikkers, alle prenten aan de muren, de persen en de metalen kuipen en al het andere dagelijkse gerei. En de gedrochten waren eveneens verdwenen. Het rook er alleen nog naar vocht en stof.

De slaapkamer was al even leeg, behalve de open haard die uitpuilde van verbrand papier. Gwynn pakte er een stuk uit dat niet helemaal was verkoold en waarop nog iets van een afbeelding te zien was: vier vingertoppen, een in een staketsel geleide boomtak en een kust. Brokken afval.

Zijn mond vormde haar naam, geluidloos.

Er lag een brief op het bed. Hij las en herlas hem.

Jouw stilte was de stilte van een ogenblik van onzekerheid dat over een periode van jaren werd uitgerekt. Jij was de rouw om wat verloren en afwezig was, en de angst voor het verlies dat aanstaande was. Je belichaamde bij wijlen een fascinerende wreedheid en afmatting. Je blik bezat het vermogen me in steen te veranderen, maar de mijne bezat het vermogen tot weerspiegelen. Wij gaan uiteen, ik naar de lucht, jij naar het oppervlak.

Daaronder stond een tekening in dikke intklijnen van de sfinx, liggend op een divan van steen en klimop. Het gezicht van het monster was voor driekwart afgewend en ze staarde naar iets wat zich buiten de afbeelding bevond. Ze was in vervoering, alsof ze iets gezien had wat intrigerender was dan zijzelf. Daaronder stond nog meer geschreven:

Rest me nu nog deze vleugels te laten drogen in de nieuwe lucht en mijn vriend de slang vaarwel te zeggen, voordat ik de vormen van spraak die hij verstaat zal zijn vergeten. Een zonbeschenen wind komt door het rivierdal gieren. Ik ben opgewonden als een klein meisje, ik die nooit jong ben geweest en zo dadelijk op mijn trapeze zal stappen om uit te vliegen naar de hemel en de oceaan en de grote wereld achter de muren. Eén raadsel laat ik hem, om op te lossen zo hij kan: waar was mijn cocon?

Gwynn holde terug naar het atelier. Het glas was verwijderd uit het trapeziumvormige raam. In de verf op de vensterbank zaten krassen, voren bijna, die mogelijkerwijs konden zijn getrokken door klauwen.

Hij boog zich voorover naar de vensterbank en snoof, in een poging iets van haar geur op te vangen, wat niet lukte. Hij verwenste in stilte zijn menselijkheid en wilde dat hij de zintuigen van een dier had. Met gebogen hoofd leunde hij naar buiten, in de smerige lucht.

Er zat iets gevangen in het vangnet van klimop aan de muur. Het was het ei, dat hij haar lang geleden gegeven had. De beschildering was door de zon verbleekt. Hij stak zijn arm uit en pakte het. Het was nat, koud en een beetje zacht geworden.

Hij dacht erover het open te splijten om te zien wat er voor schepsel in zat. De mogelijkheden waren onbegrensd, maar alleen zolang hij de schaal niet kapotmaakte en de werkelijkheid zag.

Hij zette het ei op de vensterbank. 'Madame, heb ik me niet half in je verdronken?' murmelde hij. 'Heb je een andere muze gevonden, een verschijning die wendbaarder en vluchtiger is? Ben ik niet meer dan een restant?'

Zijn geest speelde met een duizelingwekkende fantasie, namelijk dat zij iets van hem had meegenomen, misschien het beste van hemzelf, en zijn minderwaardige ik had achtergelaten om tussen de ergernissen van verveling en verlangen heen en weer te kaatsen en onvermijdelijk te desintegreren.

Hij zakte slap over de vensterbank terwijl tranen in zijn ogen kwamen. En toen...

Vanaf beneden drong ze zijn wazig gezichtsveld binnen, zwevend, op-waaiend op een plotseling zuiderbriesje.

Een lange rode haar.

Het ene uiteinde werd vastgeklemd door een uitloper van de wingerd, ergens beneden hem, en de wind dreigde haar weg te voeren.

Gwynn leunde gevaarlijk ver uit het raam en rekte zijn armen uit. Maar nog steeds kon hij de haar niet pakken en toen werd ze gegrepen door de wind.

Maar de wind voerde haar omhoog en Gwynns vingers in hun met juwelen bestikte handschoenen sloten zich eromheen en haalden haar naar binnen.

De haar hing aan zijn vingers, bewoog heen en weer op zijn adem; een verdwijnspiraal, een vurige ademtocht, de geruisloze harmonie van een meteoor, een raadsel zonder oplossing, een wulpse danseres.

Wat moest hij ermee doen? Laten insluiten in een medaillon en nu en dan tevoorschijn halen om naar te kijken, zoals hij met de ets had gedaan?

En opeens – hij kon er niets aan doen – stelde hij zich voor dat de haar doordrongen was van macht, dat in die flexibele draad de buitenissige kern huisde van Beth. En dus bracht hij de haar naar zijn mond en rolde haar rond tussen tong en tanden en slikte haar door.

Zoveel van haar nam hij mee, en ook de brief als bewijs, mocht hij er ooit aan twijfelen dat hij de schrijfster ervan had gekend.

Oom Vanbutchell was thuis en deed met ongebruikelijke snelheid de deur open. Hij droeg een kostuum bestaand uit pyjama en kamerjas. Op Gwynns vraag of hij nog Zeeën van de Maan had, antwoordde hij dat hij nog wat apart had gehouden. Hij ging weg en kwam terug met een flacon-netje dat hij overhandigde met de instructie dat een dosis van drie drop-pels volkomen toereikend was.

'Het was een genoegen zaken met je te doen,' zei hij vriendelijk. Toen Gwynn buiten gehoorsafstand was voegde de alchemist eraan toe: 'Nou ja, in ieder geval lucratief.'

≈ 21 ≈

DE AALMOEZENIER VERLIET HET GELE Huis. Schuldig nagenietend van de herinnering aan een meisje genaamd Onycha, die een middel bezat dat werd ingesnoerd door een glad koperen corset en een hals die verlengd was met behulp van koperen ringen, ging hij op weg naar Feni. De aalmoezenier liep langzaam met zijn jas en vest losgeknoopt, maar nog pufte en hijgde hij en voelde hij hoe zijn hart moest zwoegen om zijn bloed in beweging te houden. Hij bereikte Feni met een groot gevoel van opluchting en dook bijna het oranje kralengordijn door naar binnen.

Daar wierp de aalmoezenier een zeer verbaasde blik op zijn tegenstander. Gwynn bezette een tafeltje in de hoek. Hij zat met vooroverhangend hoofd aan een pot thee en zijn haar was voor zijn gezicht gevallen. Hij scheen de komst van de aalmoezenier niet eens op te merken. Voor zover de aalmoezenier zich herinneren kon had hij Gwynn nog nooit bij Feni gezien, anders dan op de afgesproken tijd op Croaldag.

De aalmoezenier vroeg Feni om zijn gebruikelijke Zwarte Bisschop. 'Doe maar een hele,' zei hij met een blik op Gwynn.

Feni haalde zijn schouders op en deed wat hem gevraagd werd. Nadat hij de fles had opengemaakt en naar de aalmoezenier had toegeschoven, knikte hij in Gwynns richting. 'Die vriend van u zit hier al een poosje. Hij is helemaal van de wereld.'

'Ja, nou ja, hij neemt nou eenmaal roesmiddelen.'

'Misschien moest u hem maar overhalen om 'ns naar huis te gaan, eerwaarde,' opperde Feni. 'U kunt natuurlijk ook hier blijven drinken, om te zien wie er het eerste dood is. Persoonlijk gok ik op hem, maar je weet nooit.'

'Pardon... wie er het eerste dood is?'

'U weet wel: wijlen, het hoekie-om, gecrepeerd,' verduidelijkte Feni.

'Waarom zou een van ons doodgaan?' vroeg de aalmoezenier met belangstelling.

Feni knikte in de richting van zijn zuster en haar vriendinnen aan hun luidruchtige tafel. 'De kaarten van m'n zus, die nooit liegen, geven aan dat iemand vanavond hier in mijn zaak de laatste adem zal uitblazen. Ik dacht dat het uw vriend zou zijn, maar nu u ook bent komen opdagen, bent u het misschien wel. Misschien dat de hemel u vanavond tot zich roept, wat?'

'De hemel is mijn naam vergeten, Feni. Misschien ben jij het wel, die doodgaat. Heb je daar al aan gedacht?' De aalmoezenier legde geld op de tapkast en hoorde Feni's botte gesnuif toen hij zich omkeerde en met zijn fles naar het tafeltje ging waar Gwynn onderuitgezakt zat. Gwynn hief langzaam het hoofd op waarbij hij een voor hem ongebruikelijke staat van ontreddering tentoonspreidde. Zijn kaken waren ongeschoren, zijn haar was niet gekamd, zijn ogen waren griezelig om te zien: het oogwit was zo geïrriteerd dat het bijna fuchsiaroze was en de pupillen waren tot minuscule puntjes samengetrokken, waardoor de bleke irissen bijna leeg in hun rauwe kader zwommen als twee zeekwallen.

Hij glimlachte en het was afgrijselijk om te zien.

'Ga zitten, eerwaarde,' zei hij uitnodigend, terwijl hij met een slappe hand de stoel tegenover hem aanduidde. 'Ga zitten.'

'Wat is er aan de hand, mijn zoon?' vroeg de aalmoezenier terwijl hij een stoel nam.

'Een pols, vijf vingers en een gouden ring.' Gwynn hoestte. 'Neem me niet kwalijk dat ik er zo ongezond bij zit. Het is namelijk een speciale gelegenheid.'

'Wat voor gelegenheid?'

Gwynn pakte een flaconnetje dat op tafel lag en schudde het gul uit in zijn thee. Hij nam een schielijke slok uit de kom. 'De hervatting van mijn vrijgezellenbestaan. Beth is gevlogen. Ik ben op mijn nummer gezet.'

De aalmoezenier hief de fles op tot aan zijn kin, en zette hem toen weer neer, tot zijn eigen verbazing. Deze keer had hij wel lust nuchter te blijven. Hij voelde een zekere mate van medeleven met Gwynn, maar wat hij voornamelijk voelde was leedvermaak, om zijn tegenstander in zo'n kwetsbare staat tegenover zich te zien. Naar het oordeel van de aalmoezenier had hij op dit ogenblik de allerbeste kans – de beste die hij misschien ooit zou krijgen – om Gwynn naar de weg des Geloofs te lokken. Meteen begon hij, met indringende opwinding, te bidden: *O, Alheerser, laat wat er van de rede van deze man nog over is verbrokkelen. Gij, wiens zoetheid extase is, wiens*

adem reukwerk en donder is, treedt in hier, waar verlies geleden is, toon uzelf
aan hem als de enig juiste telos van alle verlangen. Kom tot deze ziel die in
zijn tent van onvruchtbare palen neerligt, gespeend van kennis van u. Weest
dan vurig en aarzel niet toe te bijten met uw vurige mond; sla snel toe en
breng uw glorieuze en tedere wonde der zege toe; en laat de getroffene niet
weer bij zinnen komen, want zijn zinnen hebben hem het pad der ondeugd op
geleid.

Terwijl hij zijn afwezige godheid op die wijze toesprak, hield de aalmoezenier zijn ogen aandachtig op Gwynn gevestigd en probeerde te achterhalen of zijn pogingen enig effect sorteerden.

Gwynn zette de theekom neer en ging wat rechter zitten. Toen deed hij heel langzaam zijn hoofd steeds verder naar achteren tot zijn ogen hemelwaarts keken. Bij die aanblik begon het hart van de aalmoezenier als een razende te kloppen. Niet meer in staat zich in te houden riep hij: 'Wat zie je?'

Gwynn fronste zijn wenkbrauwen, alsof hij probeerde iets duidelijker te ontwaren. De aalmoezenier wachtte met ingehouden adem.

Uiteindelijk richtte Gwynn zijn roodaangelopen blik weer op de aalmoezenier.

'Niets,' verklaarde hij. Zijn gezicht vertrok in een uitdrukking van volslagen afkeer terwijl hij met zijn vingertop op het flaconnetje klopte. 'Dit spul,' zei hij, 'heeft me in het verleden een bovennormaal delirium bezorgd. Maar vanavond zie ik niets anders dan de openbare muren, hoeveel ik ook inneem. Ik begin me af te vragen of die vervloekte oude vuilak me niet het verkeerde vocht verkocht heeft. Het kan net zo goed bavianenzeik zijn.'

Teleurgesteld tot in het diepst van zijn ziel, zakte de aalmoezenier onderuit. Maar hij was niet van zins het op te geven. Terwijl Gwynn er lusteloos bij zat richtte hij al zijn aandacht op het uitdenken van een nieuwe aanval. Toen hij klaar was zei hij: 'Goed, kijk nou nog eens omhoog.'

'Met welk doel?'

'Als je het niet probeert zul je het nooit weten.'

Op de manier van iemand die, zwaar geprangd, een ander maar zijn zin geeft, sloeg Gwynn opnieuw zijn ogen op.

Dit keer zweefde er voor hem in de lucht een gezicht van adembenemende lieflijkheid en onmenselijke intelligentie. Het gezicht was tegelijk mannelijk en vrouwelijk, gerijpt en jong, ernstig en vermaakt, duister van mysterie en licht van een hartstochtelijke belangstelling waarvan – dat voelde men op een of andere wijze – niets zou worden uitgezonderd. De wijze, trotse lippen glimlachten en een geur van wierook en kruidnagelen daalde neer. Naast het gezicht verscheen in de lucht een hand met een huid waarop honderden juwelen fonkelden, die een scepter van goud vasthield. De hand hief de scepter hoog op en bewoog hem vervolgens omlaag in een sierlijke boog.

In een reflex dook Gwynn weg en haalde razendsnel een van zijn pistolen te voorschijn.

'Hé!' schreeuwde Feni vanachter de tapkast. 'Wat doe je daar nou, verdomd nog aan toe?' Hij kon niet zien waarop Gwynn aanlegde, want de aalmoezenier had het alleen voor zijn ogen zichtbaar gemaakt.

Gezicht, hand en scepter beefden in de lucht en vervaagden toen. 'Spijt me,' mompelde Gwynn terwijl hij zijn wapen weer in de holster stak.

'Ja, nou, je weet het, je vergoedt wat je stukmaakt,' waarschuwde Feni.

Gwynn ging weer overeind zitten en keek de aalmoezenier een poosje aan met wazige behoedzaamheid. De aalmoezenier was enigszins buiten adem.

'Ik zou je geen kwaad gedaan hebben, mijn zoon!'

'Dat,' zei Gwynn, 'was dus uw god, neem ik aan?'

De aalmoezenier deed bescheiden. 'Mijn volstrekt ontoereikende nabootsing van de Enige Schoonheid, de Ondoordringbare.'

'Ik wou dat ik zulke hallucinaties had. Maar als ik poppentheater had willen zien was ik wel naar de kermis gegaan. Wilt u zo vriendelijk zijn dat niet weer te doen?'

'Mijn zoon...'

'Laat toch zitten, eerwaarde,' zei Gwynn vermoeid. 'Laat voor deze ene keer eens af met die pogingen om mij te breken. U wordt verondersteld hart voor mensen te hebben.'

'En daarom laat ik je niet in de steek. Het was verkeerd van me dat ik erover gedacht heb, onlangs. Ik heb te veel in je geïnvesteerd.'

'Nou, die investering gaat u dan kwijtraken, vrees ik. Ik vertrek uit deze stad, vóór het uur dat hier voor de dageraad doorgaat.' Gwynn pakte het flaconnetje op en speelde ermee. 'Ik dacht dat dit me misschien zou laten zien waar ze heen was gegaan. Maar het schijnt dat dromen ons tot zotten en slappelingen maken en ons ten prooi laten vallen aan zwendelaars. Ze is voorbij alle horizonnen en ik ben gedwongen uw kermisvermaak gade te slaan. Zonder haar bestaat er geen ware betovering meer, alleen een saaie stoet fantomen. Ik vermoed dat bij haar lichaam en ziel één waren; het eerste had deel aan de onsterfelijkheid van de laatste. Zij en ik waren een heel verschillende biologische soort; helaas lijk ik veel meer op u. Ik beken dat ik onze discussies zal missen, eerwaarde. De meeste lieden met wie iemand als ik optrek, zo onderweg, zijn povere causeurs.'

'Dan ga ik met je mee,' zei de aalmoezenier dapper.

'Nee.'

'Ik volg je. Je kunt me niet tegenhouden.'

'Als u me volgt dan dood ik u bij de eerste de beste gelegenheid.'

'Dat geloof ik niet.'

Terwijl Gwynn hem aankeek met een afwerende, norse blik, zuchtte de aalmoezenier. 'Omdat je op het moment het oosten kwijt bent, zal ik je die onbeschoftheid vergeven.'

De aalmoezenier zat te zweten. Het zou toch niet eerlijk zijn als Gwynn er zomaar vandoor ging, net nu hij in een toestand verkeerde die ontvankelijk was voor genade. In de afzondering van zijn geest stelde hij immer krachtiger gebeden op. En ondertussen probeerde hij met zijn hoorbare stem alle mogelijkheden af te dekken. 'Ik ga met je mee. Ik ben niet bang voor je. Ik word je hulpje.'

'Een braakverwekkend idee.'

'Ik zal je vriend zijn.'

'Krijg de tering.'

De aalmoezenier trok een gekwetst gezicht. Hij wekte de indruk dat hij zat te mokken met zijn armen over elkaar, terwijl hij vanbinnen doorging met zijn redevoeringen.

Na een lange stilte zei Gwynn zacht: 'Weet u, de wijsheid die nu aanvaard is, stelt dat het licht de schaduw schept. Maar de feiten liggen anders. De duisternis was er het eerst en ze is oneindig veel ouder en blijvender dan het licht. Het licht leent een klein beetje ruimte; daarna sterft het of gaat verder en dan heerst de duisternis weer alsof ze nooit onderbroken is geweest. Ga de Skamander af, weg van de stad, en je kunt alle sterren zien en op maanlichte nachten zie je bijna niets anders, zo leeg wordt dan de wereld. De sterren lijken zo dapper omdat ze almaar staan te branden te midden van zo'n grote onverschilligheid, maar het zijn ook bedriegers. Ze leiden de blik weg van wat tussen hen in ligt, de holten die absoluut zijn. Afwezigheid is waarachtiger dan aanwezigheid, als waarheid dat is wat blijft en nooit van aard verandert. De sterren moeten deze stad wel haten. Hoe lang nog voordat we een manier verzinnen om horoscopen te trekken op grond van het licht van een gaslamp?'

Gwynn besloot zijn betoog op heftige toon. Toen draaiden zijn ogen dwars tegen elkaar in en zakte hij opzij van zijn stoel.

De aalmoezenier zag hoe Feni's zuster en haar vriendinnen veelzeggende blikken wisselden. Hij wierp hun een enkele woedende blik toe en bukte zich toen.

'Mijn zoon?'

Gwynn was bezig zich beverig overeind te hijsen. Hij slaagde erin weer op de been te krabbelen en wankelde op de achterdeur af, maar mikte er zowat een meter naast en probeerde een stuk wand open te trekken. De aalmoezenier liep er haastig heen, loodste hem naar de deur en draaide de knop voor hem om. Gwynn zwalkte naar buiten, verloor zijn evenwicht en viel plat op zijn gezicht. Hij slaakte een platvloerse verwensing, probeerde overeind te komen, slaagde er maar half in en zakte toen weer in elkaar. Hij lag hijgend in de goot, een niet onpraktische plaats, want het volgende ogenblik moest hij overgeven. Hij braakte de resten van vuur uit: natte as en kolenstof, en daarna kokhalsde hij zout op, zwarte olie en nog zwartere pek om ten slotte een mondvol kwikzilver uit te spuwen. Pas toen bedaarden de krampen van zijn maag en kroop hij weg van de smurrie; hij legde zich neer met zijn hoofd tegen de muur en zijn benen uitstekend in het steegje, in welke houding hij bleef liggen, terwijl hij de indruk wekte lichamelijk en geestelijk nergens meer toe in staat te zijn.

De aalmoezenier sloeg deze vertoning met grote consternatie gade. 'Wacht maar, ik haal een glaasje water voor je,' zei hij en hij liep haastig weer naar binnen.

Plekken nachthemel gloeiden tussen een wirwar van achtertrappen, zonneschermen, kippenhokken en waslijnen. Alles zwalkte heen en weer als het want van een stampend schip op de woelige baren. Gwynn sloot kieskeurig zijn ogen. Er werden kanonnen afgeschoten in zijn hoofd en ze schenen daar een oneindige voorraad kogels te hebben.

'Bepaal de waarde van het sublieme, in een wereld waar het leven van alledag te diep gezonken is om nog te redden – jongmens, luister je wel?' Dat was een van zijn oude schoolmeesters, die hem toesprak vanuit een kippenhok, waarin hij zat opgevouwen als een slangenmens met zijn gezicht tegen het kippengaas gedrukt.

'Ik ben een beetje in de lappenmand, mijnheer,' hoorde Gwynn zichzelf protesteren. 'Waarom vraagt u het de priester niet.'

'Ik vraag het aan jou, jongmens.'

'Ik weet het niet. Vertelt u het maar, mijnheer. En anders steek ik u in de brand en verneuk ik uw hele wereld, van links tot rechts, en vernietig alles wat u dierbaar is...'

De hallucinatie had er geen antwoord op en verdween.

Gwynn dwong zich zo ver overeind te komen als hij kon – op zijn knieën dus. Hij vroeg zich geërgerd af wanneer de aalmoezenier zou terugkomen met het water.

Toen hoorde hij iemand aankomen. Niet bij Feni vandaan, maar van verderop in de steeg. Hij tuurde in de richting van het geluid.

De persoon die naderde was nog pakweg driehonderd voet verwijderd. Het was een voetganger, lang en breed gebouwd, omhangen met een lange cape van zeildoek. Toen de gedaante dichterbij was gekomen liet hij de cape vallen en onthulde een reus van een kerel die naakt was, op een lapje tijgervel rond zijn lendenen na. In zijn handen droeg hij iets blinkends dat het licht van de hemel weerkaatste. Gwynns ogen ontwaarden de omtrekken van een bijl.

Angst schonk Gwynn een zekere mate van nuchterheid en kracht. Hij bleef geknield zitten op een knie, steunde zijn rug tegen de muur en trok zijn rechterpistool. Hij hield het in beide handen vast en trok de hamer naar achteren.

'Ha, daar ben je eindelijk!' riep hij. 'Laten we eens zien wat voor soort nemesis je bent – een fantoom van binnen of van buiten de geest. Metafysisch gezien is dat een zeer gewichtige vraag.'

De schim van Hart zweeg.

Gwynn wachtte totdat Harts verschijning tot op een meter of veertig was genaderd en vuurde twee keer. Als een spook levende mensen kon doden, kon een levende misschien een spook doden.

De sterke man maakte een beweging die wazig bleef en bleef doorlopen.

Gwynn vuurde een derde maal, met precies hetzelfde resultaat.

Intussen was Hart zo dichtbij gekomen dat Gwynn de groeven in zijn gezicht kon zien, maar hij kreeg de tijd niet na te denken over de mogelijke oorzaak. Hij mikte op het midden van die brede borst en verschoot de laatste drie patronen die nog in de kamer zaten.

Waas – waas – waas.

Het bijlblad had de kogels gekeerd.

Een stoot adrenaline deed Gwynn overeind schieten. Hij deed wankelend een paar passen naar achteren, zich voortduwend langs de muur.

'Ze is goed, hè?' De verschijning sprak met een stem die Gwynn verbaasd deed staan, zo gewoontjes klonk hij.

'Wie?' vroeg Gwynn om tijd te winnen terwijl hij een nieuwe clip patronen uit zijn riem pakte. Hij laadde het pistool, een handeling die normaal gesproken pakweg drie seconden vergde, maar zijn vingers schenen hun geheugen kwijt te zijn en bewogen zich met de verbijsterde traagheid van slaapwandelaars in een mangrovemoeras.

'Mijn vrouw. Margriet heette ze.' Hart bleef dichterbij komen en Gwynn deed weer een pas achteruit.

'Ze heeft me verteld wie haar vermoord heeft. Ik ga de jongen doden en zijn vader ook, maar eerst jou.'

Gwynn schudde zijn hoofd. 'De jongen is dood. De vader zeer binnenkort ook. Je vrouw is dood en jij ook. Ga terug naar je graf.'

'Mijn vrouw is niet dood, mannetje. Ik heb haar hier in mijn handen.' Hart lachte. 'En ik ben ook niet dood. Je hebt je laten bedriegen. Jij bent de enige hier die dood is.'

'Jij kan zeggen dat je leeft, dan kan ik zeggen dat je sterft,' gromde Gwynn met meer bravoure dan hij voelde. In de hoop dat de bijl geen twee kogels tegelijk zou kunnen afweren trok hij zijn andere pistool en vuurde met beide wapens, zo snel als hij kon, tot ze allebei leeg waren.

De sterke man leek stil te staan, maar het blinkende bijlblad bewoog als de vleugels van een kolibri. Geen enkel schot kwam er doorheen.

De sterke man kwam een stap naar voren, stelde zich zijdelings tegenover hem op en liet de bijl zakken tot op heuphoogte, parallel aan de grond, met het blad achter zich.

Gwynn smeet zijn nutteloze pistolen weg en holde achterwaarts weg, met het gevoel alsof zijn benen door een ruwe zee voortbewogen; de ene golf duwde hem bijna om en dan kwam de andere golf en duwde hem weer rechtop.

Gwynns gedachten maalden duizelingwekkend in het rond. De snelheid van het wapen was onmogelijk, zette het bereik van het wonderbaarlijke zich dan toch voort? Als hij, die mysterie en verandering had gezocht, dat alles nu zou krijgen in de vorm van een doodgewone dood, zou dat toch al te ironisch zijn. Een alternatief was er tenminste nog: namelijk dat de bijl niet onmogelijk snel was, maar hij onmogelijk langzaam, waardoor al zijn schoten hun doel misten en hij aan het hallucineren sloeg als verklaring voor zijn beschamende gebrek aan succes.

Hij trok Gol'achab en haalde diep adem. 'Da's een leuk kunstje,' zei hij hijgend. 'Hoe doet ze dat?'

'Liefde is sterk,' zei Hart. 'En de dood is ook sterk.' En hij zwaaide de bijl naar voren.

Gwynn gaf zichzelf weinig kans om zo'n slag te pareren, maar veel anders viel er niet meer te proberen. In de verwachting in tweeën te worden gekliefd hield hij Gol'achab met allebei zijn handen vast en liet hem toen omlaag zwiepen.

En hij raakte iets. Dus toch.

Op het ogenblik dat het staal het uitzong trok Gwynn het wapen terug met een scherpe draai aan het gevest zodat de gekromde kling de steel van de bijl omlaag stootte. De manoeuvre slaagde en schonk hem een ogenblik de tijd voor de tegenaanval.

Gwynn stootte toe met de punt van Gol'achab omhoog; een schijnbeweging die leek te werken, want de schacht van de bijl ging ook omhoog om zijn stoot te blokkeren, waardoor de buik en het onderste deel van de borst van de sterke man onbeschermd waren. Maar toen Gwyn op het allerlaatste ogenblik de punt liet zakken en recht vooruit stootte was de bijl daar ook en pareerde zijn stoot met zo'n kracht, dat Gol'achab bijna uit zijn hand werd geslagen en Gwynn zelf het evenwicht verloor. Achteruit wankelend dook hij instinctief in elkaar zodat de bijl vlak boven zijn hoofd voorbij floot.

'Hij is niet lekker,' zei de aalmoezenier tegen Feni. 'Ik moet een beetje water voor hem hebben.'

'Dat moet ik dan eerst koken,' zei Feni. Hij pakte een ijzeren ketel van een haak en hield hem onder een kraan aan de muur. Hij draaide de kraan open en een vuilbruine stroom spetterde naar buiten.

De aalmoezenier trok een vies gezicht. 'Nou heb ik al die jaren bij jou gegeten, Feni. Ga me nou niet vertellen dat je je water uit de rivier tapt.'

Feni schudde zijn hoofd. 'Regenwater uit een reservoir. Maar waar denk je dat de regen vandaan komt?' Hij stak een gaspit aan en zette de ketel erop.

Terwijl ze wachtten tot het water kookte, hoorden de aalmoezenier en Feni schoten in het steegje.

'Je vriend ontmoet zijn noodlot, zo te horen,' merkte Feni op.

'Da's absurd.' De aalmoezenier keek eens naar de achterdeur. 'Hij schiet op de monsters die zijn geschifte hersenen hem voortoveren.'

Feni haalde zijn schouders op. 'Dat kan. Maar ik hoor twee stemmen daarbuiten.'

'Je kop zit vol van dat bijgeloof van je zus,' smaalde de aalmoezenier. Toch stond hij op en liep naar de deur. Het volgende ogenblik hoorde hij staal op staal slaan en gegrom van inspanning. Dat klonk inderdaad als een gevecht. Hij herinnerde zich wat Gwynn gezegd had over de moorden. Was Gwynn daar nu voor zijn leven aan het vechten of stond hij als een uitzinnige met zijn zwaard op een regenpijp te slaan. De aalmoezenier legde zijn hand op de deurknop, maar aarzelde toen.

De bewegingen van de bijl waren zo snel, of die van Gwynn zo langzaam, dat hij vrijwel voortdurend in de verdediging werd gedrongen. Hij kon uitwijken, achteruit springen, het zware wapen opvangen op zijn kling wanneer het omlaag of van links naar rechts zwaaide, en het afweren, maar meer niet. Elke keer als hij probeerde door de verdediging van de sterke man te breken was daar de bijl, die hem tegenhield en overwon. Zijn tactiek haalde niet meer uit dan tegenover een tsunami of een lawine. Meermalen lukte het hem niet de snede van de bijl helemaal te ontwijken en hij begon snijwonden op te lopen. Hij hijgde en wankelde, terwijl de sterke man onvermoeibaar was en uitdrukkingsloos. In de schemering leken diens ogen nietszeggende gaten in een masker. Een vochtige glinstering op het brede gezicht gaf steun aan zijn eigen bewering dat hij leefde, maar hij had net zo goed het werkloze wapen kunnen zijn en de bijl degene die het wapen hanteerde.

Gwynn was bang dat de slanke kling van de yataghan zou breken onder de zware slagen – als zijn polsen het niet als eerste begaven.

Hij pareerde een houw omlaag die zijn rechtervoet zou hebben afgehakt. Met inspanning van al zijn krachten dwong hij de bijl omhoog. In een doorgaande beweging draaide hij Gol'achab razendsnel om voor een neerwaartse houw die hij gedwongen was aan te passen om te pareren, want Hart had een stap achteruit gedaan en de bijl met een hand gekanteld, in een spiegeling van Gwynns beweging; hij bereikte het cruciale punt alleen sneller. Gwynn pareerde de bijl opnieuw en stapte snel achteruit om wat ruimte te scheppen, waarin hij even op adem kon komen. De bijl bleef hem najagen. Hij deed een stap naar links, zwaaide Gol'achab opnieuw in een boog boven zijn hoofd, greep het zwaard over in zijn linkerhand, en deed een uitval naar de slapen van de sterke man, aan diens onbeschermde rechterzijde.

Op hetzelfde ogenblik kwam de bijl op hem af in een horizontale boog. Gwynn zou zich verder naar binnen moeten hebben bevinden dan het bijlblad zelf, maar Hart had de steel dichter bij het blad vastgegrepen en dus trof de bijl doel en sneed door de spieren van Gwynns flank als een heet mes door de boter.

Gwynn viel op de grond terwijl een korte, schorre kreet hem ontsnapte. Hij probeerde meteen weer overeind te springen, maar zijn lange sporen raakten verstrengeld zodat hij wankelde en struikelde, zonder een spoortje gratie. Hij verwachtte zo meteen te zullen sterven. Maar de beslissende slag bleef uit en toen hij opkeek zag hij Hart staan wachten, ongehaast.

Gwynn slaagde er tenslotte in weer op de been te komen. Het was zo'n heel erge wond niet, besefte hij. Niet diep genoeg om hem fataal te worden. Maar dat was puur theoretisch. De volgende slag kon dodelijk zijn, of de slag daarna. Met volmaakte zekerheid zag hij in dat hij dit gevecht eenvoudig niet zou overleven, wat hij ook deed. Hij kon alleen kiezen op welke manier hij het verliezen zou.

Hij haalde diep adem.

En toen hij de sterke man recht in het gezicht keek zag hij maar één, strakke, rechte weg.

Hij liet zijn adem ontsnappen, liet Gol'achab vallen en stond daar met lege handen, die hij spreidde ten teken van overgave.

De bijl die Margriet heette aarzelde niet.

De aalmoezenier die geluisterd had naar het gekletter, hoorde hoe het ophield. Hij luisterde of hij andere geluiden hoorde – geschreeuw, dravende voetstappen. Maar hij hoorde alleen het kloekkloek van de kippen.

De aalmoezenier vermande zich. Hij herinnerde zich dat hij naar buiten had willen gaan en dwong zijn hand de deur open te doen en zijn voeten om hem naar buiten te dragen.

Alles was heel stil. Afgezien van het geagiteerde pluimvee bewoog niets zich en was er niets wat geluid maakte. Een eindje verderop lagen twee gedaanten op de grond. De aalmoezenier riep Gwynns naam. Geen van beide gedaanten verroerde zich.

De aalmoezenier holde het steegje in. Hij bereikte een enorme bloedplek, maar draafde er doorheen zonder erop te letten. Bij de eerste liggende gedaante hield hij stil.

Het was Gwynn en hij was dood. Zijn linkerschouder was gekloofd tot aan het onderste puntje van zijn borstbeen. Zijn ogen staarden omhoog, verstard.

De ander die vlakbij lag, leefde nog. De aalmoezenier herkende de sterke man van de kermis aan de kaden. Het grote, vreemde, met bloed besmeurde wapen in zijn grote handen liet er geen twijfel over bestaan op welke manier Gwynn aan zijn eind was gekomen.

De sterke man keek op naar de aalmoezenier. 'Ze wacht op me,' fluisterde hij. 'Ze wil niet dat ik hier alleen blijf. Ze vergeeft het me, mijn Margriet, en nu mag ik naar haar toe.' Hij glimlachte flauw en leek toen in slaap te vallen. De aalmoezenier zag geen enkele wond op zijn lichaam. Hij voelde hoe de ziel uittrad, het lichaam verliet als een tand die werd getrokken, en niets achterliet.

De aalmoezenier draaide zich om naar Gwynn en hurkte naast hem. Hij sloot de ogen van zijn tegenstander met onvaste hand en maakte toen een gebaar met zijn vingers in de lucht, waarop er een lichtje verscheen. Het weerkaatste glimmend in het bloed, op de verbrijzelde botten en op een veelheid van kleine bloempjes die in de wond lagen.

De aalmoezenier begon te huilen. 'Het doet me verdriet, mijn zoon,' stootte hij uit tussen de snikken, 'en niet alleen omdat ik mijn kans ben kwijtgeraakt ons beider ziel te redden.' Toen sleurde hij Gwynn omhoog aan diens revers en schudde hem heftig heen en weer. 'Het is niet eerlijk! Je was al begonnen te veranderen – ja, wél waar! Ik had vooruitgang geboekt. Ik zou gewonnen hebben. Hoor je me? Ik zou gewonnen hebben!'

De aalmoezenier hield op Gwynns lijk door elkaar te schudden toen hij besefte dat het letterlijk onder zijn handen in tweeën begon te vallen.

'Krijg de tering! Krijg de tering!' herhaalde de aalmoezenier, nu de welsprekendheid van zijn gebeden hem in de steek liet. 'Krijg de tering jij – en ik erbij!'

De poolwind raasde ongehinderd over een golvenloze witte oceaan van sneeuw die, langs heel zijn volmaakt ronde omtrek, opklotste tegen een koepel van zwarte lucht. Aan die hemel stond de witte melkweg en hoog in het noorden de pokdalige parel van de volle maan.

Het was het uiterste randje van de levende wereld, een dagreis per hondenslee voorbij het eindstation van de noordelijkste spoorweg. Een van de jongere sibillen had hem hier mee naartoe genomen. Hij was acht of negen. Hij luisterde naar de stem van de vrouw, gedempt door zeehondenvacht.

'Verder gaan we niet. Ginder huizen de doden in hun domein. En wanneer de levende zon opgebrand is en de levende maan donker wordt en alles wat leven heeft gekomen is en weer is gegaan, zal de hele wereld zijn als die wereld en zo voor eeuwig blijven. Het geheel van de tijd zelf is slechts een schelp die drijft op een kalme oceaan en in die schelp is het universum gevat en die schelp heeft een tijd van geboorte en een tijd van dood, wanneer ze in de oceaan zal verzinken en alles wat erin gevat lag verloren zal gaan, behalve dat wat in de herinneringen van de doden wordt herdacht.'

Hij volgde haar blik over de toendra naar de verre einder, waar de witgeverfde aarde de sneeuwvlokken van sterren ontmoette. De wind beet door zijn pelzen en sloeg zijn klauwen in zijn ingewanden. Zijn handen en voeten, zijn ogen en het gebeente van zijn gezicht – alles deed pijn. Elke ademtocht was pijnlijk als het doorslikken van ijs. Hij kon niet ophouden met tanden klapperen en dus grijnsde hij maar om de sibille te laten zien dat het van de kou kwam en niet van haar strenge, droevige voorspelling dat hij huiverde. De sibille glimlachte alsof ze de spot met hem dreef, maar stak haar gehandschoende hand uit en trok hem dicht tegen zich aan, tussen de plooien van haar mantel. Toen klonk haar stem weer, zachtjes, en vertelde hem de verhalen die hij niet meer geloofde, maar waarnaar hij nog graag luisterde: verhalen over zijn befaamde voorouders, hun eerbare en schandelijke daden, hun twisten, misdaden en hartstochten. Hij beluisterde iets in haar stem dat hij, jaren later, zou identificeren als nostalgie naar zaken die ze nooit gekend had en nooit zou kennen.

De locomotief van de trein waarin ze terugkeerden leek wel een nakomeling van de monsters in de verhalen van de sibille. In de beroete hitte van de cabine luisterde hij met gretige belangstelling naar alles wat de machinist hem vertelde over druk en pijpen, kleppen, brandstof en nog veel meer, en hij vond het allemaal fantastisch. Toen hij, eindelijk weer terug binnen de muren van de citadel, in bed lag, op de hoorns van de slaap, dacht hij aan niets anders dan aan die schitterende locomotief en hoe hij degenen, die zijn opvoeding in handen hadden, zou kunnen overhalen hem te laten leren zo'n machine te besturen. Maar toen er een droom kwam had die niets van doen met zijn jongenshoop. In plaats van locomotieven of zelfs monsters en helden, droomde hij van torens van staal die duizelingwekkend hoog waren en hol, en geen vertrekken bezaten en van lege gaanderijen die de torens doorsneden, lege gaanderijen waardoor treurende windvlagen speelden. In die schachten en gangen vlogen witte raven wanhopig in kringetjes rond en wierpen zich tegen de strakke wanden, vruchteloos zoekend naar een uitweg.

In die droom had hij door de bouwsels gewaard als een geest, zwevend waar hij maar wilde, dwars door de wanden die de raven gevangen hielden. Nu was hij terug in de torens, als volwassen man en gevangene.

Hij lag op de bodem van een schacht waarvan de wanden zilverkleurig waren, als spiegels. Witte raven en hun spiegelbeelden cirkelen rond in de verre hoogte. Hij lag op zijn rug, beweginloos door een onzichtbare kracht. Hij voelde iets scherps in zijn mond en ontdekte dat er dorens groeiden op zijn tong. De enige andere lichamelijke beleving was er een van extreme kou, een kou zo diep dat een levend mens eraan sterven zou, maar wat voor een dode hoogstens onbehaaglijk was.

Hij was niet alleen. Er stonden mensen om hem heen. Marriott vooraan, net als Hart en zijn vrouw. Vlak daarbij stond generaal Anforth en daarnaast kolonel Bright met zijn hoofd onder zijn arm. Elleboog en Biscay waren er ook en op de achtergrond stond een hele menigte anderen. Allemaal keken ze naar hem met uitgesproken spot op hun gezicht.

Kolonel Bright wendde zich tot generaal Anforth en zei: 'Ik denk dat we hem te pakken hebben, generaal.'

'Jaag hem een kogel door zijn kop voor de zekerheid,' zei Anforth. 'Wie heeft er een pistool?'

'Niet nodig, heren,' zei Marriott. 'Dat wat het met ware finesse zal klaren is al onderweg.'

Anforth keek op zijn horloge. 'Als het niet gauw komt, zullen we hem laten lynchen door de menigte,' sprak hij met gezag.

De aalmoezenier nam Gwynns rechterhand. In tegenstelling tot de sterke man ging Gwynn niet snel heen; de aalmoezenier voelde aanwezigheid van de droesem op de bodem van het leven, de geest die nog het lichaam aanhing.

'Wat een zootje, zeg,' mompelde hij. 'En net nou ik... je gelooft het niet, maar ik had net een doorslaggevend argument bedacht. Je vindt het vast niet erg als ik het nog even uiteenzet? Bedenk het volgende: ondanks je verfoeilijke opstelling jegens je medemens, je ontstellende gebrek aan belangstelling voor hen, was je nieuwsgierig naar de dieren en de wereld der natuur. En ik zou kunnen geloven – nee, ik geloof het inderdaad, want het verzacht mijn hartzeer – dat je belangstelling voor wat zo anders was dan jijzelf, fysiek gezien althans, het bewijs was dat ook jij ernaar snakte, dat het goddelijke in jezelf het goddelijke in alle dingen zou onderkennen. Als je was blijven leven zou je na verloop van tijd thuisgekomen zijn. Dat zal ik blijven geloven, mijn vriend.'

De aalmoezenier wiste zijn ogen af. 'Ik mag dan naar strohalmen grijpen, maar dat is bepaald niet de eerste keer voor mij. Moeten alle gelovigen dat niet doen? Ook jij dorstte naar het oneindige. Dat moet ik in elk geval geloven van je, als het anders niet mag zijn. Ook jij verlangde naar dat ongenoemde dat verloren ging en dat in het hart van de mensen wordt betreurd. En nu komt ineens bij me op, dat ik verkeerd heb gedacht: Het is niet Gods afwezigheid die wij voelen, het is de afwezigheid van alles wat voor God verloren is gegaan, al datgene wat zich heeft afgezonderd en weigert terug te keren en meent dat het in ballingschap is.'

De aalmoezenier besefte dat hij zat te ratelen, zweeg en bleef Gwynns hand nog een poosje zwijgend vasthouden. Hij voelde hoe de ziel zich taai aan de wereld vastklampte – bang die te verlaten en het ijselijke lot dat haar wachtte onder ogen te zien, natuurlijk.

'Ik weet dat je er nog bent,' begon de aalmoezenier uiteindelijk opnieuw. 'Je weet dat ik je zal moeten uitbannen als je niet eigener beweging vertrekt? Als er iets van jou achterbleef in de wereld zou dat grote last veroorzaken. Maar het heeft geen haast. Nog niet.'

Hij moest opnieuw zijn ogen afvegen. Hij toverde een aangestoken sigaret tussen zijn lippen en nam een lange trek. 'Wat een troep, hè? Ik vraag me af of je me kunt horen. Want er is een verhaal dat je eigenlijk moet horen. Ik had het je misschien al veel eerder moeten vertellen. Ik dacht dat je het cynisch zou hebben opgevat, toen, en nu ook, denk ik, als je was blijven leven. Maar het is mogelijk dat je de dingen nu vanuit een ander perspectief ziet. Mijn zoon, laat ik nog een laatste poging doen om je ervan te overtuigen dat je tot inkeer moet komen, moet geloven, je moet onderwerpen; er is nog een kans, zelfs nu nog, om niet terecht te komen in de maalstroom van hen die niet tot God behoren.'

De aalmoezenier zweeg even en tikte zijn as af op de grond. 'Je hebt mijn kermistrucs gezien en misschien terecht getwijfeld aan hun belang, als bewijs voor het bestaan van de goddelijke majesteit. Maar toen ik jong was bezat ik minder triviale talenten. Wanneer God ons na staat, laat hij ons vreemde dingen doen, en God stond me toen heel erg na. Tegenwoordig vindt de Kerk dat een gênant onderwerp. De ambtenaren en degenen die vooraan in de kerk zitten hebben liever niet dat God te dichtbij komt, moet je weten. Oppermacht is een bedreiging voor de openbare moraal. Misschien zou ik die invalshoek hebben moeten proberen met jou – misschien was je op dat stuk meevoelender geweest. Maar ik dwaal af en daar hebben we geen tijd voor, nietwaar? God droeg me op te leven bij de leprozen, droeg me op hen aan te raken en hun kwaal tot mij te nemen. Kun je je voorstellen wat er vervolgens gebeurde? Wonderen, mijn zoon. Wonderen!'

De aalmoezenier merkte plotseling dat zijn keel droog was. Hij besloot dat de tijd zo kort niet was, dat hij niet even snel op en neer kon naar Feni's voor zijn drank. 'Niet weggaan, mijn zoon,' bezwoer hij hem. 'Ik loop even snel terug om een opkikkertje te halen.'

Gwynn keek naar de mensen die op hem neerkeken. Ze praatten onder elkaar in een taal die hij niet verstond. Nu en dan wees er eentje naar hem en dan steeg er een woedend of smalend gemompel op uit de menigte.

De aalmoezenier was er niet, maar Gwynn hoorde zijn stem wel.

Bevreesd voor wat er met hem zou gebeuren, intenser bang dan hij ooit was geweest, hield Gwynn het niet meer. Zijn trots liet hem abrupt in de steek.

'Ga niet weg. Laat me hier niet achter,' smeekte hij stuntelig met zijn van doorns doorstoken tong.

☙ 22 ❧

DE AALMOEZENIER KWAM TERUG MET zijn fles in de hand en hurkte weer naast Gwynns lichaam. 'Ik bedacht net,' zei hij tegen wijlen zijn tegenstander, 'dat we in al die tijd dat we samen hebben gediscussieerd nooit een keer samen dronken zijn geworden. Jammer vind ik dat.'

Hij nam een teug en snoof zijn tranen terug. 'Wat zei ik ook alweer? O ja, ik nam de pijn van anderen op me. De zieken, de gebrekkigen, de krankzinnigen. God werkte door middel van mij om hen te genezen. Ik moet toegeven, beste vriend, dat het verfrissend is om dat nu eens niet te hoeven beargumenteren tegenover jou. Wat mij betreft, ik genas altijd binnen een paar dagen. Ik heb nooit gevraagd waarom ik elke aandoening zelf moest doormaken om hem te kunnen uitbannen. Ja, ik verwelkomde het lijden zelfs, omdat ik geloofde dat het me verfijnde en onthechtte. Ik was ervan overtuigd dat ik daardoor waardiger werd om Gods gunst te genieten. Als je niet in zo'n heikel parket verkeerde zou je daar vrolijk om moeten lachen, nietwaar? En weet je, ik vroeg me ook nooit af waarom God mij had uitgekozen. Ik vind het niet meer dan normaal dat ik begiftigd werd met de goddelijke tegenwoordigheid en geroepen was tot een goddelijke taak. Je kunt je niet voorstellen hoe het is om te zwelgen in de macht van het oneindige. Mijn aanmatiging was tien keer groter dan de jouwe!

In die tijd, de dagen van mijn hovaardij, zwierf ik van het ene dorp naar het andere. In een van die dorpjes was een meisje. Haar lichaam was gebrekkig, haar gezicht verminkt, haar geest traag en kronkelig. Haar dorpsgenoten hadden haar schuldig bevonden aan geslachtelijke gemeenschap buiten de echt. Dat was in die dagen een ernstig misdrijf en dus hadden ze haar gestenigd, tot bijna de dood toe. Ze haalden haar tevoorschijn en lieten haar trots aan mij zien, in de veronderstelling dat ik hun rechtvaardigheid zou toejuichen. In mijn woede riep ik vuur omlaag uit de hemel. Nou, of ik ze verbaasd had! Ik had mezelf ook verbaasd, want ik had er nooit aan gedacht zoiets te proberen; maar het bleek reuze makkelijk. Het vuur verteerde iedereen in het dorp. Zo'n hitte heb je nog nooit meegemaakt! Mannen, vrouwen en kinderen, pakweg tweehonderd in getal, allemaal stonden ze te branden als een lier. Iedereen werd verteerd door het vuur behalve het meisje en ik.

Toen het vuur eindelijk was uitgewoed, waren we overdekt met de as van haar volk. Ze zei niets tegen me; ze vertoonde geen enkele reactie. Ik maakte me op om haar te genezen. Ik nam haar ongerechtigheden over en drie dagen lang was ik net zo gebrekkig als zij was geweest terwijl bij haar gezondheid, schoonheid en intellect de overhand kregen. Gedurende die drie dagen verzorgde ze me, maar sprak al die tijd geen woord. Toen op de vierde dag mijn vermogens terugkeerden, vroeg ze me waarom ik dat gedaan had. Waarom had ik haar niet gewoon genezen en het daarbij gelaten? Ze vroeg me welke duivel ik diende. Ik zei dat ik geen duivel diende maar het Oneindige, de Onweerlegbare God. Ze zei dat ik me vergiste. Toen steeg ze op een muildier en reed het dorpje uit.

Ik keek haar na. Pas toen ik haar uit het oog verloor voelde ik hoe de gezegende tegenwoordigheid mij verliet. Hoe zal ik dat beschrijven? Het was alsof ik al mijn ledematen kwijtraakte, al mijn zintuigen, alle blijdschap en alle hoop, en dat allemaal tegelijk. Ik werd krankzinnig en bleef dat een hele tijd. Ik scheurde me de kleren van het lijf en rolde me door de as van de dorpelingen.

In mijn waanzin leerde ik de reikwijdte van mijn nieuwe vermogens kennen. Ik riep een storm van vuur op en verbrandde rotsen en zand. Ik ontdekte dat ik insecten kon voortbrengen uit mijn handen en schorpioenen uit mijn voeten. Ik leerde de banale paljastrucjes die je al van me gezien hebt. Ik kon alles, behalve God voelen. Uiteraard ging ik tekeer tegen de hemelen. Ik krijste om vergeving en antwoorden. Stamden mijn plotselinge talent voor brandstichting en koddige trucjes van God? Zo niet, van wie dan wel? Was het meisje een gewoon meisje geweest? Of was ze een engel, gezonden om mij te beproeven en zo ja, waaruit bestond die beproeving dan? Waarom was ik zo hoog opgeheven, alleen om te vallen? Had God geweten dat ik zou vallen?'

De stem van de aalmoezenier was aangezwollen tot een schreeuw. Hij hernam zich. Zijn stem dempend tot een zachte maar dringende toon vervolgde hij: 'Mijn waanzin was op zich al een vurige storm. Ik lag alleen en naakt neer en besefte op een nacht opeens dat ik weer bij zinnen was. God was nog steeds afwezig, maar mijn verstand was teruggekomen. Ik heb ervoor gekozen te geloven, dat de beproeving die God me oplegde eruit bestond te zien, of ik van mijn medemensen net zo veel kon houden als van God. Jouw volk is uiteindelijk toch niet onverstandig: liefde voor de volmaakte godheid kan ons belemmeren in het liefhebben van de niet volmaakte medemens! Maar het is Gods wil de verlorenen terug te brengen en dat kan niet zonder hen lief te hebben. Daarom besloot ik – en stel je mijn diepe nederigheid voor – terug te keren naar het pad van de genezer, Gods wil te doen en te wachten tot mij vergeving zou zijn geschonken en ik weer in het licht zou verkeren.

Ik kon niet raden wat er daarna gebeurde, maar jij misschien wel: mijn genezende vermogens waren verdwenen. Ik kon nog geen hoofdpijn of blaar genezen! En sindsdien ben ik alleen nog maar in staat tot het vertonen van nutteloze wonderen! Ik kan zelfs geen sterkedrank toveren!' De aalmoezenier lachte smalend en toen begonnen de tranen opnieuw langs zijn gezicht te stromen. 'Wat is er toch misgegaan? Jij leek tenminste verdoemd van nature, mijn zoon. Jij bent niet uit de gratie geraakt en hebt niet zo deerlijk hoeven lijden! Je weet niet wat het is!'

Het geween en gejammer van de aalmoezenier bereikten Gwynn op de bodem van de schacht. Uit louter ergernis over het sentimentele betoog van de aalmoezenier trok Gwynn de laatste flarden van zijn trots en waardigheid rondom zichzelf op. Zijn tong was inmiddels stijf als een acaciatak en de doorns hadden zijn verhemelte doorboord, zodat hij helemaal niet meer kon spreken en alleen een gedachte kon richten aan de aalmoezenier: *Eerwaarde, ik huiver als ik denk aan de aanblik die u samen met mijn stoffelijke resten moet bieden. Zou het uw vermogen te boven gaan een paar waardige, zij het zinloze, woorden van troost en hoop uit te spreken, of anders een kwinkslag te maken, zodat de gelegenheid wat luchtiger aanvoelt? Als dat te veel van u gevraagd is, zou u dan misschien de deugd van het zwijgen kunnen omarmen?*

Maar hoewel Gwynn de aalmoezenier wel kon horen, was die ongevoelig voor Gwynns pogingen tot communicatie. Ten slotte hield hij op met huilen. Hij veegde zijn neus af met zijn mouw, schraapte zijn keel en richtte opnieuw het woord tot Gwynn.

'Wat moet ik beginnen? Met wie moet ik nu discussiëren, hm? Krankzinnige klootzak die je bent. Om een vrouw! Je had toch best zonder haar kunnen leven? Die andere kerel, de sterke man, was waarschijnlijk een goed mens. Ik zou naast hem moeten zitten om te bidden voor zijn zielenheil. Maar ik ken hem niet. Ik ken jou en daarmee bedoel ik dat ik weet dat je de zondigste, akeligste en minst deugdzame man bent die ik ken. Maar op Croaldag was ik tegenover jou gewoon een mens die met een vriend converseerde tijdens de maaltijd. Zonder jou ben ik een dronkelap in de kroeg. Ik zou voor je zielenheil moeten bidden, maar als je nog leefde zou je het er niet mee eens zijn en het maakt toch niet uit, want God luistert toch niet naar me.'

Goed gezien, priester. Dat zou dicht in de buurt komen van natrappen, dacht Gwynn. Hij probeerde zijn ogen te sluiten voor de drom mensen die hem omgaf, maar zijn oogleden waren al even onwrikbaar als zijn tong.

'Laat ik maar gewoon tegen je praten,' zei de aalmoezenier. 'Tegen wie zal ik verder ooit nog kunnen praten? Luister: God zoekt mensen die hem beminnen. God is niet meegaand. God is de dansende ooievaar in de uiterwaarden en de tijger in de nacht. De eenzaamheid, de pijn van het verlies, dat wat honden doet blaffen tegen niets en de hele familie krokodil niets anders laat doen dan doden, en dan honderd miljoen jaar slapen, dat gevoel moet jij hebben gekend toen je die vrouw kwijtraakte. Je bezat een zekere moed en je hield van schoonheid. Je hield van Gods wereld. Je was, je...'
De aalmoezenier kon het niet volhouden. 'Krijg de klère, je was de tegenhanger van de genade. Je wentelde je in opzettelijke onwetendheid, blij als een zwijn in de stront. Hele volksstammen zouden zeggen dat het juist en rechtvaardig en heel goed is dat je jong gestorven bent en dat het een teken was van Gods genade dat je zo snel gestorven bent. De goeden en wijzen zouden beweren dat de wereld beter is geworden, alleen omdat jij er niet meer bent. Dat ik, zelfzuchtig als ik ben, het er niet mee eens ben maakt geen sodemieter uit. Ik heb geprobeerd de pooier uit te hangen, jou te verleiden namens God; in plaats daarvan was ik degene die liefde voelde voor jou. Dus als jij vannacht tekort bent geschoten, dan ik evenzeer; het is me nog steeds niet gelukt de hele mensheid lief te hebben.
In elk geval heb je geleden, dat is tenminste iets. Misschien is dat een vorm van boetedoening. En als dat voor jou geldt, dan misschien ook voor

mij. Ik wil gewoon die goddelijke liefde van weleer terug.'

Daarna kon de aalmoezenier een poosje lang niets meer uitbrengen. Hij had er trouwens geen idee van wat hij verder had kúnnen zeggen.

Hij keek naar het gezicht van Gwynn dat schuilging onder een masker van bloed en teerachtige smurrie. De aalmoezenier pakte zijn zakdoek, maakte hem nat met Zwarte Bisschop en toog aan het werk. De Zwarte Bisschop bleek een doeltreffend oplosmiddel te zijn en het lukte de aalmoezenier heel aardig om Gwynn op te knappen; hij goot zelfs een scheutje drank in diens mond om de tanden schoon te wrijven.

'Daar!' mompelde hij schor terwijl hij een prop maakte van de zakdoek toen hij klaar was en het ding wegwierp. 'Niet echt een knap lijk, maar een stuk beter dan eerst.'

En toen vloog hem in zijn verdriet een idee aan.

Het was een angstaanjagend idee maar ook heel mooi. Het was op een of andere manier zo terecht. Maar...

'Dan moet ik echt lazarus zijn,' prevelde hij. 'Heel ver heen...'

Na die gedachte te hebben uitgesproken stond de aalmoezenier abrupt op. Haastig, om zich niet de tijd te gunnen om van gedachten te veranderen, stoof hij opnieuw bij Feni naar binnen. Toen hij weer buiten kwam had hij Gwynns kom thee in de ene hand en diens flaconnetje in de andere.

De aalmoezenier ging weer naast Gwynn op de grond zitten. Vol bravoure goot hij de rest van de inhoud van het flaconnetje in de kom leeg. Toen legde hij zijn ene hand op Gwynns voorhoofd als gaf hij hem een zegen, en hief de andere de kom op voor een heildronk.

'Ik drink op jou, jij arme donder! Ik heb altijd geweten dat jij de sleutel zou worden tot mijn verlossing!' zei de aalmoezenier joviaal om zichzelf moed in te spreken. Hij kon het zich nu niet veroorloven vaart te minderen of na te denken. Anders, vreesde hij, zou hij het plan dat bij hem opgekomen was niet meer durven uitvoeren. 'Als iemand zijn leven gaf voor het jouwe – als hij stierf zoals jij stierf – zou jij je dan afwenden van je zondige levenswandel? Zou je lichaam zich deze pijn herinneren en er dan voor terugdeinzen anderen die pijn aan te doen? Men mag het hopen, maar hoogstwaarschijnlijk zou je tot het eind van je levensdagen een verloederde schurk blijven. Of je nu het pad der rechtvaardigheid kiest of niet, en of ik er nu in slaag jouw ziel naar God te brengen of niet, dat doet er nu geen donder meer toe. Het maakt geen verschil, want er zal een offer worden gebracht van gelijke waarde.'

Hiermee besloot de aalmoezenier, waarna hij de kom aan zijn mond zette en de thee in één keer in zijn keel goot.

De thee was sterk en zwart als teer, met een brakkige nasmaak die misschien de smaak van het roesmiddel was. Binnen een paar seconden voelde de aalmoezenier zich doezelig worden. Een paar seconden later gleed hij languit op de grond midden in de plas bloed. Zijn ene arm viel dwars over Gwynns lichaam; en toen verloor hij de macht over zijn ledematen.

'En dus offer ik mezelf op om mezelf te redden,' mummelde hij aangeschoten. 'Kijk dan, trouweloze wereld, dit is mijn grote terugkeer! Voor maar één nacht!'

Zelfs tijdens zijn hoogtijdagen, toen hij de beroemde wonderdoener van de wildernis was, had de aalmoezenier nooit geprobeerd de doden op te wekken. Het had hem altijd een godslasterlijke bezigheid geleken. Of hij het toen gekund had of niet, tegenwoordig zou hij er al helemaal niet meer toe bij machte zijn, in zijn huidige staat van ongenade. Desondanks was hij, terwijl hij voelde hoe chemische krachten hem omlaag zogen in een stille, onverlichte diepte, niet bang dat hij zou falen.

Hij scheen in deze dichte leegte heel lang te blijven zweven, maar ten slotte verdampte het en werd hij bezocht door visioenen. Hij zag eerst het paradijs en bekoorlijke hoeri's en toen dingen waarvoor hij geen woorden bezat, die angstaanjagend waren en tegelijkertijd onmetelijk begeerlijk.

Er klonk muziek. Althans iets als muziek.

Er ademde iets. De adem blies de muziek over het oppervlak van de wereld, over alle werelden. Daar vloog iets, voor eeuwig alleen en eindeloos door de diepste nacht.

De aalmoezenier voelde afgrondelijk diep verdriet, weergalmende angst. Hij wilde sterven; hij wilde dat iemand hem doodde.

Hij probeer zich uit te storten in de afgrond. In plaats daarvan was het afgrond die zich uitstortte in hem.

Hij materialiseerde hoog boven Gwynn, hoog in de schacht waar de witte raven nog steeds rondcirkelenden. Hij dook en zette een zwevende afdaling in: een slang van nevelige witte damp, de kronkelige vorm zo elegant als een wiskundige vergelijking, met een kroon van schimmige diamanten op zijn langgerekte hoofd. Ordelijke rijen stalen tanden omzoomden de slanke muil en vanonder twee wenkbrauwbogen op zijn schedel keken ogen als ijzige sterren. Gwynn herkende hem als de Koudraak. De opeengepakte toeschouwers weken opzij toen hij omlaag kwam en bogen diep, als voor een koning op bezoek. De Koudraak maakte op zijn beurt een buiging. Dat was het laatste komische ogenblik.

Hij golfde voor hem heen en weer. Bij zijn bewegingen bracht hij geluiden voort als het pompen en sissen van stoommachines, en slaakte hij een enkele kreet die klonk als een zaag die door metaal scheurt. Hij omcirkelde hem en stulpte zich toen over zijn gezicht als geboortevliezen

Hij vatte Gwynns lichaam in zijn kronkelingen en spande ze aan en zonk weg in Gwynn tot die hem niet meer kon zien, hoewel hij zijn aanwezigheid nog wel voelde, doordat hij kleiner werd, overal waar de Koudraak was geweest. Hij draaide spiralen, zoekend naar voedsel, alles doordringend wat hij tegenkwam, moeiteloos, als mist die langs de bladerloze takken vloeit van bomen in de winter.

De Koudraak kende de weg. Hij ging naar huis.

De aalmoezenier mompelde in zijn slaap: 'Ook in jouw hart proppen. Niks uitsjonderingen. Eeuwigheid. Onlesjbare dorsjt... oneindig. Net as... hondjes en paria tijgers in de nacht. Ben nou wel ver genoeg, mijn zoon. Klonten glorie aan m'n taas... Nie weggaan... hierblijveh... Let op... de priester springt door het hoepeltje... Waar gij gegaan bent, laat mij in uw plaats gaan...'

Als er iemand vanuit een raam in het steegje zou hebben gekeken, zouden ze hebben gezien dat toen de aalmoezenier uitgesproken was, een onverklaarbare kracht werd uitgeoefend op het lijk van de man die onder de arm van de priester lag. Splinters verbrijzeld bot spatten uit zijn ijselijke wond tevoorschijn, zoals een jongen meloenpitjes uitspuugt. Ook werden de bloemen uitgestoten, in een waaier van klonterende confetti. De linkerarm, die onder een groteske hoek lag, schoof naar een meer gebruikelijke positie en men kon zien hoe de gekliefde ribbenkast zich dichtte en hoe spieren en huid zich daar overheen aaneensloten. De andere wonden sloten zich met wat minder dramatisch vertoon. Toen alles weer in orde was begon de geheelde borstkas zachtjes op en neer te gaan.

Nadat dit alles had plaatsgevonden, zouden de oren van de niet aanwezige waarnemer zijn verscheurd door een ijselijke kreet uit de keel van de priester toen zijn eigen lichaam van schouder tot borstbeen werd opengereten en zijn hart in tweeën spleet.

GWYNN ROOK BLOED.

Ik leef nog, was zijn eerste gedachte.

Onmogelijk, was zijn tweede.

Beter maar even kijken, zijn derde.

Hij deed zijn ogen open. Zag een gelige lucht, kippenhokken en de rest. Minutenlang lag hij alleen maar stil, ademend, te verbijsterd om meer te doen.

Langzaam keerde zijn wil terug.

Hij was zich bewust geweest van een arm over zijn borst en had aangenomen dat die van hem was. Nu bepaalde hij dat het zijn arm niet was. Dankzij de grijze flanellen mouw kon hij de juiste eigenaar trefzeker aanwijzen.

Gwynn keek opzij, en was opgelucht toen hij ontdekte dat hij zich weer kon bewegen. Een halve ademtocht later wist hij ook hoe snel, toen hij instinctief overeind sprong om weg te komen bij zijn met bloed besmeurde slapie.

Hij keek neer op het lijk van de aalmoezenier en kon niet ophouden met kijken, naar de starende ogen en de wond. Uiteindelijk voelde Gwynn aan zijn eigen schouder waar die wond zich had moeten bevinden. Hij voelde zijn zij. Zijn kleren waren doorweekt van het bloed en aan flarden gehakt, meer niet. Hij deed zijn handschoenen uit en betastte zijn huid met zijn vingertoppen, maar vond zelfs geen schrammetje op de plaatsen waar de bijl hem getroffen had. Alleen de halfgenezen wond in zijn arm zat er nog en klopte heftig. Hij had een heleboel vage pijntjes en voelde zich uitgeput en ziek. Maar zijn lichaam was in beginsel intact.

De toestand van zijn geest was wat moeilijker op waarde te schatten.

Hij probeerde wijs te worden uit het tafereel dat zich aan zijn ogen voordeed. Hij zag de sterke man bewegingloos liggen en Gol'achab in de buurt op de grond. Hij zag de theekom en het lege flaconnetje en hij herinnerde zich hoeveel hij al had ingenomen van de Zeeën van de Maan. Hij herinnerde zich ook wat de aalmoezenier allemaal gezegd had terwijl...

Terwijl ik dood was?

Gwynn raapte Gol'achab op. De kling vertoonde een paar nieuwe kepen. Met het zwaard in de hand ging hij kijken of Hart nog levenstekenen vertoonde. Die waren er niet. Het was ook onduidelijk hoe de man gestorven was, maar één ding stond vast wat dit lijk betreft: het was van vlees en bloed.

Hij stak Gol'achab in de schede en richtte zijn aandacht op de bijl. Heel behoedzaam en half en half verwachtend dat het ding uit zichzelf omhoog zou komen om hem aan te vallen, maakte hij de schacht los uit de handen van de sterke man. Hij draaide het wapen om en om in het schemerlicht en bekeek aandachtig het bijlblad met de ingegraveerde bloempjes, een patroon dat nu ontsierd werd door talloze krassen en kepen.

Hij legde het wapen naast het lichaam van de dode neer.

Herinneringen kwamen op, zweefden in verwarring door zijn hoofd; lang geleden verstrengelde zich met verleden week. Geërgerd riep hij zijn geheugen tot de orde.

Hij had een jeugd gekend in een vesting in een bevroren land met periodes op een kostschool in het buitenland; jaren als huurling in een leger, dan nog eens jaren als desperado in de woestijn en een nieuwe betrekking als beulsknecht voor een edelman genaamd Olm, die hij aan zijn heikel lot had overgelaten. Hij herinnerde zich een verhouding met een roodharige kunstenares genaamd Beth Constanzin; hij had haar gevonden en gevolgd – tot aan de drempel van een wereld waar de materie even kneedbaar was als de gedachte.

Hij zocht in zijn zakken tot hij haar brief vond en haalde hem tevoorschijn. Het papier droop van rood bloed en de woorden en de tekening waren gewist. Hij kon zich alleen de strekking ervan herinneren en fragmenten van zinnen: *jouw stilte... opgewonden als een klein meisje... grote wereld voorbij de muren...* En het laatste raadsel. Terwijl hij bij Feni zat had hij vele mogelijke oplossingen overwogen.

De brief was glibberig. Gwynn liet hem uit zijn handen glippen.

Hij herinnerde zich dat hij op precies dezelfde manier zijn zwaard had laten vallen; dat, en de slag die daarop volgde, was hij beslist niet vergeten. Zijn dood was geen begoocheling van delirium geweest. Zijn botten herinnerden zich hoe ze verbrijzelden, zijn zenuwen herinnerden zich de schok van de stortvloed van ijselijke pijn in veel te veel details.

In dat krankzinnige ogenblik had hij zich Beths woorden herinnerd: *Alleen als we vreemd zijn kunnen we in beweging komen... Hij is erger dan vreemd, erger dan excentriek – hij is rampzalig. Hij scheurt de voorhang tussen leven en dood.*

En dus had hij iets heel vreemds gedaan.

Door ermee in te stemmen dat zijn sterfelijke machine werd stilgezet, had hij in het wilde weg gehoopt zijn sterfelijk bestaan te overstijgen om haar te volgen. Niet dat hij veel keus had gehad, maar de bedoeling was heel duidelijk geweest. Onder de gegeven omstandigheden had hij het beste gedaan wat hij kon doen. Hij had niet gehoopt het er levend van af te brengen, maar daar stond hij, bezielde materie, een levend mens.

Waaraan kon hij nu werkelijk zijn overleven toeschrijven? Aan die nederige overgave, aan de haar die hij had ingeslikt, of zelfs aan de god van de aalmoezenier? Aan een andere factor, die uitsluitend voor hem gold? Had hij de drempel van de onsterfelijkheid bereikt om te worden terug gesleurd door de aalmoezenier? Of was hij gered van de vernietiging?

Waar, wanneer, hoe en wie was hij?

Hij vond niet direct antwoord op die vragen.

Hij ging zijn pistolen zoeken. Terwijl hij ze opraapte begonnen de wolken dikke regendruppels uit te braken. Binnen een paar tellen was het een zware regen, en nog een paar seconden later een wolkbreuk. Hij stond doodstil in de slagregen en liet zich overspoelen door het water totdat het schoon van hem af kwam. Hij nam er diepe teugen van en gorgelde ermee, want hij had een afgrijselijk vieze smaak in zijn mond.

Toen pas herinnerde hij zich dat hij had overgegeven en zocht naar de as en de rest en ook naar kleine groene bloemetjes. Maar hij was te laat. Allerlei smeerboel uit de goten kolkte en wervelde, losgespoeld door het voortsnellende water, het steegje uit, zonder onderscheid te maken.

De onzekerheid vierde hoogtij en als één die een toevlucht zocht, omarmde Gwynn haar maar al te graag.

Hij streek zijn haar naar achteren en krabde zijn kaken en trok een lelijk gezicht om de stoppels op zijn huid. Hij besefte dat hij gebukt stond en rechtte zijn rug. Toen liep hij langzaam terug naar de lijken.

'Je zei toch dat je jezelf kon genezen?' zei hij tegen de aalmoezenier. Die staarde omhoog, de regen in.

Gwynn bleef een poosje bij hem staan, maar het zag ernaar uit dat de toestand van de aalmoezenier permanent was.

Gwynn wendde zich af en nam de sterke man eens op en voelde een oude aandrang. Hij zag geen enkele reden om er niet aan toe te geven. Hij legde zijn hand op het gevest van Gol'achab, maar toen viel zijn blik op de bijl. Het zou, daarvan was hij overtuigd, smakeloos zijn, ongepast en een grove inbreuk op het fatsoen en juist daarom raapte hij hem op. Niet lettend op de protesten van zijn gewonde arm vanwege het gewicht, tilde hij het wapen hoog op en liet het met een zwaai neerkomen. Het bijlblad kliefde moeiteloos de zware nek. Gwynn legde de bijl neer en voelde zich een stuk geruster.

Met een verdere pijnlijke inspanning van al zijn krachten hees hij het lijk van de aalmoezenier op zijn schouders en droeg het terug door het steegje naar Feni. Hij droeg de aalmoezenier door de deur naar binnen en deponeerde hem daar op een stoel.

Feni keek met grote ogen toe. Feni's zus en haar vriendinnen keken met grote ogen toe. De aangeschoten verslaggevers draaiden zich op hun barkrukken om en keken met grote ogen toe. Gwynn trok zich van niemand iets aan en sprak zijn tegenstander toe, voor de laatste keer.

'Als u me gered hebt, eerwaarde, weet ik niet of ik u wel moet bedanken. U hebt zelf gezegd dat er zonder opoffering geen glorie kan bestaan. Ik was zelf ook in iets dergelijks gaan geloven – maar hoe moet ik nu ooit weten of het waar is? Het ogenblik waarop ik erachter had kunnen komen is voorbij en misschien komt zoiets nooit meer terug. Ik weet vanavond niet wie er gewonnen heeft, en wie verloren. Ik kan niet zeggen dat ik hoop dat u gewonnen hebt. Maar ik hoop wel dat u gevonden hebt wat u zocht.'

Gwynn liet de aalmoezenier achter op de stoel en liep naar de tapkast waar hij zijn portefeuille opendeed. Het leer had de bankbiljetten die erin zaten beschermd. Hij telde een bedragje uit en daarnaast een veel groter bedrag.

'Dat is voor de thee,' zei Gwynn tegen een sloom met zijn ogen knipperende Feni. 'En dit is voor de uitvaart van de eerwaarde.'

Hij liep naar buiten door het kralengordijn.

Feni keek naar de aalmoezenier en toen naar het geld, alsof hij verwachtte dat het zou verdwijnen of zou veranderen in dorre bladeren of stukjes huid van dode mensen, zoals geld uit het rijk der geesten verondersteld werd te doen.

Toen Gwynn de trappen van de Corozotoren beklom drongen de nachtelijke geluiden van de bewoners tot hem door. De geur van boenwas en verschroeid geroosterd brood hing er nog, onveranderd.

Toen hij in zijn appartement was liep hij regelrecht naar zijn wastafel en reinigde zich met een volle fles water van salie en vioolwortel. Vervolgens schoor hij zich en hij waste zijn haar uit met zeep, tot er geen spoor van bloed meer in zat. Hij koos passende kleren voor de reis: een zwarte broek van hertenleer, een ivoorwit batisten hemd, een stevig zwart paardrij-jasje van dik laken, een roomwitte linnen cravat die hij gerieflijk los strikte en comfortabele, stevige laarzen. Hij kamde zijn haar en bond het bijeen met een zwart lint. Toen zijn lichaam verzorgd was haalde hij al zijn wapens bij elkaar op zijn bureau en reinigde en oliede ze stuk voor stuk.

Hij pakte zijn bezittingen in twee zadeltassen. Alle overdreven modieuze kleren die hij in Ashamoil gedragen had liet hij op de knaapjes hangen, inclusief de pauwenjas. Na een korte aarzeling liet hij ook de heupflacon van alruinwortel achter en stak alleen zijn Auto-da-fés en wat cognac voor de nachtelijke ritten bij zich. Toen hij klaar was liep hij terug naar de slaapkamer en ging vlak voor de spiegel staan.

Er was in zijn gezicht niets te bespeuren dat er niet al jaren was.

Bij wijze van proef maakte hij met een mes een klein sneetje in zijn handpalm. Het bloedde normaal, zonder wonderbaarlijk te genezen.

Hij probeerde in de god van de aalmoezenier te geloven. Het lukte niet, tot zijn opluchting.

'Eerlijk gezegd,' zei hij bij zichzelf, 'als er inderdaad een god verantwoordelijk voor is geweest dat ik mijn leven terugkreeg, vraag ik me echt af wat voor motief zo'n god kan hebben, om een type als ik los te laten lopen in de straten van de wereld. Het lijkt me als daad van genade niet bepaald ondubbelzinnig.'

Gwynn keerde zich af van zijn hooghartige spiegelbeeld en doofde de lampen in de kamer. Hij liep terug naar zijn bureau en trok de la open waarin Het Gesprek van de Sfinx en de Basilisk lag, in pakpapier gewikkeld. Hij aarzelde, bevlogen door een wilde gedachte dat de afbeelding misschien veranderd was. Hij speelde even met de fantasie dat hij zou worden aangesproken door een nieuw mysterie, een nieuw spoor om te volgen, dat hem weer bij Beth zou brengen, waar ze ook mocht zijn heen gegaan.

Net zoals hij het ei ongebroken had gelaten, liet hij de ets ingepakt liggen, maar op het laatst had hij opeens een voor hem zeldzame behoefte aan zekerheid.

Hij haalde het papier eraf.

Hij bekeek de afbeelding net zolang tot zijn oog er zeker van was: hij was niet in het minste veranderd. Hij pakte hem weer in en sloot de la.

De moesson roffelde nog op het dak. Gwynn knoopte zijn zeildoeken cape om en zette zijn breedgerande hoed op.

Bijna tijd voor de aftocht.

Hij moest een poos aan de deur van het Lindenbuurt-gasthuis kloppen voordat een jonge non opendeed. Ze had zichtbaar gehuild.

'De dokter is er niet,' zei ze bits en ze zou al haast de deur voor zijn neus dichtslaan.

Gwynn greep de deur en wrong zich er zijdelings langs met een kort woord van verontschuldiging. Hij deelde de zuster mee dat hij niet lang nodig had. Hij liet haar protesterend in de gang staan, liep verder en ging de zaal binnen waar Olm had gelegen. Een ander bezette nu het bed. Gwynn keek op de andere zalen rond. Geen Olm.

In de gang kwam hij dezelfde zuster tegen. 'Het lab,' zei ze zacht zonder hem aan te kijken.

Gwynn liep erheen. De kamer was donker. Hij hoorde ademen, traag en zwaar. Op de plank stonden kaarsen. Hij pakte er een en stak hem aan.

Olm zat op een stoel, in een vreemd slappe houding.

Gwynn liep ernaartoe. De mond van de edelman hing open en speeksel glinsterde op zijn kin. Zijn linkeroog werd bedekt door een ooglapje. Zijn rechteroog knipperde traag.

'Olm?' Gwynn kwam nog dichterbij.

Het oog rolde opzij en keek hem aan. Het was het oog van een dier dat pijn leed. Of misschien niet helemaal een dier. Mogelijk zat daarbinnen nog iets van menselijke intelligentie gevangen. Bij het zwakke licht kon Gwynn dat niet goed onderscheiden.

De stoel waarop hij zat stond voor de snijtafel. Op die tafel lagen twee voorwerpen: een boek en een klein instrument dat eruitzag als een houweel. In het boek was een bladzij aangegeven door een vel papier. Gwynn zette de kaars neer en sloeg het boek op die bladzij open.

Het velletje papier bleek het pamflet van dokter Eenzaat te zijn, waarin een zin was omcirkeld: *Misdadigers en krankzinnigen worden gehoorzaam en gedwee met deze snelle en goedkope procedure.*

Het was Raules dagboek. Boven aan de bladzij had ze opgeschreven dat

Elei overleden was en dat ze haar ontslag had ingediend. Toen volgde er een aantekening met betrekking tot Tack en Snaai. *De twee fors bemeten heren zijn, naar mij gemeld is, het slachtoffer geworden van een onfortuinlijk misverstand waarbij vertegenwoordigers van het Gilde der Kadaverbezorgers en -verwerkers betrokken waren. Kiesheidsoverwegingen ten aanzien van de gevoeligheid mijner lezers beletten mij de details van dit ongelukkige voorval uiteen te zetten; voor verdere inlichtingen gelieve de lezer zich te vervoegen bij de Zeepfabriek hiernaast.* De rest van het geschrevene was een ietwat onsamenhangende verhandeling over de werking van het geweten. De laatste zin luidde: *Het kwaad tiert welig omdat de goeden niet goed genoeg zijn.*

Gwynn keek naar Olm en dacht nog eens na.

Al denkend scheurde hij de laatste bladzij uit het dagboek en verbrandde die en het pamflet in de gootsteen van het lab. Met een prettiger gevoel – al dacht hij niet echt dat de restanten van de Hoornen Waaier nog groot gevaar zouden kunnen betekenen voor Raule – zocht hij opnieuw de zuster op.

Hij vond haar op zaal. Ze verliet de patiënt aan wiens zijde ze had zitten bidden en kwam in de deuropening staan. 'Ik ben de enige getuige; niemand heeft het verder gezien,' zei ze. Ze was heel kalm. 'Wenst u mij nu ook te vermoorden?'

Hij schudde zijn hoofd. 'Ik kom u verlossen van deze... belasting,' zei hij. 'Met betrekking tot al wat er gebeurd is, hoop ik dat niemand u zal komen lastigvallen, hoewel ik u dat helaas niet kan garanderen.'

Een korte stilte. 'Dank u,' zei ze ten slotte.

'Geen dank.'

Gwynn liep terug naar het lab. Hij ging op een bank zitten tegenover Olm 'Zo,' zei hij, 'we gaan kennelijk van hier af aan allemaal onze eigen weg.'

Olm knipperde met zijn ogen.

'Het spijt me van Elei,' zei Gwynn. 'Hij was geen kwaad joch. En dan moeten we nog aan Tareda denken, nietwaar? Maar ik wed dat ze wel aan zichzelf denkt.' Hij zweeg even en probeerde te beoordelen of iets van wat hij zei tot Olm doordrong. Onmogelijk te bepalen.

'Ik keek op van wat de dokter heeft uitgevoerd, maar dat had ik misschien niet hoeven doen. En ik kan niet ontkennen dat ik aangenaam verrast was.' Een lichte glimlach gleed over Gwynns gezicht. Hij hield zijn hoofd schuin, maar bleef het oog tegenover hem observeren. 'Ben je in staat naar wraak te verlangen, vraag ik me af. Dat lijkt me niet, maar misschien kun je wel verlangen te sterven. Dat is een wens die ik altijd kan vervullen. We zouden eerst naar de lichtjes kunnen gaan kijken op de rivier en dan maak ik je af. Wat zeg je daarvan?'

Gwynn meende dat Olm zich licht bewoog.

'Denk er nog maar even over na,' zei Gwynn. Hij gleed van de werktafel af en ging vlak voor de potten staan.

Het schemerige licht verleende de tragische figuurtjes iets heel dreigends. Gwynn vond ten slotte het krokodillenkind. Hij bracht het naar het kaarslicht en bekeek het aandachtig. Het zag er nog steeds onberispelijk echt uit, geen namaak maar een waarachtige anomalie.

'Ben jij ook nog een restant?' vroeg Gwynn het zachtjes. Toen nam hij de pot mee naar Olm en hield die voor diens ene oog.

'In zekere zin is dit je laatste zoon,' zei hij.

Olms hoofd zakte opzij; hij kwijlde. Gwynn schroefde het deksel van de pot, tilde de inzittende eruit en propte het ding in een van Olms zakken.

'Kom,' zei Gwynn. 'We moeten gaan.'

Hij greep de zittende man onder diens armen beet en hees hem overeind. Toen Olm eenmaal stond bleek hij in staat te strompelen. Hij was volstrekt nergens in geïnteresseerd en volkomen gedwee, toen Gwynn hem het ziekenhuis uit loodste. Gwynn nam hem mee achterom om zijn paard te halen en liep toen, zijn paard aan de ene hand meevoerend en Olm aan de andere, het kleine eindje naar de rivier.

Daar aangekomen bleef Gwynn staan in de zwarte schaduw van een loods, vlak aan het water. Hij stond een paar passen achter Olm die, nu hij niet langer werd meegetroond, stokstijf in de regen stond terwijl zijn oog zich sloot en opende met de regelmaat van een klok.

Gwynn trok Gol'achab en stootte hem in Olms buik.

Olm zakte in elkaar, sloeg met armen en benen, maakte kokhalzende geluiden. Gwynn schopte hem een paar maal en sneed hem toen de keel af. Hij veegde het zwaard schoon aan Olms mouw, bukte zich en schoof het lijk de rivier in.

Heel zacht zei Gwynn: 'Er was geen excuus voor, Marriott.'

Toen klom hij op zijn paard en reed terug, de slecht verlichte straatjes in.

Bij het verlaten van de Lindenbuurt kwam hij langs de Boomgaard. Rode en groene lampions walmden onder zeildoeken afdaken langs de rand van het plein en in het midden, onbeschut tegen de wolkbreuk, cirkelden twee vage opschepperige jongensgedaanten om elkaar heen.

Gwynn hield zich in en bedwong de aandrang om naar de Kraanvogel-trappen te rijden. Hij koos een andere route omhoog en toog op weg naar het spoorwegstation.

EPILOOG

OP HET BORD STOND DOOIESTIERWETERing. Degene die het had geschilderd had geen ruimte meer gehad om de naam helemaal in hoofdletters op het bord te krijgen.

Het was een naambord zonder stad. Erachter lag alleen een wijd gebied, bestrooid met puin. Een zandstorm van verschrikkelijke omvang moest hier hebben huisgehouden en het plaatsje met de grond gelijk hebben gemaakt.

Raule stuurde haar kameel het restant van de hoofdstraat in. Lijken van mensen en dieren lagen overal in het rond. Ze ging bij iedereen kijken. Ze waren pakweg een dag en een nacht dood.

Ze had zes maanden rondgetrokken voordat ze besloot naar haar eigen land terug te gaan. Ze had ontdekt dat generaal Anforth dood was en dat haar naam en gezicht allang vergeten waren. Verder was er aan het Koperland niets wezenlijks veranderd. Ze was naar Dooiestierwetering gekomen om de vacature van stadsdokter te vervullen. Als ze een dag eerder was gearriveerd, had ze het lot van de inwoners gedeeld.

Aan het eind van de straat stond de achterste helft van een vrijstaand bakstenen huis nog overeind. Raule hield stil. Binnen zat een man in een stoel te dutten. Toen Raules schaduw op zijn gezicht viel deed hij zijn ogen open.

Meteen zei hij, sarcastisch: 'U bent zeker de dokter? Toch aardig van u dat u nog gekomen bent.'

'Zijn er verder nog overlevenden?'

'Vliegen. Misschien een hagedis of wat, dokter.'

Niet bereid de hoop meteen op te geven liep Raule de puinhopen weer in en doorzocht ze grondig. Het was verloren moeite. Ze keerde terug naar het halve huis waar het krasse oudje bezig was een maaltje te koken in een platte koekenpan.

'Was het een zandstorm?' vroeg ze.

'Dacht u dat ik was blijven kijken?' antwoordde hij zonder haar aan te kijken. 'Ik zat me hier binnen te verstoppen, dat is het voorrecht van de ouderdom.' Toen ging hij verder met zachtere stem: 'Nee, het was geen natuurgeweld. En ik zal niet liegen. Ik heb het wel gezien. Je kan zeggen dat ik een seniele ouwe dwaas ben, maar ik weet nog steeds het verschil tussen voor en achter, zo is dat! Het was van steen, maar het leefde en het draafde door het land. Het kwam van ginder, onder bij de zuidwestelijke hoogte vandaan. Het was een enigma dat gisteravond rondraasde. En maak me nou maar voor gek uit, of ga de hagedissen verbinden, of doe wat je zelf wil.'

Raule zag er het nut niet van in hier te blijven. Ze reed verder naar de hoogte die twee mijl buiten het stadje uit het vlakke land omhoogstak. Toen ze bij de hoogte was aangekomen en er voor langs reed, zag ze dat daarnaast een rij zandheuvels lag. Voor de zandheuvels strekte zich een laan uit van vreemde, fossiele formaties: schedels en rugstekels en ledematen, als de skeletten van dieren, maar in hun omtrekken waren net zo goed nerven van versteende planten te zien en oeroud aangevreten metaal. Je zou je kunnen verbeelden dat de duinen in hun millennialang verglijden alle rommel, die er door de eeuwen heen in gevallen was, hadden gereorganiseerd in deze uiterst ordelijke opstelling. De formaties waren zeer goed geconserveerd, alsof het zand ze heel lang verborgen had gehouden en zich pas kort geleden verwijderd had, als een zee bij eb, om hen aan de dag te brengen. Misschien had de kracht die Dooiestierwetering had verpletterd ook het zand verwijderd.

Raule reed op haar kameel door de laan, zich vergapend aan dit hof zonder koninkrijk. Op het punt waar de heuvels de overhand kregen reed ze eenvoudig tegen de eerste helling op en bleef daarna in een rechte lijn rijden. Zo reed ze drie dagen achtereen. Haar water begon op te raken, maar ze bleef getrouw aan de ingeving die haar ertoe had aangezet deze weg te kiezen en ze bleef doorrijden. Als het lot haar niet naar huis had teruggebracht om genezer te zijn, wilde ze wel eens weten waarom ze weer terug was in het dorre oude land, alleen en zonder doel. Als ze hierheen was gebracht om te sterven, zou ze dat aanvaarden. Maar ze wenste niet meer de schande en teleurstelling van het bestaan van iemand die geen plaats had in deze wereld.

Dwars als ze kon zijn, liet ze haar water gewoon opraken.

Toen ze van dorst de dood nabij was, hoorde ze kamelenbelletjes en mensenstemmen. Een groep Harutaim kwam aanrijden uit het westen. Ze wist hen te bereiken en ze hadden er geen bezwaar tegen dat ze met hen meereed, die dag, en ook de volgende dag niet en het volgend jaar en het jaar daarop. Van hun toverdokters leerde ze veel en allengs werd ze zelf door hen gerespecteerd als toverdokter. En in die jaren bouwde ze opnieuw een innerlijk op, ter vervanging van wat ze was kwijtgeraakt – korrel voor korrel en in een heel andere vorm.

In het land der nomaden, dat een land was van lijnen, vele lijnen, waartussen ruimte maar een toevallige opvulling was, een negatief begrip, vroeg Raule zich nu en dan af of ze ontsnapt was uit een gedoemde wereld – ontsnapt uit nergens naar ergens. Even vaak vroeg ze zich af of ze deel uitmaakte van iets wat was achtergelaten door een wereld die zich ontpopt had tot een nieuwe, sierlijker staat – een staat die het bevattingsvermogen te boven ging van datgene wat achterbleef, dor, rechtlijnig als een bot, als de nerven in een dor blad.

Beide gedachten bezochten haar steeds minder met het verstrijken der jaren.

De wind die van de Rand kwam rukte aan zijn lange haar. Enkele tientallen meters niemandsland van grove heesters en vergeeld gras scheidden hem van de klip die neerdook in de Zoutwoestijn.

In de andere richting waren de lage heuvels te vinden waarop de necropool was gebouwd. Aan de andere kant van de dodenstad lag de stad van de levenden, waar misdaden niet in het gerechtshof maar in het theater werden berecht. Het nieuwe theater, op het barre land voorbij de necropool, was sinds kort de plaats waar modieuze mensen heen gingen om gezien te worden, terwijl ze toezagen hoe recht geschiedde.

Een wonder van nieuwigheid verlichtte dit openluchttoneel: windturbines op het barre land zetten de kracht van de bewegende lucht om in de kracht van licht. Onder lichtende bollen, die veel helderder waren dan gaslampen, stond Gwynn met zijn linkerhand op het gevest van zijn zwaard, terwijl hij met zijn rechter het zijden oogmaskertje verschikte. Het masker was zwart, traditiegetrouw de kleur van de verdediging; het masker van zijn tegenstander was wit.

Het rumoerige publiek werd stil toen de ceremoniemeester naar voren trad om de beschuldigingen voor te lezen. Een licht dat niemand zien kon ontvlamde in Gwynns ogen terwijl hij de opwinding en de bloeddorst van het publiek inademde. Ze zagen hem zo graag doden en mocht hij in hun tegenwoordigheid sterven, dan zouden ze dat ook maar al te graag gadeslaan. Hij voelde hun dubbelzinnig verlangen als een streling over zijn hele wezen, die door de lucht tot hem kwam.

Als succesvol Advocaat Te Wapen genoot hij grote populariteit in alle lagen van de samenleving. Hij had een appartement op een van de chicste adressen van de stad, voorzien van marmeren vloeren, vergulde spiegels en een vleugelpiano; op zijn kraag zat een juwelen broche, hem geschonken door de dochter van de minister van Justitie; hij had een lijfknecht in dienst, een secretaris en een kok. Zijn beeltenis werd vermenigvuldigd op aandenkens: poppetjes van porselein en celluloid, speelkaarten, gelukshangertjes, mesheften, briefpapier; ja, zijn gezicht was zelfs afgedrukt op kaarsjes die votieflichtjes nabootsten.

De ceremoniemeester sloot het voorlezen van de akte af en stak het gevouwen document weg. Onder applaus van het publiek spreidde hij zijn armen, zodat de strass op zijn gewaden oogverblindend fonkelde in het schijnsel van de nieuwe lampen. 'Dames en Heren, laat de beproeving beginnen!' kreet hij. 'Een applaus voor de Voorvechters van de Twist!'

Gwynn en zijn tegenstander kwamen het toneel op. Het modieuze publiek klapte en juichte uitgelaten en schreeuwde 'Heil! Heil!' en zwaaide met zakdoeken en windmolentjes.

Gwynns witgemaskerde tegenstander was een lange, gespierde vrouw. Hij herkende haar als Madame L.C., een van de betere vechters van de stad en één die bijna altijd voor de aanklager streed. Zijn cliënt was Moldo Ramses, de alom bekende beul van de Hridfamilie. De aanklacht was moord en dus zou het in theorie een gevecht tot de dood zijn, hoewel een dergelijke dramatische afloop in de praktijk onwaarschijnlijk was, omdat meestal cen van de twee zou toegeven.

Een paar collega's van Gwynn, van de Vamamarch Matadortempel, die vanuit een privé-loge zaten te kijken, wuifden discreet. Hoewel de Vamamarch een genootschap van duellisten was, dat van zijn leden verwachtte dat ze van de zaken die hen werden aangeboden de meest lucratieve aannamen (en een percentage van het honorarium afdroegen aan de kas, waaruit pensioenen en medische kosten werden betaald, plus uitkeringen aan achtergebleven familieleden) was er enige speelruimte toegestaan voor persoonlijke voorkeuren. Gwynns voorkeur bracht hem er soms toe bepaalde zaken aan te nemen voor minder dan zijn gebruikelijke honorarium of zelfs voor niets. Daardoor had hij de reputatie verworven een edel karakter te hebben en zelfs een soort held te zijn – althans, zoals de inschatting van een commentator uit die tijd luidde: een van die lieden, die in staat zijn de behoefte van het publiek te vervullen wanneer werkelijke helden ontbreken, of om een of andere reden niet aanvaardbaar zijn. Het waren echter cliënten als de Hrid, die hem van voldoende middelen voorzagen om zich sporadisch een nobele geste te kunnen veroorloven.

Hij wist zijn privé-leven uit de kranten te houden door gelijke delen discretie en steekpenningen. Er gingen geruchten over een tragische liefdesaffaire in zijn verleden, maar niemand kon ontkennen dat hij de indruk wekte een man zonder lasten te zijn. En eerlijk gezegd was hij ook meestal luchthartig gestemd. Hij waardeerde het aspect van gelijkwaardigheid in het duel; hij had veel vrije tijd, hij begunstigde kunsten en wetenschappen, zijn agenda ontbrak het nooit aan uitnodigingen voor soirées en feestjes. Het was van hem bekend dat hij atheïst was en gekant tegen de slavernij, en als zodanig was hij in het bijzonder welkom in vooruitstrevende kringen. Hij was bereid energiek te debatteren over filosofie, esthetiek en metafysica, maar liet zich niet verleiden tot discussies over theologie, een onderwerp waarvoor hij uitermate huiverig beweerde te zijn.

Hij kwam Raule nooit meer tegen en hoorde ook niets meer over haar. Ook was hij niet meer getuige geweest van onmogelijke verschijnselen, sinds hij Ashamoil verlaten had. Zijn vermogen zich dromen te herinneren werd nooit beter; een grondige en snelle vergetelheid verslond het merendeel van zijn slapende uren. Maar bij een handjevol gelegenheden, verspreid over vele jaren, ontwaakte hij met de herinnering aan een droom, waarin Beth verscheen, soms als vrouw, soms als de sfinx. Soms dacht hij dan na over haar raadsel, waarbij zijn antwoorden rondwentelden als de wieken van een molen. De cocon zweefde in een droom, of in de asvaalt van het verleden, of in de afgrond van de toekomst, het immer onbekende voorbij de rand van elk ogenblik, of ze was door de hele wereld heen geweven en ook door hem. Of het ding bevond zich elders, in een oord of toestand of omstandigheid, waarnaar hij zijn blikken niet kon richten, net zo min als hij de achterkant van de maan kon zien.

Madame L.C. trok zwierig haar zwaard. Met even grote allure trok Gwynn het zijne, met de komieke naam, en glimlachte naar het publiek.

Het was een zwaar gevecht maar hij won. Hij zou er nog vele winnen en zou blijven duelleren in die stad tot zijn lange zwarte haren grijs werden, de kleur van geschuurd ijzer. Voorbij dat punt wordt het relaas van Gwynns leven een aap met vele staarten (een situatie die het onderwerp zeker niet zou hebben mishaagd). Het eind van het verhaal kan men ruwweg opdelen in drie groepen: de alledaagse – zijn gezondheid gaat achteruit, jaren van snel leven eisen hun natuurlijke en te lang uitgestelde tol; de griezelige – waarin bijvoorbeeld het wonder van de aalmoezenier in het ongerede raakt en hij, tijdens een receptie of een dergelijke openbare festiviteit in tweeën splijt, precies waar de bijl van de sterke man hem geraakt had. En het fabelachtige eind.

Uit die laatste categorie – de grootste – verhaalt een van de best beklijvende populaire versies, hoe Gwynn in zijn nadagen, toen hij nog befaamd was, maar geen harten meer sneller deed slaan, dramatisch een gevecht verloor. Terwijl hij op het toneel lag te zieltogen tegenover een eerbiedig zwijgend publiek, werd een groot aantal toeschouwers een aanwezigheid gewaar. 'Afgrijselijk oud en primitief en uitermate koud' waren de woorden van iemand die de aanwezigheid had gevoeld.

Terwijl deze aanwezigheid het publiek van streek bracht, brak iets anders door het dak van het theater. De getuigen waren het erover eens dat het een groot beest leek te zijn, maar vallend pleisterwerk onttrok het grotendeels aan het zicht zodat niemand het duidelijk te zien kreeg. Het bleef maar enkele ogenblikken op het toneel, verhief zich toen met grote snelheid en vertrok door de opening die het aanvankelijk had gemaakt. Diverse mensen op de eerste rij raakten gewond door stukken dak die omlaag kwamen.

Men was het algemeen eens over de geur, die door getuigen beschreven is als doen denkend aan een moord in een rozenperk. Tenslotte waren de mensen die de eerste aanwezigheid gewaar waren geworden het erover eens dat deze aanwezigheid vertrok bij binnenkomst van de indringer. Algemeen was men van mening dat, hoewel die laatste niet zo iets ontstellends uitstraalde als de eerste, de laatste wel meer gevaar opleverde voor de omstanders. Het incident lag twee weken lang op ieders lippen. De onderscheiden aard van de twee wezens bracht zeer vele gissingen voort. Zo ook voor wat betreft het lot van Gwynn, want toen alle opschudding voorbij was werd duidelijk dat Gwynn verdwenen was.

Het enige wat er op het toneel achterbleef was een hoeveelheid bloed, opgezogen door de planken, en een hoeveelheid pleistergruis, dat snel door souvenirjagers werd verzameld – en zijn kleding, waarin men een dun omhulsel van huid vond, dat een volmaakte afdruk van hem vormde en leek te zijn afgeworpen als een slangenvel. De huid en de kleding en het befaamde zwaard Gol'achab verdwenen in particuliere collecties; het publiek moest het doen met het bloed. (En het is een feit dat in de oostelijke regionen van het Teleuteplateau nog steeds rood stof wordt verkocht als talisman tegen het boze oog, maar de theorieën over de oorsprong van dit bijgeloof zijn vele malen talrijker dan die over de wijze waarop Gwynn dit ondermaanse verliet.)

Rest ons nog aan te tekenen dat in Ashamoil, gedurende het bewind van de Drijvende Generaals, in de tijd van het droge seizoen, toen de bezoedelde hoornwinde bloeide, iets wat nog nooit was vertoond aan kwam zwemmen in de Skamander. Het hees zich petsend op de kade: het lichaam van een enorme krokodil met het hoofd van een mens. Hij verhief zich op zijn stompe achterpoten en liet de lotus zien die uit zijn geschubde buik groeide en verkondigde dat hij een god was. Verder zei hij niets meer, want een enkel schot door zijn voorhoofd doodde hem op slag. De schutter werd nooit gevonden en toen de kogel werd teruggevonden bleek dat het van een type was dat de laatste driehonderd jaar niet meer was vervaardigd.

Het monster werd gebalsemd en in het Museum voor Natuurlijke Historie geplaatst. Kort nadat het tentoon was gesteld sloeg een vandaal hem het hoofd af.